GONE **BABY** GONE

DENNIS LEHANE

GONE BABY GONE

the house of books

Dit boek is eerder verschenen onder de titel *Over mijn lijk*

Eerste druk, januari 2008
Derde druk, april 2008

Oorspronkelijke titel
Gone, baby, gone
Uitgave
Avon Books, New York
Copyright © 1998 and 2008 by Dennis Lehane
Copyright voor het Nederlandse taalgebied © 2008 by The House of Books,
Vianen/Antwerpen

Vertaling
Hugo en Nienke Kuipers
Omslagontwerp
Studio Jan de Boer BNO, Amsterdam
Omslagillustratie en scènefoto op achterplat
© 2007 by Miramax Film Corp. All rights reserved.
Distributed by Buena Vista International
Foto auteur
Sigrid Estrada

ISBN 978 90 443 2077 0
D/2008/8899/25
NUR 332

Voor mijn zus Maureen en mijn broers Michael, Thomas en Gerard: ik dank jullie omdat jullie me hebben gesteund en het met me hebben uitgehouden.
Dat kan niet gemakkelijk zijn geweest.
En ik dank
JCP
Die geen kans maakte.

Dankbetuigingen

Mijn uitgever, Claire Wachtel, en mijn agente, Ann Rittenberg, zagen weer kans een manuscript uit de puinhoop te peuren en zorgden dat mijn werk er beter uitzag dan ik zou mogen verwachten. Mal, Sheila en Sterling lazen de primitieve schrijfsels en praatten me door de moeilijkheden heen. Mijn dank gaat ook uit naar adjunct-inspecteur Larry Gillis van de Massachusetts State Police, Department of Public Affairs, Mary Clark van de Thomas Crane Public Library in Quincy, en, voor talloze geweldige ontastbare zaken, Jennifer Brawer van William Morrow en Francesca Liversidge van Bantam UK.

Opmerking van de auteur

Iedereen die Boston, Dorchester, South Boston en Quincy enigszins kent, evenals de steengroeven van Quincy en de Blue Hills Reservation, zal beseffen dat ik me enorme vrijheden heb gepermitteerd bij het beschrijven van die geografische en topografische bijzonderheden. Dat was geheel en al mijn opzet. Hoewel die steden en dorpen en gebieden wel degelijk bestaan, zijn ze veranderd om ze aan de eisen van het verhaal, en ook aan mijn eigen grillen, te laten voldoen en moeten ze dus als volkomen fictief worden beschouwd. Bovendien zijn eventuele overeenkomsten tussen personages en gebeurtenissen in dit verhaal en echte personen, levend of dood, geheel en al toevallig.

Port Mesa, Texas
Oktober 1998

*Lang voordat de zon boven de Golf verschijnt, varen de vissersbo-
ten in het donker uit. Het zijn meest garnalenboten, al zijn er ook
bij die op marlijn of tarpon vissen, en de bemanning bestaat vrijwel
uitsluitend uit mannen. De weinige vrouwen die op de garnalenboten vissen, bemoeien zich meestal niet met de mannen. Dit is de
kust van Texas, en omdat veel mannen in meer dan twee eeuwen
van visserij op een harde manier aan hun eind zijn gekomen, hebben hun nakomelingen en nog levende vrienden het gevoel dat ze
recht hebben op hun vooroordelen, op hun afkeer van hun Vietnamese concurrenten en hun wantrouwen ten opzichte van iedere
vrouw die dat smerige werk wil doen, die in het donker aan dikke
kabels wil sjorren, met haken die in je knokkels snijden.*

*Vrouwen, zegt een visser op dat duistere uur vóór de dageraad,
terwijl de kapitein de trawlermotor tot een laag gerommel laat af-
zakken en de leigrijze zee om hen heen deint, zouden als Rachel
moeten zijn. Dat is een vrouw.*

Ja, dát is een vrouw, zegt een andere visser. Zeg dat wel.

*Rachel is nog maar betrekkelijk kort in Port Mesa. Ze verscheen
in juli met haar kleine jongen en een gehavende Dodge pick-up,
huurde een huisje aan de noordkant van het stadje en haalde het
bord met* SERVEERSTER GEVRAAGD *uit de etalage van Crockett's
Last Stand, een havenkroeg die op oeroude houten palen staat en
al een eind naar zee afhelt.*

*Het duurde maanden voordat iemand zelfs maar haar achter-
naam te weten kwam: Smith.*

*Port Mesa trekt veel mensen die Smith heten. De helft van de
garnalenboten wordt bemand door mannen die op de vlucht voor
iets zijn. Ze slapen als de meeste mensen wakker zijn, werken als
de meeste slapen, drinken de rest van de tijd in bars waar vreemden
zich bij binnenkomst meteen al niet op hun gemak voelen. Ze vol-*

9

gen de vangsten en seizoenen, werken helemaal tot aan Baja in het westen en Key West in het zuiden en worden contant betaald.

Dalton Voy, eigenaar van Crockett's Last Stand, betaalt Rachel Smith contant. Hij zou haar zelfs in staafjes goud betalen, als ze dat wilde. Sinds zij haar plaats achter de bar heeft ingenomen, is zijn omzet met twintig procent gestegen. En vreemd genoeg wordt er ook minder gevochten. Als die kerels van de boten komen, brandt de zon meestal dwars door hun huid en in hun bloed. Ze zijn prikkelbaar, snel geneigd een discussie met een zwaai van een fles of een biljartkeu te beslechten. En als er mooie vrouwen zijn, weet Dalton – nou, dan maakt dat die kerels alleen maar erger. Dan lachen ze sneller en zijn ze ook sneller beledigd.

Maar Rachel heeft iets dat de mannen kalmeert.

En ook iets dat ze waarschuwt.

Het zit in haar ogen – iets snels dat koud en venijnig opflitst als iemand over de streep gaat, haar pols te lang aanraakt, een seks-grap maakt die niet grappig is. En het zit in haar gezicht, in de lijnen daarin, in de verweerde schoonheid van dat gezicht, het gevoel dat ze een leven heeft geleid voordat ze in Port Mesa kwam, een leven met meer duistere zonsopgangen en harde feiten dan wat de meeste garnalenvissers hebben meegemaakt.

Rachel heeft een pistool in haar handtasje. Dalton Voy heeft het een keer per ongeluk gezien, en het enige dat hem daaraan verbaasde was dat het hem helemaal niet verbaasde. Op de een of andere manier had hij het al geweten. Op de een of andere manier had iedereen het al geweten. Niemand spreekt Rachel ooit na werktijd op het parkeerterrein aan. Niemand probeert haar ooit in zijn auto te praten. Niemand volgt haar naar huis.

Maar als ze dat harde niet in haar ogen heeft, en als die afstandelijkheid van haar gezicht verdwenen is, man, dan lijkt het wel of ze licht uitstraalt! Ze beweegt zich als een danseres achter de bar; elke draai en wending, elke schenkbeweging met een fles is soepel en ongedwongen. Als ze lacht, gaat haar mond wijdopen en strekt die lach zich zelfs uit tot haar ogen, en dan probeert iedereen in de bar een nieuwe grap te vertellen, een betere, alleen om opnieuw te voelen hoe die lach van haar door hen heen golft.

En dan is er haar kleine jongen. Een mooie blonde jongen. Hij lijkt helemaal niet op haar, maar als hij lacht, weet je dat hij van Rachel is. Misschien is hij ook een beetje humeurig, net als zij. Je ziet soms een waarschuwing in zijn ogen, nogal vreemd voor een kind dat nog zo jong is. Hij is amper oud genoeg om te lopen, maar hij kijkt de wereld al aan met een blik van 'Pas op, jij'.

De oude mevrouw Hayley past op het jongetje als Rachel naar haar werk is, en ze heeft Dalton Voy een keer verteld dat je je geen jongen met een beter gedrag zou kunnen wensen, of een jongen die meer van zijn moeder houdt. Ze zegt dat die jongen iets heel bijzonders zal worden. President of zoiets. Oorlogsheld. Let op mijn woorden, Dalton. Let op mijn woorden.

Op een avond maakt Dalton zijn dagelijkse wandeling door Boynton's Cove en komt hij moeder en zoon tegen. Rachel staat tot haar middel in het warme water van de Golf en houdt de jongen onder zijn armen vast. Ze laat hem telkens in het water zakken en trekt hem weer omhoog. Het water is goudkleurig en zijdezacht in het licht van de ondergaande zon, en Dalton heeft het gevoel dat Rachel haar zoon loutert in goud, dat ze een eeuwenoude rite voltrekt die een laagje over zijn huid legt waardoor hij onkwetsbaar wordt voor wapens.

Moeder en zoon lachen samen in de oranje zee, en achter hen gaat de zon onder. Rachel kust de hals van haar zoon en legt zijn kuiten tegen haar heupen. Hij leunt achterover in haar handen. En ze kijken in elkaars ogen.

Dalton denkt dat hij misschien nog nooit zoiets moois heeft gezien als die blik.

Rachel ziet hem niet en Dalton zwaait niet eens. Eigenlijk voelt hij zich een indringer. Hij houdt zijn hoofd gebogen en begint terug te lopen.

Als je op zo'n zuivere liefde stuit, gebeurt er iets met je. Dan voel je je klein. Je voelt je lelijk en onwaardig en je schaamt je.

Als Dalton Voy die moeder en zoon in het oranje water ziet spelen, dringt er een kille, eenvoudige waarheid tot hem door: in zijn hele leven heeft niemand ooit, nog geen seconde, met zoveel liefde van hem gehouden.

Zoveel liefde? Verdraaid nog aan toe. Zo'n zuivere liefde is bijna misdadig.

DEEL I

De warme nazomer van 1997

1

In Amerika worden per dag drieëntwintighonderd kinderen als vermist opgegeven.

Een groot deel van die kinderen is ontvoerd door een ouder die van de andere ouder gescheiden is, en in meer dan de helft van de gevallen is de verblijfplaats van de kinderen bekend. De meeste van die kinderen zijn binnen een week terug.

Een ander deel van die drieëntwintighonderd kinderen is van huis weggelopen. Ook van hen blijven de meesten niet lang weg, en meestal is hun verblijfplaats direct of na korte tijd bekend – in de meeste gevallen zijn ze in het huis van een vriend.

Een andere categorie vermiste kinderen bestaat uit de verschoppelingen – kinderen die buiten de deur zijn gezet of die weglopen zonder dat de ouders er iets aan doen. Die kinderen komen vaak in opvanghuizen en busstations terecht, op straathoeken in rosse buurten, en uiteindelijk in de gevangenis.

Van de meer dan achthonderdduizend kinderen per jaar die als vermist worden opgegeven, vallen maar vijfendertighonderd tot vierduizend onder wat het ministerie van Justitie de niet-familiale ontvoeringen noemt, gevallen waarin de politie algauw vaststelt dat het niet om ontvoering, weglopen, verstoting of een ongeluk gaat.

Daaronder zijn jaarlijks driehonderd kinderen die verdwijnen en nooit terugkomen.

Niemand – noch ouders, noch vrienden, noch politie, noch kinderbescherming, noch centra voor vermiste personen – weet waar deze kinderen heen gaan. Misschien naar een graf, of naar een kelder of een huis van een pedofiel, naar zwarte gaten misschien, gaten in de structuur van het universum waarin ze verdwijnen zonder dat iemand ooit nog iets van hen hoort.

Wáár die driehonderd kinderen ook heen gaan, ze blijven weg.

Vreemden die van hun verdwijning horen, staan er even bij stil; hun ouders en naasten leven er veel langer mee.

Omdat ze geen lichaam achterlaten, geen tastbaar bewijs van hun dood, sterven ze niet. We blijven ons bewust van de leegte.

En ze blijven weg.

'Mijn zus,' zei Lionel McCready terwijl hij door ons kantoor in de klokkentoren heen en weer liep, 'heeft een erg moeilijk leven gehad.' Lionel was een grote man met een gezicht dat een beetje slap hing, zoals bij sommige honden, en brede schouders die vanaf zijn sleutelbeenderen opeens steil omlaaggingen, alsof er iets op zat dat wij niet konden zien. Zijn glimlach was breed en schuchter en hij gaf je een stevige, eeltige hand. Hij droeg het bruine koeriersuniform van UPS en frommelde met zijn vlezige handen aan de klep van de bijpassende bruine honkbalpet. 'Onze moeder was een... nou, om eerlijk te zijn, ze zoop. En onze vader ging bij ons weg toen we allebei nog klein waren. Als je op die manier opgroeit, word je... Dan krijg je... Misschien hou je er een felle woede aan over. Het duurt even voor je je hoofd op orde hebt, voor je weet wat je met je leven wilt doen. Het is niet alleen Helene. Ik bedoel, zelf heb ik ook grote problemen gehad. Toen ik in de twintig was, heb ik een harde douw gekregen. Ik was geen lieverdje.'

'Lionel,' zei zijn vrouw.

Hij stak zijn hand naar haar op, alsof hij het er nu uit moest gooien of anders nooit meer. 'Ik heb geluk gehad. Ik heb Beatrice ontmoet en toen is mijn leven op orde gekomen. Wat ik bedoel, meneer Kenzie, mevrouw Gennaro, is dat als je maar wat tijd krijgt, en een paar kansen, je vanzelf volwassen wordt. Je zet die onzin van je af. Mijn zus, die is nog aan het opgroeien, dat bedoel ik. Misschien. Want ze heeft een hard leven gehad en...'

'Lionel,' zei zijn vrouw, 'hou nou eens op met Helene te verontschuldigen.' Beatrice McCready streek met een hand door haar korte rossige haar en zei: 'Schat, ga zitten. Alsjeblieft.'

Lionel zei: 'Ik probeer alleen maar uit te leggen dat Helene geen gemakkelijk leven heeft gehad.'

'Jij ook niet,' zei Beatrice, 'en je bent een goede vader.'

'Hoeveel kinderen hebt u?' vroeg Angie.

Beatrice glimlachte. 'Eén. Matt. Hij is vijf. Hij is bij mijn broer en zijn vrouw totdat we Amanda hebben gevonden.'

Lionel klaarde wat op toen hij de naam van zijn zoon hoorde. 'Hij is een geweldig kind,' zei hij, en zo te zien schaamde hij zich bijna voor zijn trots.

'En Amanda?' zei ik.

'Zij is ook een geweldig kind,' zei Beatrice. 'En ze is veel te jong om op zichzelf te zijn.'

Amanda McCready was drie dagen geleden uit deze woonwijk verdwenen. Sindsdien leek het wel of de hele stad Boston door haar verdwijning werd geobsedeerd. De politie besteedde meer manuren aan het zoeken naar haar dan vier jaar geleden aan het zoeken naar John Salvi was besteed, die bomaanslagen op een abortuskliniek had gepleegd. De burgemeester hield een persconferentie waarbij hij beloofde dat de gemeente absolute prioriteit aan het zoeken naar haar zou geven. De pers was er helemaal vol van: beide kranten hadden het elke ochtend op hun voorpagina, de journaals van de drie grote televisiestations openden er elke avond mee, en ieder uur werd, tussen de soapseries en praatshows door, melding gemaakt van eventuele nieuwe ontwikkelingen.

En in drie dagen – niets. Geen spoor van haar.

Amanda McCready was vier jaar en zeven maanden op deze aarde geweest toen ze verdween. Haar moeder had haar op zondagavond naar bed gebracht, had om ongeveer halfnegen nog eens bij haar gekeken en de volgende morgen kort na negen uur in Amanda's bed gekeken en niets anders gezien dan lakens die verkreukt waren doordat haar dochter erop had gelegen.

De kleren die Helene McCready voor haar dochter had klaargelegd – een roze T-shirt, een korte broek van denim, roze sokken en witte sportschoenen – waren weg, evenals Amanda's favoriete pop, een blondharige replica van een driejarig kind die een griezelige gelijkenis met haar eigenares vertoonde en die van Amanda de naam Pea had gekregen. De kamer vertoonde geen sporen van een worsteling.

Helene en Amanda woonden op de eerste verdieping van een gebouw met drie verdiepingen, en hoewel het mogelijk was dat Amanda door iemand was ontvoerd die een ladder onder haar slaapkamerraam had gezet en de hor had opengeduwd om zich toegang te verschaffen, was dat toch onwaarschijnlijk. De hor en de vensterbanken hadden geen sporen vertoond, en in de grond bij het huis waren geen laddersporen aangetroffen.

Veel waarschijnlijker was het – als je ervan uitging dat een kind van vier niet plotseling besluit om midden in de nacht op eigen houtje het huis te verlaten – dat de ontvoerder de woning via de voordeur was binnengekomen, en dan zonder het slot te forceren of de scharnieren los te tikken, want zulke handelingen waren onnodig, aangezien de deur niet op slot was gedaan.

Helene McCready had er in de pers van langs gekregen toen die informatie uitkwam. Vierentwintig uur nadat haar dochter was verdwenen, had de *News*, een krant uit Boston die de *New York Post* imiteerde, de volgende kop op de voorpagina:

KOM BINNEN:
KLEINE AMANDA'S MOEDER DEED DEUR NIET OP SLOT

Onder de kop stonden twee foto's, een van Amanda en een van de voordeur van de woning. De deur was wagenwijd opengezet, hetgeen volgens de politie niet de situatie was die ze op de ochtend van Amanda McCready's verdwijning aantroffen. Zeker, de deur zat niet op slot. Maar hij stond ook niet wijd open.

Maar het grootste deel van de stad interesseerde zich niet voor dat onderscheid. Helene McCready had haar vierjarige dochter alleen in een niet afgesloten woning achtergelaten, terwijl zijzelf bij haar buurvrouw Dottie Mahew was. Daar hadden zij en Dottie televisie gekeken – twee afleveringen van comedyseries en een film van de week die *Her Father's Sins* heette, met Suzanne Somers en Tony Curtis. Na het journaal keken ze naar de helft van *Entertainment Tonight Weekend Edition* en daarna ging Helene naar huis.

Gedurende ongeveer drie uur en vijfenveertig minuten was Amanda McCready alleen geweest in een woning die niet op slot zat. Op een gegeven moment, zo werd verondersteld, was ze stiekem weggelopen of was ze ontvoerd.

Angie en ik hadden de zaak net zo aandachtig gevolgd als de rest van de stad, en we waren net zo verbijsterd als alle anderen. Helene McCready, wisten we, had met succes een leugendetectortest over de verdwijning van haar dochter ondergaan. De politie kon geen enkel spoor vinden. Volgens de geruchten gingen ze bij helderzienden te rade. Buren uit de straat zeiden dat ze op die avond, een warme nazomeravond waarop de meeste ramen openstonden en mensen een ommetje maakten door de buurt, niets verdachts hadden gezien. Ze hadden niets gehoord dat als het geschreeuw van een kind klonk. Niemand herinnerde zich een meisje van vier in haar eentje te hebben zien rondlopen of een verdacht persoon of verdachte personen met een kind of een vreemd uitziende bundel te hebben zien lopen.

Voor zover ze wisten, was Amanda McCready even spoorloos verdwenen als wanneer ze nooit geboren zou zijn.

Beatrice McCready, haar tante, had ons die middag gebeld. Ik zei tegen haar dat we niet veel meer voor haar nichtje konden doen dan honderd politiemensen, de helft van de Bostonse journalisten en duizenden andere mensen niet al deden.

'Mevrouw McCready,' zei ik 'houdt u uw geld maar.'

'Ik wil liever mijn nichtje houden,' zei ze.

En nu het spitsverkeer op woensdagavond was afgezakt tot wat geclaxonneer in de verte en zwak motorgeronk op straat beneden ons, zaten Angie en ik in ons kantoor in de klokkentoren van de St. Bartholomew's Church in Dorchester en luisterden naar Amanda's oom en tante.

'Wie is Amanda's vader?' zei Angie.

Het leek wel of het gewicht zich opnieuw op Lionels schouders liet zakken. 'Dat weten we niet. We denken dat het een zekere Todd Morgan is. Hij ging de stad uit toen Helene net zwanger was. Daarna heeft niemand meer van hem gehoord.'

'Maar de lijst van mogelijke vaders is lang,' zei Beatrice.

Lionel sloeg zijn ogen neer.

'Meneer McCready,' zei ik.

Hij keek me aan. 'Lionel.'

'Alsjeblieft, Lionel,' zei ik. 'Ga zitten.'

Hij perste zich in de kleine stoel aan de andere kant van het bureau.

'Die Todd Morgan,' zei Angie, toen ze de naam op een blocnote had geschreven. 'Weet de politie waar hij is?'

'In Mannheim, in Duitsland,' zei Beatrice. 'Hij zit in het leger en is daar gestationeerd. En hij was op de basis toen Amanda verdween.'

'Hebben ze hem van de lijst van verdachten geschrapt?' zei ik. 'Kan hij geen vriend hebben ingehuurd om het te doen?'

Lionel schraapte zijn keel en sloeg zijn ogen weer neer. 'De politie zegt dat mijn zuster hem in verlegenheid heeft gebracht en dat hij trouwens niet gelooft dat Amanda zijn kind is.' Hij keek met die bedroefde, zachtmoedige ogen naar me op. 'Ze zeiden dat hij zei: "Als ik een mormel wil dat de hele tijd schijt en schreeuwt, kan ik ook wel een Duits kind krijgen."'

Ik voelde hoe diep het hem kwetste dat hij zijn nichtje een 'mormel' had moeten noemen, en ik knikte. 'Vertel me wat meer over Helene,' zei ik.

Er viel niet veel te vertellen. Helene McCready was vier jaar jonger dan haar broer Lionel. Dat betekende dat ze achtentwintig was. Ze was van de Monsignor Ryan Memorial High School gegaan toen ze in de derde klas zat. Ze zei dat ze later het staatsexamen zou doen, maar dat had ze nooit gedaan. Op haar zeventiende liep ze van huis weg met een man die vijftien jaar ouder was, en nadat ze een halfjaar op een caravanterrein in New Hampshire hadden gewoond, kwam Helene terug naar huis. Haar gezicht zat onder de blauwe plekken en ze had de eerste van drie abortussen achter de rug. Daarna had ze allerlei baantjes gehad – caissière bij de Stop & Shop, verkoopster bij de Chess King, stomerijmedewerkster, receptioniste bij UPS. Het lukte haar nooit een baan langer dan anderhalf jaar te houden. De laatste tijd bediende ze de lottomachine in Li'l Peach, maar toen haar dochter was verdwenen, had ze haar ontslag genomen en het leek er niet op dat ze terug zou gaan.

'Maar ze hield van dat kleine meisje,' zei Lionel.

Beatrice keek alsof ze daar anders over dacht, maar ze zweeg.

'Waar is Helene nu?' vroeg Angie.

'Bij ons thuis,' zei Lionel. 'De advocaat met wie we contact hebben opgenomen, zei dat we haar zo lang mogelijk uit de publiciteit moeten houden.'

'Waarom?' zei ik.

'Waarom?' zei Lionel.

'Nou, ik bedoel, haar kind wordt vermist. Moet ze geen oproep aan het publiek doen? Moet ze niet op z'n minst in haar buurt langs de deuren gaan?'

Lionel deed zijn mond open en weer dicht. Hij sloeg zijn ogen weer neer.

'Helene kan dat niet,' zei Beatrice.

'Waarom niet?' zei Angie.

'Omdat – nou, omdat ze Helene is,' zei Beatrice.

'Tapt de politie haar telefoon af voor het geval er iemand om losgeld vraagt?'

'Ja,' zei Lionel.

'En ze is er niet,' zei Angie.

'Het werd haar te veel,' zei Lionel. 'Ze had behoefte aan haar privacy.' Hij stak zijn handen uit en keek ons aan.

'O,' zei ik. 'Haar privacy.'

'Natuurlijk,' zei Angie.

'Hoor eens…' Lionel frommelde weer aan zijn honkbalpet. 'Ik weet hoe dit overkomt. Echt waar. Maar als mensen in de zorgen zitten, uiten ze dat op verschillende manieren. Nietwaar?'

Ik knikte vaag. 'Als ze drie abortussen heeft gehad,' zei ik, en

Lionel huiverde, 'waarom besloot ze dan Amanda ter wereld te brengen?'

'Ik denk dat ze vond dat het tijd werd.' Hij boog zich naar voren en zijn gezicht begon te stralen. 'Als je had kunnen zien hoe opgewonden ze was toen ze zwanger was. Ze had eindelijk een doel in haar leven. Ze was er zeker van dat het kind alles beter zou maken.'

'Voor haar,' zei Angie. 'En voor het kind?'

'Dat zei ik toen ook,' zei Beatrice.

Lionel keek beide vrouwen aan. Zijn ogen waren weer groot en wanhopig. 'Ze waren goed voor elkaar,' zei hij. 'Dat geloof ik.'

Beatrice sloeg haar ogen neer. Angie keek uit het raam.

Lionel keek mij weer aan. 'Echt waar.'

Ik knikte, en zijn hondengezicht verslapte van opluchting.

'Lionel,' zei Angie, terwijl ze uit het raam bleef kijken. 'Ik heb alle krantenberichten gelezen. Niemand schijnt te weten wie Amanda kan hebben meegenomen. De politie staat voor een raadsel, en volgens de kranten zegt Helene dat ze ook geen idee heeft.'

'Ik weet het.' Lionel knikte.

'Dus...' Angie wendde zich van het raam af en keek Lionel aan. 'Wat denk jij dat er gebeurd is?'

'Ik weet het niet,' zei hij, en hij greep zijn pet zo stevig vast dat ik dacht dat het ding uit elkaar zou vallen in die grote handen van hem. 'Het lijkt wel of ze in het niets is verdwenen.'

'Heeft Helene een vriend?'

Beatrice snoof.

'Iemand met wie ze regelmatig omgaat?' zei ik.

'Nee,' zei Lionel.

'In de pers wordt gesuggereerd dat ze met verkeerde types omging,' zei Angie.

Lionel haalde zijn schouders op, alsof het vanzelf sprak.

'Ze komt veel in de Filmore Tap,' zei Beatrice.

'Dat is de meest louche bar van Dorchester,' zei Angie.

'En heel wat bars strijden om die eer,' zei Beatrice.

'Zo erg is het niet,' zei Lionel, en hij keek mij aan om steun te zoeken.

Ik hield mijn handen omhoog. 'Ik heb altijd een vuurwapen bij me, Lionel. En toch voel ik me in de Filmore niet op mijn gemak.'

'De Filmore staat bekend als een bar waar drugsgebruikers komen,' zei Angie. 'Het schijnt dat daar op grote schaal in coke en heroïne wordt gedeald. Heeft je zus een drugsprobleem?'

'Je bedoelt heroïne?'

'Ze bedoelt alles,' zei Beatrice.

'Ze rookt een beetje wiet,' zei Lionel.

'Een beetje?' vroeg ik. 'Of een heleboel?'

'Wat is een heleboel?' zei hij.

'Heeft ze een waterpijp en een stickhouder op haar nachtkasje?' zei Angie.

Lionel kneep zijn oogleden enigszins samen.

'Ze is niet verslaafd aan een bepaalde drug,' zei Beatrice. 'Ze gebruikt van alles wat.'

'Coke?' zei ik.

Ze knikte en Lionel keek haar stomverbaasd aan.

'Pillen?'

Beatrice haalde haar schouders op.

'Naalden?' zei ik.

'Welnee,' zei Lionel.

'Niet voor zover ik weet,' zei Beatrice. Ze dacht er even over na. 'Nee. We hebben haar de hele zomer in shorts en een topje gezien. We hebben nooit naaldsporen gezien.'

'Wacht.' Lionel stak zijn hand op. 'Wacht nou even. Het is de bedoeling dat we Amanda zoeken, niet dat we over de slechte gewoonten van mijn zus praten.'

'We moeten alles over Helene en haar gewoonten en haar vrienden weten,' zei Angie. 'Als een kind verdwijnt, ligt de reden meestal dicht bij huis.'

Lionel stond op. Zijn schaduw besloeg het hele bureaublad. 'Wat betekent dat?'

'Ga zitten,' zei Beatrice.

'Nee. Ik moet weten wat dat betekent. Bedoel je dat mijn zus iets met Amanda's verdwijning te maken zou kunnen hebben?'

Angie keek hem rustig aan. 'Vertel jij dat maar.'

'Nee,' zei hij met luide stem. 'Goed? Nee.' Hij keek zijn vrouw aan. 'Ze is geen crimineel, ja? Ze is een vrouw die haar kind is kwijtgeraakt. Ja?'

Beatrice keek met een ondoorgrondelijk gezicht naar hem op.

'Lionel,' zei ik.

Hij keek zijn vrouw nog even aan en richtte zijn blik toen weer op Angie.

'Lionel,' zei ik opnieuw, en hij keek me aan. 'Je zei zelf dat het is of Amanda in het niets is verdwenen. Goed. De politie is met vijftig man sterk op zoek naar haar. Misschien zijn het er nog meer. Jullie twee werken eraan. Mensen in de buurt…'

'Ja,' zei hij. 'Veel mensen. Ze zijn geweldig.'

'Goed. Dus waar is ze?'

Hij keek me aan alsof ik haar plotseling uit mijn bureaula zou kunnen trekken.

'Ik weet het niet.' Hij deed zijn ogen dicht.

'Niemand weet het,' zei ik. 'En als we dit gaan onderzoeken – en ik zeg niet dat we dat gaan doen…'

Beatrice ging rechtop in haar stoel zitten en keek me indringend aan.

'Maar als we het doen, moeten we ervan uitgaan dat als ze ontvoerd is, de ontvoerder iemand uit haar naaste omgeving moet zijn.'

Lionel leunde weer achterover. 'Je denkt dat ze is ontvoerd.'

'Jij niet dan?' zei Angie. 'Een meisje van vier dat zelf is weggelopen, zou niet drie hele dagen kunnen verdwijnen zonder dat iemand haar ziet.'

'Ja,' zei hij, alsof hij iets onder ogen zag waaraan hij tot dan toe niet had willen denken. 'Ja. Waarschijnlijk heb je gelijk.'

'Dus wat doen we nu?' zei Beatrice.

'Wil je echt horen hoe ik erover denk?' zei ik.

Ze hield haar hoofd een beetje schuin en bleef me rustig aankijken. 'Dat weet ik niet zeker.'

'Jullie hebben toch een zoon die binnenkort naar school gaat?'

Beatrice knikte.

'Houd het geld dat jullie aan ons zouden uitgeven en besteed het aan zijn schoolopleiding.'

Beatrices hoofd bewoog niet. Het bleef een beetje schuin naar rechts staan, maar een moment leek het alsof ze een klap in haar gezicht had gekregen. 'Je neemt deze zaak niet aan?' zei ze tegen me.

'Het lijkt me zinloos.'

Beatrice sprak met een harde stem in het kleine kamertje. 'Een kind is…'

'Verdwenen,' zei Angie. 'Ja. Maar er zijn al een heleboel mensen op zoek naar haar. De pers besteedt er alle aandacht aan. Iedereen in deze stad en waarschijnlijk ook in het grootste deel van de staat weet hoe ze eruitziet. En geloof me, de meeste mensen kijken naar haar uit.'

Beatrice keek Lionel aan. Lionel haalde vaag zijn schouders op. Ze wendde zich van hem af en keek mij weer strak aan. Ze was een kleine vrouw, niet meer dan een meter zestig lang. Haar bleke gezicht, bespikkeld met sproeten die dezelfde kleur hadden als haar haar, was hartvormig, en haar wipneus en kin hadden een kinderlijke rondheid, terwijl haar jukbeenderen op eikels leken. Evengoed straalde ze een verwoede kracht uit, alsof opgeven voor haar gelijkstond met sterven.

'Ik ben naar jullie toe gekomen,' zei ze, 'omdat jullie mensen vinden. Dat doen jullie. Jullie hebben de man gevonden die een paar jaar geleden al die mensen had gedood, en jullie hebben dat jongetje en zijn moeder in de speeltuin gered, en jullie…'

'Beatrice,' zei Angie, en ze stak haar hand op.

'Niemand wilde dat ik hierheen ging,' zei ze. 'Niet Helene, niet mijn man, niet de politie. "Je verspilt je geld," zeiden ze allemaal. "Het is niet eens je eigen kind," zeiden ze.'

'Schat.' Lionel legde zijn hand op de hare.

Ze schudde zich los en boog zich naar voren tot ze met haar armen op het bureau steunde. Haar saffierblauwe ogen keken me indringend aan.

'Jullie kunnen haar vinden,' zei ze tegen me.

'Nee,' zei ik zacht. 'Niet als ze goed genoeg verborgen is. Niet als veel mensen die hier net zo goed in zijn als wij haar ook niet kunnen vinden. Wij zijn maar twee mensen, Beatrice. Niets meer dan dat.'

'Wat wil je daarmee zeggen?' Haar stem was weer laag en ijzig.

'Wat we willen zeggen,' zei Angie, 'is: wat voor hulp kun je verwachten van twee extra paar ogen?'

'Maar wat kan het voor kwaad?' zei Beatrice. 'Kun je me dat vertellen? Wat kan het voor kwaad?'

2

Een detective gaat ervan uit dat als eenmaal is uitgesloten dat een kind is weggelopen of door een van de ouders is ontvoerd, de verdwijning van een kind net zoiets is als een moord: als de zaak niet binnen tweeënzeventig uur is opgelost, zal dat waarschijnlijk nooit gebeuren. Dat hoeft niet te betekenen dat het kind dood is, al is de kans daarop erg groot. Maar als het kind in leven is, gaat het vast en zeker slechter met hem dan voordat het verdween. Want er is maar een heel smalle grijze zone tussen de twee motivaties van volwassenen die met kinderen te maken krijgen die niet van henzelf zijn: je helpt ze of je maakt er misbruik van. En hoewel de methoden van het misbruik uiteenlopen – kinderen ontvoeren voor een losgeld, ze dwingen zwaar werk te doen, ze seksueel misbruiken voor persoonlijke en/of commerciële doeleinden, ze vermoorden – komen ze nooit uit innerlijke goedheid voort. En als het kind het overleeft en uiteindelijk wordt gevonden, zitten de littekens zó diep dat het gif nooit meer uit zijn of haar bloed kan worden verwijderd.

In de afgelopen vier jaar had ik twee mensen gedood. Mijn oudste vriend en een vrouw die ik nauwelijks kende waren voor mijn ogen gestorven. Ik had kinderen op de afschuwelijkste manieren zien mishandelen, ik had mannen en vrouwen ontmoet die doodden alsof het een reflexmatige handeling was, ik had relaties zien opbranden in het geweld waarmee ik mezelf had omringd.

En ik was het zat.

Amanda McCready werd inmiddels al minstens zestig uur vermist, misschien wel al zeventig, en ik wilde haar niet ergens in een vuilcontainer aantreffen, met haar dat samengeklit was van het bloed. Ik wilde haar niet na zes maanden vinden, met doffe ogen en helemaal opgebruikt door een freak met een videocamera en een verzendlijst van pedofielen. Ik wilde niet in de ogen van een kind van vier kijken en daar de dood in zien van alles wat zuiver in haar was geweest.

Ik wilde Amanda McCready niet vinden. Ik wilde dat iemand anders haar vond.

Maar misschien omdat ik in de dagen daarvoor net zo intens bij die zaak betrokken was geraakt als de rest van de stad, of misschien omdat het in mijn eigen buurt gebeurde, of misschien gewoon omdat 'vierjarig' en 'verdwenen' geen woorden zijn die in dezelfde zin moeten voorkomen, spraken we met Lionel en Beatrice McCready af dat we elkaar over een halfuur bij Helene thuis zouden ontmoeten.

'Dus je neemt de zaak aan?' zei Beatrice, toen zij en Lionel opstonden.

'Dat moeten we nog met elkaar bespreken,' zei ik.

'Maar…'

'Beatrice,' zei Angie, 'in dit vak doe je de dingen op een bepaalde manier. We moeten met elkaar overleggen voordat we een toezegging doen.'

Het stond Beatrice helemaal niet aan, maar ze besefte ook dat ze er niets aan kon doen.

'We zijn over een halfuur bij Helene,' zei ik.

'Dank je,' zei Lionel, en hij gaf een rukje aan de mouw van zijn vrouw.

'Ja. Bedankt,' zei Beatrice, al klonk haar stem niet erg oprecht. Ik had het gevoel dat ze pas tevreden zou zijn als de president de Nationale Garde zou inzetten om naar haar nichtje te zoeken.

We hoorden hen de trap van de klokkentoren afgaan en toen ik uit het raam keek, zag ik hen over het schoolplein naast de kerk naar een aftandse Dodge Aries lopen. De zon was in zijn baan naar het westen buiten mijn gezichtsveld gekomen, en de oktoberhemel was nog vaal zomerwit, al zweefden er nu slierten roestbruin in dat wit. Een kinderstem riep: 'Vinny, wacht! Vinny!', en dat geluid, dat van vier verdiepingen boven de grond kwam, had iets eenzaams, iets onvoltooids. De auto van Beatrice en Lionel keerde op de avenue, en ik keek naar het wolkje van de uitlaatgassen tot ze uit het zicht verdwenen waren.

'Ik weet het niet,' zei Angie, en ze leunde in haar stoel achterover. Ze legde haar sportschoenen op het bureau en streek haar dichte lange haar weg van haar slapen. 'Deze keer weet ik het echt niet.'

Ze droeg een wielrenbroek van zwarte lycra en een wijde zwarte tanktop over een strak wit topje. De zwarte tanktop had de wit-

te letters NIN op de voorkant en de woorden PRETTY HATE MACHI-
NE op de achterkant. Ze had dat kledingstuk nu al een jaar of acht
en het zag er nog uit alsof ze het voor het eerst droeg. Ik ging al
bijna twee jaar met Angie door het leven. Voor zover ik kon zien,
zorgde ze niet beter voor haar kleren dan ik voor de mijne, maar
ik bezat overhemden die eruitzagen alsof ze een halfuur nadat ik
het prijskaartje had verwijderd door een automotor waren gehaald, en zij had sokken van de middelbare school die nog zo wit
als paleislinnen waren. Ik stond vaak versteld van vrouwen en
hun kleren en ik nam aan dat het een van de mysteries was die ik
nooit zou oplossen – net als het mysterie wat er nu echt met Amelia Earhart was gebeurd of met de klok die vroeger in onze toren
hing.
   'Je weet het niet?' zei ik. 'Wat bedoel je?'
   'Een vermist kind, een moeder die blijkbaar niet erg hard
zoekt, een opdringerige tante…'
   'Je vond Beatrice opdringerig?'
   'Niet opdringeriger dan een jehova met een voet tussen de
deur.'
   'Ze maakt zich zorgen om dat kind. Ze weet zich geen raad van
de zorgen.'
   'En daar kan ik inkomen.' Ze haalde haar schouders op. 'Toch
hou ik er niet van als mensen me zo op de nek zitten.'
   'Zeker, dat is niet een van je sterkste eigenschappen.'
   Ze gooide een potlood naar mijn hoofd en raakte mijn kin. Ik
wreef over de plek en zocht naar het potlood om het terug te
gooien.
   'Dat is een heel leuk spelletje, totdat iemand een oog kwijt-
raakt,' mompelde ik, terwijl ik onder mijn stoel naar het potlood
tastte.
   'Het gaat erg goed met ons,' zei ze.
   'Jazeker.' Voor zover ik kon zien, lag het potlood niet onder
mijn stoel of het bureau.
   'We hebben dit jaar meer verdiend dan vorig jaar.'
   'En het is nog maar oktober.' Geen potlood langs de plint of
onder de minikoelkast. Misschien was het bij Amelia Earhart en
Amanda McCready en de klok.
   'Nog maar oktober,' beaamde ze.
   'Je bedoelt dat we deze zaak niet nodig hebben.'
   'Daar komt het wel op neer.'
   Ik gaf het zoeken naar het potlood op en keek een tijdje uit het
raam. De slierten roestbruin waren verdiept tot bloedrood, en de

witte hemel werd geleidelijk blauw. De eerste gele gloeilamp van de avond ging aan in een woning op de tweede verdieping aan de overkant van de straat. De geur van de buitenlucht die door de hor naar binnen kwam, deed me denken aan mijn vroege tienerjaren en softbal, lange lome dagen die overgingen in lange lome avonden.

'Je bent het er niet mee eens?' zei Angie even later.

Ik haalde mijn schouders op.

'Spreek nu of zwijg voor altijd,' zei ze luchtig.

Ik draaide me om en keek haar aan. De vallende schemering lag met een gouden glans op haar raam en glansde in haar donkere haar. Haar huid was donkerder dan gewoonlijk. Dat kwam door de lange droge zomer, die zich op de een of andere manier tot in de herfst uitstrekte. Na maanden van dagelijkse basketbalwedstrijden op de sportvelden van Ryan waren de spieren in haar kuiten en biceps duidelijk te zien.

Vroeger was het mijn ervaring met vrouwen dat als je eenmaal een tijdje intiem met iemand bent geweest, haar schoonheid vaak het eerste is dat je niet meer ziet. Je weet wel dat die schoonheid er is, maar je emotionele capaciteit om in de ban van die schoonheid te raken, zozeer dat je er bijna dronken van bent, neemt af. Toch zijn er iedere dag nog momenten dat ik alleen maar naar Angie hoef te kijken en er gaat al een warm gevoel door me heen.

'Wat?' Haar brede mond vormde een grijns.

'Niets,' zei ik zacht.

Ze bleef me aankijken. 'Ik hou ook van jou.'

'Ja?'

'O, ja.'

'Is het niet angstaanjagend?'

'Soms wel, ja.' Ze haalde haar schouders op. 'Soms wel, maar niet altijd.'

We zaten een tijdje zwijgend bij elkaar, en toen dwaalde Angies blik naar het raam af.

'Ik weet alleen niet of we deze... toestand op dit moment wel kunnen gebruiken.'

'Wat voor toestand?'

'Een vermist kind. Erger nog, een totaal verdwenen kind.' Ze sloot haar ogen en zoog de warme avondbries door haar neus naar binnen. 'Ik ben graag gelukkig.' Ze deed haar ogen open maar hield ze op het raam gericht. Haar kin trilde een beetje. 'Weet je dat?'

Het was anderhalf jaar geleden dat Angie en ik een liefdesverhouding die volgens onze vrienden al decennia lang bestond in daden omzetten. En die achttien maanden waren de meest winstgevende geweest die ons detectivebureau ooit had meegemaakt.

Een kleine twee jaar geleden hadden we de zaak-Gerry Glynn afgesloten – of misschien moet ik zeggen, overleefd. Bostons eerste seriemoordenaar in dertig jaar had veel aandacht gekregen, evenals degenen van ons die de eer van zijn uiteindelijke arrestatie kregen. Al die publiciteit – nationale televisiejournaals, telkens weer nieuwe verhalen in de boulevardpers, twee *true-crime*-boeken terwijl er volgens geruchten een derde op komst was – dat alles had Angie en mij tot twee van de bekendste privé-detectives in de stad gemaakt.

Gedurende vijf maanden na Gerry Glynns dood hadden we geweigerd nieuwe zaken aan te nemen, en dat maakte de potentiële cliënten alleen maar happiger. Nadat we een onderzoek naar de verdwijning van de vrouw die Desiree Stone heette hadden afgerond, namen we weer openlijk zaken aan, en in de eerste weken stond de trap van de klokkentoren vol mensen.

Zonder het ooit aan elkaar toe te geven, weigerden we automatische alle zaken die naar geweld of de duistere spelonken van de menselijke aard riekten. Ik denk dat we allebei het gevoel hadden dat we het hadden verdiend om het een tijdje rustig aan te doen. Daarom beperkten we ons tot verzekeringsfraude, zakelijk bedrog en eenvoudige echtscheidingen.

In februari accepteerden we zelfs een opdracht van een bejaarde vrouw die haar leguaan miste. Het afschuwelijke beest heette Puffy, en hij was een iriserend groen monster van veertig centimeter lang dat, zoals zijn bazin het stelde, 'een negatieve houding ten opzichte van mensen' had. We vonden Puffy in de wildernis van de Bostonse buitenwijken toen hij over het drassige gras van de veertiende green op de Belmont Hills Country Club rende. Zwiepend met zijn puntige staart vloog hij op het beetje zonlicht af dat hij op de fairway van de vijftiende green zag. Hij had het koud. Hij verzette zich niet. Wel werd hij bijna tot riem verbouwd toen hij zijn ontlasting deed op de achterbank van onze bedrijfsauto, maar zijn eigenares betaalde voor de schoonmaakbeurt en gaf ons een royale beloning voor de terugkeer van haar dierbare Puffy.

Zo'n soort jaar was het geweest. Niet het beste jaar voor prachtige verhalen in de plaatselijke bar maar wel erg goed voor onze bankrekening. En hoe beschamend het ook mocht zijn om op een bevroren golfbaan achter een verwend reptiel aan te rennen, het was beter dan dat er op je werd geschoten. Veel en veel beter.

'Denk je dat we geen lef meer hebben?' vroeg Angie laatst een keer aan me.

'Absoluut,' had ik gezegd. En ik had erbij geglimlacht.

'Als ze nu eens dood is,' zei Angie toen we de trap van de klokkentoren afgingen.

'Dat zou erg zijn,' zei ik.

'Het zou erger dan erg zijn als we er heel intens bij betrokken raken.'

'Dus jij wilt nee tegen ze zeggen.' Ik maakte de deur open die naar het schoolplein leidde.

Ze keek me met halfopen mond aan, alsof ze het niet onder woorden durfde te brengen, alsof ze die woorden over haar lippen hoorde komen en tegelijk besefte dat ze iemand was die weigerde een kind in nood te helpen.

'Ik wil nog niet ja tegen ze zeggen,' zei ze met enige moeite, toen we bij onze auto waren aangekomen.

Ik knikte. Ik kende dat gevoel.

'Die hele verdwijning zit me niet lekker,' zei Angie, terwijl we door Dorchester Avenue in de richting van de woning van Helene en Amanda reden.

'Dat weet ik.'

'Kinderen van vier verdwijnen niet zonder hulp van anderen.'

'Absoluut niet.'

Etenstijd was voorbij en langs de Avenue begonnen mensen uit hun huizen te komen. Sommigen zetten tuinstoelen op hun kleine voorveranda's, anderen liepen door de Avenue naar bars of sportwedstrijden in de avondschemering. Ik rook zwavel van een kort daarvoor weggeschoten flessenvuurpijl, en de vochtige avond hing als een ademtocht in de lucht, met die gekneusde tint tussen diepblauw en diepzwart in.

Angie trok haar benen tegen haar borst en liet haar kin op haar knieën rusten. 'Misschien word ik een lafaard, maar ik vind het niet erg om op golfbanen achter leguanen aan te rennen.'

Ik keek door de voorruit. We verlieten Dorchester Avenue en sloegen Savin Hill Avenue in.

'Ik ook niet,' zei ik.

Als een kind verdwijnt, wordt de ruimte die het innam onmiddellijk opgevuld door tientallen mensen. En die mensen – familieleden, vrienden, rechercheurs, verslaggevers van televisie en kranten – brengen veel energie en lawaai voort, een gemeenschapsgevoel, een hevig en gezamenlijk verlangen om het kind terug te vinden.

Maar in al dat lawaai is niets luider dan de stilte van het vermiste kind. Dat is een stilte die zeventig tot negentig centimeter groot is, en je voelt die stilte bij je heup en hoort hem uit de vloerplanken komen. Die stilte schreeuwt je toe vanuit hoeken en spleten en het emotieloze gezicht van een pop die naast het bed op de vloer is blijven liggen. Het is een stilte die anders is dan de stilte tijdens een begrafenis of een dodenwake. De stilte van de doden heeft iets definitiefs; je weet dat je aan die stilte moet wennen. Maar de stilte van een verdwenen kind is niet iets waaraan je wilt wennen; je weigert die stilte te accepteren, en dus schreeuwt hij je toe.

De stilte van de doden zegt: vaarwel.

De stilte van het vermiste kind zegt: vind me.

Het leek wel of de halve buurt en een kwart van het Bostonse politiekorps in Helene McCready's vierkamerwoning bijeen waren gekomen. De huiskamer strekte zich via openstaande schuifdeuren uit tot de eetkamer, en in die twee kamers speelde zich de meeste activiteit af. De politie had rijen telefoons op de vloer van de eetkamer gezet, en die waren allemaal in gebruik; sommige mensen gebruikten ook nog hun mobiele telefoon. Een potige man in een T-shirt met BLIJ DAT IK EEN RAT BEN keek op van een stapel brochures die voor hem op de salontafel lag en zei: 'Beatrice, Channel Four wil Helene morgenavond om zes uur.'

Een vrouw hield haar hand over de hoorn van haar mobiele telefoon. 'De producers van *Annie in the AM* hebben gebeld. Ze willen Helene morgenvroeg in de uitzending.'

'Mevrouw McCready,' riep een rechercheur vanuit de eetkamer. 'We willen u hier graag even hebben.'

Beatrice knikte naar de potige man en de vrouw met de mobiele telefoon en zei tegen ons: 'Amanda's slaapkamer is de eerste aan de rechterkant.'

Ik knikte, en ze baande zich een weg door de menigte naar de eetkamer.

De deur van Amanda's slaapkamer stond open. In de kamer zelf was het stil en donker, alsof de geluiden die van de straat kwamen hier niet konden doordringen. Er werd een wc doorgetrokken en een politieagent kwam uit het toilet en keek ons aan terwijl zijn rechterhand nog bezig was zijn rits dicht te trekken.

31

'Vrienden van de familie?' vroeg hij.

'Ja.'

Hij knikte. 'Wilt u niets aanraken?'

'Dat zullen we niet doen,' zei Angie.

Hij knikte en liep door de gang naar de keuken.

Ik gebruikte mijn autosleutel om op de lichtknop in Amanda's kamer te drukken. Ik wist dat ieder voorwerp in de kamer al op vingerafdrukken was onderzocht, maar ik wist ook hoe kwaad rechercheurs worden als je op de plaats van een misdrijf iets met blote handen aanraakt.

Aan een koord boven Amanda's bed hing een kaal gloeilampje. Het afdekplaatje was weg en er zat stof op de blootgelegde draden. Het plafond moest nodig eens worden geverfd, en de zomerse hitte had het nodige effect gehad op de posters die aan de muren hingen. Ik zag er drie, en ze lagen opgerold en verkreukeld bij de plint. Stukjes plakband vormden onregelmatige rechthoeken op de plaatsen waar de posters hadden gezeten. Ik had geen idee hoe lang ze daar hadden gelegen, verschrompelend, met steeds meer dunne vouwlijnen.

De woning was net zo ingedeeld als mijn eigen woning en de woningen in de meeste flats in de buurt, en Amanda's slaapkamer was ongeveer half zo klein als de andere slaapkamer. Helenes slaapkamer, nam ik aan, was de grootste en zou zich voorbij de badkamer aan de rechterkant bevinden, recht tegenover de keuken en met uitzicht op de achterveranda en een kleine tuin beneden. Amanda's slaapkamer keek uit op de volgende flats en waarschijnlijk kwam er om twaalf uur 's middags even weinig licht binnen als nu om acht uur 's avonds.

Het was een muffe kamer met weinig meubilair. Het dressoir tegenover het bed zag eruit alsof het op een rommelmarkt was gekocht, en het bed zelf had geen ledikant. Het bestond uit een boxspring met een matras op de vloer, bedekt met een bovenlaken dat niet bij het onderlaken paste en met een Leeuwenkoningdekbed dat vanwege de warmte opzij was geduwd.

Op het voeteneind van het bed lag een pop die met strakke poppenogen naar het plafond staarde. Een pluchen konijn lag op zijn zij tegen een poot van het dressoir. Op dat dressoir stond een oude zwartwittelevisie, en op het nachtkastje stond een kleine radio, maar ik zag geen boeken in de kamer, zelfs geen kleurboeken.

Ik probeerde me een voorstelling te maken van het meisje dat in deze kamer had geslapen. De afgelopen paar dagen had ik genoeg foto's van Amanda gezien om te weten hoe ze eruitzag, maar daardoor wist ik nog niet hoe haar gezicht eruitzag als ze op het eind van de dag deze kamer kwam binnenlopen of hier 's morgens wakker werd.

Had ze geprobeerd die posters weer op de muur te plakken? Had ze om lichtblauw-met-gele flap-uitboeken gevraagd die ze in een winkelcentrum had gezien? Staarde ze, als ze 's avonds laat nog wakker lag in de duisternis en stilte van deze kamer, naar de spijker die tegenover het bed uit de muur stak of naar de geelbruine watervlek die zich in de oostelijke hoek vanaf het plafond naar beneden uitstrekte?

Ik keek naar de glanzende, lelijke ogen van de pop en had zin om ze met mijn voet te sluiten.

'Patrick Kenzie. Angie Gennaro.' Dat was de stem van Beatrice. Ze riep vanuit de keuken.

Angie en ik keken nog eens in de slaapkamer om ons heen, en toen gebruikte ik mijn sleutel om het licht uit te doen en liepen we door de gang naar de keuken.

Er leunde een man tegen de oven, zijn handen in zijn zakken. Aan de manier waarop hij naar ons keek toen we eraan kwamen kon ik zien dat hij op ons wachtte. Hij was een centimeter of vijf kleiner dan ik, breed en rond als een olievat, en hij had een jongensachtig, opgewekt gezicht, een beetje rood, alsof hij veel buiten kwam. Hij had die vreemde, tegelijk samengetrokken en slaphangende keel van iemand die tegen zijn pensioen aan zit, en hij had ook iets hards, iets onverzoenlijks dat honderd jaar oud leek en dat jou en je hele leven in één blik leek te beoordelen.

'Inspecteur Jack Doyle,' zei hij terwijl hij zijn hand op de mijne af liet schieten.

Ik gaf hem een hand. 'Patrick Kenzie.'

Angie stelde zich voor en gaf hem ook een hand, en toen we daar in dat kleine keukentje tegenover hem stonden, keek hij ons indringend aan. Zijn eigen gezicht was ondoorgrondelijk, maar zijn intense blik had een magnetische aantrekkingskracht, iets waarin je wilde kijken al wist je dat je dat beter niet kon doen.

Ik had hem de afgelopen dagen een paar keer op de televisie gezien. Hij stond aan het hoofd van de afdeling Misdrijven Tegen Kinderen van de politie van Boston, en als hij in de camera keek en zei dat hij alles in het werk zou stellen om Amanda McCready te vinden, had je altijd even medelijden met degene die haar had ontvoerd.

'Inspecteur Doyle wilde je graag ontmoeten,' zei Beatrice.

'Dat is dan nu gebeurd,' zei ik.

Doyle glimlachte. 'Hebt u een minuutje?'

Zonder op een antwoord te wachten liep hij naar de deur van de veranda. Hij maakte hem open en keek over zijn schouder naar ons.

'Blijkbaar wel,' zei Angie.

Het verandahek had nog dringender behoefte aan een kwastje verf dan het plafond van Amanda's slaapkamer. Telkens wanneer een van ons erop leunde, knetterde de schilferige, door de zon verzengde verf onder onze onderarmen, als houtblokken in een vuur.

Op de veranda kon ik de barbecuelucht van een paar huizen verderop ruiken, en ergens in het volgende huizenblok waren er de geluiden van mensen die in een tuin bij elkaar zaten – een vrouw klaagde met harde stem over zonnebrand, uit een radio kwamen de Mighty Mighty Bosstones, en er werd zo scherp en plotseling gelachen als ijsblokjes die tinkelen in een glas. Bijna niet te geloven dat het oktober was, dat de winter voor de deur stond.

Bijna niet te geloven dat Amanda McCready hier verder en verder vandaan zweefde, en dat de wereld gewoon doorging met draaien.

'Wel,' zei Doyle, terwijl hij over het verandahek leunde. 'U hebt de zaak al opgelost?'

Angie keek me aan en rolde met haar ogen.

'Nee,' zei ik, 'maar we zijn er dichtbij.'

Doyle grinnikte zacht. Zijn blik was gericht op het stukje beton en dood gras onder de veranda.

'We nemen aan dat u de McCready's hebt aangeraden om geen contact met ons op te nemen,' zei Angie.

'Waarom zou ik dat doen?'

'Om de reden waarom ik het zou doen als ik in uw positie verkeerde,' zei Angie, en toen keek hij naar haar om. 'Te veel koks...'

Doyle knikte. 'Dat is het ook.'

'Wat is het nog meer?' vroeg ik.

Hij vouwde zijn handen samen en drukte ze toen omhoog tot de knokkels kraakten. 'Zien die mensen eruit alsof ze zwemmen in de poen? Alsof ze speedboten en met diamanten bezette kroonluchters hebben waar ik niets van weet?'

'Nee.'

'En ik hoor dat jullie sinds die zaak-Gerry Glynn nogal hoge tarieven in rekening brengen.'

Angie knikte. 'En ook nogal hoge voorschotten.'

Doyle keek haar met een vaag glimlachje aan en draaide zich toen weer om naar het verandahek. Hij pakte dat voorzichtig met beide handen vast en leunde op zijn hakken achterover. 'Tegen de tijd dat het meisje wordt gevonden, hebben Lionel en Beatrice misschien wel al honderdduizend dollar uitgegeven. Minstens. Ze zijn slechts de oom en tante, maar ze zullen reclametijd op de televisie kopen om haar te vinden, en grote advertenties in alle landelijke kranten zetten, haar portret op aanplakborden langs snelwegen laten plakken, helderzienden, sjamanen en privé-detectives inhuren.' Hij keek ons weer aan. 'Ze gaan failliet. Weten jullie dat?'

'Dat is een van de redenen waarom we hebben geprobeerd deze zaak niet aan te nemen,' zei ik.

'O ja?' Hij trok zijn wenkbrauwen op. 'Waarom zijn jullie dan hier?'

'Beatrice dringt erg aan,' zei Angie.

Hij keek weer naar het keukenraam. 'Ja, dat doet ze, hè?'

'We begrijpen niet goed waarom Amanda's moeder dat niet ook doet.'

Doyle haalde zijn schouders op. 'De vorige keer dat ik haar zag, stond ze stijf van de tranquillizers, prozac, of wat het ook is dat ze tegenwoordig aan ouders van vermiste kinderen geven.' Hij wendde zich van het hek af, met zijn handen langs zijn zijden. 'Wat dan ook. Hé, ik wil niet meteen ruzie maken met twee mensen die me misschien zullen helpen dat kind te vinden. Echt niet. Ik wil alleen zeker weten, A, dat jullie me niet voor de voeten lopen, B, dat jullie niet tegen de pers zeggen dat jullie erbij zijn gehaald omdat de politie zo'n stelletje stomkoppen is dat ze van voren niet weten wat ze van achteren doen, en, C, dat jullie de problemen van die mensen daar binnen niet uitbuiten om veel geld te beuren. Want ik ben toevallig op Lionel en Beatrice gesteld. Het zijn goede mensen.'

'Wat was "B" ook weer?' Ik glimlachte.

Angie zei: 'Inspecteur, zoals we al zeiden, hebben we geprobeerd deze zaak niet aan te nemen. Het is de vraag of we er lang genoeg mee bezig blijven om u voor de voeten te lopen.'

Hij keek haar een hele tijd met die harde, open blik van hem aan. 'Waarom staan jullie dan op deze veranda met mij te praten?'

'Tot nu toe wil Beatrice het antwoord "nee" niet accepteren.'

'En jullie denken dat daar verandering in komt?' Hij glimlachte vaag en schudde zijn hoofd.

'We blijven hopen,' zei ik.

Hij knikte en draaide zich toen weer om naar het hek. 'Een lange tijd.'

'Wat?' zei Angie.

Zijn blik bleef op de achtertuin en de tuin daarachter gericht. 'Voor een kind van vier om vermist te zijn.' Hij zuchtte. 'Een lange tijd,' herhaalde hij.

'En u hebt geen sporen?' vroeg Angie.

Hij haalde zijn schouders op. 'Niets waaronder ik mijn huis zou verwedden.'

'Niets waaronder u een tweederangs flatje zou verwedden?' zei ze.

Hij glimlachte weer en haalde zijn schouders op.

'Ik vat dat op als "eigenlijk niet",' zei Angie.

Hij knikte. 'Eigenlijk niet.' De droge verf ritselde als broze bladeren onder zijn verkrampte handen. 'Ik zal jullie vertellen hoe ik in het zoeken naar kinderen verzeild ben geraakt. Zo'n twintig jaar geleden, mijn dochter Shannon. Ze verdween. Eén dag.' Hij draaide zich naar ons om en stak zijn vinger op. 'Eigenlijk nog niet eens een dag. Eigenlijk was het van vier uur 's middags tot ongeveer acht uur de volgende morgen. Maar ze was zes. En ik zal jullie vertellen dat iemand die nooit heeft meegemaakt dat zijn kind verdween niet weet hoe lang een nacht kan duren. De laatste keer dat Shannons vriendinnetjes haar hadden gezien, was ze op haar fiets op weg naar huis, en een paar van die kinderen zeiden dat ze er een auto heel langzaam achteraan zagen rijden.' Hij wreef met de muis van zijn hand over zijn ogen en blies een ademtocht uit bij de herinnering. 'We vonden haar de volgende morgen in een greppel bij een park. Daar was ze met haar fiets in gevallen. Ze had beide enkels gebroken en was buiten bewustzijn geraakt van de pijn.'

Hij zag ons kijken en stak zijn hand op.

'Ze heeft er niets aan overgehouden,' zei hij. 'Twee gebroken enkels doen verrekte veel pijn en ze is een tijdje erg bangelijk geweest, maar dat was het ergste trauma dat zij en mijn vrouw en ik in haar hele kindertijd hebben meegemaakt. Dat is geluk hebben. Dat is verdomd veel geluk hebben.' Hij sloeg vlug een kruisje. 'Maar wat ik daarmee wil zeggen? Toen Shannon was verdwenen en de hele buurt en al mijn maten bij de politie naar haar zochten, en ik en Tricia overal liepen en reden en ons geen raad wisten, gingen we ergens een kop koffie drinken. Heel even in het voorbijgaan, geloof me. Maar toen we daar die twee minuten in een Dunkin' Donuts op onze koffie stonden te wachten, keek ik Tricia aan en keek zij mij aan, en toen wisten we allebei, zonder dat we een woord zeiden, dat als Shannon dood was, wij ook dood waren. Ons huwelijk – voorbij. Ons geluk – voorbij. Ons leven zou een lange weg van verdriet zijn. Eigenlijk niets anders meer. Alles wat goed en hoopvol was, alles waar we voor leefden, zou tegelijk met onze dochter sterven.'

'En daarom bent u op Misdrijven Tegen Kinderen gaan werken?' zei ik.

'Daarom heb ik Misdrijven Tegen Kinderen opgebouwd,' zei hij. 'Het is mijn creatie. Ik heb er vijftien jaar over gedaan, maar het is me gelukt. De afdeling bestaat omdat ik mijn vrouw in die donutzaak aankeek en op dat moment zonder enige twijfel wist dat niemand het verlies van een kind kan overleven. Niemand. Jij niet, ik niet, zelfs een *loser* als Helene McCready niet.'

'Is Helene een *loser*?' zei Angie.

Hij trok zijn wenkbrauwen op. 'Weet je waarom ze naar haar buurvrouw en vriendin Dottie ging in plaats van andersom?'

We schudden ons hoofd.

'De beeldbuis van haar tv deed het niet goed meer. De kleuren verdwenen steeds en dat vond Helene niet leuk. En dus liet ze haar kind achter en ging ze naar de buurvrouw.'

'Om de tv.'

Hij knikte. 'Om de tv.'

'Wow,' zei Angie.

Hij keek ons een volle minuut rustig aan, hees toen zijn broek op en zei: 'Twee van mijn beste mannen, Poole en Broussard, zullen contact met jullie opnemen. Ze fungeren als contactpersonen tussen jullie en mij. Als jullie kunnen helpen, zal ik jullie niet in de weg staan.' Hij wreef weer met zijn handen over zijn gezicht en schudde zijn hoofd. 'Goh, wat ben ik moe.'

'Wanneer heb je voor het laatst geslapen?' zei Angie.

'Afgezien van een klein dutje?' Hij grinnikte zacht. 'Dat is wel een paar dagen geleden.'

'Je moet iemand hebben die je kan aflossen,' zei Angie.

'Ik wil geen aflossing,' zei hij. 'Ik wil dat kind. En ik wil haar ongedeerd. En ik wil haar gisteren.'

3

Toen we met Lionel en Beatrice hun huis binnengingen, zat Helene McCready naar zichzelf op de televisie te kijken.

De Helene op het scherm droeg een lichtblauwe jurk en een bijpassend jasje en had een witte roos op haar revers gespeld. Haar haar golfde tot aan haar schouders. Op haar gezicht had ze net iets te veel make-up, die zo te zien inderhaast was aangebracht.

De echte Helene McCready droeg een roze T-shirt met de woorden GEBOREN OM TE WINKELEN op de voorkant, en een witte trainingsbroek die boven de knieën was afgeknipt. Haar haar, dat in een losse paardenstaart bijeen werd gehouden, zag eruit of het zo vaak geverfd was dat het zijn oorspronkelijke kleur was vergeten. Het was ergens tussen platinablond en vettig tarweblond blijven hangen.

Een andere vrouw zat naast de echte Helene McCready op de bank. Ze was ongeveer even oud, maar dikker en bleker, met cellulitiskuiltjes in het witte vlees van haar bovenarmen. Ze bracht een sigaret naar haar lippen en boog zich naar voren om zich op de tv te concentreren.

'Kijk, Dottie, kijk,' zei Helene. 'Daar heb je Gregor en Head Sparks.'

'O, ja!' Dottie wees naar het scherm, waarop twee mannen achter de verslaggever langs liepen die Helene aan het ondervragen was. De mannen zwaaiden naar de camera.

'Moet je ze zien zwaaien.' Helene glimlachte. 'De blitskikkers.'

'Eigenwijze rotzakken,' zei Dottie.

Helene bracht een blikje Miller naar haar lippen. Dat deed ze met de hand waarmee ze ook haar sigaret vasthield, en de lange askegel brak af en de as dwarrelde naar haar kin terwijl ze een slok van het bier nam.

'Helene,' zei Lionel.

'Wacht even, wacht even.' Helene zwaaide met haar bierblikje naar hem. Haar blik bleef op het scherm gefixeerd. 'Nou komt het mooiste.'

Beatrice zag ons kijken en rolde met haar ogen.

Op de televisie vroeg de verslaggever aan Helene wie volgens haar verantwoordelijk was voor de ontvoering van haar kind.

'Wat zou u op zo'n vraag zeggen?' zei de tv-Helene. 'Ik bedoel, wie zou mijn kleine meisje weghalen? Wat heeft dat voor zin? Ze heeft niemand nooit niks gedaan. Ze was gewoon een meisje dat leuk kon lachen. Dat deed ze de hele tijd. Ze lachte.'

'Ja, ze kon mooi lachen,' zei Dottie.

'Kan,' zei Beatrice.

De vrouwen op de bank hadden haar blijkbaar niet gehoord.

'O ja,' zei Helene. 'Het was zo goed. Gewoon perfect. Je hart breekt ervan.' Helenes stem sloeg over, en ze zette haar blikje bier lang genoeg neer om een papieren zakdoekje uit de doos op de salontafel te pakken.

Dottie gaf een klopje op haar knie en klakte met haar tong. 'Kijk, kijk,' zei Dottie. 'Kijk, kijk.'

'Helene,' zei Lionel.

De tv-beelden van Helene hadden plaatsgemaakt voor beelden van O. J. Simpson, die ergens in Florida aan het golfen was.

'Ik kan nog steeds niet geloven dat hij niet is gestraft,' zei Helene.

Dottie keek haar aan. 'Dat wéét ik,' zei ze, alsof ze een groot geheim had uitgesproken.

'Als hij niet zwart was,' zei Helene, 'zou hij nu in de gevangenis zitten.'

'Als hij niet zwart was,' zei Dottie, 'zou hij op de elektrische stoel zijn gekomen.'

'Als hij niet zwart was,' zei Angie, 'zou het jullie beiden niet kunnen schelen.'

Ze draaiden zich om en keken ons aan. Zo te zien waren ze een beetje verrast omdat er opeens vier mensen achter hen stonden, alsof we plotseling uit het niets waren opgedoken.

'Wat?' zei Dottie. Haar bruine ogen keken heen en weer tussen ons.

'Helene,' zei Lionel.

Helene keek naar hem op. Haar mascara was uitgelopen onder haar opgezette ogen. 'Ja?'

'Dit zijn Patrick en Angie, de twee privé-detectives over wie we het hadden.'

Helene zwaaide slapjes met haar natte papieren zakdoekje. 'Hi-ya.'

'Hallo,' zei Angie.

'Hi-ya,' zei ik.

'Ik ken jou,' zei Dottie tegen Angie. 'Ken je mij ook?'

Angie glimlachte vriendelijk en schudde haar hoofd.

'MRM High School,' zei Dottie. 'Ik was eerstejaars. Jij was vierdejaars.'

Angie dacht even na en schudde toen opnieuw met haar hoofd.

'O ja,' zei Dottie. 'Ik ken jou nog. Koningin van het bal. Zo noemden we je.' Ze dronk wat bier. 'Ben je nog steeds zo?'

'Hoe?' zei Angie.

'Dat je denkt dat je beter bent dan andere mensen.' Ze keek Angie aan met ogen zó klein dat het moeilijk te zien was of ze waterig waren of niet. 'Dat was je helemaal. Juffertje perfect. Juffertje...'

'Helene.' Angie concentreerde zich op Helene McCready. 'We moeten je spreken over Amanda.'

Maar Helene had haar blik op mij gericht. Haar sigaret hing een paar centimeter van haar lippen vandaan in de lucht. 'Jij lijkt op iemand. Dat is toch zo, Dottie?'

'Wat?' zei Dottie.

'Hij lijkt op iemand.' Helene nam twee snelle trekken van haar sigaret.

'Op wie?' Dottie keek nu naar mij.

'Je weet wel,' zei Helene. 'Die kerel. Die kerel in die serie, je weet wel.'

'Nee,' zei Dottie, en ze keek me met een aarzelend glimlachje aan. 'Welke serie?'

'Die serie,' zei Helene. 'Je weet wel welke.'

'Nee, dat weet ik niet.'

'Dat moet wel.'

'Welke serie?' Dottie keek nu Helene aan. 'Welke serie?'

Helene keek haar met knipperende ogen aan en fronste haar wenkbrauwen. Toen keek ze mij weer aan. 'Je lijkt op hem,' verzekerde ze me.

'Goed,' zei ik.

Beatrice leunde tegen de deurpost en deed haar ogen dicht.

'Helene,' zei Lionel. 'Patrick en Angie moeten met je praten over Amanda. Alleen.'

'Wat,' zei Dottie, 'ben ik niet helemaal normaal?'

'Nee, Dottie,' zei Lionel voorzichtig. 'Dat heb ik niet gezegd.'

'Ben ik een waardeloos type, Lionel? Niet goed genoeg om bij mijn beste vriendin te zijn als ze me het meest nodig heeft?'

'Dat zegt hij niet,' zei Beatrice met een vermoeide stem, haar ogen nog dicht.

'Aan de andere kant...' zei ik.

Dottie trok haar vlekkerige gezicht samen en keek me aan.

'Helene,' zei Angie vlug. 'Het zou veel sneller gaan als we jou alleen een paar vragen kunnen stellen. Dan ben je van ons af.'

Helene keek Angie aan. En toen keek ze Lionel aan. En toen keek ze naar de tv. Ten slotte keek ze naar Dotties achterhoofd.

Dottie keek verward naar mij. Ze wist blijkbaar nog niet of ze haar verwarring in woede moest laten omslaan of niet.

'Dottie,' zei Helene, met de houding van iemand die een officiële toespraak gaat houden, 'is mijn beste vriendin. Mijn béste vriendin. Dat zegt wel iets. Als jullie met mij willen praten, praten jullie ook met haar.'

Dotties ogen maakten zich van mij los en ze keek haar béste vriendin weer aan. Helene porde even met haar elleboog tegen haar knie.

Ik keek Angie aan. We werkten al zó lang samen dat ik de uitdrukking op haar gezicht meteen in twee woorden kon samenvatten:

Laat maar.

Ik keek haar aan en knikte. Het leven was te kort om nog een kwart seconde met Helene of Dottie door te brengen.

Ik keek Lionel aan en hij haalde zijn schouders op. Hij trok een berustend gezicht en zijn hele lichaam verslapte.

We zouden zo zijn weggelopen – daar waren we al mee begonnen – maar toen deed Beatrice haar ogen open. Ze versperde ons de weg en zei: 'Alsjeblieft.'

'Nee,' zei Angie rustig.

'Een uur,' zei Beatrice. 'Geef ons een uur. We zullen betalen.'

'Het gaat niet om het geld,' zei Angie.

'Alsjeblieft,' zei Beatrice. Ze keek langs Angie, keek mij recht in de ogen. Ze verplaatste haar gewicht van haar linker- naar haar rechtervoet en liet haar schouders zakken.

'Nog één uur,' zei ik. 'Meer niet.'

Ze glimlachte en knikte.

'Patrick, hè?' Helene keek naar me op. 'Zo heet je?'

'Ja,' zei ik.

'Zou je een beetje naar links kunnen gaan, Patrick?' zei Helene. 'Je staat voor de tv.'

Een halfuur later hadden we niets nieuws gehoord.

Lionel had zijn zus met veel moeite overgehaald de tv uit te zetten terwijl we spraken, maar juist daardoor kon ze haar aandacht er helemaal niet bij houden. Terwijl we praatten, gleed haar blik telkens van mij naar het lege scherm, alsof ze hoopte dat het door goddelijke tussenkomst weer tot leven zou komen.

Dottie ging, na al haar gezeur dat ze bij haar beste vriendin wilde blijven, de kamer uit zodra we de tv uitzetten. We hoorden haar rondstommelen in de keuken, waar ze de koelkast opentrok om nog een biertje te pakken en in de kasten naar een asbak zocht.

Lionel ging naast zijn zus op de bank zitten, en Angie en ik zaten op de vloer met onze rug tegen de televisiekast aan. Beatrice ging op het eind van de bank zitten dat het verst van Helene verwijderd was. Ze stak haar ene been ver naar voren en hield haar beide handen om de enkel van het andere been.

We vroegen Helene ons alles te vertellen over de dag waarop haar dochter verdween. We vroegen of ze ruzie of zoiets hadden gehad, en of Helene iemand kwaad had gemaakt die reden zou kunnen hebben om uit wraak haar dochter te ontvoeren.

In Helenes stem klonk constant ergernis door. Ze vertelde dat ze nooit ruzie had met haar dochter. Hoe kon je ruzie maken met iemand die de hele tijd lachte? Tussen het lachen door had Amanda blijkbaar alleen van haar moeder gehouden. Haar moeder hield ook van haar, en ze waren de hele tijd bezig van elkaar te houden en te lachen en nog meer te lachen. Helene wist niemand te bedenken die ze kwaad had gemaakt, en zoals ze al tegen de politie had gezegd, zelfs als ze dat had gedaan, wie zou dan haar kind ontvoeren om wraak op haar te nemen? Je had veel werk aan kinderen, zei Helene. Je moest ze te eten geven, verzekerde ze ons. Je moest ze instoppen. Je moest soms met ze spelen.

Vandaar al dat lachen.

Al met al vertelde ze ons niets dat we niet ook al uit krantenberichten of van Lionel en Beatrice wisten.

Wat Helene zelf betrof – hoe meer tijd ik bij haar doorbracht, des te minder graag wilde ik bij haar in dezelfde kamer zijn. Terwijl we over de verdwijning van haar kind spraken, liet ze ons weten dat ze haar leven haatte. Ze was eenzaam; er waren geen goede mannen meer over; ze moesten een schutting om Mexico heen zetten om al die Mexicanen weg te houden die bij ons in Boston kennelijk banen aan het stelen waren. Ze was ervan overtuigd dat linkse kringen een heel plan hadden om elke fatsoenlijke Amerikaan corrupt te maken, maar ze kon niet vertellen wat dat voor plan was, alleen dat het daardoor moeilijker voor haar werd om gelukkig te zijn en dat het de bedoeling was dat de zwarten in de bijstand bleven. Zeker, ze liep zelf ook in de bijstand, maar ze had de afgelopen zeven jaar erg haar best gedaan om eruit te komen.

Ze sprak over Amanda zoals iemand over een gestolen auto of een weggelopen huisdier zou spreken – ze was vooral geërgerd. Haar kind was verdwenen, en Jezus, nou was haar hele leven verpest.

God, zo bleek, had Helene McCready tot het Grootste Slachtoffer van de Wereld gezalfd. De rest van ons kon het wel opgeven. De competitie was voorbij.

'Helene,' zei ik tegen het eind van ons gesprek, 'heb je ons nog iets tc vertellen dat je vergeten bent aan de politie te vertellen?'

Helene keek naar de afstandsbcdiening op de salontafel. 'Wat?' zei ze.

Ik herhaalde mijn vraag.

'Het is moeilijk,' zei ze. 'Weet je wel?'

'Wat?' zei ik.

'Een kind grootbrengen.' Ze keek naar me op en haar doffe ogen werden groter, alsof ze op het punt stond een grote wijsheid te debiteren. 'Het is moeilijk. Het is niet als in de reclame.'

Toen we de huiskamer verlieten, zette Helene de televisie aan en glipte Dottie ons met twee blikjes bier in de hand voorbij alsof ze een teken had gekregen.

'Ze heeft wat emotionele problemen,' zei Lionel tegen ons, toen we in de keuken zaten.

'Ja,' zei Beatrice. 'Ze is een stom kreng.' Ze schonk koffie in haar kop.

'Gebruik dat woord niet,' zei Lionel. 'Allemachtig.'

Beatrice schonk wat koffie in Angies kop en keek mij aan.

Ik hield mijn blikje cola omhoog.

'Lionel,' zei Angie. 'Je zus schijnt zich niet erg druk te maken om Amanda's vermissing.'

'O, ze maakt zich wel zorgen,' zei Lionel. 'Vannacht? Ze huilde de hele nacht door. Ik denk dat ze momenteel gewoon uitgehuild is. Ze probeert vat te krijgen op… op haar verdriet. Je weet wel.'

'Lionel,' zei ik. 'Met alle respect, ik zie alleen dat ze medelijden met zichzelf heeft. Niet dat ze verdriet heeft.'

'Toch heeft ze dat.' Lionel knipperde met zijn ogen en keek zijn vrouw aan. 'Ze heeft het. Echt waar.'

'Ik weet dat ik het al eerder heb gezegd,' zei Angie, 'maar ik zie echt niet wat we kunnen doen dat de politie nog niet doet.'

'Dat weet ik.' Lionel zuchtte. 'Dat weet ik.'

'Misschien later,' zei ik.

'Ja,' beaamde hij.

'Als de politie er echt niet meer uitkomt en het dossier sluit,' zei Angie. 'Misschien dan.'

'Ja.' Lionel kwam van de muur vandaan en stak zijn hand uit. 'Hé, bedankt voor jullie komst. Bedankt voor... alles.'

'Graag gedaan.' Ik wilde hem een hand geven.

Beatrices stem, hees maar helder, hield me tegen. 'Ze is vier.'

Ik keek haar aan.

'Vier jaar oud,' zei ze, en ze keek naar het plafond. 'En ze is ergens buiten. Misschien verdwaald. Misschien erger.'

'Schat,' zei Lionel.

Beatrice schudde even met haar hoofd. Ze keek naar haar koffiekop, hield haar hoofd achterover en goot alles naar binnen, met haar ogen dicht. Toen de kop leeg was, zette ze hem op de tafel en boog ze zich met samengewrongen handen voorover.

'Mevrouw McCready,' zei ik, maar ze onderbrak me met een handgebaar.

'Elke seconde dat mensen niet proberen haar te vinden, is een seconde die ze voelt.' Ze bracht haar hoofd omhoog en deed haar ogen open.

'Schat,' zei Lionel.

'Kom me niet aanzetten met "schat".' Ze keek Angie aan. 'Amanda is bang. Ze is verdwenen. En dat kreng van een zus van Lionel zit met haar dikke vriendin in mijn huiskamer bier te drinken en naar zichzelf op de tv te kijken. En wie komt er voor Amanda op? Huh?' Ze keek haar man aan. Ze keek Angie en mij aan, haar ogen rood. Ze keek naar de vloer. 'Wie laat dat kleine meisje zien dat het iemand iets kan schelen of ze levend of dood is?'

Gedurende een volle minuut was het gezoem van de koelkastmotor het enige geluid in de keuken.

Toen zei Angie heel zachtjes: 'Wij, denk ik.'

Ik keek haar aan en trok mijn wenkbrauwen op. Ze haalde haar schouders op.

Aan Beatrices mond ontsnapte een vreemde mengeling van lachen en snikken, en ze drukte haar vuist tegen haar lippen en keek Angie aan. De tranen welden op in haar ogen maar weigerden te vallen.

4

In het gedeelte van Dorchester Avenue dat door mijn buurt loopt, waren vroeger meer Ierse kroegen dan in enige andere straat buiten Dublin. Toen ik nog jonger was, deed mijn vader altijd mee aan een kroegenmarathon om geld voor plaatselijke goede doelen bijeen te brengen. De mannen namen twee biertjes en een whisky per kroeg en gingen dan naar de volgende. Ze begonnen in Fields Corner, de volgende woonwijk, en bewogen zich dan in noordelijke richting door de Avenue. Het ging erom wie lang genoeg overeind bleef staan om de grens van South Boston, drie kilometer naar het noorden, over te steken.

Mijn vader was een groot drinker, zoals de meeste mannen die zich voor de kroegenmarathon inschreven, maar in alle jaren dat de marathon bestond, heeft niemand ooit South Boston gehaald.

De meeste van die cafés hebben inmiddels plaatsgemaakt voor Vietnamese restaurants en winkeltjes. Deze vier blokken van de Avenue staan tegenwoordig bekend als de Ho Chi Minh Trail en zijn eigenlijk veel leuker dan veel van mijn blanke buren schijnen te vinden. Als je 's morgens vroeg door de straat rijdt, zie je vaak oude mannen die bejaarde medeburgers *tai chi*-oefeningen laten doen op het trottoir. Je ziet mensen in hun inheemse dracht, donkere zijden pyjama's en grote strohoeden. Ik heb gehoord over bendes, *tongs*, die in de straat zouden opereren, maar ik heb ze nooit gezien. Ik zie vooral Vietnamese tieners met gel en spikes in hun haar en Gargoyle-zonnebrillen. Ze staan op straat en proberen er *cool* en hard uit te zien, en eigenlijk zijn ze niet anders dan ik op hun leeftijd was.

Van de oude cafés die de nieuwste toestroom van immigranten hebben overleefd, zijn de drie aan de Avenue zelf helemaal niet slecht. De eigenaren en hun clientèle hebben een onverschillige houding ten opzichte van de Vietnamezen, en de Vietnamezen behandelen hen op dezelfde manier. Geen van beide culturen schijnt erg nieuwsgierig naar de andere te zijn, en dat komt beide culturen erg goed uit.

Het enige andere café in de buurt van het Ho Chi Minh Trail bevond zich aan het eind van een onverharde zijstraat, die onvoltooid bleef toen de gemeente in het midden van de jaren veertig geen geld meer had. Het straatje dat overbleef, kreeg nooit zonlicht. Aan de zuidkant torende boven alles een gebouw uit van een transportbedrijf, zo groot als een vliegtuighangar. Aan de noordkant werd het daglicht tegengehouden door een dicht woud van flats. Aan het eind van het straatje bevond zich de Filmore Tap, een etablissement zo stoffig en vergeten als de geaborteerde straat waaraan het was gevestigd.

In de tijd van de kroegenmarathon gingen zelfs mannen van mijn vaders slag – zuipers en vechtersbazen, stuk voor stuk – niet naar de Filmore. De kroeg was uit de marathon geschrapt alsof hij niet bestond, en mijn hele leven heb ik nooit iemand gekend die er regelmatig kwam.

Er is een verschil tussen een rumoerige arbeiderskroeg en een kroeg voor louche blank uitschot, en de Filmore was een typisch voorbeeld van het laatste. In de arbeiderskroegen werd vaak genoeg gevochten, maar meestal ging dat dan met vuisten en in het ergste geval werd met een bierflesje op iemands hoofd gemept. In de Filmore braken zo ongeveer om het andere biertje gevechten uit, en dan meestal met stiletto's. De kroeg oefende een magische aantrekkingskracht uit op mannen die al heel lang niets meer hadden waar ze iets om gaven. Ze gingen erheen om hun drugs- en alcoholbehoefte en haat te bevredigen. En hoewel je toch zou verwachten dat niet veel mensen stonden te dringen om bij hun club te horen, moesten ze niet veel van nieuwe gegadigden hebben.

De barkeeper keek naar ons toen we uit de zonnige donderdagmiddag naar binnen kwamen en onze ogen aanpasten aan de vale, donkergroene ambiance van de kroeg. Vier kerels zaten aan de hoek van de bar aan de kant van de deur. Langzaam, een voor een, draaiden ze zich om en keken naar ons.

'Waar is Lee Marvin als je hem nodig hebt?' zei ik tegen Angie.

'Of Eastwood,' zei Angie. 'Ik had nu liever Clint.'

Twee kerels waren achter in de kroeg aan het biljarten. Nou ja, ze waren aan het biljarten gewéést, totdat wij binnenkwamen en op de een of andere manier hun spel verstoorden. Een van hen keek op en fronste zijn wenkbrauwen.

De barkeeper keerde ons zijn rug toe. Hij keek naar de tv boven hem, helemaal verdiept in een aflevering van *Gilligan's Island*. De Schipper sloeg Gilligan met zijn pet op zijn hoofd. De Professor probeerde ze uit elkaar te halen. De Howells lachten. Maryann en Ginger waren nergens te bekennen. Misschien had dat iets met het verhaal te maken.

Angie en ik namen krukken aan het verste eind van de bar, dicht bij de barkeeper, en wachtten tot hij ons aankeek.

De Schipper bleef Gilligan slaan. Blijkbaar was hij kwaad om iets dat met een aap te maken had.

'Dit is een geweldige aflevering,' zei ik tegen Angie. 'Ze komen bijna van het eiland af.'

'O ja?' Angie stak een sigaret op. 'Vertel vlug, wat houdt ze tegen?'

'Schipper betuigt zijn liefde voor zijn kleine maatje en ze laten zich allemaal meeslepen door de bruiloftsfestiviteiten, en de aap steelt de boot en al hun kokosnoten.'

'Ja,' zei Angie. 'Die heb ik ook eens gezien.'

De barkeeper draaide zich om en keek op ons neer. 'Wat?' zei hij.

'Een glas van je beste bier,' zei ik.

'Twee,' zei Angie.

'Goed,' zei de barkeeper. 'Maar dan houden jullie je mond tot de aflevering voorbij is. Sommigen van ons hebben deze nog niet gezien.'

Na *Gilligan* werd de tv in de kroeg afgestemd op een aflevering van *Public Enemies*, een op feiten gebaseerde misdaadserie waarin de daden van gezochte misdadigers werden nagespeeld door acteurs die zo onbekwaam waren dat ze Van Damme en Seagal op Olivier en Gielgud lieten lijken. Deze aflevering ging over een man die in Montana zijn kinderen seksueel had misbruikt en vervolgens aan stukken had gesneden, een politieman in North Dakota had neergeschoten en er blijkbaar zijn hele leven voor had gezorgd dat iedereen die hij tegenkwam een rotdag had.

'Als je het mij vraagt,' zei Big Dave Strand tegen Angie en mij toen ze het gezicht van de crimineel op het scherm lieten zien, 'is dat de kerel met wie jullie zouden moeten praten, in plaats van mijn mensen lastig te vallen.'

Big Dave Strand was de uitbater van de Filmore Tap. Hij was, zoals je van iemand met zijn bijnaam zou verwachten, groot – minstens een meter negentig, met een breed lichaam dat eruitzag alsof het dikke vlees zich in lagen over het skelet had gelegd in plaats van zich organisch uit te breiden naarmate het lichaam groeide. Big Dave had een ruige baard en snor rond zijn lippen, en donkere groene gevangenistatoeages op beide biceps. Die op zijn linkerarm was een afbeelding van een revolver met het woord FUCK eronder. Op de tatoeage van de rechter biceps zag je een kogel een schedel binnendringen. Daaronder stond YOU.

Vreemd genoeg was ik Big Dave nooit in de kerk tegengekomen.

'Dat soort kerels heb ik in de bak gekend,' zei Big Dave. Hij nam zelf een glas Piel's uit de tap. 'Freaks. Ze hielden ze bij de rest van de gedetineerden vandaan, omdat ze wisten wat wij met ze zouden doen. Ze wisten het.' Hij dronk zijn glas halfleeg, keek weer op naar de tv en liet een boer.

Om de een of andere reden rook het in de kroeg naar zure melk. En naar zweet. En naar bier. En naar de popcorn met boter in de mandjes die op de bar stonden, telkens zo'n vier krukken van elkaar vandaan. De vloer bestond uit rubbertegels en Big Dave had een tuinslang achter de bar. Aan de vloer te zien was het een paar dagen geleden dat hij die slang voor het laatst had gebruikt. Sigarettenpeuken en popcorn waren in het rubber gedrukt, en ik was er vrij zeker van dat wat ik in de schaduw onder een van de tafels zag bewegen een troepje muizen was die aan iets langs de plint zaten te knabbelen.

We vroegen alle vier mannen aan de bar naar Helene Mc-Cready, en daar kwamen we niet veel verder mee. Het waren oudere mannen. De jongste van hen was midden dertig, maar leek tien jaar ouder. Alle vier bekeken ze Angie van top tot teen alsof ze naakt in de etalage van een slagerij hing. Ze waren niet echt vijandig, maar behulpzaam waren ze ook niet. Ze kenden Helene wel, maar hadden niet bepaalde gevoelens over haar. Ze wisten dat haar dochter was verdwenen, en daar hadden ze ook geen gevoelens over. Een van hen, een vormeloze massa rode aderen en vergeelde huid die Lenny heette, zei: 'Dat kind is verdwenen. Nou, en? Ze komt wel weer opdagen. Dat doen ze toch altijd?'

'U bent zelf wel eens kinderen kwijt geweest?' vroeg Angie.

Lenny knikte. 'Ze kwamen weer opdagen.'

'Waar zijn ze nu?' vroeg ik.

'Eentje zit in de gevangenis, eentje zit in Alaska of zoiets.' Hij sloeg op de schouder van de man die half ingedommeld naast hem zat. 'Dit hier is de jongste.'

Lenny's zoon, een bleke magere man met diepzwarte wallen

onder de ogen, zei: 'Je bent knettergek' en liet zijn hoofd op zijn armen op de bar zakken.

'We hebben dit al met de smerissen besproken,' zei Big Dave tegen ons. 'We hebben het ze gezegd. Ja, Helene komt hier wel eens; nee, ze brengt het kind niet mee; ja, ze lust graag bier; nee, ze heeft het kind niet verkocht om een drugsschuld af te betalen.' Hij keek ons met half dichtgeknepen ogen aan. 'In ieder geval niet aan iemand hier.'

Een van de biljarters kwam naar de bar. Het was een magere man met een kaalgeschoren hoofd en goedkope gevangenistatoeages op zijn armen, al waren die niet zo gedetailleerd en esthetisch verfijnd als die van Big Dave. Hij boog zich tussen Angie en mij door, hoewel er rechts van ons enkele autolengten aan ruimte was. Hij bestelde nog twee biertjes bij Dave en keek naar Angies borsten.

'Heb je een probleem?' zei Angie.

'Geen probleem,' zei de man. 'Ik heb geen probleem.'

'Hij is probleemloos,' zei ik.

De man bleef naar Angies borsten staren met ogen die eruitzagen alsof ze door een bliksemschicht waren getroffen en met een enorme schok tot leven waren gewekt.

Dave bracht zijn glazen bier en de man pakte ze op.

'Die twee vragen naar Helene,' zei Dave.

'O ja?' De stem van de man klonk zo dof dat het moeilijk te zeggen was of hij een hartslag had. Hij haalde zijn twee glazen bier tussen onze hoofden door en hield het glas in zijn linkerhand een beetje scheef zodat er wat bier op mijn schoen viel.

Ik keek naar mijn schoen en keek hem toen weer aan. Zijn adem rook naar de sok van een atleet. Hij wachtte tot ik zou reageren. Toen ik dat niet deed, keek hij naar de glazen in zijn handen en verstrakten zijn vingers zich om de oren van die glazen. Hij keek weer naar mij, en die stompzinnige ogen waren zwarte gaten.

'Ik heb geen probleem,' zei hij. 'Maar jij misschien wel.'

Ik verplaatste mijn gewicht enigszins op mijn kruk, zodat mijn elleboog meer vat op de bar had voor het geval ik plotseling moest uitwijken. Ik wachtte tot de man een of andere beweging maakte die nu nog als een kankercel door zijn hoofd zweefde.

Hij keek weer naar zijn handen. 'Jij misschien wel,' herhaalde hij met luide stem, en toen stapte hij tussen ons vandaan.

We zagen hem naar zijn vriend bij de biljarttafel teruglopen. Zijn vriend nam zijn glas bier aan en de man met het kaalgeschoren hoofd wees in onze richting.

'Had Helene een groot drugsprobleem?' vroeg Angie aan Big Dave.

'Hoe moet ik dat nou weten?' zei Big Dave. 'Wou je iets suggereren?'

'Dave,' zei ik.

'Big Dave,' verbeterde hij me.

'Big Dave,' zei ik. 'Het kan me niet schelen als je kilo's onder de bar hebt liggen. En het kan me niet schelen als je dagelijks drugs aan Helene McCready verkoopt. We willen alleen weten of haar drugsprobleem zó groot was dat ze zwaar bij iemand in het krijt stond.'

Hij keek me ongeveer dertig seconden aan, en dat was voor mij lang genoeg om te zien wat een gemene rotzak hij was. Toen keek hij weer naar de tv.

'Big Dave,' zei Angie.

Hij draaide zijn bizonkop om.

'Is Helene verslaafd?'

'Weet je,' zei Big Dave. 'Jij ziet er goed uit. Als je ooit trek hebt in een paar rondjes met een echte man, moet je me bellen.'

'Ken je die dan?' zei Angie.

Big Dave keek weer naar de tv.

Angie en ik keken elkaar aan. Ze haalde haar schouders op. Ik haalde mijn schouders op. Het gebrek aan aandacht waaraan Helene en haar vriendinnen leden, was kennelijk zo wijdverbreid dat je een hele psychiatrische afdeling vol kon krijgen.

'Ze had geen grote schulden,' zei Big Dave. 'Ze is mij zo'n zestig dollar schuldig. Als ze bij iemand anders in de schuld stond voor... leuke dingen, zou ik ervan hebben gehoord.'

'Hé, Big Dave,' riep een van de mannen aan het eind van de bar. 'Heb je haar al gevraagd of ze pijpt?'

Big Dave bracht zijn armen omhoog en haalde zijn schouders op. 'Vraag het haar zelf.'

'Hé, schat,' riep de man. 'Hé, schat.'

'En mannen?' Angie hield haar blik op Dave gericht. Haar stem was helder, alsof ze niets te maken had met wat het ook was waar die klootzakken over praatten. 'Ging ze met iemand om die kwaad op haar zou kunnen zijn?'

'Hé, schat,' riep de man. 'Kijk me aan. Kijk deze kant eens op.'

Big Dave grinnikte en wendde zich lang genoeg van de vier kerels af om een nieuwe kop op zijn bier te tappen. 'Er zijn meiden die je gek kunnen maken, en meiden waar je om vecht.' Hij lachte Angie over zijn bierglas toe. 'Jij, bijvoorbeeld.'

'En Helene?' zei ik.

Big Dave glimlachte naar me alsof hij dacht dat ik me druk maakte om zijn avances ten opzichte van Angie. Hij keek langs de bar naar de vier mannen en knipoogde.

'En Helene?' herhaalde ik.

'Je hebt haar gezien. Ze ziet er goed uit. Ze is goed genoeg, zou ik zeggen. Maar je ziet ook meteen dat ze in bed niet veel waard is.' Hij boog zich over de bar naar Angie toe. 'Maar jij – ik wed dat jij kerels in tweeën hebt geneukt. Waar of niet, schat?'

Ze schudde haar hoofd en begon zacht te grinniken.

Alle vier kerels aan de bar waren nu klaarwakker. Ze keken met lichtgevende ogen naar ons.

Lenny's zoon kwam van zijn kruk en liep naar de deur.

Angie sloeg haar ogen neer en frommelde aan haar groezelige bierviltje.

'Kijk me aan als ik tegen je praat,' zei Big Dave. Zijn stem klonk nu een beetje gesmoord, alsof hij allemaal slijm in zijn keel had.

Angie bracht haar hoofd omhoog en keek hem aan.

'Zo is het beter.' Big Dave boog zich nog dichter naar haar toe. Zijn linkerarm gleed van de bar af en greep naar iets daaronder.

Er was een harde klik in de stille kroeg te horen. Lenny's zoon had het slot van de buitendeur dichtgedraaid.

Zo gaat dat. Een intelligente, trotse en mooie vrouw komt zo'n kroeg binnen en de mannen vangen een glimp op van alles wat ze hebben gemist, alles wat ze nooit kunnen krijgen. Ze worden met de neus op de karakterfouten gedrukt waardoor ze in die kroeg terecht zijn gekomen. Haat, jaloezie, spijt – het schiet allemaal tegelijk door hun afgestompte hersenen. En ze besluiten te zorgen dat die vrouw ook spijt krijgt – spijt van haar intelligentie, haar schoonheid en vooral haar trots. Ze besluiten terug te slaan, de vrouw tegen de bar te drukken, haar te bespuwen en te verzwelgen.

Ik keek naar de glazen voorkant van de sigarettenautomaat en zag daarin mezelf en de twee mannen achter me. Ze kwamen elk met een keu in de hand naar ons toe lopen, de kale voorop.

'Helene McCready,' zei Big Dave, zijn blik nog strak op Angie gericht, 'is niets. Een sukkel. Dat betekent dat haar kind ook een sukkel zou zijn geworden. Dus wat er ook met dat kind is gebeurd, ze is beter af. Waar ik niet van hou, is dat mensen naar mijn café komen en suggereren dat ik een dealer ben en praten alsof ze beter zijn dan ik.'

Lenny's zoon leunde tegen de deur en sloeg zijn armen over elkaar.

'Dave,' zei ik.

'Big Dave,' zei hij, met zijn tanden op elkaar. Zijn blik bleef onafgebroken op Angie gericht.

'Dave,' zei ik. 'Bega geen stommiteiten.'

'Heb je hem gehoord, Big Dave?' zei Angie. Haar stem beefde een beetje. 'Ga geen stomme dingen doen.'

'Kijk me aan, Dave,' zei ik.

Dave keek in mijn richting, meer om te kijken of die twee biljarters al achter me waren aangekomen dan om wat ik had gezegd. Zijn blik verstarde toen hij de .45 Colt Commander in mijn broeksband zag.

Ik had het wapen uit de holster achter op mijn rug gehaald zodra Lenny's zoon naar de deur was gelopen om hem op slot te doen, en Dave keek van mijn middel naar mijn gezicht en zag meteen het verschil tussen iemand die een pistool laat zien om te imponeren en iemand die dat doet om het te gebruiken.

'Als een van die kerels achter me nog één stap zet,' zei ik tegen Big Dave, 'gaat het vuurwerk beginnen.'

Dave keek over mijn schouder en schudde vlug met zijn hoofd.

'Zeg tegen die klootzak dat hij bij de deur vandaan gaat,' zei Angie.

'Ray,' riep Big Dave, 'ga weer zitten.'

'Waarvoor?' zei Ray. 'Waarvoor, Big Dave? Dit is een vrij land.'

Ik tikte met mijn wijsvinger op de kolf van de .45.

'Ray,' zei Big Dave, die me nu strak bleef aankijken, 'ga van die deur weg of ik douw je kop er dwars doorheen.'

'Goed,' zei Ray. 'Goed, goed. Jezus, Big Dave, ik bedoel, Jezus, shit.' Ray schudde zijn hoofd, maar in plaats van naar zijn barkruk terug te gaan, maakte hij de deur open en liep de kroeg uit.

'Een groot redenaar, onze Ray,' zei ik.

'Laten we gaan,' zei Angie.

'Goed.' Ik duwde de barkruk met mijn been opzij.

De twee biljarters stonden rechts van me toen ik me naar de deur omdraaide. Ik keek naar de man die bier op mijn schoen had gemorst. Hij hield zijn keu ondersteboven in beide handen, met het dikke uiteinde op zijn schouders. Hij was dom genoeg om daar te blijven staan, maar niet zo dom dat hij dichterbij kwam.

'Nú heb jij een probleem,' zei ik tegen hem.

Hij keek naar de keu in zijn handen, naar het zweet dat het hout onder zijn handen donker kleurde.

'Laat die keu vallen,' zei ik.

Hij keek naar de afstand tussen ons. Hij keek naar de kolf van de .45 en mijn rechterhand, die zich daar enkele centimeters vandaan bevond. Hij keek me aan. Toen bukte hij zich en legde de keu bij zijn voeten. Hij ging een stap terug en de keu van zijn vriend kletterde op de vloer.

Ik wendde me af, liep vijf stappen langs de bar en bleef toen staan. Ik keek Big Dave weer aan. 'Wat?' zei ik.

'Pardon?' Dave keek naar mijn handen.

'Ik dacht dat je iets zei.'

'Ik zei niks.'

'Ik dacht dat je zei dat je ons misschien nog niet alles hebt verteld wat je over Helene McCready weet.'

'Dat zei ik niet,' zei Big Dave, en hij hield zijn handen omhoog. 'Ik zei niks.'

'Angie,' zei ik, 'denk je dat Big Dave ons alles heeft verteld?'

Ze was bij de deur blijven staan, met haar .38 losjes in haar linkerhand. Ze leunde tegen de deurpost. 'Nee.'

'We denken dat je iets verzwijgt, Dave.' Ik haalde mijn schouders op. 'Het is maar een ideetje.'

'Ik heb jullie alles verteld. Nou, ik vind dat jullie allebei…'

'Dat we terug moeten komen als je vannacht gaat sluiten?' zei ik. 'Dat is een geweldig idee, Big Dave. Afgesproken. Dan komen we terug.'

Big Dave schudde een aantal keren met zijn hoofd. 'Nee, nee.'

'Zullen we zeggen om twee uur, kwart over twee?' Ik knikte. 'Tot dan, Dave.'

Ik draaide me om en liep langs de rest van de bar. Niemand wilde me in de ogen kijken. Ze keken allemaal naar hun glas bier.

'Ze was niet bij haar buurvrouw Dottie,' zei Big Dave.

We draaiden ons om en keken hem weer aan. Hij boog zich over de gootsteen van de bar en gebruikte de slang om een straaltje water in zijn gezicht te spuiten.

'Handen op de bar, Dave,' zei Angie.

Hij bracht zijn hoofd omhoog en knipperde het water uit zijn ogen. Toen legde hij zijn handen plat op de bar. 'Helene,' zei hij. 'Ze was niet bij Dottie. Ze was hier.'

'Met wie?' zei ik.

'Met Dottie,' zei hij. 'En met Lenny's zoon, Ray.'

Lenny bracht zijn hoofd van zijn bier omhoog en zei: 'Hou je bek, Dave.'

'Dat louche type bij de deur?' zei Angie. 'Is dat Ray?'

Big Dave knikte.

'Wat deden ze hier?' zei ik.

'Zeg maar niks meer,' zei Lenny.

Big Dave keek hem wanhopig aan en staarde toen weer naar Angie en mij. 'Drinken. Helene wist dat ze beter niet kon vertellen dat ze het kind alleen thuis had gelaten. Als de journalisten of de smerissen wisten dat ze tien blokken van huis vandaan was, in een café, en niet bij de buurvrouw, zou dat helemaal een slechte indruk maken.'

'Wat is haar relatie met Ray?'

'Ze doen het wel eens met elkaar, denk ik.' Hij haalde zijn schouders op.

'Wat is Ray's achternaam?'

'David!' zei Lenny. 'David, hou je…'

'Likanski,' zei Big Dave. 'Hij woont in Harvest Street.' Hij nam een hap lucht.

'Jij bent shit,' zei Lenny tegen hem. 'Dat ben je, en dat zul je altijd blijven, net als al je achterlijke nakomelingen en alles wat je aanraakt. Shit.'

'Lenny,' zei ik.

Lenny bleef met zijn rug naar me toe zitten. 'Als jij denkt dat ik iets tegen jou ga zeggen, jongen, dan heb je een gaatje in je hoofd. Ik zit hier naar mijn bier te kijken, maar ik weet dat jij een pistool hebt, en ik weet dat die meid er ook een heeft. Nou, en? Schiet me overhoop of ga weg.'

Buiten hoorde ik een sirene naderen.

Lenny wendde zijn hoofd af en begon te grijnzen. 'Zo te horen komen ze voor jou, hè?' Zijn grijns ging over in een harde, bittere lach, zodat je zijn rode zweer van een mond kon zien, bijna zonder tanden.

Hij zwaaide naar me toen de sirene zo dichtbij kwam dat ik wist dat ze in het straatje waren. 'De mazzel. Veel plezier verder.'

Zijn bittere lach kwam er ditmaal nog harder uit en klonk meer als het hoesten van verwoeste longen. Na enkele ogenblikken lachten zijn vrienden met hem mee, eerst nerveus maar toen openlijk. We hoorden buiten de portieren van de politiewagen opengaan.

Toen we naar buiten liepen, klonk het alsof daarbinnen een feestje werd gevierd.

5

Toen we buiten in het straatje kwamen, stonden we tegenover de grille van een zwarte Ford Taurus die op enkele centimeters afstand van de voordeur geparkeerd stond. De jongste van de twee rechercheurs, een grote kerel met de glimlach van een kleine jongen, boog zich door het open raampje aan de bestuurderskant naar buiten en zette de sirene af.

Zijn collega zat met zijn benen over elkaar op de motorkap. Hij had een kille glimlach op zijn ronde gezicht en zei: '*Woe, woe, woe.*' Hij hield zijn wijsvinger omhoog, draaide met zijn pols en maakte dat geluid weer. '*Woe, woe, woe.*'

'Angstaanjagend realistisch,' zei ik.

'Ja, hè?' Hij klapte zijn handen tegen elkaar en gleed van de motorkap af tot zijn voeten op de grille rustten en zijn knieën nog net niet tegen mijn benen kwamen.

'Jij moet Pat Kenzie zijn.' Zijn hand schoot uit naar mijn borst. 'Aangenaam kennis te maken.'

'Patrick,' zei ik, en gaf hem een hand.

Hij zwengelde hem twee keer krachtig op en neer. 'Adjunct-inspecteur Nick Raftopoulos. Zeg maar Poole. Dat doet iedereen.' Hij keek Angie met zijn scherpe kaboutergezicht aan. 'Jij moet Angela zijn.'

Ze schudde zijn hand. 'Angie.'

'Aangenaam kennis te maken, Angie. Heeft iemand je ooit verteld dat je de ogen van je vader hebt?'

Angie hield haar hand over haar wenkbrauwen en ging een stap naar Nick Raftopoulos toe. 'Je hebt mijn vader gekend?'

Poole legde zijn handen op zijn knieën. 'Oppervlakkig. We waren lid van verschillende teams. Ik mocht hem graag. Hij had echte klasse. Om je de waarheid te zeggen, was ik bedroefd toen hij... heenging, als je het zo kunt noemen. Hij was een zeldzaam mens.'

Angie keek hem met een zacht glimlachje aan. 'Het is aardig van je dat je dat zegt.'

De jongere rechercheur keek op naar degene die achter ons stond. 'Weer naar binnen, lul. Ik ken iemand die nog geld van je krijgt.'

De zurige whiskystank trok weg en de deur ging achter ons dicht.

Poole wees met zijn duim over zijn schouder. 'Deze vriendelijke jongeman hier is mijn collega, rechercheur Remy Broussard.'

We knikten naar Broussard, en hij knikte terug. Bij nader inzien was hij ouder dan hij eerst had geleken. Ik schatte hem op drieënveertig of vierenveertig. Toen ik naar buiten kwam, dacht ik eerst dat hij net zo oud was als ik. Dat kwam door die onschuldige Tom Sawyer-grijns van hem. Maar de kraaienpootjes bij zijn ogen, de lijnen in de holten van zijn wangen en de tingrijze vleug in zijn krullende vuilblonde haar deden er tien jaar bovenop. Hij had de bouw van een man die minstens vier keer per week naar de sportschool ging, een fysiek met een zware, massieve spiermassa, verzacht door het olijfbruine Italiaanse pak met twee rijen knopen dat hij droeg over een losse blauw met gouden Bill Blass-das en een overhemd met een subtiel streepje. Het bovenste knoopje van dat overhemd was los.

Een klerenman, dacht ik, terwijl hij wat stof van de rand van zijn linkse Florsheim veegde, het soort man dat waarschijnlijk nooit langs een spiegel liep zonder er even in te kijken. Maar toen hij over het open portier aan de bestuurderskant leunde en naar ons keek, voelde ik dat hij uiterst scherpzinnig en intelligent was. Hij mocht dan bij spiegels blijven staan, maar als hij dat deed, ontging hem niet veel van wat er achter hem gebeurde.

'Onze goeie ouwe inspecteur Jack-de-vurige Doyle zei dat we jullie moesten opzoeken,' zei Poole. 'Dus hier zijn we dan.'

'Hier zijn jullie,' zei ik.

'We rijden door de Avenue naar je kantoor,' zei Poole, 'en we zien Skinny Ray Likanski uit dit straatje komen. Ray's vader, weet je, was vroeger een verlinker in het kwadraat. Ik ken hem al heel lang. Rechercheur Broussard zou het verschil nog niet zien tussen Skinny Ray en Sugar Ray, maar ik zeg: "Stop de strijdwagen, Remy. Die plebejer is niemand anders dan Skinny Ray Likanski en hij ziet er niet zo happy uit."' Poole glimlachte en trommelde met zijn vingers op zijn knieschijven. 'Ray schreeuwt over iemand die met een pistool staat te zwaaien in dit gerenommeerde etablissement.' Hij keek me met opgetrokken wenkbrauwen aan. '"Een pistool?" zeg ik tegen rechercheur Broussard. "In een herenclub als de Filmore Tap? Nee maar!"'

Ik keek Broussard aan. Hij leunde tegen het portier van de auto, zijn armen over elkaar geslagen voor zijn borst. Hij haalde zijn schouders op alsof hij wilde zeggen: mijn collega, wat een type.

Poole roffelde op de kap van de Taurus om mijn aandacht te trekken. Ik keek hem weer aan en hij glimlachte met zijn verweerde kaboutergezicht. Waarschijnlijk was hij achter in de vijftig. Hij was klein en gedrongen en zijn gemillimeterde haar had de kleur van sigarettenas. Hij wreef over de stoppels en tuurde in de middagzon. 'Zou voornoemd pistool die Colt Commander kunnen zijn die ik op uw voornoemde heup zie, heer Kenzie?'

'Voornoemd,' zei ik.

Poole glimlachte en keek naar de Filmore Tap. 'Onze meneer Big Dave Strand – is hij nog intact?'

'Daarnet nog wel,' zei ik.

'Moeten we jullie twee wegens bedreiging arresteren?' Broussard trok een strookje kauwgom uit een pakje Wrigley's en stopte het in zijn mond.

'Dan zou hij een aanklacht moeten indienen.'

'En je denkt niet dat hij dat zal doen?' zei Poole.

'We zijn er vrij zeker van dat hij het niet doet,' zei Angie.

Poole keek ons met opgetrokken wenkbrauwen aan. Toen draaide hij zich om en keek zijn collega aan. Broussard haalde zijn schouders op en toen begonnen ze allebei te grijnzen.

'Is het niet geweldig?' zei Poole.

'Dus Big Dave heeft zijn hoogstpersoonlijke charme op je uitgeprobeerd?' vroeg Broussard aan Angie.

'"Geprobeerd" is het juiste woord,' zei Angie.

Broussard kauwde op zijn kauwgom, glimlachte en richtte zich toen in volle lengte op. Hij keek aandachtig naar Angie, alsof hij diep over haar nadacht.

'In alle ernst,' zei Poole, hoewel zijn stem nog luchtig klonk, 'heeft een van jullie daarbinnen met een vuurwapen geschoten?'

'Nee,' zei ik.

Poole stak zijn hand uit en knipte met zijn vingers.

Ik haalde mijn pistool uit mijn broeksband en gaf het aan hem.

Hij liet de patroonhouder uit de kolf in zijn hand vallen. Hij bewoog de slede en keek in de kamer om er zeker van te zijn dat die leeg was voordat hij aan de loop snoof. Hij knikte. Toen legde hij de patroonhouder in mijn linker- en het wapen in mijn rechterhand.

Ik deed het pistool in de holster op mijn rug en liet het magazijn in de zak van mijn jasje vallen.

'En jullie vergunningen?' zei Broussard.

'Helemaal up-to-date en in onze portefeuilles,' zei Angie.

Poole en Broussard grijnsden en keken elkaar aan. Toen keken ze naar ons tot we begrepen waar ze op wachtten.

We haalden ieder onze vergunning te voorschijn en gaven ze over de motorkap heen aan Poole. Poole wierp er een vluchtige blik op en gaf ze terug.

'Moeten we de bezoekers ondervragen, Poole?'

Poole keek Broussard weer aan. 'Ik heb honger.'

'Ik lust ook wel wat,' zei Broussard.

Poole keek ons weer met opgetrokken wenkbrauwen aan. 'En jullie twee? Hebben jullie trek?'

'Niet zo erg,' zei ik.

'Dat geeft niet. De tent waar ik aan denk,' zei Poole, en hij legde zijn hand met zachte drang onder mijn elleboog, 'daar is het eten toch niet best. Maar ze hebben ongelooflijk goed water. Het beste van de stad. Zo uit de kraan.'

De Victoria Diner bevond zich in Roxbury, net over de scheidslijn van mijn wijk, en het eten was er inderdaad voortreffelijk. Nick Raftopoulos nam varkenskoteletten. Remy Broussard nam een kalkoenenbout.

Angie en ik dronken koffie. 'Dus jullie komen niks verder,' zei Angie.

Poole doopte een stukje vlees in de appelmoes. 'Eerlijk gezegd, niet.'

Broussard veegde met zijn servet over zijn mond. 'Als een zaak zoveel publiciteit krijgt en zo lang voortduurt, is de afloop altijd slecht. We hebben nooit iets anders meegemaakt.'

'Jullie denken niet dat Helene ermee te maken heeft?' zei ik.

'Eerst wel,' zei Poole. 'Ik had de theorie dat ze het kind had verkocht of dat een dealer aan wie ze geld schuldig was het meisje had gekidnapt.'

'Waardoor ben je van gedachten veranderd?' zei Angie.

Poole kauwde op wat eten en porde Broussard aan om hem antwoord te laten geven.

'De leugendetector. Ze kwam er met vlag en wimpel doorheen. En verder, die kerel die daar zit te schransen en ik? Het is moeilijk om tegen ons te liegen als wij je samen onder handen nemen. Begrijp me goed, Helene liegt, maar niet over de verdwijning van haar dochter. Ze weet echt niet wat haar is overkomen.'

'En Helenes verblijfplaats op de avond dat Amanda verdween?'
Broussards broodje bleef halverwege zijn mond steken. 'Wat is daarmee?'

'Jullie geloven het verhaal dat ze aan de pers heeft verteld?' zei Angie.

'Is er een reden om dat niet te geloven?' Poole stak zijn vork in de appelmoes.

'Big Dave vertelde ons een ander verhaal.'

Poole leunde in zijn stoel achterover en sloeg de kruimels van zijn handen. 'En wat dan wel?'

'Geloven jullie Helenes verhaal, ja of nee?' vroeg Angie.

'Niet helemaal,' zei Broussard. 'Volgens de leugendetector was ze bij Dottie, maar niet bij Dottie thuis. Maar ze houdt vast aan die leugen.'

'Waar was ze?' vroeg Poole.

'Volgens Big Dave was ze in de Filmore.'

Poole en Broussard keken elkaar aan en keken toen ons weer aan.

'Dus,' zei Broussard langzaam, 'dus heeft ze ons toch belazerd.'

'Ze wilde haar vijftien seconden niet bederven,' zei Poole.

'Haar vijftien seconden?' vroeg ik.

'Haar vijftien seconden in de schijnwerpers,' zei Poole. 'Vroeger waren het minuten; tegenwoordig zijn het seconden.' Hij zuchtte. 'Op de tv speelde ze haar rol van de bedroefde moeder in de mooie blauwe jurk. Weet je nog, die Braziliaanse vrouw in Allston? Haar zoontje verdween zo'n acht maanden geleden.'

'En hij is nooit gevonden.' Angie knikte.

'Ja. Nou, weet je, die moeder, die had een donkere huid, en ze kleedde zich niet goed. Op de tv leek het altijd net of ze stoned was. Na een tijdje gaf het publiek geen bal meer om haar vermiste zoontje, omdat ze zo'n hekel aan de moeder hadden.'

'Maar Helene McCready,' zei Broussard, 'is blank. En ze heeft zich opgetut. Ze ziet er goed uit op de tv. Misschien was ze niet het helderste lampje uit de doos, maar ze is sympathiek.'

'Dat is ze níet,' zei Angie.

'O, heb je haar persoonlijk ontmoet?' Broussard schudde zijn hoofd. 'Dan is ze ongeveer zo sympathiek als een kist met krabben. Maar voor de camera? Als ze die vijftien seconden volpraat? De camera is gek op haar, het publiek is gek op haar. Ze laat haar kind bijna vier uur alleen, en dat valt niet goed, maar uiteindelijk zeggen de mensen: "Ach, je moet niet zo hard oordelen. We maken allemaal fouten."'

'En waarschijnlijk heeft ze in haar hele leven nog nooit zoveel liefde meegemaakt,' zei Poole. 'En zodra Amanda wordt gevonden, of laten we zeggen, als er iets anders gebeurt dat de zaak van de voorpagina verdringt – en dat gebeurt altijd – wordt Helene weer wie ze vroeger was. Maar voorlopig heeft ze haar vijftien seconden.'

'En jullie denken dat ze daarom liegt dat ze bij de buurvrouw thuis was?' zei ik.

'Waarschijnlijk,' zei Broussard. Hij veegde met zijn servet over zijn mondhoeken en schoof zijn bord weg. 'Begrijp me niet verkeerd. We gaan straks naar het huis van haar broer, en dan geven we haar ervan langs omdat ze tegen ons heeft gelogen. En als er nog meer is, komen we daar achter.' Hij bewoog zijn hand in onze richting. 'Dankzij jullie twee.'

'Hoelang zitten jullie al op deze zaak?' vroeg Poole.

Angie keek op haar horloge. 'Sinds gisteravond laat.'

'En jullie hebben al iets ontdekt wat ons is ontgaan?' Poole grinnikte. 'Misschien zijn jullie echt zo goed als we gehoord hebben.'

Angie liet haar wimpers fladderen. 'Tjee, gossie.'

Broussard glimlachte. 'Ik spreek Oscar Lee nog wel eens. Een miljoen jaar geleden waren we samen wijkagent in een achterbuurt. Toen ze Gerry Glynn een paar jaar geleden op die speelplaats te pakken kregen, vroeg ik Oscar naar jullie twee. Wil je weten wat hij zei?'

Ik haalde mijn schouders op. 'Oscar kennende, zal het wel obsceen zijn.'

Broussard knikte. 'Hij zei dat jullie, wat de meeste aspecten van jullie leven betreft, twee *fucking* klojo's zijn.'

'Dat klinkt als Oscar,' zei Angie.

'Maar hij zei ook dat als jullie eenmaal in jullie hoofd hadden dat jullie een zaak gingen oplossen, God zelve jullie daar nog niet van af kon houden.'

'Die Oscar toch,' zei ik. 'Wat een schat.'

'Dus nu zitten jullie op dezelfde zaak als wij.' Poole vouwde zijn servet heel precies op en legde het op zijn bord.

'Hebben jullie daar moeite mee?' vroeg Angie.

Poole keek Broussard aan. Broussard haalde zijn schouders op.

'In principe hebben we daar geen moeite mee,' zei Poole.

'Maar,' zei Broussard, 'we moeten wel een paar regels vaststellen.'

'Zoals?'

'Zoals...' Poole haalde een pakje sigaretten te voorschijn. Hij haalde het cellofaan er langzaam af, trok de folie opzij en haalde er een Camel zonder filter uit. Hij snoof eraan, zoog de tabaksgeur diep in zijn neusgaten en leunde toen met zijn ogen dicht achterover. Toen boog hij zich naar voren en drukte de sigaret, die helemaal niet had gebrand, in de asbak tot hij in tweeën brak. Hij stopte het pakje weer in zijn zak.

Broussard glimlachte met opgetrokken wenkbrauwen naar ons.

Poole zag ons naar hem kijken. 'Sorry. Ik ben gestopt.'

'Wanneer?' zei Angie.

'Twee jaar geleden. Maar ik heb de rituelen nog nodig.' Hij glimlachte. 'Rituelen zijn belangrijk.'

Angie greep in haar tasje. 'Vind je het erg als ik rook?'

'O, God, zou je dat willen doen?' zei Poole.

Hij keek toe terwijl Angie haar sigaret aanstak. Toen bewoog zijn hoofd enigszins en werden zijn ogen veel helderder en keken ze me aan. Het leek wel of ze zonder te knipperen tot de kern van mijn hersenen of mijn ziel konden doordringen.

'De regels,' zei hij. 'We kunnen geen lekken naar de pers gebruiken. Jullie zijn bevriend met Richie Colgan van de *Tribune*.'

Ik knikte.

'Colgan is geen vriend van de politie,' zei Broussard.

'Het is niet zijn werk om een vriend te zijn,' zei Angie. 'Het is zijn werk om verslaggever te zijn.'

'Dat spreek ik niet tegen,' zei Poole. 'Maar ik wil niet hebben dat iemand van de pers iets over het onderzoek weet waarvan wij niet willen dat hij het weet. Akkoord?'

Ik keek Angie aan. Ze keek door haar sigarettenrook naar Poole. Ten slotte knikte ze. 'Akkoord,' zei ik.

'Fantastisch!' zei Poole met een Schots accent.

'Waar heb je die kerel vandaan?' vroeg Angie aan Broussard.

'Ze betalen me honderd dollar extra per week om met hem samen te werken. Gevarentoeslag.'

Poole boog zich in de wolk van Angies sigarettenrook en snoof diep. 'Ten tweede,' zei hij. 'Jullie twee zijn onorthodox. Dat is prima. Maar het is niet de bedoeling dat jullie, als jullie aan deze zaak werken, met vuurwapens zwaaien en mensen intimideren om informatie uit ze te krijgen, à la Big Dave Strand.'

'Big Dave Strand stond op het punt me te verkrachten, adjunct-inspecteur Raftopoulos,' zei Angie.

61

'Ik begrijp het,' zei Poole.

'Nee, je begrijpt het niet,' zei Angie. 'Je hebt geen idee.'

Poole knikte. 'Ik bied mijn verontschuldigingen aan. Maar jullie verzekeren ons dat wat vanmiddag bij Big Dave gebeurde een dwaling was? Dat het niet nog een keer zal gebeuren?'

'Dat beloven we,' zei Angie.

'Nou, ik geloof jullie op jullie woord. Wat vinden jullie tot nu toe van onze condities?'

'Als we beloven dat we niets aan de pers laten uitlekken – en geloof me, dat brengt onze verstandhouding met Richie Colgan onder spanning – moeten jullie ons op de hoogte houden. Als wij denken dat jullie ons behandelen zoals jullie de pers behandelen, krijgt Colgan een telefoontje.'

Broussard knikte. 'Dat lijkt me geen probleem. Poole?'

Poole haalde zijn schouders op. Hij bleef me aankijken.

Angie zei: 'Het kost me moeite om te geloven dat een kind van vier op een warme avond kan verdwijnen zonder dat iemand haar ziet.'

Broussard draaide zijn trouwring aan zijn vinger heen en weer. 'Mij ook.'

'Nou, wat hebben jullie?' zei Angie. 'In de afgelopen drie dagen hebben jullie vast wel iets ontdekt waarover wij niets in de kranten hebben gelezen.'

'We hebben twaalf bekentenissen,' zei Broussard. 'Die variëren van "Ik heb het meisje ontvoerd en haar opgegeten" tot "Ik heb het meisje ontvoerd en haar aan de Moon-sekte verkocht", die blijkbaar een goede prijs betaalt.' Hij keek ons met een zuur glimlachje aan. 'Geen van die twaalf bekentenissen klopte. We hebben helderzienden die zeggen dat ze in Connecticut is; ze is in Californië; nee, ze is nog hier in de staat, maar ergens in een bos. We hebben Lionel en Beatrice McCready ondervraagd, en hun alibi's zijn waterdicht. We hebben in de riolen gekeken. We hebben alle bewoners van die straat in hun huis ondervraagd, niet alleen om na te gaan of ze iets hebben gehoord of gezien maar ook om ongemerkt te kijken of er sporen van het meisje in hun huis zijn. We weten nu welke buurman aan de coke is, wie een drankprobleem heeft, wie zijn vrouw slaat, en wie haar man slaat maar we hebben niets gevonden dat iemand met de verdwijning van Amanda McCready in verband brengt.'

'Nul komma nul,' zei ik. 'Jullie hebben helemaal niets.'

Broussard wendde langzaam zijn hoofd af en keek Poole aan.

Nadat Poole ongeveer een minuut over de tafel naar ons had

gestaard en steeds weer met zijn tong tegen zijn onderlip had gedrukt, greep Poole in het gehavende diplomatenkoffertje dat naast hem lag en haalde er een paar glanzende foto's uit. De eerste daarvan reikte hij ons over de tafel aan.

Het was een zwartwitfoto, een close-up van een man van achter in de vijftig met een gezicht dat eruitzag alsof de huid met kracht tegen het bot was getrokken en vervolgens ergens achter zijn schedel met een klem bijeen werd gehouden. Zijn fletse ogen puilden uit hun kassen en zijn kleine mond verdween bijna helemaal in de schaduw van zijn gekromde haakneus. Zijn wangen waren zó ingevallen dat het leek of hij op een citroen had gezogen. Een stuk of tien slierten zilvergrijs haar waren met de vingers over de blootgelegde huid op de spitse kruin van zijn hoofd gestreken.

'Ooit gezien?' vroeg Broussard.

We schudden ons hoofd.

'Hij heet Leon Trett. Drie keer veroordeeld wegens ontucht met kinderen. De eerste keer stuurde de rechter hem naar een psychiatrische inrichting, de tweede en derde keer ging hij de bak in. Tweeëneenhalf jaar geleden had hij zijn laatste straf erop zitten. Hij liep de Bridgewater-gevangenis uit en verdween.'

Poole gaf ons een tweede foto, een kleurenopname van een gigantische vrouw. Je zag haar in de volle lengte. Ze had de schouders van een bankkluis en de brede taille en ruige bruine haren van een sint-bernard die zich op twee poten heeft opgericht.

'Grote goden,' zei Angie.

'Roberta Trett,' zei Poole. 'Het vrouwtje van voornoemde Leon. Die foto is tien jaar geleden genomen, dus ze kan wat veranderd zijn, al denk ik niet dat ze gekrompen is. Roberta staat bekend om haar groene vingers. Meestal onderhoudt ze zichzelf en haar lieve mannie Leon door als bloemiste te werken. Tweeëneenhalf jaar geleden nam ze ontslag en verliet haar woning in Roslindale, en daarna heeft niemand nog iets van die twee vernomen.'

'Maar...' zei Angie.

Poole gaf ons de derde en laatste foto aan. Dat was een politiefoto van een kleine, toffeebruine man met een lui rechteroog en rimpelige, warrige gelaatstrekken. Hij keek in de lens alsof hij er in een donkere kamer naar zocht. Zijn gezicht was een en al hulpeloze woede en wilde verbijstering.

'Corwin Earle,' zei Poole. 'Ook een veroordeelde pedofiel. Een week geleden vrijgekomen uit Bridgewater. Verblijfplaats onbekend.'

'Maar hij heeft iets met de Tretts te maken,' zei ik.

Broussard knikte. 'Deelde in Bridgewater een cel met Leon. Toen Leon weer op de samenleving werd losgelaten, kreeg Corwin Earle een nieuwe celgenoot, Bobby Minton, een roofovervaller uit Dorchester die, als hij niet bezig was Corwin verrot te slaan omdat hij een kinderverkrachter was, ook alle overpeinzingen van het misbaksel te horen kreeg. Volgens Bobby Minton had Corwin een favoriete fantasie: als hij vrijkwam, zou hij zijn oude celgenoot Leon en diens geweldige vrouw Roberta opzoeken, en dan zouden ze samen verder gaan, als een gelukkig gezin. Maar Corwin zou niet zonder geschenk bij ze voor de deur staan. Dat zal hij wel onbeleefd hebben gevonden. En volgens Bobby Minton zou dat geschenk geen fles Cutty voor Leon en een bos rozen voor Roberta zijn. Het zou een kind zijn. Jong, zei Bobby tegen ons. Corwin en Leon hadden ze graag jong. Niet ouder dan negen.'

'Heeft die Bobby Minton jullie gebeld?' zei Angie.

Poole knikte. 'Zodra hij over de verdwijning van Amanda McCready hoorde. Het schijnt dat de heer Minton zijn celgenoot Corwin Earle de hele tijd spannende verhalen vertelde over wat de brave burgers van Dorchester met kinderverkrachters doen. En dat Corwin geen tien meter door Dorchester Avenue kon lopen zonder dat zijn pik werd afgesneden en in zijn mond werd gestopt. Minton denkt dat Corwin Earle zijn cadeau voor de Tretts juist uit Dorchester heeft gehaald omdat hij Minton als het ware in zijn gezicht wilde spugen.'

'En waar is Corwin Earle nu?' vroeg ik.

'Weg. Verdwenen. We houden het huis van zijn ouders in Marshfield in de gaten, maar dat heeft nog niets opgeleverd. Toen hij uit de gevangenis kwam, nam hij een taxi naar een stripteaseclub in Stoughton, en daarna heeft niemand hem meer gezien.'

'En dat telefoontje van die Bobby Minton – dat is alles wat jullie hebben om Earle en de Tretts met Amanda in verband te brengen?'

'Het stelt niet veel voor, hè?' zei Broussard. 'Ik zei al dat we niet veel hadden. De kans is groot dat Earle niet het lef heeft voor een kidnapping in een onbekende omgeving. Op zijn strafblad heeft hij niets dat in die richting wijst. De kinderen die hij molesteerde, namen deel aan een zomerkamp waar hij zeven jaar geleden werkte. Hij gebruikte geen geweld en hield ze niet gevangen. Waarschijnlijk deed hij alleen maar stoer tegen zijn celgenoot.'

'En de Tretts?' zei Angie.

'Nou, Roberta heeft nooit zoiets gedaan. Het enige misdrijf waarvoor ze ooit is veroordeeld, was medeplichtigheid achteraf aan een overval op een drankwinkel in Lynn. Dat was eind jaren zeventig. Ze heeft een jaar gezeten, is door haar proeftijd heen gekomen en heeft daarna nog geen nacht in een cel doorgebracht.'

'Maar Leon?'

'Leon.' Broussard keek Poole met opgetrokken wenkbrauwen aan en floot. 'Leon is slecht, slecht, slecht. Drie keer veroordeeld, twintig keer beschuldigd. De meeste zaken werden geseponeerd omdat de slachtoffers weigerden te getuigen. En ik weet niet of jullie weten hoe het met kinderverkrachters is, maar het is net als met ratten en kakkerlakken: zie je er een, dan zijn er nog eens honderd in de buurt. Krijg je een freak te pakken die een kind molesteert, dan kun je er donder op zeggen dat hij, als hij een beetje intelligentie heeft, het wel dertig keer heeft gedaan zonder dat hij gepakt werd. Dus volgens onze conservatieve schatting heeft Leon waarschijnlijk ruim vijftig kinderen verkracht. En omdat hij in Randolph en later in Holbrook woonde toen daar kinderen voorgoed verdwenen, hebben de FBI en de plaatselijke politiekorpsen hem boven aan hun lijst van verdachten van die moorden op kinderen staan. Ik zal je nog iets over Leon vertellen – de laatste keer dat hij werd opgepakt, vond de politie van Kingston een hele lading vuurwapens die hij bij zijn huis had begraven.'

'Heeft hij daar een douw voor gekregen?' vroeg Angie.

Broussard schudde zijn hoofd. 'Hij was slim genoeg om ze op het terrein van zijn buurman te begraven. De politie van Kingston wist dat het spul van hem was – zijn huis lag vol met nieuwsbrieven van de NRA, gebruiksaanwijzingen van wapens, *The Turner Diaries*, alle gebruikelijke parafernalia van de tot de tanden bewapende paranoialijder – maar ze konden het niet bewijzen. Dat is bij Leon altijd moeilijk. Hij is erg voorzichtig, en hij weet hoe hij zich gedeisd moet houden.'

'Blijkbaar,' zei Angie nogal bitter.

Poole legde zijn hand even op de hare. 'Hou die foto's. Bestudeer ze. En kijk uit naar die drie mensen. Ik betwijfel of ze er iets mee te maken hebben – niets wijst daarop, behalve de theorie van die gedetineerde – maar dit zijn tegenwoordig de meest prominente kinderverkrachters hier in de buurt.'

Angie keek glimlachend naar Pooles hand. 'Goed.'

Broussard pakte zijn zijden das vast en plukte er een stofje af. 'Met wie was Helene McCready op zondagavond in de Filmore?'

'Met Dottie Mahew,' zei Angie.

'Is dat alles?'

Angie en ik zwegen even.

'Vergeet niet,' zei Broussard. 'Jullie zouden alles vertellen.'

'Skinny Ray Likanski,' zei ik.

Broussard keek Poole aan. 'Vertel me eens wat meer over die jongen, collega.'

'De schoft,' zei Poole. 'En dan te bedenken dat we Zijne Skinnyheid nog geen uur geleden in onze handen hadden.' Hij schudde zijn hoofd. 'Nou, dat is dan een misser.'

'Hoezo?' zei ik.

'Skinny Ray is tuig van de richel. Zijn manier van leven heeft hij van zijn papa geleerd. Hij weet waarschijnlijk dat we naar hem zoeken, en daarom is hij weg. In elk geval voor een tijdje. Waarschijnlijk heeft hij ons alleen verteld dat jullie tweeën in de Filmore met wapens aan het zwaaien waren om van ons af te zijn, om tijd te winnen en de stad uit te komen. De Likanski's hebben familie in Allegheny, Rem. Misschien kun je...'

'Ik bel de politie daar,' zei Broussard. 'Kunnen we een opsporingsbevel laten uitgaan?'

Poole schudde zijn hoofd. 'Hij is in geen vijf jaar betrapt. Geen uitstaande boetes. Geen reclasseringsambtenaar. Hij is clean.' Poole tikte met zijn wijsvinger op de tafel. 'Uiteindelijk duikt hij wel weer op. Dat heb je met psycho's altijd.'

'Zijn we klaar?' vroeg Broussard, toen de serveerster naar ons toe kwam.

Poole betaalde de rekening en we liepen met ons vieren de late middag in.

'Als jullie gokkers waren,' zei Angie, 'waar zouden jullie dan op gokken dat met Amanda McCready gebeurd is?'

Broussard nam een ander strookje kauwgom, stopte het in zijn mond en begon langzaam te kauwen. Poole trok zijn das recht en bekeek zichzelf in het spiegeltje aan de rechterkant van zijn auto.

'Ik zou zeggen,' zei Poole, 'dat er niets goeds van kan komen als een kind van vier al meer dan tachtig uur verdwenen is.'

'Rechercheur Broussard?' zei Angie.

'Ik zou zeggen dat ze dood is, Angie.' Hij liep om de auto heen en maakte het portier aan de bestuurderskant open. 'We leven in een gemene wereld, en die is kinderen nooit welgezind geweest.'

6

Tegen de avond speelden de Astros in Savin Hill Park tegen de Orioles, en beide teams schenen problemen te hebben met hun techniek. Toen een goede slagman van de Astros een bal naar de derdehonklijn sloeg, ving de derdehonkman van de Orioles hem niet op omdat hij bezig was een stukje onkruid bij zijn voeten uit de grond te trekken. En dus pakte de honkloper van de Astros de bal op en rende ermee naar het thuishonk. Kort voordat hij daar aankwam, gooide hij de bal in de richting van de werper, die hem oppakte en in de richting van het eerste honk gooide. De middenvelder en de rechtervelder kwamen tegelijk bij de bal en tackelden elkaar. De linkervelder zwaaide naar zijn moeder.

De North Dorchester T-ball-league voor vier- tot zesjarigen kwam eens per week in Savin Hill Park bijeen en speelde dan op de kleinste van de twee velden. Dat veldje werd omringd door een draadgazen hek en lag ongeveer vijftig meter van de Southeast Expressway vandaan. Savin Hill kijkt uit op de snelweg en een kleine baai die Malibu Beach wordt genoemd, en daar heeft de Dorchester Yacht Club zijn boten liggen. Ik heb mijn hele leven in dat deel van de stad gewoond en ik heb daar nog nooit een echt jacht voor anker zien gaan, maar misschien kijk ik op de verkeerde dagen.

Toen ik tussen de vier en de zes was, speelden we honkbal omdat ze toen nog geen T-ball hadden. We hadden coaches en ouders die schreeuwden en eisten dat we ons concentreerden, en kinderen die al hadden geleerd hoe je een stootslag plaatst en onder de hand van de tweedehonkman door duikt, en vaders die als werper optraden om ons vertrouwd te maken met snelle ballen en boogballetjes. Toen we op zeven- of achtjarige leeftijd in de Little League kwamen, waren de teams van de St. Bart, de St. William en de St. Anthony in North Dorchester terecht gevreesd.

Toen ik met Angie bij de open tribune stond en we zo'n dertig kleine jongens en meisjes als gekken zagen rondrennen en ballen missen omdat ze hun pet over hun ogen hadden getrokken of naar de ondergaande zon keken, was ik er vrij zeker van dat de methoden uit mijn tijd een kind beter op de harde honkbalsport voorbereidden. Aan de andere kant hadden de T-ball-kinderen zo te zien veel meer plezier.

In de eerste plaats waren er voor zover ik kon zien geen uitgetikte spelers. Alle spelers van ieder team kwamen aan de beurt. Zodra alle kinderen, ongeveer vijftien in getal, hadden geslagen (en ze sloegen allemaal, er bestond niet zoiets als drie keer missen en dan 'uit' zijn), wisselden ze van slaghout en handschoenen met het andere team. Niemand hield de score bij. Als een kind alert genoeg was om de bal te vangen en de honkloper uit te tikken, werden beide kinderen overdadig gefeliciteerd door de coach en bleef de honkloper op het honk. Een paar ouders schreeuwden 'Pak die bal nou op, Andrea', of 'Rennen, Eddie, rennen! Nee, nee – die kant op! Die kant op!' Maar in het algemeen klapten de ouders en coaches voor elke slag waardoor de bal meer dan een meter ver kwam, voor elke bal die door een veldspeler werd bemachtigd en teruggegooid naar een punt dat onder dezelfde postcode viel als het veld, voor elke succesvolle run van het eerste naar het derde honk, al rende het kind over de werpheuvel om er te komen.

Amanda McCready had in deze categorie gespeeld. Ze was ingeschreven en door Lionel en Beatrice naar de wedstrijden gebracht. Ze was een Oriole geweest en haar coach vertelde ons dat ze meestal tweede honk stond en de bal vrij goed kon vangen als haar aandacht niet werd afgeleid door de vogel op haar shirt.

'Daardoor heeft ze er een paar gemist.' Sonya Garabedian glimlachte en schudde haar hoofd. 'Ze zou nu staan waar Aaron staat, en ze zou aan haar shirt trekken en naar die vogel kijken en er soms tegen praten. En als er een bal haar kant op kwam – nou, dan zou hij gewoon moeten wachten tot ze klaar was met naar die mooie vogel te kijken.'

De jongen die aan slag was, een dikke jongen, nogal groot voor zijn leeftijd, mepte de bal ver naar links, en alle buitenvelders renden erachteraan. Toen de dikke jongen bij het tweede honk was, dacht de jongen: dat wil ik ook. Hij ging ook proberen de bal te pakken te krijgen, rende naar het buitenveld en sloot zich aan bij het troepje kinderen die tackelend en duwend als botsautotjes achter elkaar en de bal aan renden.

'Dat is iets wat je Amanda nooit zou zien doen,' zei Sonya Garabedian.

'Een homerun slaan?' zei Angie.

Sonya schudde haar hoofd. 'Nou, dat ook niet. Maar nee, ziet u die kluwen kinderen daar? Als iemand er geen eind aan maakt, blijven ze over elkaar heen klauteren en vergeten ze wat ze hier eigenlijk kwamen doen.'

Terwijl twee ouders naar de mêlee op het veld liepen en kinderen als circusartiesten van de berg kwamen springen, wees Sonya hen op een klein meisje met rood haar dat derde honk stond. Ze was een jaar of vijf en kleiner dan bijna iedereen van beide teams. Haar teamshirt hing tot op haar schenen. Ze keek naar het tumult op het buitenveld, waar nog steeds kinderen op afrenden, en ging toen op haar knieën zitten en begon met een steen in de aarde te graven.

'Dat is Kerry,' zei Sonya. 'Wát er ook gebeurt – al loopt er een olifant het veld op die alle kinderen met zijn slurf laat spelen – Kerry zal nooit meedoen. Het zou gewoon niet in haar opkomen.'

'Is ze zo verlegen?' zei ik.

'Dat is het ook.' Ze knikte. 'Maar het is nog meer. Ze reageert gewoon niet op de dingen waarop andere kinderen reageren. Ze is nooit echt verdrietig, maar ze is ook nooit echt gelukkig. Begrijpt u?'

Kerry keek een ogenblik vanaf de grond naar hen. Ze moest haar sproetengezicht samenknijpen, want de schittering van de ondergaande zon werd weerkaatst door de werpplaat. Toen ging ze weer door met graven.

'Wat dat betreft, is Amanda net als Kerry,' zei Sonya. 'Ze reageert nauwelijks op rechtstreekse prikkels.'

'Ze is introvert,' zei Angie.

'Voor een deel, maar je hebt ook niet het gevoel dat er zoveel tussen haar oren gebeurt. Het is niet zo dat ze zich in haar eigen wereldje afsluit. Het is eerder zo dat ze in deze wereld niet veel ziet dat haar interesseert.' Ze keek naar me op, en er ging van de stand van haar kaak en haar strakke blik een zekere verbittering uit. 'U hebt Helene ontmoet?'

'Ja.'

'Wat vindt u van haar?'

Ik haalde mijn schouders op.

Ze glimlachte. 'Ze is iemand die mensen hun schouders laat ophalen, hè?'

'Kwam ze naar wedstrijden?' vroeg Angie.

'Eén keer,' zei Sonya. 'Eén keer, en toen was ze dronken. Ze was met Dottie Mahew en ze waren allebei een eind heen, en ze waren erg luidruchtig. Ik denk dat Amanda zich schaamde. Ze vroeg me steeds weer wanneer de wedstrijd voorbij was.' Ze schudde haar hoofd. 'Kinderen van die leeftijd hebben een ander besef van tijd dan wij. Ze merken alleen of de tijd kort of lang lijkt. Op die dag moet het voor Amanda hebben geleken of de wedstrijd erg lang duurde.'

Er waren nu nog meer ouders en coaches het veld opgegaan, evenals de meeste Astros. Een stuk of wat kinderen waren nog aan het ravotten, maar minstens evenveel vormden nu afzonderlijke groepjes, die krijgertje speelden, hun handschoenen naar elkaar gooiden of gewoon als zeehonden door het gras rolden.

'Mevrouw Garabedian, hebt u ooit vreemden bij de wedstrijden zien rondhangen?' Angie liet haar de foto's van Corwin Earle, Leon en Roberta Trett zien.

Ze keek ernaar, knipperde met haar ogen toen ze zag hoe groot Roberta was, maar schudde uiteindelijk met haar hoofd.

'Zie je die grote kerel daar bij al die kinderen?' Ze wees naar een grote dikke kerel van begin veertig met gemillimeterd haar. 'Dat is Matthew Hoagland. Hij is een professionele bodybuilder. Hij is een paar jaar achtereen Mister Massachusetts geweest. Een heel aardige man. En hij is gek op zijn kinderen. Vorig jaar kwam er een schurftig type langs het veld die een paar minuten naar de wedstrijd bleef kijken. We vonden allemaal dat hij een rare blik in zijn ogen had. En dus liet Matt hem weggaan. Ik heb geen idee wat hij tegen die kerel zei, maar die kerel werd krijtwit en ging vlug weg. Daarna hebben we hier nooit meer iemand gehad. Misschien heeft dat soort… personen een netwerk en geven ze informatie aan elkaar door. Ik zou het niet weten. Maar er komen geen vreemden naar deze wedstrijden.' Ze keek ons aan. 'Dat wil zeggen, tot jullie twee.'

Ik streek over mijn haar. 'Wat vindt u van mijn schurft?'

Ze grinnikte. 'Een paar van ons herkenden u, meneer Kenzie. We weten nog hoe u dat kind op die speelplaats redde. U mag bij ieder van ons komen babysitten wanneer u maar wilt.'

Angie porde me aan. 'Onze held.'

'Stil,' zei ik.

Het duurde nog eens tien minuten voordat de orde op het buitenveld hersteld was en de wedstrijd, voor zover daar sprake van was, kon worden hervat.

In die tijd stelde Sonya Garabedian ons voor aan sommigen van de ouders die niet het veld waren opgerend. Enkelen van hen kenden Helene en Amanda, en we spraken de rest van de wedstrijd met hen. Wat uit onze gesprekken naar voren kwam – afgezien van een versterking van mijn indruk dat Helene McCready alleen maar aan zichzelf dacht – was een duidelijker beeld van Amanda.

Helene had ons haar dochtertje beschreven als een snoesje uit een televisieserie, een lief kind dat alleen maar lachte en lachte, maar de mensen die we spraken, zeiden juist dat Amanda weinig lachte, dat ze nogal lusteloos was en veel te stil voor een kind van vier.

'Mijn Jessica?' zei Frances Neagly. 'Tussen haar tweede en haar vijfde stuiterde ze tegen de muren. En een vragen dat ze stelde! "Mama, waarom praten dieren niet als wij? Waarom heb ik tenen? Waarom is water soms koud en soms warm?"' Frances keek ons met een vermoeid glimlachje aan. 'Ik bedoel, dat deed ze de hele tijd. Elke moeder die ik ken, heeft het erover hoe irritant een kind van vier kan zijn. Ze zijn vier, nietwaar? De wereld verrast ze elke tien seconden.'

'Maar Amanda?' zei Angie.

Frances Neagly leunde achterover en keek naar het speelveld, waar de schaduwen dieper werden en over de kinderen heen kropen en hen kleiner leken te maken. 'Ik heb een paar keer op haar gepast. Nooit volgens afspraak. Helene kwam langs en zei: "Kun je even op haar passen?" En dan kwam ze haar zes of zeven uur later ophalen. Ik bedoel, wat doe je dan – nee zeggen?' Ze stak een sigaret op. 'Amanda was zo stil. Nooit een probleem. Niet één keer. Maar echt, wie verwacht dat nou van een kind van vier? Ze bleef gewoon zitten waar je haar neerzette en staarde naar de muur of naar de tv of wat dan ook. Ze keek niet wat voor speelgoed mijn kinderen hadden en trok de kat niet aan zijn staart. Ze deed niets. Ze zat daar maar, als een steen, en ze vroeg nooit wanneer haar moeder haar weer kwam ophalen.'

'Is ze geestelijk gehandicapt?' vroeg ik. 'Of autistisch?'

Ze schudde haar hoofd. 'Nee. Als je tegen haar praatte, gaf ze goede antwoorden. Ze leek altijd een beetje verrast, maar ze kon heel aardig zijn en ze kon erg goed praten voor haar leeftijd. Nee, ze is een pienter kind. Ze is alleen erg rustig.'

'En dat vond u onnatuurlijk,' zei Angie.

Ze haalde haar schouders op. 'Ja, eigenlijk wel. Weet u wat het is? Ik denk dat ze het gewend was om genegeerd te worden.' Een duif kwam laag over de werpheuvel aangescheerd, en een kind gooide er met zijn handschoen naar, maar hij gooide mis. Frances lachte ons zwakjes toe. 'En dat is volgens mij niet best.'

Ze wendde zich van ons af, want op dat moment was haar dochter aan slag. Het meisje hield haar slaghout onhandig vast en keek naar de bal recht voor haar.

'Sla hem het veld af, schatje,' riep Frances. 'Je kunt het.'

Haar dochter draaide zich om en keek haar aan. Ze glimlachte. Toen schudde ze meermalen met haar hoofd en gooide het slaghout op het veld.

7

Na de wedstrijd gingen we iets eten en een biertje drinken in de Ashmont Grille, en daar overkwam Angie iets wat ik alleen maar kan beschrijven als een vertraagde stressreactie op wat in de Filmore Tap was gebeurd.

In de Ashmont Grille kon je het soort voedsel krijgen dat mijn moeder altijd maakte – gehaktballen en aardappelen en veel jus. De serveersters gedroegen zich ook allemaal als moeders. Als je je bord niet leegt, vroegen ze je of de hongerige kinderen in China hun eten zouden laten staan. Ik verwachtte bijna altijd te horen te krijgen dat ik niet van tafel mocht voordat ik alles had opgegeten.

Als dat het geval was, zou Angie er tot de volgende week hebben gezeten, want ze kon bijna geen hap van haar kip Marsala door haar keel krijgen. Hoe tenger en slank Angie ook was, ze zou vrachtwagenchauffeurs onder de tafel kunnen eten. Maar die avond draaide ze de linguini om haar vork en scheen ze helemaal te vergeten dat ze aan het eten was. Ze legde haar vork op haar bord, nam een slokje bier en staarde in de leegte, alsof ze Helene McCready was die naar de televisie keek.

Toen zij aan haar vierde hap toe was, had ik alles al op. Angie beschouwde dat als een teken dat het eten voorbij was en schoof haar bord naar het midden van de tafel.

'Je kunt mensen nooit kennen,' zei ze, haar blik op de tafel gericht. 'Dat is toch zo? Je kunt ze nooit begrijpen. Je kunt niet... doorgronden waarom ze de dingen doen die ze doen, waarom ze denken zoals ze denken. Als ze op een andere manier denken dan jij, begrijp je er nooit iets van. Dat is toch zo?' Ze keek naar me op. Haar ogen waren rood en nat.

'Heb je het over Helene?'

'Helene...' Ze schraapte haar keel. 'Helene, en Big Dave, en die kerels in de bar, en degene die Amanda heeft ontvoerd. Ik begrijp niets van die mensen. Ze...' Er rolde een traan over haar wang en ze veegde hem weg met de rug van haar hand. 'Shit.'

Ik pakte haar hand vast en ze kauwde op de binnenkant van haar wang en keek toen naar de plafondventilator boven haar.

'Ange,' zei ik, 'die kerels in de Filmore zijn menselijk uitschot. Ze zijn het niet waard dat je ook maar een seconde aan ze denkt.'

'Nee.' Ze haalde diep adem door haar mond, en ik hoorde hoe de lucht tussen het vocht in haar keel door ratelde. 'Ja.'

'Hé,' zei ik. Ik streek over haar onderarm. 'Ik meen het. Ze zijn niets. Ze zijn...'

'Ze zouden me hebben verkracht, Patrick. Daar ben ik zeker van.' Ze keek me aan en haar mond maakte grillige, krampachtige bewegingen om vervolgens even in een glimlach te verstijven, een van de vreemdste glimlachjes die ik ooit heb gezien. Ze gaf een klopje op mijn hand en de huid rond haar mond verschrompelde, en toen verschrompelde haar hele gezicht. De tranen stroomden uit haar ogen, en ze bleef proberen te glimlachen en bleef op mijn hand kloppen.

Ik kende die vrouw al mijn hele leven, en ik kan op de vingers van één hand tellen hoe vaak ze in mijn bijzijn heeft gehuild. Ik begreep op dat moment absoluut niet waarom ze huilde – ik had Angie in heel wat penibeler situaties meegemaakt dan in die bar, zonder dat het haar achteraf iets deed – maar waar het ook door kwam, het verdriet was echt, en toen ik het op haar gezicht en in haar lichaam zag, kon ik wel door de grond gaan.

Ik kwam van mijn kant van de nis vandaan, en ze maakte een gebaar dat ik terug moest gaan, maar ik ging naast haar zitten en ze drukte zich tegen me aan. Ze pakte mijn overhemd vast en huilde zachtjes tegen mijn schouder. Ik streek haar haar glad, kuste haar hoofd en hield haar in mijn armen. Terwijl ze bevend tegen me aan zat, voelde ik hoe het bloed door haar lichaam stroomde.

'Ik voel me zo'n idioot,' zei Angie.

'Doe niet zo belachelijk,' zei ik.

We hadden de Ashmont Grille verlaten en Angie vroeg me om bij Columbia Park in South Boston te stoppen. De stoffige baan aan het uiteinde van het park werd omringd door een hoefijzer van open tribunes op een granieten ondergrond. We kochten een six-pack bier en namen dat met ons mee naar een van die tribunes, waar we eerst wat splinters van een zitplank veegden.

Columbia Park was Angies heilige plaats. Haar vader, Jimmy, was meer dan twintig jaar geleden door toedoen van een gangsterbende verdwenen, en in dit park had haar moeder aan Angie en haar zusje verteld dat hun vader dood was, lijk of geen lijk. In haar duistere nachten, als ze niet kan slapen en de geesten door haar hoofd sluipen, gaat Angie soms terug naar het park.

De oceaan lag vijftig meter rechts van ons, en de bries die daarvandaan kwam was zó koel dat we ons tegen elkaar aan drukten om het niet koud te hebben.

Ze boog zich naar voren, keek naar de baan en het uitgestrekte groene park daarachter. 'Weet je wat het is?'

'Vertel het me.'

'Ik begrijp mensen niet die andere mensen pijn willen doen.' Ze draaide zich op de tribuneplank om tot ze me recht aankeek. 'Ik heb het nu niet over mensen die geweld met geweld beantwoorden. Ik bedoel, dat doen wij ook. Ik heb het over mensen die andere mensen pijn doen zonder dat ze zijn geprovoceerd. Die van gemeenheid houden. Die erop kicken als ze iedereen met zich mee in de modder kunnen trekken.'

'Die kerels in de bar.'

'Ja. Ze zouden me hebben verkracht. Mij. Verkracht.' Haar mond bleef nog even open, alsof de volle betekenis van haar woorden voor het eerst tot haar doordrong. 'En dan zouden ze naar huis zijn gegaan om het te vieren. Nee, nee, wacht.' Ze bracht haar hand voor haar gezicht. 'Nee, dat is het niet. Ze zouden het niet hebben gevierd. Dat is niet het ergste. Het ergste is dat ze er helemaal niet over zouden nadenken. Ze zouden mijn lichaam hebben geopend, me hebben geschonden op alle misselijke manieren die ze konden bedenken, en na afloop zouden ze eraan terugdenken zoals jij aan een kop koffie zou terugdenken. Niet als iets om te vieren, maar gewoon als een van de dingen die je door je dag heen hebben geholpen.'

Ik zei niets. Er viel niets te zeggen. Ik keek haar aan en wachtte tot ze verderging.

'En Helene,' zei ze. 'Die is bijna net zo erg als die kerels, Patrick.'

'Met alle respect: nu overdrijf je toch wel, Angie.'

Ze schudde haar hoofd en keek me met grote ogen aan. 'Nee, dat doe ik niet. Verkrachting is rechtstreekse schending. Het verbrandt je van binnen en reduceert je tot niets – dat alles in de tijd die een of andere klootzak nodig heeft om zijn pik in je te duwen. Maar wat Helene met haar kind doet...' Ze keek naar de stoffige baan beneden ons en nam een slok van haar bier. 'Je hebt de verhalen van die moeders gehoord. Je hebt gezien hoe ze op de verdwijning van haar kleine meisje reageert. Ik wed dat ze Amanda elke dag mishandelt, niet met verkrachtig of geweld maar met apathie. Ze vergiftigt het hart van dat kind in heel kleine doses, als met arsenicum. Dat is Helene. Ze is arsenicum.' Ze knikte en herhaalde fluisterend: 'Ze is arsenicum.'

Ik pakte haar handen vast. 'Ik kan vanuit de auto bellen en deze zaak teruggeven. Nu meteen.'

'Nee.' Ze schudde haar hoofd. 'Dat doen we niet. Die mensen, die egoïstische, nutteloze mensen – die Big Daves en Helenes – vervuilen de wereld. En ik weet dat ze zullen oogsten wat ze zaaien. Ruimschoots. Maar ik zal niet rusten voordat we dat kind hebben gevonden. Beatrice had gelijk. Ze is alleen. En er komt niemand voor haar op.'

'Behalve wij.'

'Behalve wij.' Ze knikte. 'Ik ga dat meisje vinden, Patrick.'

Er was een obsessief licht in haar ogen te zien dat ik daar nooit eerder zo helder had zien schitteren.

'Goed, Ange,' zei ik. 'Goed.'

'Goed.' Ze tikte met haar bierblikje tegen het mijne.

'En als ze al dood is?' zei ik.

'Dat is ze niet,' zei Angie. 'Dat voel ik.'

'Maar áls ze het is?'

'Dat is ze niet.' Ze dronk haar blikje leeg en gooide het in de papieren zak bij mijn voeten. 'Dat is ze gewoon niet.' Ze keek me aan. 'Begrepen?'

'Ja,' zei ik.

Toen we thuis waren, was al Angies energie en vuur onmiddellijk opgebrand. Ze liet zich op het bed neervallen en was meteen vertrokken. Ik trok het dekbed onder haar vandaan, legde het over haar heen en deed het licht uit.

Ik ging aan de keukentafel zitten, noteerde op een map 'Amanda McCready' en schreef enkele bladzijden vol met notities over de laatste vierentwintig uur: onze gesprekken met de McCready's en de mannen in de Filmore en de ouders bij het sportveld. Toen ik klaar was, stond ik op en pakte een biertje uit de koelkast. Ik ging midden in de keuken staan en nam slokjes uit het blikje. De gordijnen van de keukenramen had ik opengelaten, en telkens wanneer ik naar een van die donkere rechthoeken keek, zag ik Gerry Glynns gezicht voor me, zijn haar doorweekt met benzine, zijn gezicht bevlekt met het bloed van zijn laatste slachtoffer, Phil Dimassi.

Ik trok de gordijnen dicht.

Patrick, fluisterde Gerry vanuit het midden van mijn borst. *Ik wacht op je.*

Toen Angie, Oscar, Devin, Phil Dimassi en ik de confrontatie met Gerry Glynn, zijn vriend Evandro Arujo en Alex Hardiman, een psychotische gedetineerde, waren aangegaan, beseften we volgens mij geen van allen hoe hoog de prijs was die we zouden betalen. Gerry en Evandro hadden mensen onthoofd en gekruisigd en hun ingewanden uit hun lichaam getrokken, voor de lol of uit rancune, of omdat Gerry kwaad op God was, of zomaar. Ik heb nooit goed begrepen waarom ze het deden. Ik weet niet of iemand dat zou kunnen begrijpen. Vroeg of laat verbleken motieven in het licht van de daden die eruit voortkomen.

Ik had vaak nachtmerries waarin Gerry opdook. Altijd Gerry. Nooit Evandro, nooit Alec Hardiman. Alleen Gerry. Waarschijnlijk omdat ik hem mijn hele leven had gekend. Ik kende hem nog uit de tijd dat hij bij de politie was en zijn ronde deed. Toen was hij altijd aardig voor ons kinderen en aaide hij over onze bol. En toen hij bij de politie was weggegaan en uitbater van de Black Emerald was geworden, dronk ik met Gerry, voerde ik lange gesprekken met Gerry, tot diep in de nacht, voelde ik me bij hem op mijn gemak, vertrouwde ik hem. En al die tijd, in de loop van die drie decennia, vermoordde hij zwerfkinderen. Een vergeten groep kinderen. Niemand zocht naar ze en niemand miste ze.

Mijn nachtmerries varieerden, maar meestal werd Phil door Gerry gedood. Voor mijn ogen. In werkelijkheid had ik hem Phils keel niet zien doorsnijden, al was ik er nog geen drie meter vandaan geweest. Ik had op de vloer van Gerry's bar gelegen en geprobeerd te voorkomen dat zijn Duitse herder zijn tanden in mijn oog zette, maar ik had Phil horen schreeuwen. Ik had hem horen zeggen: 'Nee, Gerry. Nee.' En ik had hem in mijn armen gehouden toen hij stierf.

Phil Dimassi was twaalf jaar Angies man geweest. Tot aan hun huwelijk was hij ook mijn beste vriend geweest. Toen Angie echtscheiding had aangevraagd, hield Phil op met drinken, nam hij weer een baan en was op weg naar een beter leven, denk ik. Maar Gerry verknoeide dat allemaal.

Gerry schoot een kogel in Angies buik. Gerry sneed met een ouderwets scheermes in mijn kin. Gerry hielp een eind maken aan de relatie die ik met een zekere Grace Cole en haar dochter Mae had.

Gerry had, toen de linkerkant van zijn lichaam in brand stond omdat Oscar hem van achteren met drie kogels had getroffen, een geweer op mijn hoofd gericht.

Het had niet veel gescheeld of Gerry had ons allemaal vernietigd.

En ik wacht hier beneden op je, Patrick. Ik wacht.

Ik had geen logische reden om te denken dat het zoeken naar Amanda McCready tot eenzelfde bloedbad zou leiden als uit mijn confrontatie met Gerry Glynn en zijn vrienden was voortgekomen, geen enkele logische reden. Het kwam door de avond, dacht ik, de eerste koele avond in een paar weken, de donkergrijze stemming van die avond. Als het de vorige avond was geweest, vochtig en warm, zou ik me niet zo hebben gevoeld.

Aan de andere kant…

Wat we met absolute zekerheid van de jacht op Gerry Glynn hadden geleerd, was precies wat Angie had gezegd: dat je mensen bijna nooit kon begrijpen. Wij mensen waren ontastbare wezens. Onze impulsen werden beheerst door allerlei krachten waarvan vele zelfs duister bleven voor onszelf.

Waarom zou iemand Amanda McCready ontvoeren?

Ik had geen idee.

Waarom zou iemand – of een aantal mensen – een vrouw willen verkrachten?

Ook wat dat betrof, had ik geen idee.

Ik zat een tijdje met mijn ogen dicht en probeerde me Amanda McCready voor te stellen, probeerde te voelen of ze nog leefde of niet. Maar achter mijn oogleden zag ik alleen duisternis.

Ik dronk mijn bier op en ging bij Angie kijken.

Ze sliep op haar buik, midden op het bed, haar ene arm languit over het kussen aan mijn kant, haar andere hand tot een vuist gebald bij haar keel. Ik wilde naar haar toe gaan en haar in mijn armen houden tot datgene wat in de Filmore was gebeurd niet meer in haar hoofd gebeurde, tot haar angst weg was, tot Gerry Glynn weg was, tot de wereld en al het lelijke daarin over onze lichamen heen zweefde en zich door de avondwind uit onze levens liet wegvoeren.

Een hele tijd stond ik daar in de deuropening. Ik keek naar haar terwijl ze sliep en hoopte tegen beter weten in.

8

Nadat ze van Phil vandaan was gegaan en voordat zij en ik een paar werden, ging Angie een tijdje om met een producer van New England Cable News Network. Ik had de man een keer ontmoet en was niet erg onder de indruk geweest, al herinner ik me wel dat hij een erg goede smaak had wat stropdassen betrof. Aan de andere kant gebruikte hij te veel aftershave. En mousse. En hij ging met Angie. Dus de kans dat we laat op de avond nog een Nintendo-spelletje zouden doen of naar het softballen van zaterdag zouden kijken, was van het begin af erg klein.

De man bleek achteraf trouwens wel nuttig te zijn, want Angie hield het contact aan, en als we hem nodig hadden, hielp hij ons soms aan banden van plaatselijke nieuwsuitzendingen. Het heeft me altijd verbaasd hoe ze dat klaarspeelt – het contact aanhouden, goede vrienden blijven, een man die ze jaren geleden heeft gedumpt toch overhalen iets voor haar te doen. Als ik een ex-vriendin bel, mag ik blij zijn als ik mijn eigen broodrooster terugkrijg. Misschien moet ik aan mijn uit-elkaar-gaan-techniek werken.

De volgende morgen ging ik, terwijl Angie onder de douche stond, naar beneden om van een FedEx-koerier een doos in ontvangst te nemen die me gestuurd was door Joel Calzada van NECN. Onze stad heeft acht nieuwsstations: de stations die bij de grote netwerken zijn aangesloten, Four, Five en Seven, en verder de stations van UPN, WB en Fox, en NECN, en ten slotte een klein, onafhankelijk station. Die acht stations hebben allemaal een journaal om twaalf uur 's middags en zes uur 's avonds, drie hebben ook een journaal om vijf uur, twee om halfzes, vier om tien uur 's avonds en vier nog een laatste journaal om elf uur. Ze zenden 's morgens op verschillende tijden uit, te beginnen om vijf uur, en in de loop van de dag hebben ze allemaal korte nieuwsuitzendingen van één minuut op verschillende tijdstippen.

Op verzoek van Angie had Joel de hand gelegd op alle uitzendingen van alle stations over Amanda's verdwijning, dus alle beelden sinds de avond waarop ze verdwenen was. Vraag me niet hoe hij dat klaarspeelde. Misschien wisselen producers de hele tijd banden uit. Misschien kan Angie ze allemaal ompraten. Misschien had Joel veel connecties.

Ik had de vorige avond in een paar uur alle krantenberichten over Amanda herlezen, en dat had me niets opgeleverd, behalve zoveel zwarte inkt op mijn handen dat ik op een vel papier een vingerafdrukcollage kon maken. Als een zaak het je zo moeilijk maakt om tot de kern door te dringen als marmer, is een nieuwe, frisse aanpak soms de enige manier om verder te komen, of in ieder geval een aanpak die fris aanvoelt. Dat zat hier achter. We zouden naar de beelden kijken en zien wat het opleverde.

Ik pakte acht VHS-banden uit de FedEx-doos, stapelde ze bij de tv op de vloer van de huiskamer, en Angie en ik ontbeten aan de salontafel, vergeleken onze aantekeningen en probeerden een plan voor de komende dag te maken. Er wilde ons erg weinig te binnen schieten. We konden proberen Skinny Ray Likanski op te sporen, en we konden Helene, Beatrice en Lionel McCready nog eens ondervragen – in de welhaast ijdele hoop dat ze zich iets belangrijks over de avond van Amanda's verdwijning zouden herinneren, iets waaraan ze tot dan toe niet hadden gedacht. Maar dat was het wel zo'n beetje.

Toen ik Angies lege ontbijtbord oppakte, leunde ze in de bank achterover. 'En dan,' zei ze, 'zijn er momenten waarop je je afvraagt waarom je niet op het kantoor van een elektriciteitsbedrijf bent gaan werken.' Ze keek naar me op terwijl ik haar bord op dat van mij zette. 'Goede secundaire voorzieningen.'

'Een uitstekende pensioenregeling.' Ik ging met de borden naar de keuken en zette ze in de vaatwasmachine.

'Vaste werktijden,' riep Angie vanuit de huiskamer, en ik hoorde het klikken van haar Bic toen ze de eerste sigaret van die ochtend aanstak. 'Gratis tandheelkundige zorg.'

Ik zette koffie voor ons beiden en ging naar de huiskamer terug. Angies dichte haar was nog vochtig van de douche, en de trainingsbroek en het T-shirt die ze 's morgens altijd droeg, beide eigenlijk bestemd voor mannen, lieten haar kleiner lijken dan ze was.

'Dank je.' Ze pakte haar koffiekopje aan zonder op te kijken en sloeg een bladzijde van haar aantekeningen om.

'Die dingen worden je dood,' zei ik.

Ze nam haar sigaret van de asbak, haar blik nog op haar aantekeningen gericht. 'Ik rook al sinds mijn zestiende.'

'Dat is lang.'

Ze sloeg weer een bladzijde om. 'En in al die tijd heb je er nooit over gezeurd.'

'Jouw lichaam, jouw geest,' zei ik.

Ze knikte. 'Maar nu we met elkaar naar bed gaan, is het op de een of andere manier ook een beetje jouw lichaam. Is dat het?'

In de loop van de afgelopen zes maanden was ik gewend geraakt aan haar ochtendstemmingen. Vaak was ze waanzinnig druk bezig – dan was ze al terug van aerobics en een wandeling over Castle Island voordat ik wakker werd – maar zelfs op haar beste dagen was ze 's morgens allesbehalve een gezellige prater. En als ze het gevoel had dat ze zich de vorige avond had blootgegeven, dat ze kwetsbaar of zwak was geweest (wat in haar ogen meestal hetzelfde was), hing er een ijle, kille mist om haar heen, als grondnevel bij het aanbreken van de dag. Je kon haar zien, je wist dat ze er was, maar als je je blik even van haar wegnam, was ze verdwenen, was ze weggezweefd achter slierten witte nevel, en dan duurde het een tijdje voor ze daar weer uit te voorschijn kwam.

'Zeur ik?' zei ik.

Ze keek met een koel glimlachje naar me op. 'Een beetje maar.' Ze nam een slokje koffie en keek weer naar haar aantekeningen. 'Hier staat niets.'

'Geduld.' Ik zette de tv aan en schoof de eerste band in de videorecorder.

De aanloopstrook telde af van zeven naar nul, met zwarte en enigszins wazige cijfers tegen een blauwe achtergrond, een titelaanduiding gaf de datum van Amanda's verdwijning aan, en plotseling waren we in de studio met Gordon Taylor en Tanya Biloskirka, de dienstdoende presentatoren van Channel Five. Gordon had er altijd moeite mee om zijn donkere haar van zijn voorhoofd vandaan te houden, iets wat in deze tijd van gevriesdroogde presentatorkoppen nogal ongewoon was, maar hij had indringende, eerlijke ogen en een constante verontwaardigde ondertoon in zijn stem, en dat vormde genoeg compensatie voor zijn probleem met zijn haar, zelfs wanneer hij het over kerstboomverlichting of UFO's had. Tanya met de onuitsprekelijke achternaam droeg een bril om er een beetje intellectueel uit te zien, maar alle mannen die ik kende vonden haar nog steeds een stuk, en dat zal ook wel de bedoeling zijn geweest.

Gordon trok zijn manchetten recht en Tanya zat nonchalant te schuiven op haar stoel, terwijl ze wat papieren in de juiste volgorde legde en intussen ook klaar zat om van de TelePrompTer te lezen. De woorden KIND VERMIST verschenen in een venstertje tussen hun hoofden.

'Er is in Dorchester een kind verdwenen,' zei Gordon ernstig. 'Tanya?'

'Dank je, Gordon.' De camera bracht haar close-up in beeld. 'In Dorchester is een vierjarig kind verdwenen. De politie staat voor een raadsel en de buren maken zich grote zorgen. Het gebeurde nog maar enkele uren geleden. De kleine Amanda McCready verdween uit haar huis in Sagamore Street, zonder, zoals de politie zegt' – ze boog zich een haarbreedte naar voren en haar stem zakte een octaaf – 'een spoor na te laten.'

Gordon kwam weer in beeld, en dat had hij niet verwacht. Zijn hand verstijfde op weg naar zijn voorhoofd en een lok van zijn ergerlijke haar viel over zijn vingers. 'Voor meer nieuws gaan we *live* naar Gert Broderick. Gert?'

De straat stond vol met buren en nieuwsgierigen. Gert Broderick stond met een microfoon in haar hand en gaf dezelfde informatie die we ook al van Gordon en Tanya hadden gehoord. Ongeveer zeven meter achter Gert, aan de andere kant van het gele afzettingslint en de geüniformeerde agenten, werd een hysterische Helene op haar voorveranda door Lionel vastgehouden. Ze schreeuwde iets, maar dat was niet te verstaan door al het lawaai van de menigte, het zoemen van de schijnwerpers van de cameraploegen, de hijgerige woorden van Gerts reportage.

'... en dat is alles wat de politie momenteel schijnt te weten – erg weinig.' Gert keek in de camera en deed haar best om niet met haar ogen te knipperen.

Gordon Taylors stem was bij de *live*-beelden te horen. 'Gert.'

Gert bracht haar hand naar haar linkeroor. 'Ja, Gordon. Gordon?'

'Gert.'

'Ja, Gordon. Hier ben ik.'

'Is dat de moeder van het kleine meisje, daar op de veranda achter je?'

De camera zoomde op de veranda in, gaf een wazig beeld en concentreerde zich toen op Helene en Lionel. Helenes mond was open en er liepen tranen over haar wangen en haar hoofd maakte een vreemde op en neer gaande beweging, alsof het, zoals bij een pasgeboren baby, niet goed op de halsspieren steunde.

'We gelóven dat het Amanda's moeder is,' zei Gert, 'al is dat nog niet officieel bevestigd.'

Helenes vuisten sloegen tegen Lionels borst en haar ogen gingen wijd open. Ze huilde en haar linkerhand stak boven Lionels schouder uit en wees naar iets dat zich buiten beeld bevond. Het was een totale instorting daar op die veranda, en de kijker was daar *live* getuige van. Het was een diepgaande schending van de privacy van het verdriet.

'Zo te zien is ze erg van streek,' zei Gordon. Die Gordon toch, er ontging hem niet veel.

'Ja,' beaamde Tanya.

'Aangezien de tijd van het grootste belang is,' zei Gert, 'vraagt de politie om eventuele informatie, iedereen die de kleine Amanda heeft gezien...'

'De kleine Amanda?' zei Angie hoofdschuddend. 'Ze is vier! Wat kan ze anders zijn, de *kolossale* Amanda? De *volwassen* Amanda?'

'... iedereen die ook maar enige informatie over dit kleine meisje heeft...'

Amanda's foto verscheen op het scherm.

'... wordt verzocht het hieronder vermelde nummer te bellen.'

Het nummer van de afdeling Misdrijven Tegen Kinderen was gedurende enkele seconden onder Amanda's foto te zien, en toen kregen we de studio weer in beeld. In het venster waarin de woorden KIND VERMIST te zien waren geweest, waren nu de *live* beelden te zien. Een kleinere Gert Broderick hield haar microfoon stevig vast en keek met een neutraal, lichtelijk verward gezicht in de camera, terwijl Helene achter haar nog steeds in alle staten was en Beatrice samen met Lionel probeerde haar tegen te houden.

'Gert,' zei Tanya, 'heb je al met de moeder kunnen praten?'

Gert glimlachte stijfjes om de ergernis te camoufleren die als rook over haar nietszeggende ogen trok. 'Nee, Tanya. Tot nu toe wil de politie niet dat we voorbij dat afzettingslint komen dat je achter me ziet, dus nogmaals, we kunnen nog niet bevestigen of Helene McCready inderdaad de hysterische vrouw is die je op de veranda achter me ziet.'

'Tragisch,' zei Gordon, terwijl Helene haar broer weer te lijf ging en zó hard schreeuwde dat Gert haar schouders samentrok.

'Tragisch,' beaamde Tanya, terwijl Amanda's gezicht en het telefoonnummer van Misdrijven Tegen Kinderen het scherm weer een halve seconde in beslag namen.

'Ander nieuws,' zei Gordon toen hij weer in beeld kwam. 'Bij een overval op een huis in Lowell zijn minstens twee mensen omgekomen en is een derde door pistoolschoten gewond geraakt. Voor dat verhaal gaan we naar Martha Torsney in Lowell. Martha?'

Ze gingen over naar Martha, en meteen kregen we een fractie van een seconde sneeuw op het scherm. Vervolgens werd het scherm even zwart en we gingen ervoor zitten om naar de rest van de band te kijken. We waren ervan overtuigd dat Gordon en Tanya ons zouden vertellen welke gevoelens die afschuwelijke gebeurtenissen bij ons moesten oproepen, hoe we de emotionele hiaten konden opvullen.

Acht banden en anderhalf uur later waren we nog niets aan de weet gekomen. We hadden alleen wat lijken gezien en een nog deprimerender visie op televisiejournalistiek dan we al hadden. Afgezien van de invalshoeken van de camera was de ene reportage niet van de andere te onderscheiden. Terwijl het zoeken naar Amanda voortduurde, lieten de nieuwsstations allemaal dezelfde beelden van Helenes huis zien, van Helene die werd geïnterviewd, van Broussard en Poole die verklaringen aflegden, van buren die met aanplakbiljetten door de straat liepen, van politieagenten die hun honden in bedwang hielden of zich over motorkappen bogen en met hun zaklantaarns op kaarten van de buurt schenen. En alle reportages werden gevolgd door hetzelfde bondige, ranzig sentimentele commentaar, dezelfde ingestudeerde droefheid en verontwaardiging in de ogen en op de gezichten en voorhoofden van de presentatoren. *En nu terug naar onze normale programmering...*

'Nou,' zei Angie, en ze rekte zich zo ver uit dat ik de wervels in haar rug hoorde kraken als een walnoot in een notenkraker. 'Wat hebben we vanmorgen bereikt, behalve dat we een stel mensen die we uit de buurt kenden op de televisie hebben gezien?'

Ik boog me naar voren, en mijn eigen nek kraakte ook. Straks konden we een clubje vormen. 'Niet veel. Al heb ik wel Lauren Smythe gezien. Ik heb altijd gedacht dat ze verhuisd was.' Ik haalde mijn schouders op. 'Ik denk dat ze me alleen maar uit de weg ging.'

'Is dat de vrouw die jou met een mes te lijf ging?'

'Een schaar,' zei ik. 'En ik zie het liever als voorspel. Ze was er gewoon niet erg goed in.'

Ze mepte met de rug van haar hand tegen mijn schouder. 'Eens kijken. Ik zag April Norton en Susan Siersma, die ik sinds de middelbare school niet meer had gezien, en ik zag Billy Boran en Mike O'Connor, die veel haar heeft verloren, vind je niet?'

Ik knikte. 'En hij is ook erg afgevallen.'

'Wie let daar nou op? Hij is kaal.'

'Soms denk ik dat jij oppervlakkiger bent dan ik.'

Ze haalde haar schouders op en stak een sigaret aan. 'Wie hebben we nog meer gezien?'

'Danielle Genter,' zei ik. 'Babs Kerins. Die verrekte Chris Mullen was overal.'

'Dat is mij ook opgevallen. In die eerdere beelden.'

Ik dronk wat koude koffie. 'Huh?'

'In die eerdere beelden. In het begin van ieder bandje hing hij daar altijd ergens rond. Nooit later.'

Ik gaapte. 'Hij is een rondhanger, onze Chris.' Ik pakte haar lege koffiekop en hing hem naast mijn eigen kop aan mijn vinger. 'Nog koffie?'

Ze schudde haar hoofd.

Ik ging naar de keuken, zette haar kop in de gootsteen en schonk voor mezelf nog een kop in. Toen ik de koelkast openmaakte om de koffiemelk te pakken, kwam Angie binnen.

'Wanneer heb jij Chris Mullen voor het laatst in de buurt gezien?'

Ik deed de deur dicht en keek haar aan. 'Wanneer heb je de helft van de mensen die we in beeld kregen voor het laatst gezien?'

Ze schudde haar hoofd. 'Laat al die anderen maar. Ik bedoel, die zijn hier al die tijd geweest. Maar Chris? Die is verhuisd. Die is in Devonshire Towers gaan wonen, eens kijken, dat zal in 1987 of zoiets zijn geweest.'

Ik haalde mijn schouders op. 'Nou, en?'

'Nou, wat doet Chris Mullen voor werk?'

Ik zette het pakje koffiemelk naast mijn kop op het aanrecht. 'Hij werkt voor Cheese Olamon.'

'En die zit in de gevangenis.'

'Verrassing!'

'Waarvoor?'

'Wat?'

'Waarvoor zit Cheese in de gevangenis?'

Ik pakte de koffiemelk weer op. 'Wat denk je?' Ik draaide me in de keuken om toen ik mijn eigen woorden hoorde, liet het pakje koffiemelk ergens bij mijn middel bungelen. 'Drugshandel,' zei ik langzaam.

'Je slaat de spijker op zijn kop.'

9

Amanda McCready lachte niet. Ze keek me met roerloze, doffe ogen aan en haar asblonde haar viel sluik langs haar gezicht, alsof het met natte vingers aan weerskanten van haar hoofd was geplakt. Ze had de zwakke kin van haar moeder, te hoekig en te klein voor haar ovaal gezicht, en de vaalgele plooien onder haar wangen zouden op ondervoeding kunnen wijzen.

Ze keek niet fronsend en was zo te zien ook niet kwaad of bedroefd. Ze was er gewoon, alsof ze geen repertoire van reacties op prikkels had. Dat ze op de foto kwam, was voor haar niet anders geweest dan dat ze zat te eten of zich aankleedde of televisie keek of met haar moeder ging wandelen. Het leek wel of iedere ervaring in haar jonge leven zich langs een rechte lijn voltrok, zonder ups en downs, zonder wat dan ook.

Haar foto stond een beetje van het midden van een wit vel schrijfmachinepapier vandaan. Onder de foto stonden haar persoonlijke gegevens. Meteen daaronder stonden de woorden ALS U AMANDA ZIET, BELT U DAN, en daaronder stonden de namen van Lionel en Beatrice en hun telefoonnummer. Daar weer onder stond het nummer van de afdeling Misdrijven Tegen Kinderen, met inspecteur Jack Doyle als contactpersoon. Onder dat nummer stond 911. En helemaal onderaan de lijst stonden Helenes naam en telefoonnummer.

De stapel aanplakbiljetten lag op het aanrecht in Lionels keuken, waar hij ze had achtergelaten toen hij die ochtend thuiskwam. Lionel was de hele nacht bezig geweest ze op lantaarnpalen en steunbalken van metrostations te plakken, en op schuttingen van bouwplaatsen en dichtgetimmerde huizen. Hij had het centrum van Boston en Cambridge afgewerkt, terwijl Beatrice en veertig buren de rest van Boston en omgeving onder elkaar hadden verdeeld. Tegen de ochtend bevond Amanda's gezicht zich op elke legale en illegale aanplakplaats binnen een straal van veertig kilometer van Boston.

Beatrice was in de huiskamer toen we binnenkwamen. Zoals iedere morgen onderhield ze de contacten met de politie en met journalisten die vroegen of er nog nieuws was. Straks zou ze weer met de ziekenhuizen bellen en daarna zou ze alle ondernemingen bellen die hadden geweigerd een aanplakbiljet met Amanda in hun kantine toe te laten en hun vragen waarom ze dat niet wilden.

Ik had geen idee wanneer ze sliep. Misschien deed ze dat niet.

Helene was bij ons in de keuken. Ze zat met een kater aan de tafel en at een schaaltje Apple Jacks. Lionel en Beatrice, die misschien al een voorgevoel hadden gekregen toen ze Angie en mij tegelijk met Poole en Broussard zagen aankomen, volgden ons naar de keuken. Lionels haar was nog nat van de douche, met vochtvlekjes op zijn UPS-uniform. Op Beatrices smalle gezicht tekende zich de vermoeidheid van een oorlogsvluchteling af.

'Cheese Olamon,' zei Helene langzaam.

'Cheese Olamon,' zei Angie. 'Ja.'

Helene krabde over haar hals, waar een klein adertje pulseerde als een insect dat onder de huid gevangen zat. 'Ik weet het niet.'

'Wat weet u niet?' zei Broussard.

'Ik bedoel, de naam klinkt ergens bekend.' Helene keek naar me op en streek met haar vinger over een scheur in het plastic tafelkleed.

'Ergens bekend?' zei Poole. 'Ergens bekend, mevrouw Mc-Cready? Mag ik dat citeren?'

'Wat?' Helene streek met haar hand door haar dunne haar. 'Wat? Ik zei dat die naam me bekend in de oren klinkt.'

'Een naam als Cheese Olamon klínkt niet bekend. Je kent die naam of je kent hem niet,' zei Angie.

'Ik denk na.' Helene streek even over haar neus, trok toen haar hand terug en keek naar haar vingers.

Er schraapte een stoel over de vloer. Poole trok hem naar de tafel, zette hem tegenover Helene neer en ging erop zitten.

'Ja of nee, mevrouw McCready. Ja of nee.'

'Ja of nee wat?'

Broussard slaakte een diepe zucht. Hij draaide aan zijn trouwring en tikte met zijn voet op de vloer.

'Kent u de heer Cheese Olamon?' Pooles fluisterstem klonk alsof hij door grind en glas was gehaald.

'Ik weet niet…'

'Helene!' Angies stem was zó scherp dat zelfs ik ervan schrok.

Helene keek naar haar op. Ongeveer een tiende van een seconde probeerde ze Angie te blijven aankijken, en toen liet ze haar hoofd zakken. Haar haar viel over haar gezicht en er kwam een zacht raspend geluid achter vandaan. Intussen zette ze haar ene blote voet op de andere en spande ze de spieren in haar kuiten.

'Ik heb Cheese gekend,' zei ze. 'Een beetje.'

'Een klein beetje of een boel beetje?' Broussard haalde een strookje kauwgom te voorschijn, en toen hij de folieverpakking eraf haalde, gaf dat een geluid alsof iemand zijn tanden in mijn ruggengraat zette.

Helene haalde haar schouders op. 'Ik heb hem gekend.'

Voor het eerst sinds we in hun keuken waren gekomen, verlieten Beatrice en Lionel hun posities tegen de muur. Beatrice ging naar de oven, tussen Broussard en mij in, en Lionel ging in de hoek zitten, aan de tafel waaraan zijn zus ook zat, maar dan aan de andere kant. Beatrice nam een gietijzeren ketel van het gasstel en hield hem onder de kraan.

'Wie is Cheese Olamon?' Lionel stak zijn arm uit en haalde Helenes rechterhand van haar gezicht weg. 'Helene? Wie is Cheese Olamon?'

Beatrice keek mij aan. 'Hij is een drugshandelaar of zoiets, nietwaar?'

Ze had zo zachtjes gesproken dat alleen Broussard en ik haar stem boven het stromend water uit konden horen.

Ik hield mijn handen omhoog en haalde mijn schouders op.

Beatrice draaide zich weer om naar de kraan.

'Helene?' zei Lionel weer, en zijn stem had een hoge, onregelmatige klank.

'Hij is gewoon een kerel, Lionel.' Helenes stem klonk vermoeid en dof en leek van een miljoen lichtjaren ver te komen.

Lionel keek de rest van ons aan.

Angie en ik wendden ons af.

'Cheese Olamon,' zei Remy Broussard, en hij schraapte zijn keel, 'is onder andere een drugshandelaar, meneer McCready.'

'Wat is hij nog meer?' vroeg Lionel met de gedesillusioneerde nieuwsgierigheid van een kind.

'Wat?'

'U zei "onder andere". Wat is hij nog meer?'

Beatrice wendde zich van de kraan af, zette de ketel op het gas en stak de vlam aan. 'Helene, waarom geef je geen antwoord op de vraag van je broer?'

Helenes haar bleef voor haar gezicht en haar stem kwam nog steeds van een miljoen lichtjaren ver. 'Waarom ga jij geen nikker pijpen, Bea?'

Lionel sloeg zó hard met zijn vuist op de tafel dat een scheur zich als een rivier door het goedkope plastic kleed verspreidde.

Helene keek met een ruk op. Haar haar vloog van haar gezicht weg.

'Luister goed.' Lionel hield zijn bevende vinger een paar centimeter van de neus van zijn zus vandaan. 'In mijn keuken beledig je mijn vrouw niet en maak je geen racistische opmerkingen.'

'Lionel...'

'In mijn keuken!' Hij sloeg weer op de tafel.

Het was een stem die ik nog niet eerder had gehoord. Die eerste keer in ons kantoor had Lionel ook met stemverheffing gesproken; die stem kende ik. Maar dit was heel iets anders. Donder en bliksem. Een stem die beton kon laten afbrokkelen en een trilling door eikenhout kon laten gaan.

'Wie,' zei Lionel, en hij pakte met zijn vrije hand de hoek van de tafel vast, 'is Cheese Olamon?'

'Dat is een drugshandelaar, meneer McCready.' Poole zocht in zijn zakken en haalde een pakje sigaretten te voorschijn. 'En een pornograaf. En een pooier.' Hij haalde een sigaret uit het pakje, zette het rechtop op de tafel en boog zich ernaar toe om aan de bovenkant te ruiken. 'En ook een belastingontduiker, als u dat kunt geloven.'

Lionel, die Pooles tabaksritueel blijkbaar nooit eerder had gezien, keek er enkele ogenblikken gefascineerd naar. Toen knipperde hij met zijn ogen en richtte zijn aandacht weer op Helene.

'Ga jij met een pooier om?'

'Ik...'

'Een pornograaf, Helene?'

Helene wendde zich van hem af, liet haar rechterarm op de tafel rusten en staarde voor zich uit zonder een van de andere aanwezigen in de keuken aan te kijken.

'Wat hebt u voor hem gedaan?' vroeg Broussard.

'Vooral koeriersdiensten verrichten.' Helene stak een sigaret op. Ze hield de lucifer in de kom van haar hand en schudde hem uit met dezelfde beweging die ze zou gebruiken om een biljartkeu te krijten.

'Koeriersdiensten,' zei Poole.

Ze knikte.

'Van waar naar waar?' vroeg Angie.

'Van hier naar Providence. Van hier naar Philadelphia. Dat hing van het aanbod af.' Ze haalde haar schouders op. 'Dat hing van de vraag af.'

'En wat kreeg je daarvoor?' zei Broussard.

'Wat geld. Wat spul.' Ze haalde haar schouders weer op.

'Heroïne?' zei Lionel.

Ze keek hem aan. Haar sigaret bungelde tussen haar vingers en haar hele lichaam was slap en week. 'Ja, Lionel. Soms. Soms coke, soms ecstasy, en soms...' Ze schudde haar hoofd en draaide het weg van de rest van de keuken. 'Wat doet het ertoe?'

'Naaldsporen,' zei Beatrice. 'Dan hadden we naaldsporen moeten zien.'

Poole tikte op Helenes knie. 'Ze snoof het.' Hij sperde zijn neusgaten open en hield ze boven zijn sigaret. 'Dat is toch zo?'

Helene knikte. 'Dan is het minder verslavend.'

Poole glimlachte. 'Natuurlijk.'

Helene haalde zijn hand van haar knie weg en stond op. Ze liep naar de koelkast en nam een blikje Miller. Ze trok het met een harde knal open en het bier kwam schuimend naar boven en ze slurpte het op.

Ik keek op de klok: halfelf in de ochtend.

Broussard belde twee rechercheurs van Misdrijven Tegen Kinderen en zei dat ze Chris Mullen moesten opsporen en schaduwen. Omdat er van het begin af al rechercheurs op zoek waren naar Amanda en twee rechercheurs al opdracht hadden gekregen Ray Likanski te zoeken, maakte nu de hele afdeling overuren voor één zaak.

'Dit blijft onder ons,' zei hij in de telefoon. 'Dat betekent dat alleen ik moet weten wat jullie momenteel doen. Begrepen?'

Toen hij ophing, gingen we met Helene en haar ochtendbiertje naar de achterveranda van Lionel en Beatrice. Platte kobaltblauwe wolken zeilden door de grauwe lucht. Er heerste een vochtige benauwdheid, de voorbode van regen in de middag.

Blijkbaar kon Helene zich pas concentreren als ze bier dronk. Ze leunde tegen het verandahek, keek ons zonder angst of zelfbeklag aan en beantwoordde onze vragen over Cheese Olamon en zijn rechterhand, Chris Mullen.

'Hoelang ken je Olamon al?' vroeg Poole.

Ze haalde haar schouders op. 'Tien, misschien twaalf jaar. Uit de buurt.'

'Chris Mullen?'

'Ongeveer hetzelfde.'

'Hoe zijn jullie in contact gekomen?'

Helene liet haar bier zakken. 'Wat?'

'Waar heb je die Cheese ontmoet?' zei Beatrice.

'De Filmore.' Ze nam een slok uit het bierblikje.

'Wanneer begon je voor hem te werken?' vroeg Angie.

Ze haalde haar schouders weer op. 'In de loop van de jaren deed ik wat kleine dingetjes. Een jaar of vier geleden had ik meer geld nodig om voor Amanda te zorgen…'

'Jezus Christus,' zei Lionel.

Ze keek hem even aan en richtte haar blik toen weer op Poole en Broussard. 'En toen liet hij me wat spul wegbrengen. Bijna nooit veel tegelijk.'

'Bijna nooit,' zei Poole.

Ze knipperde met haar ogen en knikte toen vlug.

Poole draaide met zijn hoofd en duwde zijn tong tegen de binnenkant van zijn onderlip. Broussard keek hem aan en haalde weer een strookje kauwgom uit zijn zak.

Poole grinnikte zachtjes. 'Mevrouw McCready, weet u op welke afdeling rechercheur Broussard en ik werkten voordat ze ons vroegen om bij Misdrijven Tegen Kinderen te komen?'

Helene trok een grimas. 'Wat kan mij dat verrotten?'

Broussard stopte de kauwgom in zijn mond. 'Misschien niet veel. Maar voor de goede orde…'

'Narcotica,' zei Poole.

'Misdrijven Tegen Kinderen is nogal klein. Daar vind je weinig vrienden,' zei Broussard, 'en daarom gaan we nog steeds meestal met lui van Narcotica om.'

'Om op de hoogte te blijven,' zei Poole.

Helene keek Poole met half dichtgeknepen ogen aan. Ze vroeg zich af waar dit naartoe ging.

'U zei dat u dope naar Philadelphia bracht,' zei Broussard.

'Ja.'

'Naar wie?'

Ze schudde haar hoofd.

'Mevrouw McCready,' zei Poole, 'we zitten niet achter drugshandel aan. Noemt u ons een naam, dan kunnen we bevestigen of u echt voor Cheese Olamon koerie…'

'Rick Lemo.'

'Ricky de Dick,' zei Broussard met een glimlach.

'Waar gebeurde het?'

'De Ramada Inn bij het vliegveld.'

Poole knikte Broussard toe.

'Ooit drugs naar New Hampshire gebracht?'

Helene nam een slok bier en schudde haar hoofd.

'Nee?' Broussard trok zijn wenkbrauwen op. 'Niets de kant van Nashua op, nooit vlug iets afgegeven aan de motorbendes?'

Opnieuw schudde Helene haar hoofd. 'Nee. Ik niet.'

'Hoeveel hebt u van Cheese gestolen, mevrouw McCready?'

'Sorry?' zei Helene.

'Cheese was voorwaardelijk vrij, en drie maanden geleden werd hij opgepakt. Hij heeft tien tot twaalf jaar gekregen.' Broussard spuwde zijn kauwgom over het verandahek. 'Hoeveel hebt u van hem gestolen toen u hoorde dat hij was opgepakt?'

'Niets.' Helene bleef naar haar blote voeten kijken.

'Onzin.'

Poole liep naar Helene toe en nam voorzichtig het blikje bier uit haar hand. Hij boog zich over het hek en goot het bier op het pad achter het huis.

'Mevrouw McCready,' zei hij. 'Ik heb de afgelopen maanden op straat gehoord dat Cheese Olamon kort voor zijn arrestatie een zak met lekkers naar een stel motorrijders in een motel in Nashua stuurde. Die zak met lekkers is bij een inval teruggevonden, maar het geld niet. Omdat de motorrijders – allemaal kerels met een gezonde trek – nog niet aan de inhoud van de zak waren begonnen, dachten onze vrienden bij de politie in het noorden dat de transactie heel kort voor de inval had plaatsgevonden. Ze kwamen daar ook op het idee dat de koerier of koerierster het geld kon hebben ingepikt. En nu wordt er op straat verteld dat ze daar in het kamp van Cheese Olamon wel even van stonden te kijken.'

'Waar is het geld?' zei Broussard.

'Ik weet niet waar jullie het over hebben.'

'Wilt u een leugendetectortest doen?'

'Heb ik al gedaan.'

'Deze keer met andere vragen.'

Helene draaide zich om naar het verandahek en keek naar de kleine parkeerruimte van asfalt en de verweerde bomen daarachter.

'Hoeveel, mevrouw McCready?' Pooles stem was zacht, zonder enige aandrang.

'Tweehonderdduizend.'

Het was een volle minuut stil op de veranda.

'Wie ging er met u mee?' vroeg Broussard ten slotte.

'Ray Likanski.'

'Waar is het geld?'

De spieren van Helenes magere rug trokken zich samen. 'Weet ik niet.'

'Liegbeest, liegbeest,' zei Poole.

Ze wendde zich van het hek af. 'Ik weet het niet. Dat zweer ik.'

'Ze zweert het.' Poole knipoogde naar me.

'Nou,' zei Broussard, 'dan moeten we haar maar geloven.'

'Mevrouw McCready?' Poole trok de manchetten van zijn overhemd onder het jasje van zijn pak vandaan en streek ze glad over zijn polsen. Zijn stem klonk luchtig en bijna muzikaal.

'Hoor eens, ik...'

'Waar is het geld?' Hoe luchtiger en melodieuzer die zangerige stem werd, des te dreigender kwam Poole over.

'Ik weet niet...' Helene streek met haar hand over haar gezicht en liet haar lichaam tegen het hek zakken. 'Ik was stoned, ja? We kwamen dat motel uit en twee seconden later rennen alle smerissen van New Hampshire over dat parkeerterrein. Ray drukte zich tegen me aan en we liepen er gewoon tussendoor. Amanda huilde. Die smerissen dachten zeker dat we gewoon een gezinnetje waren dat onderweg was.'

'Amanda was bij je?' zei Beatrice. 'Helene!'

'Nou,' zei Helene, 'moest ik haar dan in de auto achterlaten?'

'Dus u reed weg,' zei Poole. 'U was stoned. En wat toen?'

'Ray ging naar een vriend. Daar zijn we een uur of zo geweest.'

'Waar was Amanda?' zei Beatrice.

Helene trok een kwaad gezicht. 'Hoe moet ik dat nou weten, Bea? In de auto of bij ons in het huis. Een van tweeën. Dat zei ik toch? Ik was stoned.'

'Had u het geld bij u toen u dat huis verliet?' vroeg Poole.

'Ik geloof van niet.'

Broussard sloeg zijn stenoblok open. 'Waar was dat huis?'

'Aan een steegje.'

Broussard deed zijn ogen even dicht. 'Waar was het? Het adres, mevrouw McCready.'

'Dat zei ik toch? Ik was stoned. Ik...'

'In welke plááts dan.' Broussard klemde zijn tanden op elkaar.

'Charlestown,' zei ze. Ze hield haar hoofd schuin en dacht na. 'Ja. Daar ben ik bijna zeker van. Of Everett.'

'Of Everett,' zei Angie. 'Dat maakt het zoekgebied wat kleiner.'

Ik zei: 'Charlestown is die stad met dat grote monument, Helene.' Ik glimlachte bemoedigend. 'Je weet wel. Het ziet eruit als het Washington Monument, alleen staat het op Bunker Hill.'

'Neemt hij me in de maling?' vroeg Helene aan Poole.

'Daar zou ik niet naar durven raden,' zei Poole. 'Maar Kenzie heeft wel gelijk. Als u in Charlestown was, zou u zich dat monument toch herinneren?'

Weer een lange stilte. Helene zocht in wat ze nog aan hersenen over had. Ik vroeg me af of ik een blikje bier voor haar moest halen om te kijken of het dan wat vlugger ging.

'Ja,' zei ze erg langzaam. 'Toen we weggingen, reden we over de grote heuvel langs dat monument.'

'Dus het huis,' zei Broussard, 'bevindt zich aan de oostkant van Charlestown.'

'De oostkant?' zei Helene.

'U was dichter bij Bunker Hill, Medford Street of Bunker Hill Avenue dan bij Main Street en Warren Street.'

'Dat kan wel.'

Broussard hield zijn hoofd schuin, streek langzaam met de rug van zijn hand over de stoppels op zijn wang en haalde een paar keer ondiep adem.

'Mevrouw McCready,' zei Poole, 'kunt u ons, behalve dat het huis aan een steegje stond, nog iets meer vertellen? Was het een huis voor één gezin of voor twee?'

'Het was erg klein.'

'Dan noemen we het een huis voor één gezin.' Poole noteerde het. 'Kleur?'

'Ze waren blank.'

'Wie?'

'Ray's vrienden. Een vrouw en een man. Allebei blank.'

'Prima,' zei Poole. 'Maar het huis. Wat voor kleur had dat?'

Ze haalde haar schouders op. 'Weet ik niet meer.'

'Laten we naar Likanski gaan zoeken,' zei Broussard. 'We kunnen naar Pennsylvania gaan. Ik rijd wel.'

Poole stak zijn hand op. 'Nog één minuutje, waarde collega. Mevrouw McCready, alsjeblieft, spit eens in uw geheugen. Probeert u zich die avond te herinneren. De geuren. De muziek die Ray Likanski op zijn stereo draaide. Alles wat kan helpen u in die auto terug te krijgen. U reed van Nashua naar Charlestown. Dat is ongeveer een uur rijden, misschien wat minder. U werd stoned. U ging dat steegje in, en u...'

'Dat deden we niet.'

'Wat?'

'Dat steegje inrijden. We parkeerden op straat omdat er een oude gammele auto in het steegje stond. We moesten ook nog

zo'n twintig minuten rondrijden voor we een plekje hadden gevonden. Je kan daar nergens je auto kwijt.'

Poole knikte. 'Die defecte auto in dat steegje, kunt u zich daar
iets van herinneren?'

Ze schudde haar hoofd. 'Het was gewoon een hoop roest op
blokken. Geen wielen of niks.'

'Vandaar die blokken,' zei Poole. 'Verder nog iets?'

Helene was net begonnen haar hoofd te schudden toen ze
daarmee ophield en begon te giechelen.

'Zou u het grapje aan de rest van de klas willen vertellen?' zei
Poole.

Ze keek hem aan, nog steeds glimlachend. 'Wat?'

'Waar lacht u om, mevrouw McCready?'

'Om Garfield.'

'James A.? De vroegere president van de Verenigde Staten?'

'Huh?' Helenes ogen puilden uit. 'Nee. De kat.'

We keken haar allemaal aan.

'De kat!' Ze stak haar handen uit. 'Van de cartoons.'

'O,' zei ik.

'Weet je nog dat iedereen zo'n Garfield tegen zijn achterraam
had geplakt? Nou, deze auto had er ook een. Zo wist ik dat hij
daar al heel lang stond. Ik bedoel, wie plakt er tegenwoordig nog
een Garfield op zijn raam?'

'Ja,' zei Poole. 'Ja.'

10

Toen Winthrop en de oorspronkelijke kolonisten in de Nieuwe Wereld aankwamen, besloten ze zich te vestigen op een vierkante mijl die voor het grootste deel heuvelachtig was. Ze noemden die plaats Boston, naar de stad in Engeland die ze hadden achtergelaten. In de ene strenge winter die Winthrops pelgrims daar doorbrachten, merkten ze dat het water onverklaarbaar brak werd, en dus gingen ze naar de andere kant van de rivier. De naam Boston namen ze mee, en de plek die later Charlestown zou worden, bleef een tijdlang zonder naam en zonder bestemming achter.

Sindsdien had Charlestown altijd het karakter van een buitenpost gehouden. De stad, van oudsher Iers en thuisbasis van tientallen generaties vissers, zeelieden en havenarbeiders, is berucht om zijn zwijgzaamheid, om zijn weerstand met de politie te praten. Als gevolg daarvan worden in de stad weliswaar relatief weinig moorden gepleegd maar is het percentage onopgeloste zaken het hoogst van het land. Die neiging om je mond te houden strekt zich zelfs uit tot het wijzen van de weg. Als je een Charlestowner vraagt hoe je in die-en-die straat kunt komen, kijkt hij je met half dichtgeknepen oogleden aan. 'Wat wou je daar doen als je niet weet waar het is?' zou het beleefde antwoord kunnen zijn, gevolgd door een opgestoken middelvinger als hij je echt aardig vindt.

In Charlestown kun je dan ook gemakkelijk verdwalen. Straatnaambordjes verdwijnen aan de lopende band, en de huizen staan vaak zó dicht op elkaar dat ze steegjes verbergen die naar andere huizen erachter leiden. De straten die tegen de helling op gaan, lopen vaak dood, of anders dwingen ze automobilisten om na een tijdje in tegenovergestelde richting te gaan.

Bovendien veranderen opeenvolgende wijken van Charleston

zó snel van karakter dat het niet meer te volgen is. Afhankelijk van de richting die je volgt, kan het Mishawum Housing Project overgaan in de fraaie herenhuizen die in de vorm van een hoefijzer rond Edwards Park staan. De wegen die door de grandeur van de oude koloniale stadshuizen tegenover Monument Square lopen, gaan volkomen onverwachts en zonder enige consideratie over in het donkergrauw van het Bunker Hill Project, een van de armoedigste blanke woonwijken aan deze kant van West Virginia.

Maar tussen dat alles vind je meer historie – baksteen en metselwerk, koloniale overnaadse planken en kinderhoofdjes, taveernes van vóór de onafhankelijkheid en zeemanshuizen van na het Verdrag van Versailles – dan waar ook in Amerika.

Toch is het een rotstad om doorheen te rijden.

En dat waren we het afgelopen uur aan het doen. We reden achter Poole en Broussard aan, die Helene op de achterbank van hun Taurus hadden. Kriskras ging het door Charlestown, straat in, straat uit. We hadden de heuvel afgewerkt, waren door beide wijken met gemeentewoningen gereden, waren bumper aan bumper door de yuppie-enclaves bij het Bunker Hill Monument gekropen en zo weer bij het begin van Warren Street uitgekomen. We waren langs de haven gereden, langs het oude oorlogsschip *Old Ironsides* en de marinebasis en de ooit vervallen pakhuizen en hangars voor tankerreparatie die nu verbouwd zijn tot dure appartementsgebouwen. We hotsten over de gebarsten wegen langs de uitgebrande karkassen van lang vergeten visverwerkingsfabrieken aan de rand van de landmassa, waar menige gangster voor het laatst het maanlicht op de Mystic River had zien schijnen terwijl een schot knalde en een kogel zich in zijn hoofd boorde.

We waren de Taurus door Main Street en Rutherford Avenue gevolgd en de helling op naar High Street, en weer omlaag naar Bunker Hill Avenue en vervolgens naar Medford Street, en we hadden alle kleine straatjes daartussen ook bekeken. Telkens wanneer we plotseling vanuit onze ooghoek een straatje of steegje zagen, waren we gestopt. Op zoek naar een auto op blokken. Op zoek naar tweehonderdduizend dollar. Op zoek naar Garfield.

'Vroeg of laat,' zei Angie, 'zijn we door onze benzine heen.'

'Of door ons geduld,' zei ik, terwijl Helene in de auto vóór ons iets aanwees.

Ik trapte op de rem, en opnieuw stopte de Taurus vóór ons.

Broussard stapte met Helene uit en ze liepen naar een steegje en keken erin. Broussard vroeg haar iets, maar Helene schudde haar hoofd en ze liepen terug naar de auto en ik haalde mijn voet van de rem.

'Waarom zochten we ook alweer naar het geld?' vroeg Angie een paar minuten later, toen we aan de andere kant van de heuvel waren en de kap van onze Crown Victoria recht omlaag wees. De remmen klikten en het pedaal drukte tegen mijn voet.

Ik haalde mijn schouders op. 'Misschien omdat, *A*, dit het beste spoor is dat we tot nu toe hebben, en *B*, misschien omdat Broussard en Poole nu denken dat de kidnapping iets met drugs te maken heeft.'

'Maar waarom vragen ze dan niet om losgeld? Hoe komt het dat Chris Mullen of Cheese Olamon of een van hun jongens nog geen contact met Helene heeft opgenomen?'

'Misschien wachten ze tot ze het zelf heeft uitgedacht.'

'Dan kun je bij iemand als Helene lang wachten.'

'Chris en Cheese zijn ook geen raketwetenschappers.'

'Zeker, maar…'

We waren weer gestopt, en ditmaal was Helene eerder uit de auto dan Broussard. Ze wees fanatiek naar een puincontainer op het trottoir. De bouwvakkers die aan het huis aan de overkant werkten, waren nergens te bekennen. Maar ik wist dat ze ergens in de buurt waren, want de voorgevel van dat huis stond nog in de steigers.

Ik zette de auto op de handrem en stapte uit, en al gauw zag ik waarom Helene zo opgewonden was. De puincontainer, anderhalve meter hoog en ruim een meter breed, had het steegje erachter aan het oog onttrokken. En in dat steegje stond een Grand Torino uit het eind van de jaren zeventig op blokken. Een dikke oranje kat zat met zuignappen op de achterruit vast, zijn klauwen gespreid. Hij grijnsde als een idioot door het vuile glas.

Het was onmogelijk om in de straat dubbel te parkeren zonder hem helemaal te blokkeren, en dus waren we nog eens vijf minuten bezig om hoger op de helling in Bartlett Street parkeerruimte te vinden. Vervolgens liepen we met z'n vijven naar het steegje terug. De bouwvakkers waren intussen ook terug en krioelden met hun thermosflessen en liters Mountain Dew over de steigers. Ze floten naar Helene en Angie toen we door de straat liepen.

Poole groette een van hen toen we bij het steegje waren aangekomen, en de man keek vlug een andere kant op.

'Fred Griffin,' zei Poole. 'Nog steeds liefhebber van amfetaminen?'

Fred Griffin schudde zijn hoofd.

'Neem me niet kwalijk,' zei Poole met die zangerige stem van hem, en hij sloeg het steegje in.

Fred schraapte zijn keel. 'Sorry, dames.'

Helene stak haar middelvinger naar hem op en de rest van de bouwvakkers begon te joelen.

Angie porde me aan toen we achter de drie anderen aan liepen. 'Heb jij ook het gevoel dat Poole achter die grote grijns van hem erg gespannen is?'

'Ik voor mij,' zei ik, 'zou hem niet graag in de wielen rijden. Maar ik ben een watje.'

'Dat is ons geheim, schat.' Ze tikte op mijn kont toen we het steegje inliepen, en dat leidde aan de overkant van de straat tot nieuw gejoel.

De Gran Torino was een hele tijd niet gebruikt. Daar had Helene gelijk in. Op de gasbetonblokken onder de wielen zaten roestvlekken en vale beige vlekken. De ruiten hadden zoveel stof verzameld dat het een wonder was dat we Garfield nog hadden kunnen onderscheiden. Op het dashboard lag een krant. Het artikel op de voorpagina ging over prinses Diana's vredesmissie in Bosnië.

Het steegje was bedekt met keien. Op plaatsen waar die keien gebarsten en verbrijzeld waren, zag je de rozegrijze aarde. Uit twee plastic vuilnisbakken was rommel gevallen onder een met spinnenwebben bedekte gasmeter. Het steegje liep zó smal tussen twee huizenblokken door, dat het een wonder was dat ze die auto erin hadden kunnen krijgen.

Aan het eind van het steegje, zo'n tien meter van de straat, stond een vierkant huis van één verdieping. Gezien de fantasieloze bouw zou het wel uit de jaren veertig of vijftig stammen. Het had de directiekeet op een bouwplaats kunnen zijn, of een klein radiostation, en waarschijnlijk zou het nauwelijks zijn opgevallen als het in een architectonisch minder interessante buurt had gestaan, maar zoals het daar nu stond, was het een belediging voor het oog. Er was geen stoep, alleen een scheve deur die een paar centimeter boven de fundering hing, en de houten shingles waren bedekt met zwart teerpapier, alsof iemand ooit over een aluminiumbekleding had gedacht maar daarvan had afgezien voordat die bekleding was afgeleverd.

'Weet je de namen van de bewoners nog?' vroeg Poole aan He-

lene, terwijl hij met een snelle duimbeweging zijn holsterriem los-
maakte.

'Nee.'

'Natuurlijk niet,' zei Broussard, die naar de vier ramen aan de
kant van het steegje tuurde, ramen waarvan de smoezelige plastic
zonwering tot op de vensterbanken was neergetrokken. 'Je zei
dat het er twee waren?'

'Ja. Een man en zijn vriendin.' Helene keek naar de huizenblokken die hun schaduw op ons wierpen.

Achter ons vloog een raam open, en we draaiden ons om naar
het geluid.

'Jezus Christus,' zei Helene.

Een vrouw van eind vijftig stak haar hoofd uit een raam op de
eerste verdieping en keek naar ons. Ze had een houten lepel in
haar hand en een sliert linguine viel van die lepel in het steegje.

'Zijn jullie de dierenmensen?'

'Mevrouw?' Poole tuurde naar haar omhoog.

'De dierenbestrijding,' zei ze, zwaaiend met de pollepel. 'Zijn
jullie daarvan?'

'Alle vijf?' zei Angie.

'Ik heb gebeld,' zei de vrouw. 'Ik heb gebeld.'

'Waarover?' vroeg ik.

'Over die verrekte katten, bijgoochem, daarover. Mijn klein-
zoon Jeffrey jengelt in mijn ene oor. Mijn man zanikt in mijn andere oor. Dacht je dat ik een derde oor in mijn achterhoofd heb
om naar die verrekte katten te luisteren?'

'Nee, mevrouw,' zei Poole. 'Ik zie geen derde oor.'

Broussard schraapte zijn keel. 'Natuurlijk kunnen we vanhier-
uit alleen uw voorkant zien, mevrouw.'

Angie hoestte in haar vuist en Poole liet zijn hoofd zakken en
keek naar zijn schoenen.

'Jullie zijn smerissen. Dat kan ik merken,' zei de vrouw.

'Wat heeft ons verraden?' vroeg Broussard.

'Jullie gebrek aan respect voor werkende mensen.' De vrouw
sloeg het raam zó hard dicht dat de ruiten ervan trilden.

'We kunnen alleen uw voorkant zien.' Poole grinnikte.

'Vond je dat een goeie?' Broussard draaide zich naar de deur
van het huisje om en klopte aan.

Ik keek in de propvolle vuilnisbakken bij de gasmeter en zag
minstens tien blikjes kattenvoer.

Broussard klopte weer aan. 'Ik heb respect voor werkende
mensen,' zei hij tegen niemand in het bijzonder.

'Meestal,' beaamde Poole.

Ik keek naar Helene. Waarom hadden Poole en Broussard haar niet in de auto laten zitten?

Broussard klopte een derde keer aan, en binnen mauwde een kat.

Broussard ging een stap van de deur vandaan. 'Helene?'

'Ja.'

Hij wees naar de deur. 'Wil je zo goed zijn de deurknop om te draaien?'

Helene keek hem even aan, maar deed het, en de deur ging naar binnen open.

Broussard lachte haar toe. 'En wil je nu een stap naar binnen zetten?'

Opnieuw deed Helene het.

'Schitterend,' zei Poole. 'Zie je iets?'

Ze keek naar ons om. 'Het is donker. Maar het ruikt gek.'

Broussard begon in zijn notitieboekje te schrijven en zei: 'Burger verklaarde dat pand vreemd rook.' Hij deed de dop op de pen. 'Goed. Je kunt naar buiten komen, Helene.'

Angie en ik keken elkaar aan en schudden ons hoofd. Dat moest je Poole en Broussard nageven: doordat ze Helene de deur hadden laten openmaken en naar binnen hadden laten gaan, hoefden ze geen huiszoekingsbevel meer aan te vragen. 'Abnormale geur', was een gerede aanleiding, en toen Helene eenmaal de deur had opengemaakt, kon zo ongeveer iedereen legaal naar binnen gaan.

Helene kwam de straat weer op en keek naar het raam van waaruit de vrouw over de katten had geklaagd.

Een van die katten – een oranje gestreepte kat, zo mager dat je zijn ribben kon tellen, schoot Broussard en toen ook mij voorbij, sprong in de lucht, landde op een van de vuilcontainers en stak zijn kop in de verzameling blikjes die ik had gezien.

'Jongens,' zei ik.

Poole en Broussard draaiden zich in de deuropening om.

'De poten van die kat. Daar zit opgedroogd bloed op.'

'O jee,' zei Helene.

Broussard wees naar haar. 'Jij blijft hier. Je blijft hier staan tot we je roepen.'

Ze zocht in haar zakken naar haar sigaretten. 'Dat hoef je geen twee keer tegen me te zeggen.'

Poole stak zijn hoofd in de deuropening en snoof. Hij draaide zich om naar Broussard, fronste zijn wenkbrauwen en knikte tegelijk.

Angie en ik gingen naast hen staan.

'Ballonnen,' zei Broussard. 'Heeft iemand parfum of zoiets?'

Angie en ik schudden ons hoofd. Poole haalde een klein flesje Aramis uit zijn zak. Ik had niet geweten dat ze dat nog maakten.

'Aramis?' zei ik. 'Hadden ze geen Brut meer?'

Poole trok zijn wenkbrauwen een aantal keren op. 'Ook geen Old Spice meer, jammer genoeg.'

Hij liet het flesje rondgaan en we brachten het spul rijkelijk op onze bovenlip aan. Angie deed ook wat op een zakdoek. Hoe irritant het ook rook als het de binnenkant van je neusgaten schroeide, het was altijd nog beter dan dat je een ballon rook.

Ballonnen is de naam die sommige rechercheurs, ziekenbroeders en artsen aan lijken geven die al een tijdje dood zijn. Wanneer de gassen en zuren van het lichaam na de rigor mortis eenmaal de vrije loop krijgen, zwelt het lichaam op als een ballon en doet het allerlei andere onappetijtelijke dingen.

We stonden tegenover een hal ter breedte van mijn auto. Winterschoenen met een laagje opgedroogd zout plakten vast aan kranten van februari, naast een schop met scheuren in de houten steel, een roestige barbecue en een zak lege bierblikjes. Het dunne groene kleed was op verschillende plaatsen gescheurd, en de bloederige pootafdrukken van een aantal katten waren in het weefsel opgedroogd.

Het volgende vertrek waar we kwamen, was een huiskamer, en het daglicht dat door de ramen naar binnen viel, had gezelschap van het zilverachtige licht van een tv waarvan het geluid op zacht stond. Het was donker in het huis, maar de zijramen lieten grauw licht binnen, zodat er een loodgrijze nevel in de kamers hing die de toch al niet florissante omgeving nog triester maakte. De kleedjes op de vloer waren een allegaartje, bijeengegooid met het esthetische gevoel van een drugsverslaafde. Op een aantal plaatsen kon je de ribbels zien waar de verschillende kleedjes aan elkaar waren vastgemaakt. De muren waren betimmerd met triplex, en op het plafond zat schilferige witkalk. Tegen de muur stond een bank met een gescheurde gewatteerde deken, en toen we midden in de kamer stonden en onze ogen aan het grauwe licht lieten wennen, zag ik een aantal reflecterende ogen in de gescheurde stof.

Uit de gewatteerde deken kwam een zacht elektrisch gezoem, als krekels die rond een generator zoemen, en de ogen bewogen zich in een onregelmatige rij.

En toen gingen ze in de aanval.

Of tenminste, daar leek het eerst op. Tienmaal een schel miauw, en toen een wilde uittocht. De katten – siamezen en lapjeskatten en cyperse katten en één Hemingway – schoten van de bank af en over de salontafel, landden op de lappendeken van kleedjes, vlogen tussen onze benen door en stuiterden tegen de plinten om maar zo gauw mogelijk buiten te komen.

'Moeder van God,' zei Poole, en hij ging op één been staan.

Ik drukte me tegen de goedkope muur, en Angie kwam bij me staan, en een massa dichte vacht gleed bliksemsnel over mijn voet.

Broussard draaide abrupt naar rechts en naar links en sloeg tegen de zoom van zijn jasje.

Maar de katten hadden geen aanval op ons in de zin. Ze wilden naar buiten.

Buiten gilde Helenc toen de katten door de deuropening kwamen stromen. 'Heilige shit! Help!'

'Wat zei ik?' Ik herkende de stem van de vrouw in het bovenraam. 'Een vloek. Een ellendige vloek op de stad Charlestown!'

In het huis was het plotseling zó stil dat ik het tikken van een klok in de keuken hoorde.

'Katten,' zei Poole met peilloze minachting, en hij streek een paar kattenharen van zijn schoenen.

'Katten zijn slim.' Angie kwam van de muur vandaan. 'Slimmer dan honden.'

'Honden halen de krant voor je op,' zei ik.

'Honden krabben je bank ook niet kapot,' zei Broussard.

'Honden eten het lijk van hun baas niet op als ze honger hebben,' zei Poole. 'Katten wel.'

'Jakkes,' zei Angie. 'Dat is toch niet waar?'

We gingen langzaam de keuken in.

Zodra we binnenkwamen, moest ik even blijven staan om mijn adem in te houden en toen met wijdopen neusgaten het reukwater van mijn bovenlip op te snuiven.

'Shit,' zei Angie, en ze drukte haar gezicht in haar zakdoek.

Een naakte man was op een stoel vastgebonden. Een vrouw knielde een meter of zo van hem vandaan op de vloer, haar kin tegen haar borst. De bandjes van haar bebloede witte negligé hingen tot op haar ellebogen en haar polsen en enkels waren achter haar rug samengebonden. Beide lichamen waren opgezwollen van het gas en hadden, nadat het bloed was opgehouden door de aderen te stromen, de witte kleur van vulkanische as gekregen.

De man had een grote schotwond in zijn borst. Het schot had

zijn borstbeen en het bovenste deel van zijn ribbenkast verbrijzeld. Aan de grootte van het gat te zien, moest er van dichtbij een
schot met een hagelgeweer zijn gelost. En jammer genoeg had
Poole gelijk gehad wat de voedingsgewoonten en twijfelachtige
trouw van katten betrof. Het vlees van de man was niet alleen
weggevreten door hagelkorrels. Nadat het schot en de tijd en de
katten hun werk hadden gedaan, zag het bovenste deel van zijn
borst eruit alsof het van binnenuit met een chirurgische schaar
was opengeduwd.

'Dat zijn niet wat ik denk dat het zijn,' zei Angie, die naar het
gapende gat keek.

'Sorry dat ik je dit moet meedelen,' zei Poole, 'maar dat zijn de
longen van de man.'

'Dan is het officieel,' zei Angie. 'Ik ben misselijk.'

Poole gebruikte een balpen om de kin van de man op te lichten.
Hij ging een stap terug. 'Hé, hallo, David!'

'Martin?' zei Broussard, en hij ging een stap dichter naar het lichaam toe.

'Dezelfde.' Poole liet de kin zakken en raakte het donkere haar
van de man aan. 'Je ziet er wat pips uit, David.'

Broussard keek ons aan. 'David Martin. Ook bekend onder de
naam Wee David, dus kleine David.'

Angie kuchte in haar zakdoek. 'Hij lijkt me anders niet zo
klein.'

'Het heeft niets met zijn lengte te maken.'

Angie keek naar het kruis van de man. 'O.'

'Dit moet Kimmie zijn,' zei Poole, en hij stapte over een plas
opgedroogd bloed naar de vrouw in de negligé.

Hij gebruikte zijn pen om haar hoofd omhoog te brengen, en ik
zei: 'God allemachtig.'

Een zwarte wond vormde een klein ravijn over Kimmies keel.
Haar kin en jukbeenderen waren bespat met zwart bloed en haar
ogen keken omhoog, alsof ze om verlossing of hulp smeekte, of
om een bewijs dat er iets, wat dan ook, op haar te wachten lag buiten deze keuken.

In haar armen had ze diepe sneden, dik aangekoekt met zwart
bloed, en op haar schouders en sleutelbeenderen zaten gaten die
ik als brandwonden van sigaretten herkende.

'Ze is gefolterd.'

Broussard knikte. 'Waar haar vriendje bij was. "Vertel me waar
het is of ik snijd haar nog een keer." Dat soort dingen.' Hij schudde zijn hoofd. 'Wat een rotstreek. Voor een drugsgebruikster viel
Kimmie best mee.'

Poole ging van Kimmies lichaam vandaan. 'De katten hebben haar niet aangeraakt.'

'Wat?' zei Angie.

Hij wees naar Wee David. 'Zoals je kunt zien, hebben ze zich te goed gedaan aan Martin. Maar niet aan Kimmie.'

'Wat bedoel je daarmee?' zei ik.

Hij haalde zijn schouders op. 'Ze mochten Kimmie graag. En ze mochten Wee David niet. Jammer dat de moordenaars er niet ook zo over dachten.'

Broussard kwam naast zijn collega staan. 'Denk je dat Wee David de buit heeft prijsgegeven?'

Poole liet Kimmies hoofd voorzichtig op haar borst zakken en maakte een *tsk*-geluid. 'Hij was een hebberige rotzak.' Hij keek over zijn schouder naar ons. 'Van de doden niets dan goeds, maar...' Hij haalde zijn schouders op.

'Wee David en een vorige vriendin pleegden een paar jaar geleden een inbraak in een apotheek. Het was ze om demerol, darvon, valium en zo te doen. Hoe dan ook, de politie kwam eraan en Wee Dave en zijn meisje gaan door een achterdeur naar buiten. Ze moeten vanaf een brandtrap op de eerste verdieping naar een steegje springen. Het meisje verstuikt haar enkel. Kleine Dave houdt zóveel van haar dat hij haar van haar last ontdoet en haar daar in dat steegje laat liggen.'

Eerst Big Dave Strand. Nu Wee Dave Martin. Het werd tijd dat we ophielden onze kinderen David te noemen.

Ik keek in de keuken om me heen. De vloertegels waren gescheurd en alle levensmiddelen waren van de planken geveegd; de vloer lag bezaaid met bergen blikjes en lege chipszakjes. De plafondlatten waren verwijderd en lagen in een berg van wit stof naast de keukentafel. De oven en de koelkast waren van de muur getrokken. De kastdeuren hingen open.

Degene die Wee David en Kimmie had vermoord, was grondig te werk gegaan.

'Wil je het doorgeven?' zei Broussard.

Poole haalde zijn schouders op. 'Als we nou eerst zelf eens wat rondkeken?'

Poole haalde een aantal dunne plastic handschoenen uit zijn zak. Hij maakte ze van elkaar los en gaf een paar aan Broussard, Angie en mij.

'Dit is de plaats van een misdrijf,' zei Broussard tegen Angie en mij. 'Verknoei het niet.'

De slaapkamer en de badkamer verkeerden in dezelfde chaotische staat als de keuken en de huiskamer. Alles was omgegooid, opengesneden, op de vloer leeggegooid. In vergelijking met andere huizen van drugsverslaafden die ik had gezien was de chaos niet eens zo groot.

'De tv,' zei Angie.

Ik stak mijn hoofd uit de slaapkamer en zag Poole uit de keuken en Broussard uit de badkamer komen. We gingen bij Angie voor de televisie staan.

'Die hebben ze niet vanbinnen bekeken.'

'Waarschijnlijk omdat hij aanstond,' zei Poole.

'Nou?'

'Het is nogal lastig om daar tweehonderdduizend dollar in te verstoppen terwijl alle onderdelen blijven werken,' zei Broussard. 'Denk je ook niet?'

Angie haalde haar schouders op. Ze keek naar het scherm en zag dat een van Jerry Springers gasten werd tegengehouden. Ze zette het toestel harder.

Een van Jerry Springers gasten noemde een andere gast een hoer. Iemand die zat te grijnzen, noemde hij een vuile viezerik.

Broussard zuchtte. 'Ik ga een schroevendraaier halen.'

Jerry Springer keek het publiek veelbetekenend aan. Het publiek begon te joelen. Er werden veel woorden weggepiept.

Achter ons zei Helene: 'Hé, wat goed. Springer.'

Broussard kwam de badkamer uit. Hij had een heel kleine schroevendraaier met een rode rubberen handgreep. 'Mevrouw McCready,' zei hij. 'Ik wil dat u buiten blijft wachten.'

Helene ging op de rand van de versleten bank zitten, haar blik op de tv gericht. 'Die vrouw schreeuwt over de katten. Ze zei dat ze de politie ging bellen.'

'Heb je tegen haar gezegd dat wij de politie zijn?'

Helene glimlachte vaag om een gemene opmerking die een van Jerry's vrouwelijke gasten een andere gast naar het hoofd slingerde. 'Dat zei ik tegen haar. Ze zei dat zij ze evengoed ging bellen.'

Broussard stak de schroevendraaier omhoog en knikte Angie toe. Ze zette de tv midden in een 'piep' af.

'Verdomme,' zei Helene. Ze snoof de lucht op. 'Het stinkt hier.'

'Wil je wat reukwater?'

Ze schudde haar hoofd. 'De caravan van mijn ex-vriend stonk nog erger. Hij liet vuile sokken in de gootsteen weken, en dat soort dingen. Nou, en dát stinkt!'

Poole hield zijn hoofd schuin alsof hij iets wilde zeggen, maar toen wierp hij een blik op haar en veranderde van gedachten. Hij slaakte een luide, wanhopige zucht.

Broussard schroefde de achterkant van de televisie los en ik hielp hem de rechthoekige plaat weg te schuiven. We keken naar binnen.

'Iets te zien?' zei Poole.

'Kabels, draden, ingebouwde luidsprekers, een motor, een beeldbuis,' zei Broussard.

We schoven de achterkant terug.

'Scheld me maar uit,' zei Angie. 'Het was niet het slechtste idee van de dag.'

'Nee, nee.' Poole hield zijn handen omhoog.

'En ook niet het beste,' zei Broussard vanuit zijn mondhoek.

'Wat?' zei Angie.

Broussard keek haar met zijn stralende glimlach aan. 'Hm?'

'Kun je hem weer aanzetten?' zei Helene.

Poole keek haar met half dichtgeknepen oogleden aan en schudde zijn hoofd. 'Patrick?'

'Ja?'

'Er is een achteruitgang. Wil je mevrouw McCready naar buiten brengen terwijl wij het hier afwerken?'

'En het programma dan?' zei Helene.

'Ik vertel je wel hoe het verder ging,' zei ik. 'Hoer,' zei ik. 'Vuile viezerik,' zei ik. 'Piep,' zei ik.

Helene keek naar me op alsof ik haar mijn hand had aangeboden. 'Ik snap er niks van.'

'*Woe-woe*,' zei ik.

Toen we naar de keuken gingen, zei Poole: 'Doe je ogen dicht, Helene.'

'Wat?' Helene deinsde een beetje voor hem terug.

'Je wilt niet zien wat daar is.'

Voordat een van ons haar kon tegenhouden, boog Helene zich naar voren en keek ze over zijn schouder.

Pooles gezicht vertrok en hij ging een stap opzij.

Helene ging de keuken in en bleef staan. Ik stond achter haar en wachtte tot ze ging gillen, flauw zou vallen, op haar knieën zou zakken of naar de huiskamer terug zou rennen.

'Zijn ze dood?' vroeg ze.

'Ja,' zei ik. 'Erg dood.'

Ze ging de keuken in en liep naar de achterdeur. Ik keek Poole aan, die zijn wenkbrauwen optrok.

Toen Helene langs Wee Dave kwam, bleef ze naar zijn borst staan kijken.

'Het is net als in die film,' zei ze.

'Welke film?'

'Die met al die buitenaardse wezens die uit de mensen hun borst springen en een soort zuur bloeden. Hoe heette die ook weer?'

'*Alien*,' zei ik.

'Ja. De *aliens* kwamen uit je borst. Maar hoe heette die film ook weer?'

Angie ging even naar de Dunkin' Donuts daar in de buurt en voegde zich een paar minuten later bij Helene en mij in de achtertuin, terwijl Poole en Broussard met notitieboekjes en camera's door het huis gingen.

De tuin was amper een tuin. De kast in mijn slaapkamer was groter. Wee Dave en Kimmie hadden een roestige metalen tafel en stoelen buiten gezet, en we gingen daarop zitten en luisterden naar de geluiden van de buurt. De middag was al een eind op gang en het werd killer – moeders riepen hun kinderen, de bouwvakkers aan de andere kant van het huis gebruikten betonboren, een paar blokken verderop waren kinderen met een bal aan het spelen.

Helene dronk door een rietje van haar cola. 'Jammer. Het leken me aardige mensen.'

Ik nam een slokje koffie. 'Hoe vaak heb je ze ontmoet?'

'Alleen die ene keer.'

'Kun je je iets bijzonders van die avond herinneren?' vroeg Angie.

Helene zoog nog wat cola door het rietje op en dacht na. 'Al die katten. Die zaten overal. Een van die katten krabde over Amanda's hand, het kleine kreng.' Ze glimlachte naar ons. 'Die kat, bedoel ik.'

'Dus Amanda was bij je in het huis.'

'Dat moet wel.' Ze haalde haar schouders op. 'Ja.'

'Want laatst dacht je dat je haar misschien in de auto had achtergelaten.'

Ze haalde haar schouders weer op en ik had zin om mijn beide handen uit te steken en haar schouders weer naar beneden te drukken. 'O ja? Nou, ik wist het niet zeker, maar nu herinner ik me dat die kat haar krabde. Nee, ze was in het huis.'

'Kun je je verder nog iets herinneren?' Angie trommelde met haar vingers op het tafelblad.

'Ze was aardig.'

'Wie, Kimmie?'

Ze wees naar me en glimlachte. 'Ja. Zo heette ze: Kimmie. Ze was aardig. Ze nam mij en Amanda naar haar slaapkamer mee en liet ons foto's van haar trip naar Disney World zien. Amanda was er helemaal weg van. Onderweg naar huis was het steeds weer: "Mammie, gaan we naar Mickey en Minnie? Gaan we naar Disney World?"' Ze snoof. 'Kinderen. Alsof het geld me op de rug groeit.'

'Toen je dat huis binnenging, had je tweehonderdduizend dollar.'

'Maar dat was Ray's deal. Ik bedoel, zelf zou ik zo'n lijpo als Cheese Olamon nooit rippen. Ray zei dat hij me later ook wat zou geven. Hij had nooit tegen me gelogen, dus ik dacht dat het zijn deal was, zijn probleem als Cheese erachter kwam.' Ze haalde haar schouders weer op.

'Cheese en ik kennen elkaar al heel lang,' zei ik.

'O ja?'

Ik knikte. 'Chris Mullen ook. We hebben met elkaar gehonkbald toen we nog jong waren. En later stonden we langs de lijn. Enzovoort.'

Ze trok haar wenkbrauwen op. 'Meen je dat nou?'

Ik stak mijn hand op. 'Ik zweer het je. En, Helene, weet je wat Cheese zou doen als hij dacht dat iemand hem had geript?'

Ze pakte haar beker cola op en zette hem weer neer. 'Hé, ik zei toch dat het Ray was? Ik heb niks anders gedaan dan dat ik die motelkamer binnenliep met...'

'Cheese – en dat was toen we nog jong waren, een jaar of vijftien – zag op een avond zijn vriendin naar een andere jongen kijken. Cheese sloeg een bierflesje tegen een straatlantaarn kapot en kerfde daarmee in haar gezicht. Hij sneed haar neus af, Helene. Dat was Cheese toen hij vijftien was. Hoe denk je dat hij nu is?'

Ze zoog aan haar rietje tot de lucht het ijs op de bodem liet ratelen. 'Het was Ray's...'

'Denk je dat hij er wakker van zou liggen als hij je dochter had vermoord?' zei Angie. 'Helene.' Ze stak over de tafel haar hand uit en pakte Helenes knokige pols vast. 'Denk je dat?'

'Cheese?' zei Helene, en haar stem sloeg over. 'Denken jullie dat hij iets met Amanda's verdwijnen te maken had?'

Angie keek haar een halve minuut aan en schudde toen haar hoofd en liet Helenes pols los. 'Helene, laat me je iets vragen.'

Helene wreef over haar pols en keek weer naar haar beker cola. 'Ja?'

'Van wat voor planeet kom jij eigenlijk?'

Daarna zei Helene een hele tijd niets meer.

Overal om ons heen stierf de herfst in technicolor. De bladeren die van de takken zweefden en in het gras bleven liggen, waren fel geel en vlammend rood, glanzend oranje en roestig groen. De indringende geur van stervende dingen, die zo bij de herfst hoorde, hing in de lucht die door onze kleren sneed en maakte dat we onze spieren spanden en onze ogen wijd open deden. Nergens doet de dood zich zo spectaculair, zo groots, voor als in oktober in New England. De zon, losgebroken van de onweerswolken die de ochtend hadden bedreigd, veranderde ramen in harde rechthoeken van wit licht en legde zijn warme gloed op de bakstenen rijtjeshuizen rondom het tuintje, een rokerige tint van rood die goed bij de donkerder gekleurde bladeren paste.

De dood, dacht ik, is niet als de herfst. De dood is recht achter ons. De dood is de smerige keuken van Wee David en Kimmie. De dood is zwart bloed en ontrouwe katten die alles vreten wat ze te pakken kunnen krijgen.

'Helene,' zei ik.

'Ja?'

'Toen je met Kimmie in de slaapkamer naar foto's van Disney World keek, waar waren Wee David en Ray toen?'

Haar mond ging een beetje open.

'Vlug,' zei ik. 'Het eerste dat in je opkomt. Niet nadenken.'

'De achtertuin,' zei ze.

'De achtertuin.' Angie wees naar de grond. 'Hier.'

Ze knikte.

'Kon je vanuit Kimmies slaapkamer de achtertuin zien?' vroeg ik.

'Nee. De luxaflex was omlaag.'

'Hoe weet je dan dat ze hier waren?'

'Ray's schoenen waren vuil toen we weggingen,' zei ze langzaam. 'Ray kan zo slordig zijn.' Ze legde haar hand even op mijn arm alsof ze op het punt stond een heel persoonlijk geheim aan me toe te vertrouwen. 'Maar, man, hij past goed op zijn schoenen.'

110

11

G200 + BEHEERSING = KIND

'G tweehonderd?' zei Angie.

'Tweehonderdduizend,' zei Broussard rustig.

'Waar heb je dat briefje gevonden?'

Hij keek over zijn schouder naar het huis. 'Strak opgerold en achter het elastiek van Kimmies kanten slipje gestoken. Een aandachtstrekker, denk ik.'

We stonden in de achtertuin.

'Hier is het,' zei Angie, en ze wees naar een bergje aarde bij een verdroogde en verschrompelde iep. De aarde was daar kort geleden omgewoeld. Het bergje was de enige oneffenheid in een tuintje dat verder zo plat als een dubbeltje was.

'Ik geloof je, Angie,' zei Broussard. 'En wat doen we nu?'

'Het opgraven,' zei ik.

'En er beslag op leggen en het in de openbaarheid brengen,' zei Poole. 'We kunnen het via de pers met Amanda McCready's verdwijning in verband brengen.'

Ik keek naar het dode gras en de bourgognerode bladeren die omgekruld op dat gras lagen. 'Hier heeft een hele tijd niemand gegraven.'

Poole knikte. 'Je conclusie?'

'Als het daar begraven ligt...' Ik wees naar het bergje. 'Dan heeft Wee David het voor zich gehouden, ook al martelden ze Kimmie dood waar hij bij zat.'

'Niemand heeft Wee Dave er ooit van beschuldigd dat hij de Nobelprijs voor de Vrede zou kunnen krijgen,' zei Broussard.

Poole liep naar de boom, zette een voet aan weerskanten van het bergje en keek omlaag.

In het huis zat Helene in de huiskamer, vijf meter van twee opgezwollen lijken vandaan. Ze keek tv. Springer was opgevolgd door Geraldo of Sally of een andere circusdirecteur die de koeienbel luidde voor de nieuwste stoet van kermisrariteiten. De openbare 'therapie' van de bekentenis, de constante verwatering van de betekenis van het woord 'trauma', een gestage stroom van idioten die van achter een spreekgestoelte in de leegte schreeuwden.

Helene scheen het niet erg te vinden. Ze klaagde alleen over de stank en vroeg of we een raam konden openzetten. Niemand kon een reden noemen waarom we dat niet konden doen, en toen we het hadden gedaan, lieten we haar daar achter en baadde haar gezicht in flikkeringen van zilverig licht.

'Dus wat ons betreft, is het voorbij,' zei Angie tegen hem. 'Nietwaar?'

Poole keek haar nog even aan en richtte zijn blik toen weer op het bergje aarde.

Een paar minuten sprak niemand. Ik wist dat we weg zouden moeten gaan. Angie wist dat we weg zouden moeten gaan. Toch bleven we. Het leek wel of we net als die dode iep in dat tuintje geworteld stonden.

Ik richtte mijn blik op het lelijke huis achter ons, kon Wee Davids hoofd zien, en de bovenkant van de stoel waaraan hij was vastgebonden. Had hij met zijn blote schouderbladen de goedkope rieten rugleuning van de stoel gevoeld? Was dat het laatste gevoel geweest dat hij had gehad voordat het schot hagel zijn borstholte opende alsof zijn botten en spieren van wc-papier waren? Of had hij in zijn laatste ogenblikken gevoeld hoe het bloed naar zijn gebonden polsen liep en zijn vingers blauw en verdoofd werden?

De mensen die dit huis op die laatste dag of avond van zijn leven waren binnengekomen, hadden geweten dat ze Kimmie en Wee David zouden doden. Het was een professionele executie geweest. Het doorsnijden van Kimmies keel was een laatste poging geweest om Wee David aan het praten te krijgen, maar voor alle zekerheid was ze ook nog met een mes doodgestoken.

Buren zullen een schot bijna altijd toeschrijven aan iets anders – een knallende uitlaat misschien, of als het een schot hagel is, een motor die het begeeft of een porseleinkast die op de vloer valt. Vooral wanneer het geluid uit het huis van drugsdealers of -gebruikers komt, mensen van wie de buren weten dat ze op alle tijden van de dag en nacht vreemde geluiden maken.

Niemand wil denken dat hij echt een schot heeft gehoord, dat hij echt getuige was van een moord, al was het maar door het horen van het schot.

En dus hadden de moordenaars Kimmie snel en geluidloos gedood, waarschijnlijk volkomen onverwachts. Maar Wee David – ze hadden dat geweer een tijdje op hem gericht. Ze hadden gewild dat hij zag hoe hun vinger tegen de trekker drukte, hoe de hamer tegen de patroon sloeg, het explosief geluid tot ontbranding kwam.

En dat waren de mensen die Amanda McCready hadden ontvoerd.

'Je wilt die tweehonderdduizend dollar inruilen tegen Amanda,' zei Angie.

Dat was het. Dat was wat ik al vijf minuten wist. Dat was wat Poole en Broussard niet onder woorden wilden brengen. Een gigantische schending van het politieprotocol.

Poole keek naar de stam van de dode boom. Broussard haalde met de punt van zijn schoen een rood blad van het groene gras.

'Ja?' zei Angie.

Poole zuchtte. 'Ik zie liever niet dat de kidnappers een koffer vol krantenpapier of gemerkt geld openmaken en het kind doden voordat wij erbij kunnen komen.'

'Is dat je al eens overkomen?' zei Angie.

'Dat is gebeurd in zaken die ik aan de FBI heb overgedragen,' zei Poole. 'Daar hebben we hier mee te maken, Angie. Kidnapping valt onder de FBI.'

'Als we de zaak aan de FBI overdragen,' zei Broussard, 'gaat het geld in een kast voor bewijsmateriaal en doet de FBI de onderhandelingen. Dan zullen ze ons wel eens laten zien hoe slim ze zijn.'

Angie keek naar het kleine tuintje, naar de wegkwijnende viooltjes die vanaf de tuin van de buren door het gazen hek groeiden. 'Jullie twee willen zonder de FBI met de kidnappers onderhandelen.'

Poole stak zijn handen diep in zijn zakken. 'Ik heb te veel dode kinderen in kasten gevonden, Angie.'

Ze keek Broussard aan. 'Jij?'

Hij glimlachte. 'Ik heb de pest aan de FBI.'

'Als dit misgaat,' zei ik, 'verliezen jullie je pensioenrechten, jongens. Of erger.'

Aan de overkant in het huizenblok hing een man een kleedje uit een raam op de tweede verdieping en begon erop te kloppen met een hockeystick waarvan het uiteinde ontbrak. Het stof steeg in woedende, vluchtige wolken op, en de man bleef meppen en merkte ons blijkbaar niet op.

Poole ging op zijn hurken zitten en plukte een grashalm bij het bergje aarde. 'Kunnen jullie je de zaak-Jeannie Minnelli herinneren? Een paar jaar geleden?'

Angie en ik haalden onze schouders op. Het was triest dat je zoveel verschrikkelijke dingen niet vergat.

'Een meisje van negen,' zei Broussard. 'Ze verdween toen ze in Somerville op haar fiets reed.'

Ik knikte. Het kwam terug.

'Wij hebben haar gevonden, Patrick, Angie.' Poole knakte de grashalm aan beide einden. 'In een vat. In cement. Het cement was nog niet hard, want de genieën die haar hadden gedood hadden de verkeerde verhouding van water en cement gebruikt.' Hij sloeg zijn handen tegen elkaar om ze van stof of stuifmeel te ontdoen, of zomaar. 'We vonden een negen jaar oud lijk. Het dreef in een vat met waterig cement.' Hij stond op. 'Hoe klinkt dat?'

Ik keek naar Broussard. Hij was bleek geworden bij de herinnering en ik zag dat zijn armen trilden, tot hij zijn handen in zijn zakken stak en zijn ellebogen tegen zijn zijden drukte.

'Niet best,' zei ik, 'maar als dit misgaat, zullen jullie…'

'Wat?' zei Poole. 'Mijn pensioenrechten verliezen? Ik ga binnenkort met pensioen, Patrick. Kun je je voorstellen wat de politiebond kan doen met iemand die het pensioen probeert af te pakken van een gedecoreerde politieman met dertig dienstjaren?' Poole bewoog zijn vinger voor ons heen en weer. 'Dat is net zoiets als wanneer uitgehongerde honden op vlees af gaan dat aan iemands ballen hangt. Niet mooi om te zien.'

Angie grinnikte. 'Jij bent me er eentje, Poole.'

Hij legde zijn hand op haar schouder. 'Ik ben een verlopen ouwe kerel met drie ex-vrouwen, Angie. Ik ben niets. Maar uit mijn laatste zaak zou ik graag als winnaar te voorschijn willen komen. Met een beetje geluk krijgen we Chris Mullen te pakken en stoppen we Cheese Olamon nog dieper weg in de gevangenis dan hij al zit.'

Angie keek naar zijn hand en toen naar zijn gezicht. 'En als het mislukt?'

'Dan drink ik me dood.' Poole haalde de hand weg en streek ermee over de harde stoppels op zijn hoofd. 'Goedkope wodka. Het beste dat ik van een politiepensioen kan betalen. Lijkt dat je wat?'

Angie glimlachte. 'Het lijkt me prima, Poole. Prima.'

Poole keek over zijn schouder naar de man die het kleedje klopte en keek toen ons weer aan. 'Patrick, heb je die tuinschop in het halletje zien staan?'

Ik knikte.

Poole glimlachte.

'O,' zei ik. 'Goed.'

Ik liep door het huis terug en pakte de schop. Toen ik door de huiskamer terugliep, zei Helene: 'Gaan we hier gauw weer weg?'

'Straks.'

Ze keek naar de schop en de plastic handschoenen die ik droeg. 'Hebben jullie het geld gevonden?'

Ik haalde mijn schouders op. 'Misschien.'

Ze knikte en keek weer naar de tv.

Ik begon door te lopen, maar haar stem hield me tegen toen ik nct op hct punt stond de keuken binnen te gaan.

'Patrick?'

'Ja.'

Toen ik haar ogen in het licht van het televisiescherm zag fonkelen, moest ik meteen aan de ogen van de katten denken. 'Ze zouden haar geen kwaad doen. Of zouden ze dat wel doen?'

'Je bedoelt Chris Mullen en de rest van Cheese Olamons mensen?'

Ze knikte.

Op de televisie zei een vrouw tegen een andere vrouw dat ze bij haar dochter vandaan moest blijven, de pot. Het publiek joelde.

'Zouden ze dat doen?' Helenes blik bleef strak op de tv gericht.

'Ja,' zei ik.

Ze keek scherp in mijn richting. 'Nee.' Ze schudde haar hoofd, alsof ze haar wens daarmee kon laten uitkomen.

Ik had tegen haar kunnen zeggen dat ik maar een grapje maakte. Dat het best goed zou komen met Amanda. Dat ze terug zou komen en alles weer normaal zou worden en dat Helene zich kon blijven verdoven met televisie en drank en heroïne en wat ze nog meer gebruikte om zich af te schermen tegen de wereld die zo gemeen kon zijn.

Maar haar dochter was ergens in haar eentje, doodsbang, met handboeien aan een radiator of ledikant vastgemaakt, met isolatieband over de onderste helft van haar gezicht opdat ze geen geluid zou maken. Of ze was dood. En dat kwam voor een deel door Helenes gemakzucht, door haar vastbeslotenheid om te doen wat ze wilde zonder zich om de gevolgen te bekreunen.

'Helene,' zei ik.

Ze stak een sigaret op en de luciferskop bewoog zich een aantal keren rond het doelwit voordat de tabak tot ontbranding kwam. 'Wat?'

'Dringt het nu eindelijk tot je door?'

Ze keek naar de tv, en keek toen mij weer aan. Haar ogen waren vochtig en bloeddoorlopen. 'Wat?'

'Je dochter is ontvoerd. Omdat jij dat geld had gestolen. De mannen die haar hebben, geven niets om haar. En misschien geven ze haar niet terug.'

Er rolden twee tranen over Helenes wangen, en ze veegde er met de rug van haar pols over.

'Dat weet ik,' zei ze, en ze richtte haar aandacht weer op de tv. 'Ik ben niet dom.'

'Dat ben je wel,' zei ik, en liep de tuin in.

We stonden in een kring rondom het bergje aarde teneinde het aan het oog van de naburige rijtjeshuizen te onttrekken. Broussard stak de schop in de grond en spitte een paar keer aarde op. Toen zagen we de verkreukelde bovenkant van een groene plastic zak verschijnen.

Broussard groef nog wat verder, en toen keek Poole om zich heen en bukte zich. Hij trok aan de zak en kreeg hem uit het gat.

Ze hadden de bovenkant van de zak niet eens dichtgebonden, alleen een paar keer rondgedraaid, en Poole liet hem in zijn hand terugdraaien. Het groene plastic kraakte doordat de strakke lijnen bij de hals zich uitspreidden en de zak wijder werd. Poole liet hem op de grond vallen en de bovenkant van de zak ging open.

Een stapel losse bankbiljetten zat erin, voor het merendeel honderdjes en vijftigjes, oud en zacht.

'Dat is een hoop geld,' zei Angie.

Poole schudde zijn hoofd. 'Dat, mevrouw Gennaro, is Amanda McCready.'

Voordat Poole en Broussard het forensisch team en de patholoog-anatoom lieten komen, zetten we de televisie in de huiskamer uit en vertelden we Helene wat we gingen doen.

'Jullie ruilen het geld in tegen Amanda,' zei ze.

Poole knikte.

'En dan blijft ze in leven.'

'Dat hopen we.'

'En wat moet ik ook weer doen?'

Broussard ging voor haar op zijn hurken zitten. 'Jij hoeft helemaal niets te doen, Helene. Je moet alleen nu een keuze maken. Wij vieren hier…' Hij zwaaide met zijn hand naar de rest van ons. 'Wij denken dat dit de juiste aanpak is. Maar als mijn bazen erachter komen dat ik het op deze manier wil doen, word ik geschorst of ontslagen. Begrijp je dat?'

Ze knikte vaag. 'Als je het tegen andere mensen zegt, willen ze Chris Mullen arresteren.'

Broussard knikte. 'Misschien. Of misschien vindt de FBI het belangrijker dat ze de kidnapper te pakken krijgen dan dat je dochter veilig terugkomt.'

Ze knikte weer vaag, alsof haar kin wel naar beneden wilde maar op een onzichtbare barrière stuitte.

'Helene,' zei Poole. 'Uiteindelijk is het jouw beslissing. Als je wilt, rapporteren we dit meteen. Dan dragen we het geld af en laten we de hele zaak aan de FBI over.'

'Andere mensen?' Ze keek Broussard aan.

Hij raakte haar hand aan. 'Ja.'

'Ik wil geen andere mensen. Ik wil niet…' Ze kwam een beetje wankelend overeind. 'Wat moet ik doen als we het op jullie manier doen?'

'Je stilhouden.' Broussard ging staan. 'Niet met de pers of de politie praten. Niet eens tegen Lionel en Beatrice zeggen wat er gebeurt.'

'Gaan jullie met Cheese praten?'

'Ja, dat is waarschijnlijk onze volgende stap,' zei ik.

'Het lijkt erop dat Cheese Olamon momenteel de kaarten in handen heeft,' zei Broussard.

'Als jullie nu eens gewoon Chris Mullen volgden? Misschien brengt hij jullie naar Amanda zonder dat hij er erg in heeft.'

'Dat zullen we ook doen,' zei Poole. 'Maar ik heb het gevoel dat ze dat verwachten. Ze hebben Amanda vast wel goed verborgen.'

'Zeg tegen hem dat ik er spijt van heb.'

'Tegen wie?'

'Cheese. Zeg tegen hem dat ik niets slechts wilde doen. Ik wil alleen mijn kind terug. Zeg tegen hem dat hij haar niets moet doen. Willen jullie dat doen?' Ze keek Broussard aan.

'Ja.'

'Ik heb honger,' zei Helene.

'We halen wat…'

Ze keek Poole hoofdschuddend aan. 'Niet ik. Niet ik. Dat zei Amanda.'

'Wat? Wanneer?'

'Toen ik haar die avond naar bed bracht. Dat is het laatste dat ze tegen me zei: "Mama, ik heb honger."' Helene glimlachte, maar haar ogen liepen vol tranen. 'Ik zei: "Dat geeft niet, schatje. Morgenvroeg krijg je eten."'

Niemand zei iets. We wachtten af of ze zou instorten.

'Ik bedoel, ze zullen haar toch wel te eten geven?' Ze bleef glimlachen, ook al rolden de tranen over haar gezicht. 'Ze heeft toch niet nog steeds honger?' Ze keek mij aan. 'Nee toch?'

'Ik weet het niet,' zei ik.

12

Cheese Olamon was een blonde Scandinaviër van een meter vijf-entachtig en bijna tweehonderd kilo. Op de een of andere manier was hij tot de misvatting gekomen dat hij zwart was.

Hoewel zijn huidkwabben heen en weer schudden als hij liep en hij graag de fleece-truien en dikke katoenen sweaters droeg die populair waren bij dikke mannen op de hele wereld, zou het een grote vergissing zijn om Cheese voor een jolige dikkerd aan te zien of te denken dat hij met dat kolossale lichaam erg traag zou zijn.

Cheese lachte veel, en in het gezelschap van sommige mensen kon hij heel veel plezier hebben. En ondanks alle angst die zijn gedateerde pseudo-Shaft-taaltje mensen kon bezorgen, ging er vreemd genoeg ook iets innemends van zijn manier van spreken uit. Als je hem hoorde praten, verbaasde je je over het jargon dat hij zich had aangemeten. Eigenlijk hoorde je nooit mensen, be-halve dan in een film van Fred Williamson en Antonio Fargas, op die manier spreken. Je vroeg je af of hij zo sprak om te doen voor-komen alsof hij uit een zwarte gettocultuur kwam, of dat hij het uit een merkwaardige vorm van racisme deed, of beide. Hoe dan ook, het kon erg aanstekelijk zijn.

Maar ik kende ook de Cheese die op een avond in een kroeg met zoveel rustige kwaadaardigheid naar een man had gekeken dat je wist dat de levensverwachting van die man zojuist tot onge-veer anderhalve minuut was gedaald. Ik kende de Cheese die meisjes in dienst nam die zo mager en door de drugs verteerd wa-ren dat ze zich achter een honkbalknuppel konden verstoppen, de Cheese die rolletjes bankbiljetten van hen aannam als ze zich naar zijn auto toe bogen en hen dan met een tik tegen hun mage-re achterste weer naar hun werk stuurde.

En alle rondjes die hij in de kroeg gaf, alle vijfjes en tientjes die hij aan verlopen dronkelappen gaf, waarna hij ze ook nog naar de Chinees reed om het geld uit te geven, alle kalkoenen die hij met Kerstmis onder de armen in de buurt uitdeelde, wogen niet op tegen de junkies die in portieken stierven met de naald nog in hun arm, de jonge vrouwen die binnen de kortste keren in hologige heksen met bloedend tandvlees veranderden en in de metrostations om geld voor AZT-behandelingen bedelden, en de namen die hij persoonlijk uit de telefoonboeken van vorige jaren had geschrapt.

Cheese, een rotzak van nature en door opvoeding, was het grootste deel van zijn schooltijd klein en ziekelijk geweest. Toen kon je dwars door zijn goedkope witte shirt zijn ribben tellen. Soms had hij zulke heftige hoestbuien dat hij moest braken. Hij zei bijna nooit iets. Voor zover ik me kan herinneren, had hij geen vrienden, en terwijl de meesten hun boterhammen uit *Adam-12*- of Barbie-bakjes aten, had Cheese die van hem in een bruine papieren zak, die hij na afloop zorgvuldig opvouwde en voor hergebruik mee naar huis nam.

De eerste paar jaar brachten zijn beide ouders hem elke ochtend naar het hek van de school. Ze spraken in een vreemde taal tegen hem en deden dat met harde stemmen. Ze frommelden aan het haar of de sjaal van hun zoon, of aan de knopen van zijn dikke boerenjas voordat ze hem vrijlieten. En dan liepen ze naar huis terug – reuzen, allebei. Vader Olamon droeg een satijnen gleufhoed die al minstens vijftien jaar uit de mode was, met een gehavende oranje veer in de band, en hield zijn hoofd een beetje schuin, alsof hij niet anders verwachtte dan dat er vanaf bovenverdiepingen spottende opmerkingen naar hem en zijn vrouw zouden worden geroepen. Cheese keek hen na tot ze uit het zicht verdwenen waren en kromp even ineen als zijn moeder bleef staan om een afgezakte sok over haar dikke enkel omhoog te trekken.

Ik weet ook niet waarom, maar alles wat ik me van Cheese en zijn ouders herinner, voltrekt zich in het vlijmscherpe zonlicht van het begin van de winter: beelden van een lelijke kleine jongen die aan de rand van een schoolplein vol halfbevroren plassen naar zijn ouders kijkt, die met gekromde schouders onder huiverende zwarte bomen lopen.

Cheese kreeg heel wat scheldwoorden en ook rake klappen te verduren vanwege zijn lichte accent en het veel zwaardere accent van zijn ouders, en vanwege zijn huid, die een zeepachtige, gelige glans had die de kinderen aan bedorven kaas deed denken. Vandaar zijn bijnaam Cheese.

120

Toen Cheese in de zevende klas van het St.-Bart zat, werd zijn vader, conciërge op een exclusieve lagere school in Brookline, in staat van beschuldiging gesteld wegens mishandeling van een tienjarige leerling die op de vloer had gespuwd. Het kind, de zoon van een neurochirurg die aan het Mass General verbonden was en ook gasthoogleraar in Harvard was, had in de paar seconden dat vader Olamon hem te lijf ging zijn arm en zijn neus gebroken, en de straf zou niet mals zijn. In datzelfde jaar groeide Cheese vijfentwintig centimeter in vijf maanden.

Het jaar daarop – het jaar waarin zijn vader een gevangenisstraf van drie tot zes jaar kreeg opgelegd – kreeg Cheese opeens veel meer lichaamsomvang.

Veertien jaar van treiterijen gingen in zijn spiermassa zitten, veertien jaar waarin hij werd uitgelachen en zijn lichte accent werd nageaapt, veertien jaar van vernederingen en ingeslikte woede. Al die jaren waren in zijn binnenste samengebald tot een hete, verkalkte kanonskogel van gal.

Die zomer, tussen de achtste klas en de middelbare school, werd voor Cheese Olamon de zomer van de vergelding. Kinderen werden ondersteboven gestompt als ze een hoek omgingen, en als ze dan op het trottoir lagen en opkeken, zagen ze een van Cheese's schoenen, maat 46, in hun ribben neerkomen. Er braken neuzen en armen, en Carl Cox – een van Cheese's oudste en meest genadeloze kwellers – kreeg vanaf drie hoog een steen op zijn hoofd, waardoor onder andere zijn halve oor werd weggescheurd en hij de rest van zijn leven rare dingen zei.

En het waren ook niet alleen de jongens van onze klas van het St.-Bart die ervan te lijden hadden. Nogal wat veertienjarige meisjes hadden die zomer een verband over hun neus of moesten naar de tandarts om hun kapotte gebit te laten oplappen.

Evengoed wist Cheese zelfs toen al zijn slachtoffers te kiezen. Degenen van wie hij terecht veronderstelde dat ze te verlegen of te zwak waren om iets terug te doen, kregen zijn gezicht te zien als hij ze pijn deed. Degenen die hij het meest pijn deed – en van wie dus te verwachten was dat ze het aan de politie of hun ouders zouden vertellen – kregen hem helemaal niet te zien.

Tot degenen die aan Cheese's wraak ontkwamen, behoorden Phil, Angie en ikzelf, die hem nooit hadden gepest, al was het alleen maar omdat we zelf ook minstens één onmodieuze immigrantenouder hadden. En Cheese liet Bubba Rogowski ook met rust. Ik weet niet of Bubba hem ooit had gepest of niet, maar ook als hij dat had gedaan, was Cheese wel zo slim om te weten dat als het op oorlogvoering aankwam, Cheese het Duitse leger en Bubba de Russische winter zou zijn. En dus beperkte Cheese zich tot gevechten waarvan hij wist dat hij ze kon winnen.

Hoeveel groter, slimmer en pychotischer Cheese in de loop van de jaren ook werd, hij bleef zich tegenover Bubba bijna vleiend gedragen. Dat ging zelfs zo ver dat hij persoonlijk voor Bubba's honden zorgde als Bubba voor allerlei wapentransacties in het buitenland was.

Kijk, dat is nou Bubba. De mensen die jou en mij doodsbang maken, geven zijn honden te eten.

'"Moeder in inrichting opgenomen toen betrokkene veertien was'," las Broussard voor uit Cheese Olamons dossier, terwijl Poole langs het natuurreservaat Walden Pond in de richting van de Concord-gevangenis reed. '"Vader een jaar later uit Norfolk vrijgelaten en verdwenen".'

'Volgens de geruchten heeft Cheese hem vermoord,' zei ik. Ik zat onderuitgezakt op de achterbank, mijn hoofd tegen het raampje, en zag de glorieuze bomen van Concord aan me voorbijtrekken.

Nadat Broussard en Poole de dubbele moord in Wee Davids huis hadden doorgegeven, hadden Angie en ik de zak met geld genomen en Helene naar Lionels huis teruggereden. We zetten haar af en reden naar Bubba's pakhuis.

Twee uur 's middags is slaaptijd voor Bubba, en toen hij de deur voor ons opendeed, droeg hij een vlammend rode Japanse kimono en had hij een nogal geërgerde blik op dat verstoorde cherubijnengezicht van hem.

'Waarom ben ik wakker?' zei hij.

'We hebben je safe nodig,' zei Angie.

'Jullie hebben een safe.' Hij keek me kwaad aan.

Ik keek rustig terug. 'Die van ons heeft geen mijnenveld om hem te beschermen.'

Hij stak zijn hand uit en Angie legde de plastic zak erin.

'Inhoud?' zei Bubba.

'Tweehonderdduizend.'

Bubba knikte alsof we hadden gezegd dat het erfstukken van onze grootmoeder waren. We hadden ook kunnen zeggen dat het voorwerpen van buitenaardse wezens waren – hij zou niet anders hebben gereageerd. Zolang je hem niet aan een afspraakje met Jane Seymour hielp, was Bubba erg moeilijk te imponeren.

Angie haalde de foto's van Corwin Earle en Leon en Roberta

Trett uit haar tas en liet ze voor Bubba's slaperige gezicht uit-waaieren. 'Ken je daar iemand van?'

'Godskelere!' zei hij.

'Ken je iemand?' vroeg Angie.

'Huh?' Hij schudde zijn hoofd. 'Nee. Maar wat is dat een harig kreng. Kan ze rechtop lopen?'

Angie zuchtte en deed de foto's weer in haar tas.

'Die andere twee zijn ex-gedetineerden,' zei Bubba. 'Ik heb ze nooit ontmoet, maar je kunt het altijd zien.'

Hij gaapte, knikte en deed de deur voor ons gezicht dicht.

'Het was niet zijn gezelschap dat ik miste toen hij in de gevangenis zat,' zei Angie.

'Het waren de boeiende gesprekken met hem,' zei ik.

Angie zette me bij mij thuis af, waar ik op Poole en Broussard wachtte. Zelf reed ze naar Chris Mullens flatgebouw om aan de surveillance te beginnen. Ze koos daarvoor omdat ze nooit graag in mannengevangenissen kwam. Trouwens, Cheese gedraagt zich altijd een beetje vreemd als zij erbij is. Dan krijgt hij een kleur en vraagt dan met wie ze tegenwoordig gaat. Ik ging met Poole en Broussard mee omdat ik voor een soort vriend van Cheese kon doorgaan, en Cheese was nooit erg geneigd geweest om met de politie samen te werken.

'Verdacht van de moord op een zekere Jo Jo McDaniel in 1986,' zei Broussard terwijl we over Route 2 reden.

'Cheese's mentor in de drugshandel?' zei ik.

Broussard knikte. 'Verdachte in de zaak van de verdwijning en vermoedelijke dood van Daniel Caleb in 1991.'

'Daar had ik nog niet van gehoord.'

'Boekhouder.' Broussard sloeg een bladzijde om. 'Het schijnt dat hij voor louche types met de financiën goochelde.'

'Cheese betrapte hem met zijn hand in de kassa.'

'Blijkbaar.'

Poole keek me via het spiegeltje aan. 'Jij hebt nogal wat kennissen in criminele kringen, Patrick.'

Ik ging rechtop zitten. 'Tjee, Poole, wat bedoel je daar toch mee?'

'Je bent bevriend met Cheese Olamon en Chris Mullen,' zei Broussard.

'Het zijn niet mijn vrienden. Gewoon jongens met wie ik ben opgegroeid.'

'Ben je niet ook met wijlen Kevin Hurlihy opgegroeid?' Poole bracht de auto op de linkerrijbaan tot stilstand en wachtte tot er een opening in het verkeer aan de andere kant van de weg kwam, zodat hij Route 2 kon oversteken om de afslag naar de gevangenis te nemen.

'Voor zover ik heb gehoord, is Kevin alleen maar verdwenen,' zei ik.

Broussard lachte me over de rugleuning toe. 'En laten we de beruchte meneer Rogowski niet vergeten.'

Ik haalde mijn schouders op. Ik was het wel gewend dat mensen hun wenkbrauwen optrokken bij het idee dat ik Bubba kende. Vooral mensen van de politie deden dat.

'Bubba is een vriend,' zei ik.

'Mooie vriend,' zei Broussard. 'Is het waar dat hij een hele verdieping van zijn pakhuis in een mijnenveld met explosieven heeft veranderd?'

Ik haalde mijn schouders op. 'Ga maar eens bij hem langs. Dan kun je het zelf zien.'

Poole grinnikte. 'Over vervroegd pensioen gesproken.' Hij draaide de grindweg naar de gevangenis op. 'Je komt uit een mooie buurt, Patrick. Een mooie buurt.'

'We worden alleen maar verkeerd begrepen,' zei ik. 'We hebben allemaal een hart van goud.'

Toen we uit de auto stapten, rekte Broussard zich uit en zei: 'Volgens Oscar Lee heb je moeite met oordelen.'

'Waarmee?' zei ik, en keek omhoog naar de gevangenismuren. Typisch Concord. Zelfs de gevangenis zag er uitnodigend uit.

'Met oordelen,' zei Broussard. 'Oscar zegt dat je er een hekel aan hebt om over mensen te oordelen.'

Ik keek naar de rollen prikkeldraad op de bovenrand van de muur. Plotseling kwam alles een beetje minder uitnodigend over.

'Hij zegt dat je daarom met een psychopaat als Rogowski omgaat en het contact met types als Cheese Olamon aanhoudt.'

Ik kneep mijn ogen halfdicht tegen de felle zon. 'Nee,' zei ik. 'Ik ben niet erg goed in het oordelen over mensen. Maar soms moest ik dat wel.'

'En?' zei Poole.

Ik haalde mijn schouders op. 'Dan had ik achteraf een vieze smaak in mijn mond.'

'Dus je kon niet goed oordelen?' zei Poole luchtig.

Ik herinnerde me dat ik Helene nog maar een paar uur geleden 'dom' had genoemd, en hoe dat woord haar kleiner had gemaakt en haar als het ware een steek toediende. Ik schudde mijn hoofd. 'Nee. Mijn oordeel was juist. Ik hield er alleen een vieze smaak in mijn mond aan over. Zo simpel ligt het.'

Ik stak mijn handen in mijn zakken en liep naar de voordeur van de gevangenis voordat Poole en Broussard nog meer vragen over mijn persoonlijkheid, dan wel het gebrek daaraan, konden bedenken.

De gevangenisdirecteur zette een bewaker bij elk van de twee hekken die naar de kleine binnenplaats voor bezoek leidden, en de bewakers in de torens richtten hun aandacht ook meteen op ons. Cheese was er al toen we daar aankwamen. Hij was de enige gedetineerde op de binnenplaats, want Broussard en Poole hadden om zo veel mogelijk privacy gevraagd.

'Yo, Patrick, alles kits onder de rits?' riep Cheese toen we over de binnenplaats liepen. Hij stond bij een fonteintje. In vergelijking met de orka met geel haar die Cheese was, leek de fontein op een golfclub.

'Niet slecht, Cheese. Het is een mooie dag.'

'Pleur op met je mooie dag, *brother*.' Hij liet zijn vuist op die van mij neerkomen. 'Zo'n dag is net een preuts wijf, Jack Daniel's en een pakje Kool in één. Snap je wat ik bedoel?'

Ik snapte het niet, maar ik glimlachte. Zo ging dat met Cheese. Je knikte, je glimlachte en vroeg je af wanneer hij iets begrijpelijks ging zeggen.

'Verdomme!' Cheese deinsde terug. 'Je hebt de kit meegebracht. Smerissen in de tent!' schreeuwde hij. 'Poole en…' Hij knipte met zijn vingers. 'Broussard. Ja? Ik dacht dat jullie weg waren bij Narcotica.'

Poole glimlachte in de zon. 'Dat is ook zo, meneer Cheese. Dat is zeker zo.' Hij wees naar een lange donkere wondkorst op Cheese's kin. Het leek op een snee van een mes met een gekarteld lemmet. 'Je hebt hier wat vijanden gemaakt?'

'Dit? Shit.' Cheese rolde met zijn ogen naar me. 'De klootzak is nog niet geboren die de Cheese eronder krijgt.'

Broussard grinnikte en porde met zijn linkervoet in de aarde. 'Ja, Cheese, dat zal wel. Je hebt je zeker weer gedragen als een zwarte en daardoor een *brother* kwaad gemaakt die het niet leuk vond dat blanke jongens vergeten dat ze blank zijn. Is dat het?'

'Yo, Poole,' zei Cheese. 'Wat doet een *coole cat* als jij met deze lul die zo stom als een varken is en zijn eigen achterwerk nog niet met een kaart kan vinden?'

'We komen graag in achterbuurten,' zei Poole, en er kwam een vaag glimlachje om Broussards mondhoeken.

'We hoorden dat je een hoop poen bent kwijtgeraakt,' zei Broussard.

'O ja?' Cheese wreef over zijn kin. 'Hmm. Dat kan ik me niet goed herinneren, agent, maar als je een hoop poen hebt die je kwijt wilt – nou, dan pak ik het graag van je aan. Geef het maar aan mijn *brother* Patrick. Die bewaart het wel voor me tot ik vrij ben.'

'Goh, Cheese,' zei ik. 'Dat is ontroerend.'

'Ja, *brother*, want ik wéét dat het goed met jou zit. Hoe gaat het met *brother* Rogowski?'

'Goed.'

'Die kerel zat een jaar in Plymouth? Ik wed dat de smerissen het daar nog steeds in hun broek doen. Ze zijn bang dat hij terugkomt, want het is hem daar goed bevallen.'

'Hij gaat niet terug,' zei ik. 'Hij heeft een jaar tv gemist en is dat nog aan het inhalen.'

'Hoe gaat het met de honden?' fluisterde Cheese, alsof die een geheim waren.

'Belker is ongeveer een maand geleden gestorven.'

Die informatie schokte Cheese blijkbaar nogal. Hij keek omhoog en zijn oogleden knipperden even. 'Hoe is hij gestorven?' Hij keek me aan. 'Vergif?'

Ik schudde mijn hoofd. 'Door een auto geraakt.'

'Met opzet?'

Ik schudde weer met mijn hoofd. 'Er zat een oud dametje achter het stuur. Belker rende gewoon de straat op.'

'Hoe is Bubba eronder?'

'Hij had Belker de maand daarvoor laten castreren.' Ik haalde mijn schouders op. 'Hij is er vrij zeker van dat het zelfmoord was.'

'Daar zit wat in.' Cheese knikte. 'Ja.'

'Het geld, Cheese.' Broussard wuifde met zijn hand voor Cheese's gezicht. 'Het geld.'

'Ik mis niets, agent. Dat zei ik al.' Cheese haalde zijn schouders op en wendde zich van Broussard af. Hij liep naar een picknickbank, ging erbovenop zitten en wachtte tot we bij hem kwamen.

'Cheese,' zei ik, toen ik naast hem ging zitten, 'er wordt in onze buurt een meisje vermist. Misschien heb je daarvan gehoord?'

Cheese plukte een grashalm van zijn schoenveters en draaide hem tussen zijn dikke vingers heen en weer. 'Ik heb iets gehoord. Amanda-en-nog-wat, nietwaar?'

'McCready,' zei Poole.

Cheese drukte zijn lippen op elkaar, dacht er blijkbaar een milliseconde over na en haalde toen zijn schouders op. 'Zegt me niks. Wat had je nou over een zak met geld?'

Broussard grinnikte zachtjes en schudde zijn hoofd.

'Laten we het eens hypothetisch bekijken,' zei Poole.

Cheese vouwde zijn handen tussen zijn benen samen en keek Poole met een gretige kleinejongensgrijns op zijn vette gezicht aan. 'Okiedokie.'

Poole zette zijn voet naast die van Cheese op de bank. 'Laten we zeggen, bij wijze van veronderstelling...'

'Bij wijze van veronderstelling,' zei Cheese opgewekt.

'Stel nu eens dat iemand wat geld had gestolen van iemand die op diezelfde dag werd opgepakt wegens het schenden van de voorwaarden van zijn vrijlating.'

'Zitten er tieten in het verhaal?' vroeg Cheese. 'De Cheese kickt op verhalen met tieten.'

'Dat komt nog,' zei Poole. 'Dat beloof ik.'

Cheese porde mij met zijn elleboog aan, grijnsde breeduit en keek toen Poole weer aan. Broussard leunde op zijn hakken achterover en keek naar de wachttorens.

'Dus die persoon – die inderdaad borsten heeft – steelt geld van een man van wie ze niet zou moeten stelen. En een paar maanden later verdwijnt haar kind.'

'Jammer,' zei Cheese. 'Verrekte jammer, zegt de Cheese.'

'Ja,' zei Poole. 'Erg jammer. Nou, een kennis van de man die door de vrouw kwaad was gemaakt...'

'Die was bestolen,' zei Cheese.

'Neem me niet kwalijk.' Poole tikte tegen een denkbeeldige pet. 'Een kennis van de man van wie die vrouw had gestolen, stond in de menigte die zich voor het huis van die vrouw verzamelde op de avond dat haar kind verdwenen was.'

Cheese wreef over zijn kin. 'Interessant.'

'En die man werkt voor jou, Cheese Olamon.'

Cheese trok zijn wenkbrauwen op. 'Meen je dat nou?'

'Mmm.'

'Je zei dat er een menigte voor dat huis stond?'

'Ja.'

'Hé, hoor eens, ik wed dat daar een hele scheepslading mensen stond die níet voor mij werken.'

'Dat is waar.'

'Gaan jullie die ook ondervragen?'

'Die zijn niet geript door de moeder van het kind,' zei ik.

Cheese keek me aan. 'Hoe weet je dat? Een wijf dat gek genoeg is om van de Cheese te stelen, ript misschien wel de hele *fucking* buurt. Heb ik gelijk of niet, *brother*?'

'Dus je geeft toe dat ze van je heeft gestolen?' zei Broussard.

Cheese keek me aan en wees met zijn duim in Broussards richting. 'Ik dacht dat dit hypothetisch was.'

'Natuurlijk.' Broussard stak zijn hand op. 'Neem me niet kwalijk, uwe Cheeseheid.'

'Het aanbod is als volgt,' zei Poole.

'Oooh,' zei Cheese. 'Een aanbod.'

'Olamon, we houden dit stil. Dit blijft onder ons.'

'Onder ons,' zei Cheese, en hij rolde met zijn ogen.

'Maar we willen dat kind veilig terug.'

Cheese keek hem een hele tijd aan. Geleidelijk kwam er een glimlach op zijn gezicht. 'Begrijp ik je goed? Zeg je dat jij – de kit – mijn hypothetische jongen al dat hypothetische geld laat oppikken in ruil voor een hypothetisch kind, en dat we dan allemaal nog goede vrienden zijn? Is dat de shit waar je mee aan komt zetten, agent?'

'Adjunct-inspecteur,' zei Poole.

'Voor mijn part.' Cheese snoof en hield zijn handen voor zich omhoog.

'Je kent de wet, Cheese. Alleen al door je dit aanbod te doen, maken we ons schuldig aan uitlokking. Juridisch gezien kun je met dit aanbod doen wat je wilt zonder dat het je in de problemen brengt.'

'Gelul.'

'Serieus,' zei Poole.

'Cheese,' zei ik, 'wie wordt er geschaad door deze deal?'

'Huh?'

'Serieus. Iemand krijgt zijn geld terug. Iemand anders krijgt haar kind terug. Iedereen blij.'

Hij bewoog zijn vinger heen en weer. 'Patrick, *brother*, probeer maar nooit carrière te maken als verkoper. Wie er wordt geschaad? Vraag je dat? Wie er wordt geschaad?'

'Ja. Vertel me dat eens.'

'De kerel die geript is, die wordt geschaad!' Hij bracht zijn handen nog verder omhoog en liet ze toen neerkomen op zijn enorme dijen. Toen boog hij zijn hoofd naar me toe tot we elkaar bijna aanraakten. 'Die kerel wordt geschaad. Die kerel krijgt op zijn lazer. En moet hij dan nou de kit vertrouwen? De kit, en het aanbod van de kit?' Hij legde zijn hand op mijn nek en kneep erin. '*Fuck*, nikker, heb je *fucking* crack zitten roken?'

'Cheese,' zei Poole. 'Hoe kunnen we je ervan overtuigen dat we het serieus menen?'

Cheese liet mijn nek los. 'Dat kunnen jullie niet. Als jullie je nou eens terugtrekken en de dingen een beetje laten afkoelen en de mensen hun shit zelf laten afwerken.' Hij hield Poole zijn dikke vinger voor. 'Misschien is dan iedereen blij.'

Poole stak zijn armen uit, met de palmen omhoog. 'Dat kunnen we niet doen, Cheese. Dat begrijp je toch wel?'

'Goed, goed.' Cheese knikte gejaagd. 'Misschien moet iemand een zekere *motherfucker* een soort korting op zijn straf geven voor zijn hulp bij de totstandkoming van een zekere transactie. Wat vind je daarvan?'

'Dan zou de officier van justitie erbij gehaald moeten worden,' zei Poole.

'Nou, en?'

'Misschien is het je ontgaan dat we zeiden dat we dit stil wilden houden,' zei Broussard. 'Het meisje komt terug en iedereen gaat gewoon door met leven.'

'Nou, dan zou jouw hypothetische man een lul zijn als hij zo'n aanbod aannam. Een *fucking* hypothetische lul.'

'We willen alleen Amanda McCready,' zei Broussard. Hij legde zijn hand op zijn nek en begon die te masseren. 'Levend.'

Cheese leunde op de tafel achterover, zijn hoofd schuin naar de zon, en zoog de lucht op door neusgaten zó breed dat ze rollen kwartjes van een tapijt konden zuigen.

Poole ging van de tafel vandaan, sloeg zijn armen over elkaar en wachtte af.

'Ik heb eens een meid in mijn stal gehad die McCready heette,' zei Cheese ten slotte. 'Nu en dan, niet voor vast. Ze zag er niet zo geweldig uit, maar als je haar het goeie spul gaf, had ze het helemaal. Snap je wat ik bedoel?'

'Stal?' Broussard kwam naar de tafel toe. 'Bedoel je dat je Helene McCready voor doeleinden van prostitutie exploiteerde, Cheese?'

Cheese boog zich naar voren en lachte. 'D-d-d-doeleinden van p-p-p-prostitutie. Jezus, dat klinkt goed, hé? Als ik nog eens een band opricht, noem ik hem Doeleinden van Prostitutie. Daar krijg je alle clubs stampvol mee.'

Broussard maakte een snelle beweging met zijn pols en sloeg Cheese Olamon met de rug van zijn hand op zijn neus. En dat was geen vriendschappelijk tikje. Cheese bracht zijn handen naar zijn neus en het bloed sijpelde meteen tussen zijn vingers door. Broussard ging tussen de gespreide benen van de grote man staan en greep zijn rechteroor vast en kneep erin tot ik het kraakbeen hoorde knarsen.

'En nou luisteren, klojo. Luister je?'

Cheese maakte een geluid dat bevestigend klonk.

'Ik geef geen reet om Helene McCready en het zal me ook de bout hachelen of je haar op eerste paasdag aan een kamer vol priesters geeft. Ik interesseer me niet voor je smerige drugszaakjes en alles wat je verder nog voor rottigheid laat uithalen terwijl je hier in de bak zit. Het gaat mij om Amanda McCready.' Hij boog zich naar het oor toe, dat hij nog steeds omklemd hield, en draaide zijn hand een beetje. 'Hoor je die naam? Amanda McCready. En als je me niet vertelt waar ze is, jij waardeloos stuk stront, dan zoek ik uit wat de vier grootste zwarte criminelen zijn die de pest aan jou hebben en dan zorg ik dat ze een nacht met jou in de isoleercel komen te zitten, met alleen hun pikken en een Zippo-aansteker. Kun je me volgen of moet ik nog een keer meppen?'

Hij liet Cheese's oor los en ging een stap terug.

Het zweet maakte Cheese's haar donker, en het rochelende geluid dat hij achter de kom van zijn handen maakte was hetzelfde als het gerochel dat hij als kind tussen twee hoestaanvallen had voortgebracht, meestal vlak voordat hij ging overgeven.

Broussard zwaaide met zijn hand in Cheese's richting en keek mij aan. 'Beoordeling,' zei hij, en hij veegde zijn hand aan zijn broek af.

Cheese liet zijn handen van zijn neus zakken en leunde achterover tegen de picknickbank. Het bloed liep over zijn bovenlip en in zijn mond. Hij haalde een paar keer diep adem. Al die tijd bleef hij Broussard aankijken.

De bewakers op de torens keken naar de lucht. De twee bewakers bij het hek keken naar hun schoenen alsof ze die ochtend allebei een nieuw paar hadden gekregen.

Ik hoorde in de verte geluiden van metaal; zo te horen was iemand ergens binnen de gevangenismuren met gewichten aan het werk. Een klein vogeltje scheerde over de binnenplaats. Het was zo klein en vloog zo snel dat ik niet eens kon zien welke kleur het had voordat het over de muur en over de rollen prikkeldraad uit het zicht verdwenen was.

Broussard ging van de bank vandaan staan, zijn voeten een eindje uit elkaar. Hij keek Cheese aan met een blik zonder enige emotie of leven, een blik alsof hij boomschors aan het bestuderen was. Dit was een andere Broussard. Die had ik nog niet leren kennen.

Broussard had Angie en mij als mede-onderzoekers behandeld, met professioneel respect en zelfs een beetje charme. Dat was natuurlijk de Broussard die de meeste mensen kenden – de knappe, welbespraakte rechercheur, perfect in de kleren en met de glimlach van een filmster. Maar in de Concord-gevangenis zag ik de keiharde smeris, de straatvechter, de Broussard die bij verhoren een gummiknuppel gebruikte. Toen hij zijn duistere blik op Cheese richtte, zag ik de harde, genadeloze dreiging van een guerrillastrijder, een junglevechter.

Cheese spuwde een dikke mengeling van fluim en bloed op het gras.

'Nikkers meppen, hè?' zei hij. 'Kus mijn zwarte reet.'

Broussard deed een uitval naar hem, en Poole greep het jasje van zijn collega vast, terwijl Cheese naar achteren deinsde en zijn kolossale lichaam bij de picknicktafel vandaan zwaaide.

'Jij gaat met een stelletje klerelijers om, Patrick.'

'Hé, lul!' schreeuwde Broussard. 'Denk je 's nachts in die isoleercel aan mij? Heb je dat in je hoofd zitten?'

'Wat ik in mijn hoofd heb zitten, is jouw vrouw die het in mijn cel met een stel dwergen doet,' zei Cheese. 'Dat heb ik in mijn hoofd zitten. Wil je komen kijken?'

Broussard deed weer een uitval, en Poole sloeg zijn armen om de borst van zijn collega, tilde de grotere man van de grond en draaide hem van de picknickbank weg.

Cheese liep naar het hek van de gedetineerden en ik draafde achter hem aan.

'Cheese.'

Hij keek over zijn schouder maar liep gewoon door.

'Cheese, Christus nog aan toe, ze is vier jaar oud.'

Cheese liep door. 'Dat vind ik heel jammer. Zeg tegen die smeris dat hij aan zijn sociale vaardigheden moet werken.'

De bewaker hield me bij het hek tegen en liet Cheese door. De bewaker had een gespiegelde zonnebril, en ik zag mijn eigen lachspiegelbeeld in beide glazen toen hij me terugduwde. Twee kleine glanzende versies van mij, met dezelfde stompzinnige, geschrokken uitdrukking op ieder gezicht.

'Kom op, Cheese. Kom nou, man.'

Cheese draaide zich om naar het hek, stak zijn vingers tussen de spijlen door en keek me een hele tijd aan.

'Ik kan je niet helpen, Patrick. Ja?'

Ik wees over mijn schouder naar Poole en Broussard. 'Dat aanbod was serieus.'

Cheese schudde langzaam met zijn hoofd. 'Shit, Patrick, smerissen zijn net criminelen, man. Die klootzakken belazeren je altijd.'

'Ze komen met een heel leger terug, Cheese. Je weet hoe dat gaat. Ze komen geen stap verder en dat maakt ze razend.'

'En ik kan ze niet helpen.'

'Dat kun je wel.'

Hij grijnsde breed. Het bloed op zijn bovenlip begon te stollen en dik te worden. 'Bewijs het maar,' zei hij, en hij draaide zich om en liep over het kiezelpad dat over een klein gazon terug naar de gevangenis leidde.

Op mijn weg naar het hek voor bezoekers kwam ik langs Broussard en Poole.

'Mooie beoordeling,' zei ik. 'Helemaal perfect.'

13

Brossard kwam naast me lopen toen we door de gang naar de registratiebalie liepen. Hij pakte van achteren mijn elleboog vast en draaide me naar zich toe.

'Problemen met mijn methode, Kenzie?'

'Jouw methóde?' Ik trok mijn arm los. 'Noem je wat je daar deed een methode?'

Poole en de bewaker waren bij ons aangekomen, en Poole zei: 'Niet hier, heren. We moeten de schijn ophouden.'

Poole dirigeerde ons door de gang en langs de metaaldetectoren en het laatste hek. We kregen onze wapens terug van een brigadier met kleine, strak samengebonden toefjes haar op zijn hoofd en liepen toen het parkeerterrein op.

Broussard begon zodra we grind onder onze voeten hadden. 'Hoeveel onzin wou jij nog van die klootzak pikken, Kenzie? Huh?'

'Zoveel als nodig was om...'

'Misschien wou je nog een keer naar binnen gaan om over zelfmoord van honden te praten en...'

'... en tot een akkoord te komen, rechercheur Broussard! Dat zou ik...'

'... en te bepraten dat je goeie maatjes bent met die Cheese van jou.'

'Heren.' Poole kwam tussen ons in staan.

De echo van onze stemmen galmde over dat parkeerterrein, en onze gezichten waren rood van het schreeuwen. De pezen in Broussards hals zwollen op als touwen die strakgetrokken werden, en ik voelde hoe de adrenaline door mijn bloed schokte.

'Mijn methoden waren goed,' zei Broussard.

'Jouw methoden,' zei ik, 'waren waardeloos.'

Poole legde zijn hand op Broussards borst. Broussard bleef er een tijdje naar kijken. Je kon zijn kaakspieren zien bewegen.

Ik liep over het parkeerterrein en voelde hoe de adrenaline mijn kuiten in gelei veranderde. Het grind knerpte onder mijn voeten en ik hoorde de scherpe kreet van een vogel die in de richting van Walden Pond door de lucht zeilde. Ik zag hoe de ondergaande zon een zachte gloed over de boomstammen legde. Ik leunde tegen de achterkant van de Taurus en zette mijn voet op de bumper. Poole had zijn hand nog steeds op Broussards borst en praatte tegen hem, zijn lippen dicht bij het oor van de jongere man.

Ondanks al dat geschreeuw had ik nog niet goed uiting gegeven aan mijn woede. Als ik echt kwaad ben, als die schakelaar in mijn hoofd is overgehaald, heeft mijn stem het patroon van een rechte streep, wordt hij dood en monotoon, en dan boort zich een rode knikker van licht door mijn schedel. Alle angst, alle verstand en alle medegevoel zijn dan verdwenen. En hoe heter die rode knikker wordt, des te kouder wordt mijn bloed, totdat het zo blauw is als fijn metaal en die monotone stem een fluisterstem wordt.

Die fluisterstem wordt – bijna altijd zonder enige waarschuwing voor mijzelf of een ander – opgevolgd door een slag van mijn hand, een trap van mijn voet. De razernij van mijn spieren komt in een oogwenk uit die poel van rode knikkers en ijzig metaalblauw bloed.

Het zijn de driftbuien van mijn vader.

Dus al voor ik er erg in had, wist ik het. Ik voelde dat het kwam opzetten.

Het cruciale verschil tussen mijn vader en mij – hoop ik – is altijd de overgang van woede naar daad geweest. Als hij zich kwaad maakte, ging hij altijd tot daden over. Hij werd door zijn driftbuien beheerst zoals andere mannen door alcohol of trots worden beheerst.

Zoals het kind van een alcoholist zweert dat het nooit zal drinken, had ik me al op heel jonge leeftijd voorgenomen dat ik op mijn hoede zou zijn voor die rode knikker, dat koude bloed, die neiging om met een monotone stem te spreken. De vrije keuze, heb ik altijd gedacht, onderscheidde ons van de dieren. Als een aap trek in iets heeft, kan hij zich niet beheersen. Een mens kan dat wel. Op sommige afschuwelijke ogenblikken was mijn vader een dier. Ik weiger dat te zijn.

Dus terwijl ik me goed in Broussards woede kon verplaatsen, in zijn wanhoop om Amanda te vinden, in zijn woede omdat Cheese weigerde ons serieus te nemen, kon ik er niet in meegaan.

Want met die woede schoten we niets op. Amanda schoot er niets mee op – behalve misschien dat ze nog dieper in de narigheid kwam, nog verder van ons vandaan.

Broussards schoenen verschenen op het grind onder de bumper. Ik voelde de koelte van zijn schaduw op mijn gezicht.

'Ik kan dit niet meer doen.' Zijn stem was zó zacht dat hij in de voorjaarsbries bijna niet te horen was.

'Wat niet?' zei ik.

'Die klootzakken kinderen laten mishandelen zonder dat iemand ze ervoor straft, ze het gevoel geven dat ze heel slim zijn. Dat kan ik niet.'

'Neem dan ontslag,' zei ik.

'We hebben zijn geld. Hij moet het via ons spelen en het meisje inruilen om het te krijgen.'

Ik keek hem aan, zag de angst in zijn ogen, de wilde hoop dat hij nooit meer een dood of hopeloos verknoeid kind te zien zou krijgen.

'En als dat geld hem helemaal niet kan schelen?' zei ik.

Broussard wendde zich af.

'O, het kan hem wel iets schelen.' Poole kwam naar de auto toe en liet zijn handen op de motorkap rusten, maar hij was niet zo zeker van zijn zaak.

'Cheese heeft geld zat,' zei ik.

'Je kent die kerels,' zei Poole, terwijl Broussard heel stil stond en hem vragend aankeek. 'Ze hebben nooit genoeg geld. Ze willen altijd meer.'

'Tweehonderdduizend is voor Cheese geen wisselgeld,' zei ik, 'maar het is ook geen groot kapitaal voor hem. Hij kan het als smeergeld gebruiken, of om vastgoedbelasting te betalen. Eén jaar. Als hij nu eens op zijn principes staat?'

Broussard schudde zijn hoofd. 'Cheese Olamon heeft geen principes.'

'Die heeft hij wél.' Ik schopte met mijn hak tegen de bumper en schrok net zo erg als de anderen van mijn eigen heftige stem. Wat rustiger herhaalde ik: 'Die heeft hij wél. En principe nummer één in zijn wereld is: niemand belazert Cheese.'

Poole knikte. 'En dat heeft Helene gedaan.'

'Zo is het maar net.'

'En denk je dat als Cheese kwaad genoeg is, hij het meisje laat doden, al gaat dat geld daardoor verloren? Alleen om zijn principe duidelijk te maken?'

Ik knikte. 'Daar zou hij geen moment wakker van liggen.'

Pooles gezicht werd asgrauw. Hij ging in de schaduw tussen Broussard en mij staan en leek plotseling erg oud. Hij kwam niet meer vaag dreigend over, maar vaag bedreigd. Het schelmachtige dat hij had uitgestraald, was helemaal verdwenen.

'En als,' zei hij zó zachtjes dat ik me naar hem toe moest buigen om het te verstaan, 'Cheese nu eens zijn principe duidelijk wil maken én winst wil maken?'

'Met lokaas werken?' zei Broussard.

Poole stak zijn handen in zijn zakken en rechtte zijn rug en schouders om zich tegen de kille avondbries te beschermen die plotseling kwam opzetten.

'Misschien hebben we ons daarnet in de kaart laten kijken, Rem.'

'Hoe dan?'

'Cheese weet nu dat we het kind zo graag terug willen hebben dat we de regels wel willen overtreden – dat we ons insigne thuis willen laten en zonder officieel gezag tot een ruil van geld tegen kind willen overgaan.'

'En als Cheese daar als winnaar uit te voorschijn wil komen…'

'Dan is hij de enige die wint,' zei Poole.

'We moeten naar Chris Mullen toe,' zei ik. 'Kijken naar wie hij ons leidt. Voordat we tot zaken komen.'

Poole en Broussard knikten.

'Patrick.' Broussard stak me zijn hand toe. 'Ik ging over de schreef. Ik liet me door die klootzak op stang jagen. Ik had dit helemaal voor ons kunnen verknoeien.'

Ik pakte zijn hand vast. 'We brengen haar naar huis.'

Hij verstrakte zijn greep op mijn hand. 'Levend.'

'Levend,' zei ik.

'Denk je dat Broussard niet meer tegen de spanning kan?' zei Angie.

We stonden in Devonshire Street geparkeerd, aan de rand van de financiële wijk, en keken naar de achterkant van Devonshire Place, het flatgebouw waarin Chris Mullen woonde. De rechercheurs van Misdrijven Tegen Kinderen die Mullen daarheen waren gevolgd, waren weggegaan om de nacht thuis door te brengen. Andere teams van twee man hielden alle andere mensen van Cheese in de gaten, terwijl wij Mullen in het oog hielden. Broussard en Poole keken vanaf de kant van Washington Street naar het gebouw. Het was net twaalf uur 's nachts geweest. Mullen was al drie uur binnen.

Ik haalde mijn schouders op. 'Zag je Broussards gezicht toen Poole vertelde dat ze Jeannie Minnelli's lichaam in een vat met cement hadden gevonden?'

Angie schudde haar hoofd.

'Het was nog erger dan dat van Poole. Hij zag eruit alsof hij al een zenuwinstorting kreeg als hij er alleen maar over hoorde praten. Zijn handen begonnen te trillen en zijn gezicht werd helemaal wit en glanzend. Die man zag er slecht uit.' Ik keek naar de drie gele rechthoeken op de vijftiende verdieping waarvan we wisten dat het Mullens ramen waren. Een van die rechthoeken werd zwart. 'Misschien kan hij het echt niet meer aan. Daar bij Cheese reageerde hij overdreven.'

Angie stak een sigaret op en zette haar raampje op een kier. Het was stil op straat. Tussen ravijnen van kalkstenen voorgevels en glinsterende wolkenkrabbers van blauw glas leek de straat net een filmdecor bij avond, een gigantisch model van een wereld waarin geen echte mensen woonden. Overdag had je in Devonshire Street de vaag uitbundige, vaag gewelddadige drukte van voetgangers en effectenmakelaars, juristen en secretaresses en fietskoeriers, claxonnerende vrachtwagens en taxi's, aktetassen, stropdassen en mobiele telefoons. Maar na een uur of negen hield de straat het voor gezien, en toen we daar in die auto zaten, tussen al die immense, lege architectuur, was het net of we een museumstuk waren in een zaal die door de bewakers was verlaten en waar de lichten waren gedimd.

'Weet je nog, die avond dat Glynn op me schoot?' zei Angie.

'Ja.'

'Kort voordat het gebeurde, worstelde ik met jou en Evandro in het donker, en toen flakkerden alle kaarsen in mijn slaapkamer en dacht ik: ik kan dit niet meer doen. Ik kan niet meer van mezelf investeren – helemaal niets meer – in al dit geweld en… al deze ellende.' Ze keek me aan. 'Misschien heeft Broussard dat gevoel ook. Ik bedoel, hoeveel kinderen kun je in vaten cement vinden?'

Ik dacht aan het totale niets dat in Broussards ogen was verschenen nadat hij Cheese een klap had gegeven. Een niets zó totaal dat het zelfs zijn woede te boven was gegaan.

Angie had gelijk: hoeveel dode kinderen kon je vinden?

'Hij brandt de hele stad plat als hij denkt dat hij daardoor bij Amanda kan komen,' zei ik.

Angie knikte. 'Dat zullen ze allebei doen.'

'En misschien is ze al dood.'

Angie tikte de as van haar sigaret over de bovenrand van het raampje. 'Zeg dat niet.'

'Ik kan het niet helpen. Het is een reële mogelijkheid. Dat weet je. Dat weet ik ook.'

Iets van de torenhoge stilte van de lege straat gleed de auto in.

'Cheese heeft de pest aan getuigen,' zei Angie uiteindelijk.

'Hij haat ze,' zei ik.

'Als dat kind dood is,' zei Angie, en ze schraapte haar keel, 'dan knapt er iets in Broussard, en waarschijnlijk ook in Poole.'

Ik knikte. 'En God helpe degenen die er volgens hen schuldig aan zijn.'

'Denk je dat God zal helpen?'

'Huh?'

'God,' zei ze, en ze drukte haar sigaret in de asbak uit. 'Denk je dat Hij Amanda's kidnappers meer zal helpen dan dat Hij haar heeft geholpen?'

'Waarschijnlijk niet.'

'Aan de andere kant...' Ze keek door de voorruit.

'Ja?'

'Als Amanda dood is en Broussard door het lint gaat en haar kidnappers doodt, helpt God misschien toch.'

'Dan is het wel een heel rare God.'

Angie haalde haar schouders op. 'Je moet nemen wat je kunt krijgen,' zei ze.

14

Ik had van Chris Mullens kantooruren gehoord. Hij zette alles op alles om overdag werk te doen dat anderen na het vallen van de avond deden. De volgende morgen kwam hij om precies vijf voor negen Devonshire Towers uit en ging rechtsaf, Washington Street in.

Ik stond in Washington Street geparkeerd, een half blok van het flatgebouw vandaan, en toen ik in mijn spiegeltje zag dat Mullen in de richting van State Street liep, drukte ik op de zendknop van de walkie-talkie die op de zitting lag en zei: 'Hij is net door de voordeur naar buiten gegaan.'

Op haar post in Devonshire Street, waar 's morgens geen auto's mochten parkeren of zelfs maar stilstaan, zei Angie: 'Begrepen.'

Broussard, die een grijs T-shirt, een zwarte sweater en een donkerblauw met wit trainingsjack droeg, stond tegenover mijn auto voor Pi Alley. Hij dronk koffie uit een piepschuimen bekertje en las de sportpagina, een jogger die net klaar was met zijn rondje. Hij had een koptelefoon verbonden met een ontvanger die hij aan zijn broeksband had vastgemaakt en had die koptelefoon en ontvanger geel en zwart geverfd om ze op een Discman te laten lijken. Vijf minuten geleden had hij zelfs water over de voorkant van zijn shirt gesproeid om het op zweet te laten lijken. Typisch rechercheurs die bij Zeden en Narcotica hadden gewerkt – meesters in de kleine details van het vermommen.

Toen Mullen bij een bloemenstalletje voor het Old State House rechtsaf sloeg, stak Broussard Washington Street over om hem te volgen. Ik zag hem zijn koffie naar zijn mond brengen en zag zijn lippen bewegen toen hij in het zendertje aan zijn broeksband sprak.

'In oostelijke richting door State Street. Ik heb hem. Het gaat gebeuren, jongens.'

Ik zette de walkie-talkie uit en hield hem in mijn jaszak zolang ik nog mijn rol speelde. In overeenstemming met het vermommingsthema van die dag droeg ik de sjofelste grijze regenjas waarin je ooit een zwerver hebt zien lopen, en daar had ik die ochtend ook nog wat eidooier en Pepsi overheen gegooid. Mijn vuile T-shirt had een scheur op de borst en mijn spijkerbroek en de bovenkant van mijn schoenen waren bespikkeld met verf en vuil. De punten van mijn schoenzolen waren losgekomen van de bovenkant en flapperden een beetje als ik over straat liep, en mijn blote tenen staken eruit. Ik had mijn haar recht van mijn voorhoofd weggeborsteld en daarna droog geföhnd, zodat ik eruitzag als Don King. Wat ik nog over had van het ei dat ik voor de regenjas had gebruikt, had ik in mijn baard gewreven.

Styling, noemen ze zoiets.

Terwijl ik door Washington Street strompelde, maakte ik mijn rits los en goot de rest van mijn ochtendkoffie over mijn borst. Mensen zagen me met mijn zwaaiende armen aan komen sjokken en gingen vlug opzij, en ik mompelde een hele stroom woorden die ik niet van mijn moeder had geleerd en duwde de vergulde voordeur van Devonshire Place open.

Allemachtig, wat had die bewaker me gauw in de gaten!

Dat gold ook voor de drie mensen die uit de lift kwamen en met een wijde boog over de marmeren vloer om me heen liepen. Ik loerde naar de twee vrouwen van dat drietal, glimlachte om de vorm van hun benen die onder de zomen van hun Anne Klein-rokken vandaan kwamen.

'Zullen we een pizzaatje gaan eten?' vroeg ik.

De zakenman dirigeerde de vrouwen nog verder van me vandaan en de bewaker zei: 'Hé! Hé, jij!'

Ik draaide me naar hem om en zag dat hij achter zijn glanzende zwarte hoefijzervormige balie vandaan kwam. Hij was jong en slank en wees met zijn vinger in mijn richting.

De zakenman duwde de vrouwen het gebouw uit. Hij haalde een mobiele telefoon uit zijn binnenzak en trok de antenne eruit door hem tussen zijn tanden te nemen, maar hij hield geen moment de pas in.

'Kom op,' zei de bewaker. 'Draai je om en ga eruit zoals je bent binnengekomen. Hup. Opschieten.'

Ik wankelde voor hem heen en weer, likte over mijn baard en kreeg een stukje eierschaal op mijn tong. Ik liet mijn mond openstaan toen ik daarop kauwde. Het knetterde.

De bewaker zette zijn voeten op het marmer en legde zijn hand op zijn gummiknuppel. 'Jij,' zei hij, alsof hij het tegen een hond had. 'Wegwezen.'

'Uh-ah,' mompelde ik, en wankelde nog wat heen en weer.

De gong van de lift ging; blijkbaar was er weer een liftcabine op weg naar de hal.

De bewaker greep naar mijn elleboog, maar ik draaide me weg en zijn vingers graaiden in de lucht.

Ik greep in mijn zak. 'Ik wil je iets laten zien.'

De bewaker trok zijn gummiknuppel uit zijn holster. 'Hé! Hou je handen waar ik ze kan zien...'

'O, mijn God,' zei iemand toen de lift leegliep en ik een banaan uit mijn regenjas trok en ermee naar de bewaker wees.

'Jezus Christus, hij heeft een banaan!' Die stem kwam van achter me. Angie.

Altijd improviseren. Ze kon zich niet aan haar tekst houden.

De mensen die uit de lift kwamen, begonnen door de hal te lopen. Ze meden ieder oogcontact met mij maar wilden wel zoveel mogelijk van het incident zien, want dan hadden ze op kantoor iets te vertellen bij de watercooler.

'Meneer,' zei de bewaker. Nu er bewoners bij waren, probeerde hij autoritair en toch beleefd te zijn. 'Doet u die banaan weg.'

Ik wees met de banaan naar hem. 'Deze heb ik van mijn neef gekregen. Hij is een orang-oetan.'

'Moeten we de politie niet bellen?' vroeg een vrouw.

'Mevrouw,' zei de bewaker een beetje wanhopig. 'Ik heb dit onder controle.'

Ik gooide hem de banaan toe. Hij liet zijn gummiknuppel vallen en sprong terug alsof er op hem geschoten was.

Een van de bewoners uitte een zachte kreet, en een aantal mensen liep op een drafje naar de buitendeur.

Bij de liften wachtte Angie even tot ik naar haar keek, en toen wees ze naar mijn haar. 'Erg hip,' zei ze geluidloos, en toen stapte ze de lift in en gingen de deuren dicht.

De bewaker pakte zijn gummiknuppel op en liet de banaan vallen. Zo te zien stond hij op het punt me te lijf te gaan. Ik wist niet hoeveel mensen er nog achter me stonden – een stuk of drie – maar minstens één van hen kon op het heldhaftige idee komen de zwerver ook te lijf te gaan.

Ik ging met mijn rug naar de hoefijzervormige balie en de liften staan. Er waren alleen nog twee mannen, één vrouw en de bewaker. De twee mannen schuifelden in de richting van de buitendeur, maar de vrouw keek gefascineerd toe. Haar mond stond open en ze hield haar hand tegen de onderkant van haar keel.

'Wat is er van Men at Work geworden?' vroeg ik haar.

'Wat?' De bewaker kwam weer een stap naar me toe.

'Die Australische band.' Ik keek de bewaker vriendelijk en nieuwsgierig aan. 'Erg succesvol in het begin van de jaren tachtig. Enorm succes. Weet je wat er van ze is geworden?'

'Wat? Nee.'

Ik hield mijn hoofd schuin terwijl ik naar hem keek en krabde over mijn slaap. Een seconde lang leek het of er niemand in de hal bewoog of zelfs maar ademhaalde.

'O,' zei ik ten slotte. Ik haalde mijn schouders op. 'Ik heb me vergist. Hou de banaan maar.'

Ik stapte er op weg naar de deur overheen, en de twee mannen drukten zich plat tegen de muur.

Ik knipoogde naar een van hen. 'Eersteklas bewaking hebben jullie hier. Zonder hem zou ik de hele flat overhoop hebben gehaald.' Ik duwde de deur naar Washington Street open.

Ik stond al op het punt om Poole, die in de Taurus op de hoek van School Street en Washington Street zat, heimelijk een teken te geven dat alles in orde was, toen ik twee handen op mijn schouder voelde en tegen de muur van het gebouw werd gegooid.

'Uit de weg, verrekte schooier.'

Ik keek om en zag Chris Mullen door de draaideur lopen. Hij keek de bewaker aan, wees in mijn richting en liep toen door naar de liften.

Ik mengde me in de stroom voetgangers op het trottoir, haalde de walkie-talkie uit mijn zak en zette hem aan.

'Poole, Mullen is terug.'

'Begrepen, Kenzie. Broussard neemt meteen contact op met Gennaro. Draai je om en ga naar je auto. Houd onze dekmantels intact.' Ik kon zijn lippen zien bewegen achter de voorruit, en toen legde hij zijn walkie-talkie op zijn voorbank en keek nors naar mij.

Ik liep met de menigte mee.

Een vrouw met brillenglazen zo dik als de bodem van een colaflesje en haar dat zo strak van haar voorhoofd was weggetrokken dat ze op een insect leek, keek naar me op.

'Ben je van de politie of zo?'

Ik bracht mijn vinger naar mijn lippen. 'Ssst.' Ik stopte de walkie-talkie weer in mijn regenjas en liep naar mijn auto terug. Ze bleef met open mond naar me kijken.

Toen ik de kofferbak opendeed, zag ik Broussard tegen de etalage van Eddie Bauer leunen. Hij hield zijn hand bij zijn oor en sprak tegen zijn pols.

Ik stemde op zijn kanaal af terwijl ik me in de open kofferbak boog.

'…nogmaals, Gennaro, verdachte komt eraan. Onmiddellijk afkappen.'

Ik veegde alle eierschalen uit mijn baard en zette een honkbalpet op.

'Nogmaals,' fluisterde Broussard. 'Afkappen. Wegwezen.'

Ik gooide de regenjas in de kofferbak, pakte mijn zwarte leren jasje, deed de walkie-talkie in de zak en sloot het jasje over mijn bevuilde T-shirt. Ik sloot de kofferbak en liep door de menigte terug naar Eddie Bauer, waar ik door de ruit naar de etalagepoppen keek.

'Reageert ze?'

'Nee,' zei Broussard.

'Werkt haar walkie-talkie?'

'Weet ik niet. We moeten aannemen dat ze me heeft gehoord en het ding heeft afgezet voordat Mullen het kon horen.'

'We gaan naar boven,' zei ik.

'Als jij een stap in de richting van dat gebouw zet, knal ik je been boven de knie kapot.'

'Ze loopt daar gevaar. Als haar walkie-talkie het niet doet en ze heeft je niet gehoord…'

'Ik sta niet toe dat je deze surveillance verknoeit omdat je met haar naar bed gaat.' Hij kwam van de etalageruit vandaan en liep me met de grote strekpassen van een jogger voorbij. 'Ze is een professional. Waarom gedraag jij je niet ook als een professional?'

Hij liep de straat op en ik keek op mijn horloge: kwart over negen.

Mullen was nu vier minuten binnen. Waarom was hij eigenlijk teruggekomen? Had hij gemerkt dat Broussard hem volgde?

Nee, daar was Broussard te goed voor. Ik had hem alleen gezien omdat ik wist dat ik naar hem moest uitkijken, en toch ging hij zó goed in de menigte op dat mijn blik al een keer over hem heen was gegleden voordat ik hem herkende.

Ik keek weer op mijn horloge: zestien over negen.

Als Angie de boodschap van Broussard had ontvangen zodra hij besefte dat Mullen naar Devonshire Place terugging, zou ze in de lift hebben gestaan, of misschien al voor Mullens deur. Ze zou zich hebben omgedraaid en meteen naar de trap zijn gelopen. En dan zou ze nu beneden zijn.

Zeventien over negen.

Ik keek naar de ingang van Devonshire Place. Er kwamen twee jonge effectenmakelaars naar buiten. Ze droegen glanzende Hugo Boss-pakken, Gucci-schoenen en Geoffrey Beene-dassen, en hun haar zat zó dik in de gel dat je een houtversnipperaar nodig zou hebben om het in de war te maken. Ze gingen opzij voor een slanke vrouw in een donkerblauw mantelpakje met een bijpassende flinterdunne Revos-zonnebril over haar ogen en keken haar na toen ze in een taxi stapte.

Achttien over negen.

Als Angie daar nog boven was, kon dat alleen maar betekenen dat ze zich gedwongen had gezien zich in Mullens flat te verbergen, of dat hij haar voor zijn deur of in zijn flat had betrapt.

Negentien over negen.

Als ze Broussards boodschap had ontvangen, zou ze nooit zo dom zijn om weer in de lift te stappen. Stel je voor, ze stond in de lift en als de deur openging, stond ze tegenover Chris Mullen…

Hé, Ange, lang niet gezien.

Hallo, Chris.

Wat voert jou naar mijn flatgebouw?

Bij een vriend op bezoek.

O ja? Werk jij niet aan die zaak van dat vermiste meisje?

Waarom richt je een pistool op me, Chris?

Twintig over negen.

Ik keek over Washington Street naar de hoek van School Street. Poole keek me aan en schudde nadrukkelijk met zijn hoofd.

Misschien was ze in de hal aangekomen maar werd ze lastiggevallen door de bewaker.

Mevrouw, wacht even. Ik geloof niet dat ik u hier eerder heb gezien.

Ik ben nieuw.

Dat denk ik niet. Zijn hand gaat naar de telefoon, toetst 911 in…

Maar dan zou ze nu al buiten zijn.

Tweeëntwintig over negen.

Ik deed een stap in de richting van het gebouw. Nog een stap. En bleef toen staan.

Als er niets mis was gegaan, als Angie gewoon haar walkie-talkie had afgezet opdat niemand het ding zou horen piepen en als ze op dit moment aan de andere kant van de nooduitgang op de vijftiende verdieping stond en door een klein glazen ruitje naar Mullens flat keek, en ik voor de buitendeur verscheen op het moment dat Mullen naar buiten kwam, en hij herkende me…

144

Ik leunde weer tegen de muur.

Vierentwintig over negen.

Het was nu veertien minuten geleden dat Mullen me tegen de muur had gedrukt en het gebouw was binnengegaan.

De walkie-talkie in mijn jasje trilde tegen mijn borst. Ik haalde hem te voorschijn en hoorde een snelle lage pieptoon, gevolgd door: 'Hij gaat weer naar beneden.'

Angies stem.

'Waar ben je?'

'Ben ik even blij dat er tv's van vijftig inch bestaan.'

'Je bent bínnen?' zei Broussard.

'Allicht. Mooie flat, maar sloten van niks, man.'

'Waarvoor ging hij terug?'

'Zijn pak. Dat is een lang verhaal. Vertel ik je later. Hij kan nu elk moment beneden zijn.'

Toen Mullen naar buiten kwam, droeg hij een blauw pak in plaats van het zwarte pak dat hij droeg toen hij naar binnen ging. Hij had ook een andere das om. Ik keek naar de knoop, maar toen draaide het hoofd daarboven mijn kant op en richtte ik mijn blik op mijn schoenen zonder mijn hoofd te bewegen. Snelle bewegingen zijn het eerste waar een paranoïde drugshandelaar in een menigte op let, en dus zou ik me niet omdraaien.

Ik telde heel langzaam tot tien, draaide met mijn duim het volume van de walkie-talkie in mijn zak terug en kon Broussards stem nauwelijks horen. 'Hij komt weer. Ik heb hem.'

Ik keek op en zag Mullens schouders voor een jong meisje in een knalgele jas, en toen wendde ik mijn hoofd een beetje af en zag Broussard door de menigte lopen naar het punt waar Court Street in State Street overging. Voor Old State House sloeg Mullen het straatje aan de rechterkant weer in.

Ik keek weer in de etalage van Eddie Bauer en zag mijn spiegelbeeld.

'Oef,' zei ik.

15

Een uur later maakte Angie de passagiersdeur van de Crown Victoria open en zei: 'De uitzending kan beginnen.'

Ik had de auto op de vierde verdieping van de Pi Alley-garage geparkeerd, met de motorkap naar Devonshire Place.

'Je hebt in elke kamer microfoontjes verstopt?'

Ze stak een sigaret op. 'En ook in de telefoons.'

Ik keek op mijn horloge. Ze was daar een uur geweest. 'Ben jij van de CIA of zo?'

Ze glimlachte om haar sigaret heen. 'Weet je, misschien moet ik je later nog doden, schat.'

'Wat was dat nou met dat pak?'

Ze keek met een wazige blik in haar ogen naar de voorgevel van Devonshire Place. Toen schudde ze vaag met haar hoofd.

'Die pakken. Ja. Hij praat in zichzelf.'

'Mullen?'

Ze knikte. 'In de derde persoon.'

'Dat heeft hij zeker van Cheese overgenomen.'

'Hij komt binnen en zegt: "Verrekt slechte keus, Mullen. Een zwart pak op een vrijdag. Ben jij *fucking* gek geworden?" Iets in die trant.'

'Doe mij maar Inane Superstitions voor driehonderd, Alex.'

Ze grinnikte. 'Precies. En toen ging hij naar zijn slaapkamer. Daar was hij druk bezig. Hij trok zijn pak uit, liet in de kast hangers tegen elkaar klikken. Hoe dan ook, hij was een paar minuten bezig, koos toen een nieuw pak uit en trok het aan. Ik dacht nog: Goed, nou gaat hij weg. Want ik zat niet lekker, daar achter die tv, met al die kabels als slangen...'

'En toen?'

Angie kan op zulke momenten de weg kwijtraken en dan helpt het soms als je haar even verder helpt.

Ze keek me kwaad aan. 'Altijd even ongeduldig, hè? Nou...
Toen hoorde ik hem opeens weer praten. Hij zei: "*Fucker*. Hé,
fucker! Ja, jij!"'

'Wat?' Ik boog me naar voren.

'Nu zijn we weer geïnteresseerd, hè?' Ze knipoogde. 'Ja, ik
dacht dat hij me had gezien. Ik dacht dat ik betrapt was. Dat ik
het wel kon schudden. Ja?' Haar grote bruine ogen waren enorm
groot geworden.

'Ja.'

Ze nam een trek van haar sigaret. 'Nee. Hij praatte weer in
zichzelf.'

'Hij noemt zichzelf "*fucker*"?'

'Blijkbaar wel, als hij dat denkt. "Hé, stommeling, wou je een
gele das bij dít pak dragen? Dat is een goeie. Een heel goeie,
fucking lul."'

'*Fucking* lul.'

'Ik zweer het je. Zijn vocabulaire is nogal beperkt, vind ik. En
toen rommelde hij weer wat in de slaapkamer om een andere das
uit te zoeken. Hij deed hem om en mompelde de hele tijd in zichzelf. En ik dacht, straks heeft hij de goeie das om en is hij al bijna
de deur uit en bedenkt dan dat het overhemd fout is. Ik zat daar
zo krap. Ik dacht dat ik een hijskraan nodig zou hebben om achter die tv vandaan te komen.'

'En?'

'Hij ging weg. Ik nam contact met jullie op.' Ze gooide haar sigaret het raam uit. 'Einde verhaal.'

'Was je in de flat toen Broussard via de walkie-talkie doorgaf
dat Mullen eraankwam?'

Ze schudde haar hoofd. 'Bij Mullens deur met slotenstekers in
mijn hand.'

'Meen je dat nou?'

'Wat?'

'Je brak in toen je al wist dat hij terugkwam?'

Ze haalde haar schouders op. 'Ik had een ingeving.'

'Je bent gek.'

Ze grinnikte. 'Gek genoeg om jou geïnteresseerd te houden,
gladjanus. Dat is alles wat ik wil.'

Ik wist niet of ik haar wilde kussen of vermoorden.

De walkie-talkie piepte op de voorbank tussen ons in en Broussards stem kwam door het luidsprekertje. 'Poole, heb je hem?'

'Ja. De taxi rijdt in zuidelijke richting door Purchase Street,
richting snelweg.'

'Patrick.'

'Ja?'

'Heb je Angie bij je?'

'Ja,' zei ik met mijn zwaarste stem. Angie porde tegen mijn arm.

'Blijf wachten. Laten we kijken waar hij heen gaat. Ik begin terug te lopen.'

We luisterden naar een minuut of zo van stilte, en toen liet Poole weer van zich horen. 'Hij is op de snelweg en rijdt naar het zuiden. Angie?'

'Ja, Poole.'

'Zijn al onze vrienden op hun plaats?'

'Allemaal.'

'Zet je ontvangers aan en verlaat je positie. Pik Broussard op en ga naar het zuiden.'

'Heb je dat gehoord, Broussard?'

'Ik ga in westelijke richting door Broad Street.'

Ik zette de auto in de achteruit.

'We ontmoeten elkaar op de hoek van Broad Street en Batterymarch.'

'Begrepen.'

Toen ik de garage verliet, zette Angie de grote draagbare ontvanger op de achterbank aan en stelde het volume bij tot we het zachte sissen van Mullens lege flat hoorden. Ik nam de uitrit onder Devonshire Place, sloeg linksaf Water Street in, reed langs Post Office Square en Liberty Square en zag Broussard tegen een lantaarnpaal voor een delicatessenwinkel staan.

Hij sprong in de auto, en op datzelfde moment kwam Pooles stem door de walkie-talkie. 'Hij verlaat de snelweg in Dorchester bij het winkelcentrum South Bay.'

'Naar zijn oude buurt terug,' zei Broussard. 'Jullie Dorchesterjongens kunnen daar gewoon niet vandaan blijven.'

'Het is net een magneet,' verzekerde ik hem.

'Correctie,' zei Poole. 'Hij gaat linksaf Boston Street in, op weg naar Southie.'

'Toch niet zo'n heel sterke magneet,' zei ik.

Tien minuten later reden we langs Pooles lege Taurus in Gavin Street in het hart van Old Colony Project in South Boston. We parkeerden een half blok verder. Toen Poole voor het laatst contact met ons had gehad, had hij ons verteld dat hij Mullen te voet naar Old Colony volgde. Zolang hij niet opnieuw contact opnam, konden we weinig anders doen dan zitten wachten en naar de woonwijk kijken.

148

Nu is dat geen lelijk uitzicht. Er staan bomen en de straten zijn schoon en lopen met gracieuze bochten tussen bakstenen gebouwen met pas geschilderde witte kozijnen door. Onder de meeste ramen op de begane grond liggen stukjes gazon met struikjes. De hekjes om de tuinen staan goed rechtop en vertonen geen roest. Voor een woningbouwproject is Old Colony ongeveer zo esthetisch verantwoord als je in dit land kunt hebben.

De wijk heeft wel een beetje een heroïneprobleem. En een probleem van tienerzelfmoorden, dat waarschijnlijk verband houdt met de heroïne. Waarom een heroïneprobleem? Nou, al groei je op in het mooiste woningbouwproject van de wereld, het blijft een woningbouwproject, en je groeit daar nog steeds op, en heroïne is niet zo geweldig, maar het is beter dan je hele leven tegen dezelfde muren en dezelfde bakstenen en dezelfde hekjes aankijken.

'Ik ben hier opgegroeid,' zei Broussard vanaf de achterbank. Hij keek uit het raampjes alsof hij verwachtte dat de wijk zou slinken of groeien waar hij bij zat.

'Met een naam als die van jou?' zei Angie. 'Dat kun je niet menen.'

Hij glimlachte en haalde even zijn schouders op. 'Mijn vader was matroos op een koopvaardijschip uit New Orleans. Hij raakte daar in moeilijkheden en ging in de haven werken, eerst in Charlestown en toen in South Boston.' Hij wees met zijn hoofd naar de bakstenen gebouwen. 'We zijn hier gaan wonen. Eén op de drie kinderen heette Frankie O'Brien en de rest heette Sullivan, Shea, Carroll of Connelly. En als hun voornaam niet Frank was, was het Mike of Sean of Pat.' Hij keek me met opgetrokken wenkbrauwen aan.

Ik hield mijn handen omhoog. 'Oei.'

'Dus als je een naam als Remy Broussard had... Nou, ik denk dat het me hard heeft gemaakt.' Hij grijnsde en keek zacht fluitend naar de huizenblokken. 'Man, ik ben weer helemaal thuis.'

'Je woont niet meer in South Boston?' vroeg Angie.

Hij schudde zijn hoofd. 'Niet meer sinds de dood van mijn vader.'

'Je mist het?'

Hij drukte zijn lippen op elkaar en keek naar een stel kinderen die schreeuwend over het trottoir renden en iets, flessendoppen of zoiets, naar elkaar toe gooiden zonder dat daar een duidelijke reden voor was.

'Nee, niet echt. Ik heb me altijd een boerenjongen in de stad gevoeld. Zelfs in New Orleans.' Hij haalde zijn schouders op. 'Ik hou van bomen.'

Hij draaide aan de frequentieknop van zijn walkie-talkie en bracht hem naar zijn lippen. 'Rechercheur Pasquale, hier Broussard. Over.'

Pasquale was een van de rechercheurs van Misdrijven Tegen Kinderen die opdracht hadden de Concord-gevangenis in het oog te houden om te kijken wie Cheese kwamen bezoeken. 'Hier Pasquale.'

'Nog iets?'

'Niets. Geen bezoekers sinds jullie gisteren.'

'Telefoontjes?'

'Nee. Olamon mag niet meer bellen sinds hij vorige maand bij een knokpartij op de binnenplaats betrokken was.'

'Goed. Broussard, sluiten.' Hij legde de walkie-talkie op de zitting. Toen keek hij plotseling op naar een auto die in onze richting reed. 'Wat hebben we daar?'

Een rookgrijze Lexus RX 300 met een bijzonder nummerbord waarop PHARO stond, reed ons voorbij en maakte na twintig of dertig meter rechtsomkeert alvorens op een plekje te parkeren waar hij een steegje blokkeerde. Het was een terreinwagen van vijftigduizend dollar, gebouwd voor ruw terrein of voor een junglesafari, en elke vierkante centimeter glom alsof hij met zijden doeken was gepoetst. Hij paste perfect bij alle Escorts, Golfs en Geo's die in de straat geparkeerd stonden, en bij de Buick uit het begin van de jaren tachtig met groene vuilniszakken die over het verbrijzelde achterraam waren geplakt.

'De RX 300,' zei Broussard met de diepe basstem van een reclamepresentator. 'Authentiek comfort voor de drugshandelaar die zich niet door sneeuwstormen en slechte wegen kan laten tegenhouden.' Hij boog zich naar voren en liet zijn armen op de rugleuning tussen ons in rusten, met zijn blik op het spiegeltje. 'Dames en heren, ik presenteer u Pharaoh Gutierrez, de hoogmogendheid van de stad Lowell.'

Uit de Lexus stapte een slanke Latino-man. Hij droeg een zwarte linnen broek en een limoengroen overhemd met een zwarte manchetknoop bij de hals, en daaroverheen een zwart zijden rokkostuum met slippen die tot aan zijn knieën reikten.

'De nieuwste mode,' zei Angie.

'Ja, hè?' zei Broussard. 'En dan kleedt hij zich vandaag nog conservatief. Je zou hem moeten zien als hij een avondje uitgaat.'

Pharaoh Gutierrez trok zijn slippen recht en streek over de dijen van zijn broek.

'Wat doet hij hier?' zei Broussard zachtjes.

'Wie is hij?'

'Hij behartigt Cheese's belangen in Lowell en Lawrence, al die schilderachtige oude fabrieksstadjes. Volgens de geruchten is hij ook de enige die met al die psychopathische vissers in New Bedford kan omgaan.'

'Dus het is te begrijpen,' zei Angie.

Broussard bleef in het spiegeltje kijken. 'Wat?'

'Dat hij een ontmoeting met Chris Mullen heeft.'

Broussard schudde zijn hoofd. 'Nee, nee, nee. Mullen en de Pharaoh hebben de pest aan elkaar. Dat schijnt om iets met een vrouw te zijn geweest, minstens tien jaar geleden. Daarom is Gutierrez verbannen naar wat er aan de Beltway ligt en zit Mullen nog in de binnenstad. Dit is juist níet te begrijpen.'

Gutierrez keek naar weerskanten van de straat. Hij gebruikte zijn beide handen om de lapellen van zijn smoking vast te pakken, een gebaar als van een rechter, met zijn kin een beetje omhoog. Hij snoof met zijn lange dunne neus. Zijn stijve houding had iets recalcitrants, iets onlogisch. Die houding paste niet bij zijn slanke postuur. Hij kwam over als iemand die geen enkel vergrijp duldde en daar toch steeds weer op rekende – zo onzeker dat hij zou doden om te bewijzen dat hij dat niet was.

Hij deed me denken aan een paar kerels die ik heb gekend – kleinere kerels meestal, of tenger gebouwd, maar zo ontzaglijk vastbesloten om te bewijzen dat ze net zo gevaarlijk konden zijn als grote kerels, dat ze nooit ophielden met vechten, nooit de tijd namen om op adem te komen, altijd te vlug aten. Dat soort mannen werd, voor zover ik hen kende, altijd politieman of crimineel. Daar scheen gewoon niet veel ruimte tussen te zitten. En vaak stierven ze snel en jong, met woede en verbazing als een masker op hun gezicht.

'Hij lijkt me een echte rotzak,' zei ik.

Broussard legde zijn handen op de rugleuning en liet zijn kin erop rusten. 'Ja, dat is wel een goede beschrijving van de Pharaoh. Te veel te bewijzen, niet genoeg tijd om het te bewijzen. Ik heb altijd gedacht dat hij nog eens door het lint zou gaan, dat hij op Chris Mullen af zou stappen en een kogel in zijn voorhoofd zou pompen, of Cheese Olamon dat nou leuk vond of niet.'

'Misschien gebeurt dat vandaag,' zei Angie.

'Misschien,' zei Broussard.

Gutierrez liep om de Lexus heen en leunde op de voorkant ervan. Hij keek in het steegje dat hij blokkeerde en keek toen op zijn horloge.

Pooles fluisterstem kwam door de walkie-talkie. 'Mullen komt jullie kant op.'

'Verdachte aan voorkant,' zei Broussard. 'Op de achtergrond blijven, man.'

'Begrepen.'

Angie draaide het spiegeltje een beetje naar rechts om een goed zicht op Gutierrez, de Lexus en de rand van het steegje te krijgen.

Mullen verscheen aan het eind van het steegje. Hij streek met zijn handpalm over zijn das en keek even naar Gutierrez en de Lexus die hem de weg versperde.

Broussard leunde op de voorbank achterover, haalde de Glock uit zijn broeksband en trok de slede terug.

'Als dit verkeerd gaat, komen jullie niet uit deze auto, maar bellen we 911.'

Mullen hield een smal zwart koffertje omhoog en glimlachte.

Gutierrez knikte.

Broussard dook omlaag en pakte de deurgreep aan de passagierskant vast.

Mullen stak zijn andere hand uit, en na even te hebben gewacht, pakte Gutierrez hem vast. Toen omhelsden de twee mannen elkaar en sloegen ze met hun vuisten op elkaars rug.

Broussard liet de deurgreep los. 'O, dit is interessant.'

Toen ze zich van elkaar losmaakten, had Gutierrez het koffertje. Hij draaide zich om naar de Lexus en maakte met een zwierig gebaar en een lichte buiging het portier open, waarna Mullen op de passagiersplaats ging zitten. Toen liep Gutierrez naar de bestuurderskant, stapte in en startte de motor.

'Poole,' zei Broussard in zijn walkie-talkie, 'Pharaoh Gutierrez en Chris Mullen gedragen zich hier als broers die elkaar na lange tijd hebben teruggevonden.'

'Kom nou.'

'Ik zweer het je, man.'

De Lexus van Pharaoh Gutierrez kwam in beweging en reed ons voorbij.

Terwijl de Lexus door de straat reed, bracht Broussard zijn walkie-talkie naar zijn lippen. 'Poole, we volgen een donkergrijze Lexus SUV met Gutierrez achter het stuur en Mullen naast hem. Ze rijden het Old Colony Project uit.'

Toen we langs het tweede steegje reden, kwam Poole daar joggend uit. Hij had ongeveer dezelfde zwerversvermomming als ik, alleen had hij er een donkerblauwe halsdoek aan toegevoegd. Hij deed hem af toen hij achter onze auto langs draafde naar zijn Taurus, en we volgden de Lexus terug naar Boston Street. Gutierrez sloeg rechtsaf en we volgden hem naar Andrew Square en toen naar de parallelweg langs de snelweg.

'Als Mullen en Gutierrez weer vriendjes zijn,' zei Angie, 'wat betekent dat dan?'

'Een heleboel slecht nieuws voor Cheese Olamon.'

'Cheese zit in de bak, en zijn twee luitenants – van wie iedereen dacht dat ze elkaars doodsvijanden waren – spannen tegen hem samen?'

Broussard knikte. 'Ze nemen het concern over.'

'En wat betekent dat voor Amanda?' zei ik.

Broussard haalde zijn schouders op. 'Die zit er middenin.'

'Midden waarin?' zei ik. 'In het vizier?'

16

Een van de dingen die gebeuren als je regelmatig criminelen volgt, is dat je een beetje jaloers wordt op hun levensstijl.

O, het zijn niet de grote dingen – de auto's van zestigduizend dollar, de flats van een miljoen dollar, de dure plaatsen bij wedstrijden van de Patriots – die je echt dwars gaan zitten, al kunnen ze irritant zijn. Het is de kleine, dagelijkse *carte blanche* die een goede drugshandelaar heeft en waardoor hij een heel ander leven leidt dan mensen die met normaal werk de kost moeten verdienen.

Zo zag ik, al die tijd dat we hen volgden, Chris Mullen en Pharaoh Gutierrez niet één keer voor rood licht stoppen. Stoplichten waren er blijkbaar alleen voor het klootjesvolk, voor de sukkels. De maximumsnelheid van negentig kilometer per uur op de snelweg? Kom nou. Waarom zou je negentig rijden als je er met honderdvijftig veel eerder kunt zijn? Waarom zou je de linkerrijstrook gebruiken als de vluchtstrook helemaal leeg is?

En dan is er het parkeren. Vrije parkeerplaatsen in Boston komen ongeveer net zoveel voor als skihellingen in de Sahara. Oude dametjes in nertsstola's hebben vuurgevechten geleverd om een betwist plekje. In de jaren tachtig hebben een stuk of wat idioten ieder een kwart miljoen dollar betaald voor een eigen parkeerplekje in een garage in Beacon Hill, en daar kwamen de maandelijkse servicekosten dan nog bovenop.

Boston: we zijn klein en het is hier koud, maar we vermoorden elkaar voor een goede parkeerplek. Kom maar op. Breng je familie maar mee.

Gutierrez en Mullen en een aantal van hun trawanten die we in die dagen volgden, zaten niet met dat probleem. Ze gingen gewoon dubbel geparkeerd staan, overal waar ze maar wilden, zo lang als ze wilden.

Op een gegeven moment had Chris Mullen in het restaurant Hammersleys in Columbus Avenue in het South End geluncht. Hij kwam naar buiten en trof een woedende kunstenaar aan met een geitensikje en drie ringen in zijn ene oor die op hem had staan wachten. Chris had met zijn glanzende zwarte Benz de gammele Civic van de kunstenaar klem gezet. Omdat de kunstenaar zijn vriendin bij zich had, moest hij er werk van maken. Vanaf de plaats waar we zaten, een half blok verderop aan de andere kant van de straat, konden we niet horen wat er werd gezegd, maar we begrepen het wel zo'n beetje. De kunstenaar en zijn vriendin schreeuwden en wezen. Toen Chris naar hen toe kwam, stak hij zijn kasjmieren sjaal onder zijn donkere Armani-regenjas en streek zijn das recht. Toen schopte hij de kunstenaar zo doeltreffend tegen zijn knieschijf dat de man al op de grond lag voordat zijn vriendin door haar arsenaal aan scheldwoorden heen was. Chris ging zó dicht bij de vrouw staan dat je zou denken dat ze minnaars waren. Hij drukte zijn wijsvinger tegen haar voorhoofd en stak zijn duim omhoog. Hij hield zijn vinger en duim daar en het leek wel een eeuwigheid te duren. Toen liet hij zijn duim zakken. Hij haalde zijn vinger bij het hoofd van de vrouw vandaan en blies erop. Hij glimlachte naar haar, boog zich naar haar toe en gaf haar een snelle kus op haar wang.

Toen liep Chris naar zijn auto, stapte in en reed weg. Het meisje staarde hem verbaasd na en besefte waarschijnlijk nog steeds niet dat haar vriend krijsend van pijn op het trottoir lag te kronkelen als een kat met een gebroken rug.

Afgezien van onszelf en Broussard en Poole was een aantal rechercheurs van Misdrijven Tegen Kinderen met de surveillance bezig. We volgden niet alleen Gutierrez en Mullen maar ook nog een heel stel andere mannen van Cheese Olamon. Zo was er Carlos 'het Mes' Orlando, die de supervisie had over de dagelijkse gang van zaken in de woningbouwprojecten en die altijd een stapeltje stripalbums bij zich had. En er was JJ MacNally, die zich tot hoofdpooier van alle niet-Vietnamese hoeren in North Dorchester had opgewerkt, maar smoorverliefd omging met een Vietnamees meisje dat hooguit vijftien leek. Joel Green en Hicky Vister hielden toezicht op het gokken en de woekerpraktijken. Ze deden dat vanaf een tafeltje in Elsinore, een bar die Cheese in Lower Mills bezat. Buddy Perry en Brian Box – twee kerels zó dom dat ze een kaart nodig hadden om hun eigen wc te vinden – deden het spierballenwerk.

Je hoefde maar een vluchtige blik op het hele stel te werpen om te weten dat het geen grote denkers waren. Cheese was in het criminele wereldje opgeklommen door zijn plicht te doen, respect te betonen, eer te bewijzen aan een ieder die hem kwaad kon doen en een stapje omhoog te gaan zodra zich ergens een machtsvacuüm voordeed. Het grootste vacuüm deed zich enkele jaren geleden terug voor toen Jack Rouse, peetvader van de Ierse maffia in Dorchester en Southie, opeens verdwenen was, samen met zijn handlanger Kevin Hurlihy, een man met een wespennest in plaats van hersenen en zoutzuur in plaats van bloed. Toen ze verdwenen, deed Cheese een gooi naar Upper Dorchester, en het lukte hem. Cheese was slim, Chris Mullen was op weg naar de top en Pharaoh Gutierrez scheen ook wel een goed stel hersens te hebben. Maar de rest van Cheese's mannen paste helemaal in zijn beleid om nooit iemand in dienst te nemen die niet alleen hebzuchtig was (daar was in zijn vak volgens Cheese niet aan te ontkomen) maar ook intelligent genoeg om die hebzucht te bevredigen.

En dus werkte hij met zaagselkoppen en adrenalinefreaks en kerels die het leuk vonden met pakjes bankbiljetten te zwaaien, als gangsters in films te praten en de patser uit te hangen, maar die verder niet veel ambities hadden.

Telkens wanneer Mullen of Gutierrez ergens naar binnen ging – een woning, een pakhuis, een kantoorgebouw – stelde Misdrijven Tegen Kinderen meteen een surveillance in op dat adres en werd het de volgende drie dagen en nachten constant in de gaten gehouden. Zo nodig werd er ook geïnfiltreerd.

Dankzij de microfoontjes die we in Mullens flat hadden aangebracht, wisten we dat hij elke avond om zeven uur zijn moeder belde en dat ze dan steeds hetzelfde gesprek voerden: waarom hij niet getrouwd was, waarom hij te egoïstisch was om zijn moeder kleinkinderen te geven, waarom hij niet met leuke meisjes omging, waarom hij altijd zo bleek was terwijl hij toch een goede baan bij de boswachterij had? Om halfacht keek hij altijd naar *Jeopardy!* en dan gaf hij hardop antwoord op de vragen. Zijn gemiddelde score was 0,3. Hij wist veel van aardrijkskunde, maar bracht er niets van terecht als het op zeventiende-eeuwse Franse kunstenaars aankwam.

We hoorden hem met een aantal vriendinnen praten en met Gutierrez over auto's en films en de Boston Bruins ouwehoeren, maar zoals veel criminelen had hij de gezonde gewoonte door de telefoon niet over zaken te spreken.

Het zoeken naar Amanda McCready had op alle fronten gefaald, en geleidelijk werd er politiemankracht naar andere zaken overgeheveld.

Op de vierde dag van onze surveillance kregen Broussard en Poole een telefoontje van inspecteur Doyle. Ze moesten over een halfuur op het bureau zijn en ons meenemen.

'Dit ziet er lelijk uit,' zei Poole, toen we naar de binnenstad reden.

'Waarom moeten wij mee?' zei Angie.

'Dat bedoelden we met lelijk,' zei Poole, en hij glimlachte toen Angie haar tong naar hem uitstak.

Doyle had blijkbaar niet zo'n leuke dag. Zijn huid was grauw, hij had donkere wallen onder zijn ogen en zijn hele lichaam rook naar koude koffie.

'Doe de deur dicht,' zei hij tegen Poole toen we binnenkwamen.

Terwijl Poole de deur dichtdeed, gingen wij tegenover Doyle zitten, met zijn bureau tussen ons in.

'Toen ik Misdrijven Tegen Kinderen opzette,' zei Doyle, 'en op zoek ging naar goede rechercheurs, keek ik overal, behalve bij Zeden en Narcotica. Waarom deed ik dat, rechercheur Broussard?'

Broussard speelde met zijn das. 'Omdat niemand met Zeden en Narcotica durft samen te werken.'

'En waarom is dat zo, adjunct-inspecteur Raftopoulos?'

Poole glimlachte. 'Omdat we zo mooi zijn.'

Doyle maakte een gebaar van 'ga verder' en knikte een aantal keren.

'Omdat,' zei hij ten slotte, 'de rechercheurs van Narcotica en Zeden cowboys zijn. Ze zijn gek. Ze houden van spanning en sensatie. Ze doen graag dingen op eigen houtje.'

Poole knikte. 'Ja, dat is vaak een onfortuinlijk neveneffect van het werk dat ze doen.'

'Maar jullie inspecteur verzekerde me dat jullie degelijke rechercheurs waren, erg bekwaam en alles volgens het boekje. Ja?'

'Dat schijnt verteld te worden,' zei Broussard.

Doyle keek hem met een strak glimlachje aan. 'Vorig jaar ben je rechercheur eerste klas geworden. Klopt dat, Broussard?'

'Ja.'

'Heb je zin om naar tweede of derde klas teruggezet te worden? Misschien tot gewoon agent?'

'Eh, nee. Dat zou ik niet erg prettig vinden.'

'Zeik me dan niet langer met eigenwijze opmerkingen aan mijn kop, rechercheur.'

Broussard kuchte in zijn vuist. 'Nee.'

Doyle pakte een papier van zijn bureau, las er een tijdje in en legde het toen weer neer. 'Jullie laten de helft van de rechercheurs van Misdrijven Tegen Kinderen aan de surveillance van Olamons mannen werken. Toen ik vroeg waarom, zeiden jullie dat jullie een anonieme tip hadden gekregen dat Olamon iets met de verdwijning van Amanda McCready te maken had.' Hij knikte weer en keek Poole toen recht aan. 'Wil je die verklaring herzien?'

'Huh?'

Doyle keek op zijn horloge en stond op. 'Ik tel af van tien naar één. Als jullie me de waarheid vertellen voordat ik bij één ben, mogen jullie je baan houden. Tien,' zei hij.

'Inspecteur...'

'Negen.'

'Inspecteur, we weten niet...'

'O. Acht. Zeven.'

'We denken dat Cheese Olamon het meisje heeft gekidnapt om geld terug te krijgen dat haar moeder van zijn organisatie heeft gestolen.' Poole leunde achterover en keek Broussard schouderophalend aan.

'Dus is het kidnapping,' zei Doyle, en hij ging zitten.

'Misschien,' zei Broussard.

'En dus is het een zaak voor de FBI.'

'Alleen als we er zeker van zijn,' zei Poole.

Doyle trok een bureaula open en haalde er een bandrecorder uit die hij op het bureau legde. Hij keek Angie en mij voor het eerst aan en drukte op PLAY.

Er volgde wat gekras en geruis. Toen was er het geluid van een telefoon die overging en zei een stem, die ik als Lionels stem herkende: 'Hallo.'

Een vrouwenstem aan de andere kant van de lijn zei: 'Zeg tegen je zus dat ze die ouwe smeris, die knappe smeris en die twee privé-detectives morgenavond om acht uur naar de Granite Railgroeve moet sturen. Zeg dat ze van de kant van Quincy moeten komen, de helling van de oude spoorlijn op.'

'Pardon, met wie spreek ik?'

'Zeg tegen ze dat ze moeten meebrengen wat ze in Charlestown hebben gevonden.'

'Mevrouw, ik weet niet wat...'

'Zeg tegen ze dat wat ze in Charlestown hebben gevonden kan worden geruild tegen wat wij in Dorchester hebben gevonden.'

De vrouwenstem, diep en dof, werd iets opgewekter. 'Heb je dat, schat?'

'Dat weet ik niet precies. Even een stukje papier pakken.'

Een hese grinniklach. 'Jij bent me er eentje, schat. Kom nou. Het staat allemaal op de band. Hé, als er iemand meeluistert? Als we morgenavond bij Granite Rail iemand anders zien dan de vier die ik heb genoemd, gaat dat pakketje uit Dorchester de rotsen af.'

'Er luistert niemand...'

'Daag, schat. Geen stoute dingen doen. Hoor je me?'

'Nee, wacht...'

Er was een klik te horen, gevolgd door het harde geluid van Lionels ademhaling, en toen was er de kiestoon.

Doyle zette de bandrecorder uit. Hij leunde in zijn stoel achterover, maakte een bruggetje van zijn vingers en tikte daarmee tegen zijn onderlip.

Na een paar minuten stilte zei hij: 'Wat hebben jullie in Charlestown gevonden, jongens?'

Niemand zei iets.

Hij draaide met zijn stoel en keek Poole en Broussard aan. 'Zal ik weer gaan aftellen?'

Poole keek Broussard aan. Broussard bracht zijn hand omhoog, met de palm naar boven, en wuifde daarmee in Pooles richting.

'Hartelijk dank, jongen.' Poole keek Doyle aan. 'We hebben in de achtertuin van David Martin en Kimmie Niehaus tweehonderdduizend dollar gevonden.'

'De lijken in C-Town,' zei Doyle.

'Ja.'

'En die tweehonderdduizend dollar – die zijn natuurlijk als bewijsmateriaal ingeleverd.'

Poole zwaaide met zijn hand in Broussards richting.

Broussard keek naar zijn schoenen. 'Niet precies, inspecteur.'

'O nee?' Doyle pakte een potlood op en noteerde iets op de blocnote die bij zijn elleboog lag. 'En als ik Interne Zaken heb gebeld en jullie allebei op staande voet ontslagen zijn, voor welke bewakingsfirma gaan jullie dan werken?'

'Nou...'

'Of wordt het een bar?' Doyle grijnsde. 'Burgers vinden het een geweldig idee dat hun barkeeper een ex-smeris is. Dan krijgen ze veel mooie verhalen te horen.'

'Inspecteur,' zei Poole. 'Met alle respect, maar we zouden graag onze baan willen houden.'

'Dat zal vast wel.' Doyle noteerde nog wat. 'Dat hadden jullie moeten bedenken voordat jullie bewijsmateriaal in een moordonderzoek achteroverdrukten. Dat is een ernstig misdrijf, heren.' Hij pakte de telefoon op, toetste twee cijfers in en wachtte. 'Michael, geef me de namen van de rechercheurs die de moord op David Martin en Kimmie Niehaus onderzoeken. Ik wacht wel even.' Hij drukte de telefoon tegen zijn schouder, tikte met het gummetje van zijn potlood op het bureaublad en begon zachtjes te fluiten. Er kwam een klein, blikkerig stemmetje uit de telefoonhoorn, en hij hield hem weer tegen zijn oor. 'Ja. Ik heb het.' Hij schreef iets op de blocnote en hing op. 'De rechercheurs Daniel Guden en Mark Leonard. Ken je die?'

'Vaag,' zei Broussard.

'Dus ik mag aannemen dat jullie ze niet hebben laten weten wat jullie in de tuin van hun slachtoffers hebben gevonden.'

'Ja.'

'Ja, jullie hebben het ze laten weten? Of ja, ik mag dat aannemen?'

'Het laatste,' zei Poole.

Doyle vouwde zijn handen achter zijn hoofd en leunde weer achterover in zijn stoel. 'En dan nu het hele verhaal, heren. Als het niet zo stinkt als op dit moment, hebben jullie misschien – en ik bedoel heel misschien – volgende week nog een baan. Maar ik verzeker jullie één ding: dan is het niet bij Misdrijven Tegen Kinderen. Als ik cowboys wil, kijk ik wel naar *Rio Bravo*.'

Poole vertelde hem alles wat er gebeurd was vanaf het moment dat Angie en ik Chris Mullen op de televisiebeelden hadden gezien. Het enige dat hij wegliet, was het losgeldbriefje dat we in Kimmies ondergoed hadden gevonden, en toen ik de band van Lionels gesprek met de vrouw nog eens in mijn hoofd afdraaide, besefte ik dat er zonder dat briefje geen hard bewijs voor was dat degene die Lionel had gebeld geld voor een kind eiste. Geen bewijs van ontvoering: geen FBI.

'Waar is het geld?' vroeg Doyle, toen Poole klaar was.

'Ik heb het,' zei ik.

'O ja?' zei hij zonder in mijn richting te kijken. 'Dat is schitterend, Poole. Voor tweehonderdduizend dollar aan gestolen geld – en nog gestolen bewijsmateriaal ook – in de handen van een gewone burger wiens naam in de loop van de jaren genoemd is in verband met drie onopgeloste moorden en – zeggen sommigen – de verdwijning van Jack Rouse en Kevin Hurlihy.'

'Dat was ik niet,' zei ik. 'Je verwart me zeker met die andere Patrick Kenzie.'

Angie trapte tegen mijn enkel.

'Pat,' zei Doyle. Hij boog zich in zijn stoel naar voren en keek me aan.

'Patrick,' zei ik.

'Neem me niet kwalijk,' zei Doyle. 'Patrick, ik kan je zó laten vastzetten wegens heling van gestolen goed, belemmering van de justitie, inmenging in een onderzoek naar een ernstig misdrijf en knoeien met bewijsmateriaal. Wil je nog een paar van die geintjes maken en zien wat ik kan opduikelen als ik echt de pest aan je krijg?'

Ik verschoof op mijn stoel.

'Wat is dat?' zei Doyle. 'Ik kon je niet verstaan.'

'Nee,' zei ik.

Hij hield zijn hand achter zijn oor. 'Nog een keer?'

'Nee,' zei ik. 'Inspecteur.'

Hij glimlachte en sloeg met zijn vingers op zijn bureau. 'Heel goed, jongen. Spreek als je wordt aangesproken. Zo niet, hou dan je kaken op elkaar.' Hij knikte Angie toe. 'Zoals je collega daar. Ik heb altijd gehoord dat jij het brein van de onderneming bent, mevrouw. Die indruk heb ik nu ook.' Hij draaide weer met zijn stoel naar Poole en Broussard. 'Dus jullie twee genieën besloten het spel op Cheese Olamons niveau te spelen en het geld tegen het kind in te ruilen.'

'Daar komt het wel op neer.'

'En wat is de reden waarom ik deze zaak niet aan de FBI moet overdragen?' Hij bracht zijn handen omhoog.

'Er is niet officieel om losgeld gevraagd,' zei Broussard.

Doyle keek naar de bandrecorder. 'En wat hebben we zojuist dan gehoord?'

'Nou, inspecteur.' Poole boog zich over het bureau en wees naar de bandrecorder. 'In feite hoor je een vrouw alleen een ruil voorstellen van "iets" dat in Charlestown is gevonden tegen "iets" dat in Dorchester is gevonden. Die vrouw zou het ook over het ruilen van postzegels tegen honkbalkaartjes kunnen hebben.'

'Het feit dat ze de moeder van een vermist kind belde zou onze broeders van de FBI niet interesseren?'

'Nou, strikt genomen belde ze de broer van de moeder van een vermist kind,' zei Broussard.

'En ze zei: "Zeg tegen je zus,"' zei Doyle.

'Zeker, maar evengoed is daarmee nog niet bewezen dat we het over een kidnapping hebben. En ja, de FBI... Ze hebben Ruby Ridge verknoeid, en Waco, en ze hebben idiote afspraken met de Bostonse maffia gemaakt, en ze...'

Doyle stak zijn hand op. 'We weten allemaal wat de FBI de laatste tijd fout heeft gedaan, rechercheur Broussard.' Hij keek naar de bandrecorder en toen naar de aantekeningen die hij bij zijn elleboog had gemaakt. 'De Granite Rail-groeve valt buiten onze jurisdictie. De politie van de staat Massachusetts en van Quincy zijn daar bevoegd. Dus...' Hij sloeg zijn handen in elkaar. 'Goed.'

'Goed?' zei Broussard.

'Met "goed" bedoel ik dat we, omdat het kind McCready niet expliciet wordt genoemd, een voorstel aan de politie van Massachusetts en Quincy kunnen doen. De vrouw die belde, zei dat er afgezien van jullie twee geen politie naar de Granite Rail-groeve mocht komen. Goed. Maar we zullen die heuvels hermetisch afsluiten, heren. We leggen een kordon om die groeve, en zodra dat kind in veiligheid is, gooien we een loden deken over Mullen, Gutierrez en wie er nog meer denken dat ze tweehonderdduizend dollar te pakken hebben.' Hij sloeg weer met zijn vingers op het bureaublad. 'Klinkt dat goed?'

'Ja, inspecteur.'

'Ja, inspecteur.'

Hij keek ze met die brede, ijzige grijns van hem aan. 'En als dat eenmaal is gebeurd, zorg ik dat jullie tot buiten mijn afdeling en buiten mijn werkgebied worden overgeplaatst. Als er morgenavond iets misgaat bij die groeve? Dan laat ik jullie overplaatsen naar de afdeling Explosieven. Dan kunnen jullie tot je pensioen onder auto's kruipen en hopen dat ze niet boem doen. Nog vragen?'

'Nee, inspecteur.'

'Nee, inspecteur.'

Hij draaide onze kant weer op. 'Kenzie en Gennaro, jullie zijn burgers. Ik heb jullie niet graag in dit kantoor, laat staan dat ik jullie morgenavond graag naar die groeve zie gaan, maar ik heb niet veel keus. Dus we spreken het volgende af: jullie leveren geen vuurgevecht met de verdachten en jullie spreken niet met de verdachten. Mocht het tot een confrontatie komen, dan laten jullie je op je knieën zakken met jullie handen boven je hoofd. Als dit voorbij is, spreken jullie niet met de pers over enig aspect van deze operatie. En jullie schrijven geen boeken over deze zaak. Is dat duidelijk?'

Ik knikte.

Angie knikte.

'Als jullie ook maar één onderdeel van die afspraak schenden, laat ik jullie detectivevergunning en wapenvergunning intrekken en zet dan de speciale afdeling op de Marion Socia-moord en bel ik mijn vrienden bij de pers en laat ze nog eens lange artikelen schrijven over de vreemde verdwijning van Jack Rouse en Kevin Hurlihy. Begrepen?'

We knikten.

'Zeg: "Ja, inspecteur Doyle."'

'Ja, inspecteur Doyle,' mompelde Angie.

'Ja, inspecteur Doyle,' zei ik.

'Prima.' Doyle leunde in zijn stoel achterover en stak zijn armen wijd naar ons uit. 'En nou oprotten, allemaal.'

'Toffe gozer,' zei Angie, toen we op straat kwamen.

'Hij is gewoon een ouwe softie,' zei Poole.

'O ja?'

Poole keek me aan alsof ik lijm aan het snuiven was en schudde heel langzaam met zijn hoofd.

'O,' zei ik.

'Het geld is toch veilig, Kenzie?'

Ik knikte. 'Wil je het nu hebben?'

Poole en Broussard keken elkaar aan en haalden toen hun schouders op.

'Dat heeft geen zin,' zei Broussard. 'Morgen in de loop van de dag is er een bespreking van ons en de politie van Massachusetts en van Quincy. Breng het dan maar mee.'

'Wie weet?' zei Poole. 'Misschien krijgen we, met alle mankracht die we hebben om Olamons mensen in de gaten te houden, een van hen te pakken als hij morgen samen met het kind op weg naar de groeve gaat. Dan is het meteen allemaal voorbij.'

'Ja, Poole,' zei Angie. 'Ja. Zo gemakkelijk zal het gaan.'

Poole zuchtte en schommelde op zijn hakken achterover.

'Man,' zei Broussard, 'ik wil niet op de afdeling Explosieven werken.'

Poole grinnikte. 'Dít is de afdeling Explosieven, jongen,' zei hij.

We zaten op de trap van Beatrices en Lionels voorveranda en vertelden hun zoveel over de recente gebeurtenissen als mogelijk was. We lieten alles weg wat hen tot medeplichtigen kon maken als de hele zaak zich later tegen ons zou keren.

'Nou,' zei Beatrice toen we klaar waren. 'Dus dit is allemaal gebeurd omdat Helene een van haar stomme trucjes uithaalde en de verkeerde man bestal.'

Ik knikte.

Lionel plukte aan een grote eeltplek op de zijkant van zijn duim en blies langzaam zijn adem uit. 'Ze is mijn zus,' zei hij uiteindelijk, 'maar dit is... Dit is...'

'Onvergeeflijk,' zei Beatrice.

Hij keek haar aan en keek toen mij weer aan alsof er koud water in zijn gezicht was gegooid. 'Ja. Onvergeeflijk.'

Angie kwam naar het hek en ik stond op. Ik voelde haar warme hand in de mijne.

'Als het je kan troosten,' zei ze. 'Volgens mij had niemand dit kunnen zien aankomen.'

Beatrice liep over de veranda en ging naast haar man op het trapje zitten. Ze nam zijn grote handen in de hare en ze staarden een minuut of zo over de straat, hun gezicht betrokken en leeg en woedend en berustend – dat alles tegelijk.

'Ik begrijp het gewoon niet,' zei Beatrice. 'Ik kan het gewoon níet begrijpen,' fluisterde ze.

'Zullen ze haar doden?' Lionel keek over zijn schouder naar ons.

'Nee,' zei ik. 'Dat zou geen zin hebben.'

Angie gaf een kneepje in mijn hand om me te ondersteunen tegen het gewicht van de leugen.

Toen we thuis waren, ging ik als eerste onder de douche om het vuil en stof weg te spoelen van vier dagen waarin ik in auto's had gezeten en allerlei uitschot door de stad had gevolgd. Angie nam de tweede douche.

Toen ze te voorschijn kwam, bleef ze met een witte handdoek strak om haar honingbruine huid in de deuropening van de huiskamer staan. Ze haalde een borstel door haar haar en keek naar me terwijl ik in de fauteuil zat en aantekeningen maakte van ons gesprek met inspecteur Doyle.

Ik keek in haar ogen.

Dat zijn verbazingwekkende ogen, bruin als karamel en heel groot. Soms denk ik dat ze me zouden kunnen opdrinken als ze dat wilden. En dat zou ik best willen, geloof me. Dat zou ik heel best willen.

'Ik heb je gemist,' zei ze.

'We hebben drieëneenhalve dag in een auto opgesloten gezeten. Wat viel er te missen?'

Ze hield haar hoofd schuin en bleef me aankijken tot ik het begreep.

'O,' zei ik. 'Je bedoelt dat je me hebt gemíst.'

'Ja.'

Ik knikte. 'Hoeveel?'

Ze liet de handdoek vallen.

'Zoveel,' zei ik, en er bleef iets in mijn keel steken. 'Wel, wel.'

Na het bedrijven van de liefde leef ik altijd een tijdje in een wereld van echo's en kortstondige herinneringen. Ik lig in de vochtige duisternis en Angies hart slaat tegen het mijne. Ze heeft haar rug tegen mijn vingertoppen gedrukt, of haar heup verwarmt mijn handpalm, en ik hoor de echo van haar zacht gekreun, een plotselinge zucht, het lage, hese gegrinnik dat ze laat horen als we uitgeput zijn en ze haar hoofd even achterover houdt en haar donkere haar van haar gezicht wegvalt en over haar rug glijdt. Met mijn ogen dicht zie ik in close-up de beet van haar boventanden op haar onderlip, de lijn van haar kuit op het witte matras, de druk van een schouderblad tegen haar huid, de flarden van droom en begeerte die haar ogen plotseling vochtig en wazig maken, de punten van haar donkerroze nagels die zich in de huid boven mijn buik drukken.

Als ik de liefde met Angie heb bedreven, ben ik een halfuur of zo niets meer waard. Meestal kan ik nog geen telefoonnummer intoetsen zonder dat iemand het voor me uittekent. Alle motorische vaardigheden, behalve de meest elementaire, gaan boven mijn macht. Van intelligente conversatie kan geen sprake zijn. Ik zweef in echo's en flarden van herinnering.

'Hé.' Ze trommelde met haar vingers op mijn borst en drukte haar dij nog wat meer tegen de binnenkant van de mijne.

'Ja?'

'Denk je ooit…'

'Nu niet.'

Ze lachte, haakte haar voet achter mijn enkel en kwam een beetje omhoog over mijn borst om met haar tong over mijn keel te strijken. 'Serieus, eventjes maar.'

'Ga je gang,' zei ik.

'Denk je ooit, ik bedoel, als je in me bent, dat wat we doen nieuw leven kan voortbrengen, als we dat toestaan?'

Ik hield mijn hoofd schuin en deed mijn ogen open om haar aan te kijken. Ze keek rustig naar me terug. Een veeg mascara onder haar linkeroog leek in de zachte duisternis van onze slaapkamer op een kneuzing.

En het was nu toch ónze slaapkamer? Ze bezat nog steeds het huis in Howes Street waar ze was opgegroeid, had daar nog steeds het meeste van haar meubilair staan, maar ze had daar in bijna twee jaar geen nacht meer doorgebracht.

Onze slaapkamer. Ons bed. Onze lakens verward om die twee lichamen die daar bij elkaar lagen, met bonkend hart, de huid zó dicht tegen elkaar gedrukt dat iemand die naar ons keek moeilijk zou kunnen zeggen waar de een ophield en de ander begon. Voor mij was dat soms ook moeilijk.

'Een kind,' zei ik.

Ze knikte.

'Een kind op deze wereld zetten,' zei ik langzaam. 'Met ons werk.'

Weer een hoofdknikje, en ditmaal schitterden haar ogen.

'Wil je dat?'

'Dat zei ik niet,' fluisterde ze, en ze boog zich naar me toe en kuste het puntje van mijn neus. 'Ik zei: "Heb je er ooit aan gedacht?" Heb je ooit gedacht aan de macht die we hebben als we het in dit bed doen en de springveren lawaai maken en we zelf ook lawaai maken en alles zo… nou, zo geweldig aanvoelt, en niet alleen vanwege het fysieke genot, maar omdat wij – jij en ik – hier op deze plaats met elkaar verenigd zijn?' Ze drukte met haar hand tegen mijn kruis. 'We zijn in staat om leven te creëren, schat. Jij en ik. Eén pil die ik vergeet in te nemen – een kans van, wat is het, een op de honderdduizend? – en het leven groeit op dit moment al in me. Jouw leven. Het mijne.' Ze kuste me. 'Ons leven.'

Toen we daar zo lagen, zo dicht bij elkaar, zo warm van elkaars warmte, zo intens in de ban van elkaar, was het gemakkelijk om te wensen dat er op dat moment nieuw leven in haar moederschoot begon. Alles wat heilig en mysterieus aan het lichaam van een vrouw in het algemeen en aan dat van Angie in het bijzonder was, leek op dat moment besloten te liggen in die cocon van lakens, dat zachte matras en dat gammele bed. Het leek me opeens zo helder.

Maar dit bed was niet de wereld. De wereld was koud als beton en had veel scherpe randen. De wereld zat vol monsters die ooit baby's waren geweest, die als zygoten in de moederschoot waren begonnen, die uit een vrouw waren gekomen, het enige wonder dat de twintigste eeuw nog heeft, en die toch woedend of gestoord waren of waren voorbestemd om dat te worden. Hoeveel andere minnaars hadden in zo'n cocon, in zo'n bed gelegen, en gevoeld wat wij nu voelden? Hoeveel monsters hadden ze voortgebracht? En hoeveel slachtoffers?

'Spreek,' zei Angie, en ze streek het vochtige haar van mijn voorhoofd weg.

'Ik heb erover nagedacht,' zei ik.

'En?'

'En ik vind het ontzagwekkend.'

'Ik ook.'

'Het maakt me bang.'

'Mij ook.'

'Erg bang.'

Haar ogen werden klein. 'Waarom?'

'Kleine kinderen die in vaten met cement worden gevonden, de Amanda McCready's die verdwijnen alsof ze nooit hebben geleefd, pedofielen die door de straten zwerven met stroomdraad en nylonkoord. Deze wereld is een beerput, schat.'

Ze knikte. 'En?'

'En wat?'

'En het is een beerput. Goed. Maar verder? Ik bedoel, onze ouders wisten waarschijnlijk dat het een beerput was, maar ze hebben ons toch gekregen.'

'En wat hebben we een geweldige jeugd gehad.'

'Zou je liever níet geboren zijn?'

Ik legde mijn beide handen op het onderste deel van haar rug en ze leunde ertegenaan. Haar lichaam verhief zich van het mijne en het laken gleed van haar rug. Ze ging op mijn schoot zitten en keek op me neer. Haar haar viel achter haar oren vandaan, naakt en mooi en perfecter dan alles en iedereen en elke fantasie die ik ooit had gekend.

'Of ik liever niet geboren zou zijn?'

'Dat is de vraag,' zei ze zachtjes.

'Natuurlijk wel,' zei ik. 'Maar geldt dat ook niet voor Amanda McCready?'

'Ons kind zou geen Amanda McCready zijn.'

'Hoe weten we dat?'

'Omdat wij geen drugsdealers zouden rippen die ons kind zouden ontvoeren om het geld terug te krijgen.'

'Elke dag verdwijnen er kinderen om heel wat minder reden. Dat weet jij net zo goed als ik. Kinderen verdwijnen omdat ze naar school lopen en op het verkeerde tijdstip op de verkeerde straathoek zijn, omdat ze in een winkelcentrum van hun ouders vandaan raken. En ze gaan dood, Ange. Ze gaan dood.'

Er viel een enkele traan op haar borst, en die traan gleed naar de tepel en viel toen op mijn borst. Hij was al koud toen hij mijn huid raakte.

'Dat weet ik,' zei ze. 'Maar hoe het ook mag zijn, ik wil een kind van je. Niet vandaag, misschien niet eens volgend jaar. Maar ik wil het. Ik wil iets moois uit mijn lichaam voortbrengen, iets dat uit ons komt en toch duidelijk iemand anders is dan wij.'

'Je wilt een kind.'

Ze schudde haar hoofd. 'Ik wil een kind van jou.'

Op een gegeven moment vielen we in slaap.

Tenminste, ik viel in slaap. Een paar minuten later werd ik wakker en merkte dat ze het bed uit was gegaan. Ik stond op en liep door de donkere woning naar de keuken, waar ze bij het raam aan de tafel zat. Haar naakte huid was bleek in het maanlicht dat tussen de spleten in de zonwering door gluurde.

Er lag een blocnote bij haar elleboog en ze had het dossier van de ontvoering voor zich liggen. Toen ik de keuken binnenkwam, keek ze op en zei: 'Ze kunnen haar niet in leven laten.'

'Cheese en Mullen?'

Ze knikte. 'Dat zou een domme tactische zet zijn. Ze moeten haar doden.'

'Ze hebben haar tot nu toe in leven gehouden.'

'Hoe weten we dat? En zelfs als ze dat hebben gedaan, doen ze dat misschien alleen tot ze het geld hebben. Voor alle zekerheid. Maar dan moeten ze haar doden. Ze vormt een te groot risico.'

Ik knikte.

'Jij hebt daar al aan gedacht,' zei ze.

'Ja.'

'Dus morgenavond?'

'Ik verwacht een lijk te vinden.'

Ze stak een sigaret op, en de vlam van de aansteker legde een rode gloed op haar huid. 'Kun je daarmee leven?'

'Nee.' Ik kwam naar haar toe, legde mijn hand op haar schouder, was me bewust van onze naaktheid in de keuken. Onwillekeurig dacht ik weer aan de macht die we in ons bed en in onze lichamen hadden gehad, dat potentiële derde leven dat als een geest tussen onze naakte huid zweefde.

'Bubba?' zei ze.

'Jazeker.'

'Poole en Broussard zullen daar slecht over te spreken zijn.'

'Daarom vertellen we ze niet dat hij er is.'

'Als Amanda nog leeft wanneer we bij de groeve aankomen, en we kunnen haar vinden, of tenminste aangeven waar ze is…'

'Dan legt Bubba iedereen neer die haar vasthoudt. Hij legt ze neer als zakken stront en verdwijnt weer in de duisternis.'

Ze glimlachte. 'Wil je hem bellen?'

Ik schoof de telefoon over de tafel. 'Ga je gang.'

Ze sloeg haar benen over elkaar, draaide het nummer en hield de hoorn tegen haar oor.

'Hé, grote jongen,' zei ze toen hij opnam, 'wil je morgenavond komen spelen?'

Ze luisterde even, en haar glimlach werd breder.

'Jazeker, Bubba, met een beetje geluk mag je iemand neer-schieten.'

17

Hoofdinspecteur John Dempsey van de politie van de staat Massachusetts had een breed Iers gezicht, zo plat als een pannenkoek, en de behoedzame, uitpuilende ogen van een uil. Hij knipperde zelfs met die ogen zoals een uil doet. Een plotselinge beweging van de oogspieren liet zijn dikke oogleden over zijn ogen vallen, en eenmaal beneden, bleven ze daar een tiende van een seconde langer dan normaal was, waarna ze weer omhoogvlogen en onder zijn wenkbrauwen verdwenen.

Zoals de meeste staatspolitiemensen die ik heb gekend leek hij een ruggengraat te hebben die van loden buizen in elkaar was gesoldeerd en waren zijn lippen te bleek en te dun, alsof ze met een vaag potlood in de vlakke witheid van zijn gezicht waren getekend. Zijn handen waren roomwit, zijn vingers lang en vrouwelijk, en de nagels waren zo glad gemanicuurd als de rand van een stuiver. Maar die handen waren het enige zachte aan hem. De rest van hem was uit een of ander gesteente gehouwen. Zijn slanke lichaam was zo hard en vetarm dat, als hij van het podium viel, hij vast en zeker in scherfjes uiteen zou springen.

De uniformen van onze staatspolitie hebben me altijd een onbehaaglijk gevoel gegeven, vooral die van de hoogste rangen. Er gaat iets agressief Teutoons van uit: al dat glimmende zwarte leer, die opvallende epauletten en al dat glanzende metaal, de harde riem van de koppelriem die van de rechterschouder naar de linkerheup over de borst spant, de extra halve centimeter lengte van de klep van de pet, zodat die over het voorhoofd hangt en de ogen afschermt.

Politiemensen uit grote steden doen me altijd aan de veteranen in oude oorlogsfilms denken. Hoe keurig hun uniform ook is, je kunt altijd voor je zien hoe ze op hun buik het strand van Normandië over kruipen, een natte sigaar tussen hun tanden, een regen van zand op hun rug. Maar als ik naar de gemiddelde staats-politieman kijk – de kaken op elkaar, de kin arrogant naar voren, de glinstering van de zon op al die uniformonderdelen die ge-maakt zijn om te glanzen – zie ik hen meteen in 1939 in paradepas door de herfstachtige straten van Polen marcheren.

Hoofdinspecteur Dempsey had zijn pet kort na het begin van de bijeenkomst afgezet en bleek er verrassend oranje haar onder te hebben. Dat haar was kortgeknipt, en de fel oranje sprieten die zich van zijn hoofdhuid verhieven leken op kunstgras. Blijkbaar was hij zich bewust van het schokkende effect dat zijn haar op on-bekenden had. Hij streek met zijn handpalmen over de zijkant, nam de aanwijsstok van zijn bureau en tikte ermee tegen zijn open handpalm, terwijl zijn uilenogen met een pijnlijk soort min-achting naar de aanwezigen keken. Links van hem in de korte rij stoelen onder het wapen van de staat Massachuscts zaten in-specteur Doyle en de korpschef van Quincy, allebei gekleed in hun beste begrafeniskleren. Ze keken alle drie met een impone-rende blik de zaal in.

We waren in de briefingruimte van de politie van Massachusetts in Milton bijeengekomen, en de hele linkerkant van de zaal werd in beslag genomen door de staatsdienders zelf, allemaal met ha-viksogen en een gladde huid, hun pet stevig onder hun arm ge-klemd. Op hun broeken en overhemden was nog niet het kleinste kreukeltje te zien.

De linkerkant van de kamer werd in beslag genomen door de politie van Quincy op de voorste en die van Boston op de achter-ste rijen. Die van Quincy leken de staatsdienders naar de kroon te steken, al zag ik een paar kreukels en een paar petten die bij hun voeten op de vloer lagen. Het waren voor het merendeel jon-ge mannen en vrouwen, hun wangen zo glad en glanzend als ge-streepte zeebaars, en ik zou er heel wat onder durven te verwed-den dat niemand van hen ooit onder werktijd met een vuurwapen had geschoten.

De achterkant van de zaal daarentegen leek op de wachtruim-te van een gaarkeuken. De geüniformeerde agenten zagen er goed uit, maar de mannen en vrouwen van Misdrijven Tegen Kin-deren en de rechercheurs die tijdelijk van andere afdelingen wa-ren geleend, vormden een allegaartje van vloekende kleuren en koffievlekken. Overal rook je sigarettenadem en zag je stoppel-baarden, verwarde haren en kleren die zo erg verkreukeld waren dat je klein keukengerei in de plooien zou kunnen verliezen. De meeste van die rechercheurs hadden van het begin af aan de zaak-Amanda McCready gewerkt, en ze hadden die 'als-het-je-niet-bevalt-kun-je-doodvallen'-houding van alle politiemensen die te veel overuren hebben gemaakt en op te veel deuren hebben gebonkt. In tegenstelling tot de smerissen van Quincy en de staat Massachusetts zaten de rechercheurs uit Boston onderuitgezakt op hun stoel. Ze schopten naar elkaar en hoestten veel.

Angie en ik arriveerden kort voordat de bijeenkomst begon en we gingen achter in de zaal zitten. In haar bruine leren jasje en haar pasgewassen zwarte jeans, waar haar zwarte katoenen shirt overheen hing, zag Angie er goed genoeg uit om bij de mensen uit Quincy te kunnen zitten, maar ikzelf was helemaal post-Seattle-grunge. Ik droeg een gescheurd flanellen overhemd over een wit Ren & Stimpy-T-shirt en jeans met spikkels witte verf. Maar mijn hoge schoenen waren fonkelnieuw.

'Zijn dat van die schoenen die pompen?' vroeg Broussard, toen we achter hem en Poole gingen zitten.

Ik streek een stofje van mijn nieuwe stappers. 'Nee.'

'Jammer. Ik mag dat pompen wel.'

'Volgens de reclamespot,' zei ik, 'helpen ze me om net zo hoog te springen als Penny Hardaway en twee meiden tegelijk te krijgen.'

'O, goed, dan zijn ze het geld waard.'

Achter hoofdinspecteur Dempsey hingen twee staatspolitie-mannen een grote topografische kaart van de Quincy-groeven en het Blue Hills-reservaat aan de muur. Zodra die kaart hing, bracht Dempsey zijn aanwijsstok omhoog en tikte ergens midden op de kaart.

'De Granite Rail-groeve,' zei hij energiek. 'Op grond van recente ontwikkelingen in de ontvoeringszaak-Amanda McCready geloven we dat vanavond om twintig uur een uitwisseling zal plaatsvinden. De kidnappers willen het kind uitwisselen tegen een zak met gestolen geld die momenteel in beheer is bij de politie van Boston.' Hij bewoog zijn aanwijsstok in een grote kring over de kaart. 'Zoals u kunt zien, zijn de groeven waarschijnlijk uitgekozen vanwege de talloos vele potentiële vluchtroutes.'

'Talloos vele,' mompelde Poole. 'Dat is mooi gezegd.'

'Ook als we helikopters tot onze beschikking hebben en een complete speciale eenheid op strategische punten rond zowel de groeven als het Blue Hills-reservaat hebben staan, zal het nog lastig worden. Tot overmaat van ramp hebben de kidnappers geëist dat er vanavond maar vier mensen naar de groeve gaan. Totdat de uitwisseling heeft plaatsgevonden, moeten we volstrekt onzichtbaar blijven.'

Een agent stak zijn hand op en schraapte zijn keel. 'Hoofdinspecteur, hoe kunnen we het terrein omsingelen en tegelijk onzichtbaar blijven?'

'Dat is het probleem.' Dempsey streek over zijn kin.

'Dat zei hij niet echt,' fluisterde Poole.

'Toch wel.

'Wow.'

'Commandopost Eén,' zei Dempsey, 'zal in dit dal worden opgezet, aan de voet van de flauwe helling naar de Blue Hills. Van daaruit is het per helikopter nog geen minuut naar de top van de Granite Rail-groeve. De meerderheid van onze mensen zal daar klaarstaan. Zodra we horen dat de uitwisseling is voltooid, verspreiden we ons rondom het reservaat en blokkeren we Quarry Street aan weerskanten, Chickatawbut Road en Saw Cut Notch Road ook aan weerskanten, en sluiten we zowel de zuidelijke als de noordelijke op- en afrit van de snelweg af en halen we het net aan rond de hele rataplan.'

'Rataplan,' zei Poole.

'Commandopost Twee zal zich hier bij de ingang van de Quincy-begraafplaats bevinden, en Commandopost Drie...'

We luisterden een uur naar Dempsey. Hij zette het hele plan uiteen en wees taken toe aan afdelingen van de staatspolitie en de plaatselijke korpsen. Rond de Quincy-groeven en langs de rand van de Blue Hills zouden meer dan honderdvijftig politiemensen worden ingezet. Ze hadden drie helikopters tot hun beschikking. Het gijzelingsteam van de politie van Boston, een eliteteam, zou ter plaatse zijn. Inspecteur Doyle en de korpscommandant van Quincy zouden als 'zwervers' fungeren en elk in hun eigen auto, met de koplampen uit, in het donker om de groeven rijden.

'Hopelijk botsen ze niet tegen elkaar op,' zei Poole.

De groeven vormden een grote landmassa. Op het hoogtepunt van de granietindustrie in New England waren er meer dan zestig in gebruik geweest. Granite Rail was een van de tweeëntwintig groeven die niet waren dichtgegooid. De andere eenentwintig lagen verspreid over de geteisterde heuvels tussen de snelweg en de Blue Hills. We zouden daar 's avonds met erg weinig licht naartoe gaan. Zelfs de rangers van de boswachterij die Dempsey erbij had gehaald om informatie over de omgeving te krijgen, gaven toe dat er in die heuvels zoveel paden waren dat het bestaan van sommige alleen bekend was aan de weinige mensen die er gebruik van maakten.

Maar eigenlijk ging het niet om die paden. Paden leidden uiteindelijk ergens heen, en dat 'ergens' bestond uit een klein aantal wegen en een openbaar park of zo. Zelfs wanneer de kidnappers kans zagen door het vangnet op de heuvels te glippen, zouden ze beneden ergens in de kraag worden gevat. Als het een kwestie was van alleen wij vieren en een paar agenten die de heuvels in de gaten hielden, zou ik op Cheese's mensen gokken. Maar nu er honderdvijftig politiemensen werden ingeschakeld, kon ik me niet voorstellen dat iemand ongemerkt in en uit de groeven kon komen.

En hoe dom de meeste mensen in Cheese's organisatie ook waren, zelfs zij moesten weten dat ze in een gijzelingssituatie altijd, ondanks alle eisen die ze stelden, met een heleboel politie te maken zouden krijgen.

Hoe wilden ze ontsnappen?

Ik stak mijn hand op toen Dempsey even zijn mond hield, en toen hij mij zag, leek het er even op dat hij me wilde negeren, en dus zei ik: 'Hoofdinspecteur.'

Hij keek naar zijn aanwijsstok. 'Ja.'

'Ik zie niet hoe de kidnappers kunnen ontsnappen.'

Hier en daar werd er gegrinnikt. Dempsey glimlachte.

'Nou, dat is toch ook de bedoeling, meneer Kenzie?'

Ik glimlachte terug. 'Dat begrijp ik, maar denkt u niet dat de kidnappers het ook begrijpen?'

'Hoe bedoelt u?'

'Zij hebben die locatie uitgekozen. Ze moeten beseffen dat u een kordon zou leggen. Ja?'

Dempsey haalde zijn schouders op. 'De misdaad maakt je dom.'

Er werd weer beleefd gelachen door de jongens in het blauw.

Ik wachtte tot iedereen klaar was met lachen. 'Hoofdinspecteur, maar als ze nu eens aan die mogelijkheid hebben gedacht – wat dan?'

Zijn glimlach werd breder, maar zijn uilenogen deden niet mee. Ze keken me half dichtgeknepen en een beetje verward, een beetje kwaad, aan. 'Er is geen uitweg, meneer Kenzie. Wát ze ook denken. Het is een miljard tegen één.'

'Maar zij denken dat ze die één zijn.'

'Dan hebben ze het mis.' Dempsey keek naar zijn aanwijsstok en trok een smalend gezicht. 'Nog meer domme vragen?'

Om zes uur spraken we met rechercheur Maria Dykema van het gijzelingsteam. Dat deden we in een busje dat bij een watertoren op dertig meter afstand van Ricciuti Drive geparkeerd stond, de weg die door het hart van de Quincy-groeven sneed. Ze was een slanke, tengere vrouw van begin veertig, met amandelvormige ogen en kort haar dat de kleur van melk had. Ze droeg een donker mantelpakje en speelde gedurende het grootste deel van ons gesprek met haar oorhanger, waarin een parel was gezet.

'Als een van jullie tegenover de kidnapper en het kind staat, wat doe je dan?' Haar blik ging over ons vieren en bleef rusten op de wand van het busje, waar iemand een plaatje uit de *National Lampoon* had opgeplakt waarop een hand een pistool bij de kop van een hond hield. Het bijschrift luidde: KOOP DIT TIJDSCHRIFT OF WE DODEN DEZE HOND. 'Ik wacht,' zei ze.

'Dan zeggen we tegen de verdachte dat hij…' zei Broussard.

'Dan vráág je dat aan de verdachte.'

'We vragen de verdachte het kind vrij te laten.'

'En als hij "Pleur op" zegt en zijn pistool op je richt, wat doe je dan?'

'Dan…'

'Dan trek je je terug,' zei ze. 'Je houdt hem in het zicht, maar je geeft hem de ruimte. Als hij in paniek raakt, gaat het kind dood. Als hij zich bedreigt voelt, ook. Het eerste dat je doet, is hem de illusie geven dat hij de ruimte heeft, dat hij zich vrij kan bewegen. Hij moet niet het gevoel hebben dat hij de situatie beheerst, maar hij moet zich ook niet hulpeloos voelen. Hij moet het gevoel hebben dat hij verschillende dingen kan doen.' Ze wendde haar hoofd van de foto af, trok aan haar oorhanger en keek ons aan. 'Duidelijk?'

Ik knikte.

'Wat je ook doet, neem de verdachte niet onder schot. Maak geen plotselinge bewegingen. Als je iets gaat doen, zeg je dat tegen hem. Bijvoorbeeld: "Ik ga nu achteruit. Ik laat mijn pistool nu zakken." Enzovoort.'

'We moeten hem als een baby behandelen,' zei Broussard. 'Dat raad je ons aan.'

Ze glimlachte een beetje en richtte haar blik op de zoom van haar rok. 'Rechercheur Broussard, ik zit nu al zes jaar in het gijzelingsteam en heb nog maar één gijzelaar verloren. Als je in zo'n situatie je borst wilt opzetten en wilt schreeuwen van "Handen omhoog, klootzak", dan moet je dat zelf weten. Maar doe me een lol en laat me niet in het talkshowcircuit opdraven als de dader Amanda McCready overhoop schiet en haar hart over je overhemd spat.' Ze keek hem met opgetrokken wenkbrauwen aan. 'Ja?'

'Rechercheur,' zei Broussard. 'Ik wilde de manier waarop u uw werk doet niet in twijfel trekken. Ik maakte alleen maar een opmerking.'

Poole knikte. 'Als we iemand als een baby moeten behandelen om dat meisje te redden, zet ik die kerel in een kinderwagen en zing wiegeliedjes voor hem. Dat beloof ik.'

Ze leunde zuchtend achterover en streek met beide handen door haar haar. 'De kans dat iemand de dader met Amanda McCready tegenkomt, is miniem. Maar als het gebeurt, vergeet dan niet – dat meisje is het enige dat ze hebben. Mensen die gijzelaars in handen hebben en dan in een patstelling terechtkomen, gedragen zich als ratten die in het nauw worden gedreven. Meestal zijn ze erg bang en erg dodelijk. En ze nemen het zichzelf of jou niet kwalijk dat ze in die situatie verkeren. Ze nemen het háár kwalijk. En als je niet erg voorzichtig bent, snijden ze haar keel door.'

Ze liet dat op ons inwerken. Toen haalde ze vier visitekaartjes uit de zak van haar mantelpakje en gaf er een aan elk van ons. 'Jullie hebben allemaal een mobiele telefoon?'

We knikten.

'Mijn nummer staat op de achterkant van dat kaartje. Als jullie met de dader in een patstelling verzeild raken en niet meer weten wat jullie moeten zeggen, bellen jullie mij en geven de telefoon aan de kidnapper. Ja?'

Ze keek door het achterraam naar de ruige zwarte massa van de heuvels en de groeven, de scherpe silhouetten van kartelige graniettoppen.

'De groeven,' zei ze. 'Wie zou zo'n plaats uitkiezen?'

'Het lijkt me niet de makkelijkste plaats om uit weg te vluchten,' zei Angie. 'Onder de omstandigheden.'

Rechercheur Dykema knikte. 'En toch hebben ze ervoor gekozen. Wat weten zij dat wij níet weten?'

Om zeven uur kwamen we bij elkaar in de mobiele commandopost van de politie van Boston, waar inspecteur Doyle ons zijn versie van peptalk gaf.

'Als jullie het verknoeien, zijn er daar genoeg afgronden om in te springen. En dus...' Hij klopte op Pooles knie. 'En dus moeten jullie het niet verknoeien.'

'Een inspirerende toespraak,' zei Poole.

Doyle greep onder de controletafel en haalde een lichtblauwe gymtas te voorschijn, die hij op Broussards schoot wierp. 'Het geld dat Kenzie vanmorgen heeft ingeleverd. Het is allemaal geteld en alle serienummers zijn genoteerd. Er zit precies tweehonderdduizend dollar in die tas. Geen cent minder. Zorg dat het allemaal terugkomt.'

De radio die ruim een derde van de controletafel in beslag nam, liet van zich horen: 'Commando, hier Eenheid Negenenvijftig. Over.'

Doyle nam de hoorn van de haak en drukte op de zendknop. 'Hier Commando. Ga je gang, Negenenvijftig.'

'Mullen heeft Devonshire Place in een Yellow Taxi verlaten en rijdt in westelijke richting over Storrow. We volgen. Over.'

'In westelijke richting?' zei Broussard. 'Waarom gaat hij naar het westen? Waarom is hij op Storrow?'

'Negenenvijftig,' zei Doyle. 'Heb je Mullen met zekerheid herkend?'

'Ah...' Er volgde een lange stilte met veel geruis en geknetter.

'Nogmaals, Negenenvijftig. Over.'

'Commando, we hebben Mullens gesprek met het taxibedrijf onderschept en zagen hem bij de achteringang van Devonshire instappen. Over.'

'Negenenvijftig, je klinkt nogal onzeker.'

'Eh, Commando, we zagen een man die aan Mullens signalement voldeed en die een Celtics-pet en een zonnebril droeg... Uh... Over.'

Doyle deed zijn ogen dicht en hield de hoorn even tegen het midden van zijn voorhoofd. 'Negenenvijftig, heb je de verdachte nu wel of niet met zekerheid gezien? Over.'

Weer een lange stilte, met veel ruis.

'Eh, Commando, nu ik erover nadenk, is het nee. Maar we zijn er vrij zeker van...'

'Negenenvijftig, wie let samen met jou op Devonshire Place? Over.'

'Zevenenzestig, Commando. Moeten we...'

Doyle onderbrak hem door op een knop te drukken, drukte toen op een andere knop van de radio en sprak in de hoorn.

'Zevenenzestig, hier Commando. Geef antwoord. Over.'

'Commando, hier Zevenenzestig. Over.'

'Wat is je positie?'

'In zuidelijke richting op Tremont, Commando. Collega te voet. Over.'

'Zevenenzestig, waarom ben je op Tremont? Over.'

'Ik volg de verdachte, Commando. Verdachte is te voet en loopt in zuidelijke richting over de Common. Over.'

'Zevenenzestig, bedoel je dat je Mullen in zuidelijke richting over Tremont volgt?'

'Jazeker, commando.'

'Zevenenzestig, geef je collega opdracht Mullen aan te houden. Over.'

'Eh, Commando, we…'

'Geef je collega opdracht de verdachte aan te houden, Zevenenzestig. Over.'

'Jazeker.'

Doyle legde de hoorn even op de controletafel, kneep in de rug van zijn neus en zuchtte.

Angie en ik keken Poole en Broussard aan. Broussard haalde zijn schouders op. Poole schudde vol walging met zijn hoofd.

'Eh, Commando, hier Zevenenzestig. Over.'

Doyle pakte de hoorn op. 'Zeg het maar.'

'Ja, Commando, nou, eh…'

'De man die jullie volgen, is niet Mullen, hè?'

'Nee, Commando. De persoon was gekleed als de verdachte, maar…'

'Sluiten, Zevenenzestig.'

Doyle gooide de hoorn op de haak van de radio en schudde zijn hoofd. Hij leunde in zijn stoel achterover en keek Poole aan.

'Waar is Gutierrez?'

Poole vouwde zijn handen op zijn schoot. 'De laatste keer dat ik het naging, was hij in een kamer in het Prudential Hilton. Daar was hij gisteravond uit Lowell aangekomen.'

'Wie houden hem in de gaten?'

'Een team van vier man. Dean, Gallagher, Gleason en Halpern.'

Doyle zocht de namen op in zijn lijst met nummers. Hij drukte op een knop van de radio.

'Eenheid Negenenveertig, hier Commando. Meld je. Over.'

'Commando, hier Negenenveertig. Over.'

'Wat is je positie? Over.'

'Dalton Street, Commando, bij het Hilton. Over.'

'Negenenveertig, waar is…' Doyle keek in de lijst die naast hem lag. 'Waar is eenheid Drieënzeventig? Over.'

'Rechercheur Gleason is in de hal van het hotel, Commando. Rechercheur Halpern houdt de achteruitgang in het oog. Over.'

'En waar is de verdachte? Over.'

'De verdachte is in zijn kamer, Commando. Over.'

'Bevestig dat, Negenenveertig. Over.'

'Begrepen. Ik meld me weer bij u. Over en sluiten.'

Zwijgend wachtten we op een antwoord. We keken elkaar niet eens aan. Op diezelfde manier kijk je naar een football-wedstrijd waarvan je weet dat ook al heeft je team een voorsprong van zes punten en duurt de wedstrijd nog maar vier minuten, ze het op de een of andere manier gaan verknoeien. Zo hadden wij vijven in het commandobusje het gevoel dat het eventuele voordeel dat we hadden onder de deur door weggleed in de vallende schemering. Als Mullen vier ervaren rechercheurs zo gemakkelijk het nakijken had gegeven, hoe vaak had hij dat de afgelopen vier dagen dan nog meer gedaan? Hoe vaak waren rechercheurs er zeker van geweest dat ze Mullen volgden terwijl ze in werkelijkheid achter iemand anders aan liepen? Misschien was Mullen wel meermalen bij Amanda McCready geweest. Misschien had hij zijn vluchtroute voor de komende avond verkend. Misschien had hij politiemensen omgekocht om een oogje dicht te doen of had hij bepaald welke politiemensen hij die avond na acht uur in die donkere heuvels wilde uitschakelen.

Als Mullen van het begin af had geweten dat we achter hem aan zaten, kon hij ons alles hebben laten zien wat hij wilde. En terwijl wij daarnaar keken, kon hij achter onze rug de dingen hebben gedaan die we niet mochten zien.

'Commando, hier Negenenveertig. We hebben een probleem. Gutierrez is weg. Ik herhaal: Gutierrez is weg. Over.'

'Hoelang, Negenenveertig? Over.

'Dat is moeilijk te zeggen, Commando. Zijn huurauto staat nog in de garage. We hebben hem voor het laatst om zeven uur gezien. Over.'

'Commando sluiten.'

Zo te zien dacht Doyle er serieus over de hoorn in zijn hand kapot te drukken. Toen legde hij hem voorzichtig op de hoek van de controletafel neer.

'Hij heeft natuurlijk een dag of twee voordat hij naar het hotel ging een andere auto in de garage laten zetten,' zei Broussard.

Doyle knikte. 'Als ik contact met de andere teams opneem, hoeveel van Olamons mannen denken jullie dat er dan verdwenen blijken te zijn?'

Niemand had daar een antwoord op, maar dat zou hij ook niet hebben verwacht.

18

Als je vanuit mijn buurt naar het zuiden rijdt en je steekt de rivier de Neponset over, kom je in Quincy. Mijn vaders generatie beschouwde Quincy als een opstapje voor Ieren die welvarend genoeg waren om uit Dorchester weg te komen maar niet rijk genoeg om naar Milton te gaan, de chique Ierse voorstad een paar kilometer naar het noordwesten, waar de huizen twee wc's hadden. Als je de Interstate 93 in zuidelijke richting volgt, zie je vlak voor Braintree een groepje rossig bruine heuvels in het westen. Die heuvels lijken altijd op het punt te staan om in te storten.

Het was in die heuvels dat de grote oude mannen uit Quincy's verleden graniet ontdekten dat zo rijk aan silicaten en rokerige kwarts was dat het als een stroom diamanten aan hun voeten moet hebben geglinsterd. De eerste commerciële spoorlijn in het land werd hier in 1827 aangelegd. In Quincy, hoog in de heuvels, werd de eerste rail met pennen en bouten vastgezet. De spoorlijn was aangelegd om graniet naar de oever van de Neponset te vervoeren, waar het op schoeners werd geladen en naar Boston of New York, New Orleans, Mobile en Savannah werd gebracht.

In honderd jaren van granietwinning werd materiaal geleverd voor gebouwen die de tijd en de wisselingen van de mode moesten doorstaan – imposante bibliotheken en overheidsgebouwen, kerken met hoge torens, gevangenissen die alle geluid, licht en hoop op ontsnapping smoorden, de gecannelleerde zuilen van douanegebouwen in het hele land, en het Bunker Hill Monument. En toen al dat gesteente uit de aarde was gehaald, waren er gaten overgebleven. Diepe gaten. Grote gaten. Gaten die nooit met iets anders dan water zijn opgevuld.

Nadat er een eind aan de granietwinning was gekomen, waren de groeven in de loop van de jaren het favoriete dumpterrein voor zo ongeveer alles geworden: gestolen auto's, oude koelkasten en ovens, lichamen. Elke paar jaar, als er een kind is verdwenen na een duik in die meertjes, of als iemand die levenslang in Walpole zit tegen de politie zegt dat hij een verdwenen hoer in een van de afgronden heeft gegooid, worden de groeven doorzocht en komen de kranten met kaarten en onderwaterfoto's waarop je een heel onderwaterlandschap van bergketens ziet, met gesteente dat scherp is afgebroken en verdwenen, met spitse naalden die uit de diepten verrijzen, met ruige rotswanden die ineens opduiken als geesten van Atlantis onder dertig meter regen.

Soms worden die lichamen gevonden. En soms niet. De groeven, waarin onderwaterstormen van zwarte modder woeden en zich plotselinge, onlogische verschuivingen in het landschap voordoen, zitten vol onbekende richels en spleten. Ze geven hun geheimen even gemakkelijk prijs als het Vaticaan.

Toen we daar die oude spoorhelling beklommen, takken van ons gezicht vandaan hielden en planten vertrapten en in het donker over rotsen struikelden, en soms over een gladde steen uitgleden en binnensmonds vloekten, dacht ik onwillekeurig dat, als we pioniers waren geweest die door deze heuvels probeerden te trekken om bij het water aan de andere kant van de Blue Hills te komen, we inmiddels al dood zouden zijn. Een beer of woedende eland of een stel indiaanse krijgers zou ons hebben gedood omdat we de rust verstoorden.

'Probeer een beetje meer lawaai te maken,' zei ik, toen Broussard in het donker uitgleed, met zijn scheen tegen een kei plofte en zich lang genoeg oprichtte om die kei een schop terug te verkopen.

'Hé,' zei hij. 'Zie ik eruit als een woudloper? De laatste keer dat ik in het bos was, was ik dronken, had ik seks en kon toen de snelweg nog zien.'

'Je had seks?' zei Angie. 'Allemachtig.'

'Heb je iets tegen seks?'

'Ik heb iets tegen insecten,' zei Angie. 'Jakkes.'

'Is het waar dat als je seks in het bos hebt, er beren op de geur afkomen?' zei Poole. Hij steunde even op een boomstronk en zoog de avondlucht in zijn longen.

'Er zijn hier niet veel beren meer.'

'Je kunt nooit weten,' zei Poole, en hij keek tussen de donkere bomen door. Hij zette de gymtas met geld even bij zijn voeten, haalde een zakdoek uit zijn zak, veegde daarmee het zweet van zijn hals en streek over zijn rode gezicht. Hij blies lucht uit zijn wangen en slikte een paar keer.

'Alles goed, Poole?'

Hij knikte. 'Prima. Alleen uit vorm. En, o, ja, oud.'

'Wil je dat een van ons die tas draagt?' vroeg Angie.

Poole trok een grimas naar haar en pakte de tas op. Hij wees naar de helling. '"Nogmaals het bolwerk op."'

'Dat is geen bolwerk,' zei Broussard. 'Dat is een heuvel.'

'Ik citeerde Shakespeare, cultuurbarbaar.' Poole kwam van de boom vandaan en begon de helling op te sjokken.

'Dan had je moeten zeggen: "Mijn koninkrijk voor een paard,"' zei Broussard. 'Dat zou passender geweest zijn.'

Angie haalde een paar keer diep adem en zag Broussard kijken toen hij hetzelfde deed. 'We zijn oud.'

'We zijn oud,' beaamde hij.

'Wordt het geen tijd om ermee te kappen?'

'Zou ik best willen.' Hij glimlachte, boog zich voorover en haalde nog eens diep adem. 'Mijn vrouw? Die kreeg een auto-ongeluk vlak voordat we trouwden. Ze brak wat botten. Geen ziektekostenverzekering. Weet je wat het kost om een breuk te herstellen? Man, ik kan met pensioen tegen de tijd dat ik met een looprek achter criminelen aan zit.'

'Had iemand het over een looprek?' zei Poole. Hij keek op naar de steile helling. 'Dat zou niet gek zijn.'

Als tiener had ik dit pad wel eens genomen om bij de waterplassen van Granite Rail of Swingle's Quarry te komen. Officieel was het natuurlijk verboden terrein. Er stonden hekken omheen en er patrouilleerden rangers, maar er zaten altijd wel openingen in het hek, als je wist waar je moest kijken, en als je geen openingen vond, nam je gereedschap mee om er zelf een te maken. Er waren weinig rangers, en ook als ze met een klein leger waren geweest, zou het een hele opgave voor ze zijn geweest om de tientallen groeven en honderden kinderen in de gaten te houden die er op een smoorhete zomerdag naartoe klauterden.

En dus had ik deze helling al eens eerder beklommen. Vijftien jaar geleden. Overdag.

Het was nu wel wat anders. Ten eerste verkeerde ik in een andere conditie dan toen ik nog een tiener was. Te veel kneuzingen en te veel kroegen en veel te veel aanvaringen met mensen en biljarttafels – en ook een keer met een voorruit en de weg daarachter – hadden mijn lichaam de pijn en het gekraak en de constante dofheid bezorgd van een professionele footballspeler of een man die tweemaal zo oud was als ik.

Ten tweede was ik net zomin een woudloper als Broussard.

Mijn ervaringen met een wereld zonder asfalt en een goede broodjeszaak waren beperkt. Eens per jaar maakte ik met mijn zus en haar gezin een wandeling over de hellingen van Mount Rainier in Washington; vier jaar geleden was ik tot een kampeertocht in Maine overgehaald door een vrouw die zich als een natuurliefhebster beschouwde omdat ze in legerdumpzaken kocht. Het was de bedoeling geweest dat we een trektocht van drie dagen maakten, maar we hadden het één nacht en één blik insectenverdrijver uitgehouden en waren toen naar Camden gereden, naar witte lakens en roomservice.

Terwijl we de helling naar de Granite Rail-groeve beklommen, keek ik naar mijn metgezellen. Ik vermoedde dat ze geen van allen door die eerste nacht van die kampeertocht zouden zijn gekomen. Bij daglicht en met de juiste wandelschoenen, een stevige wandelstok en een eersteklas skilift zouden we misschien flink vooruit zijn gekomen, maar nu duurde het twintig minuten voordat we de helling op waren, strompelend en struikelend, met het schijnsel van onze zaklantaarns op bielsafdrukken en de weinige achtergebleven dwarsliggers van een spoorweg die al bijna honderd jaar niet meer bestond. Eindelijk vingen we een glimp van het water op.

Niets ruikt zo zuiver en koud en veelbelovend als water in een groeve. Ik weet niet hoe dat komt, want het is alleen maar het regenwater van tientallen jaren, verzameld tussen wanden van graniet en gevoed en verfrist door ondergrondse bronnen, maar zodra ik die geur in mijn neusgaten had, was ik weer zestien en voelde ik dezelfde sensatie in mijn borst als wanneer ik over de rand van Heaven's Peak sprong, een twintig meter hoge rotswand in Swingle's Quarry. Ik zag weer hoe het lichtgroene water zich als een wachtende hand voor me opende, voelde me gewichtloos en lichaamloos, een zuivere geest in de lege, ontzagwekkende lucht. Toen viel ik, en de lucht veranderde in een tornado die recht omhoog schoot vanuit dat snel dichterbij komende groene water, en de graffiti sprong van de richels en rotswanden op me af, barstte uiteen in salvo's rood en zwart en goud en blauw, en ik rook die zuivere, koude en plotseling angstaanjagende geur van een eeuw van regendruppels. Toen raakte ik het water, met de tenen omlaag gestrekt, de polsen strak tegen mijn heupen. Ik gleed diep onder het oppervlak, waar de auto's en de koelkasten en de lijken liggen.

In de loop van de jaren eisten de groeven zo ongeveer elke vier jaar een jong mensenleven op, om nog maar te zwijgen van alle lijken die in het holst van de nacht over de rand werden gegooid en jaren later, of nooit, ontdekt werden. Zolang ik weet, vragen journalisten, buurtcomités en rouwende ouders zich af: 'Waarom? Waarom?'

Waarom voelen tieners – 'groeveratten', noemden we ons in mijn tijd – zich geroepen om van rotwanden van wel dertig meter te springen, in water dat zestig meter diep is en vergeven van plotselinge rotsuitstulpsels, autoantennes, houtblokken en wie weet wat nog meer?

Ik heb geen idee. Ik sprong omdat ik een tiener was. Omdat mijn vader een klootzak was en we constant de politie over de vloer hadden, en omdat mijn zus en ik een groot deel van de tijd bezig waren een plek te vinden waar we ons konden verstoppen. Zo'n geweldig leven was dat niet. Als ik op die rotsen stond en over de rand naar die omgekeerde groene schaal keek, de schaal die ronddraaide en meer van zichzelf liet zien als ik mijn hals rekte, voelde ik een koude siddering in mijn binnenste, een besef van alle armen en benen, alle botten en alle bloedvaten in mijn lichaam. Ik sprong omdat ik me in de lucht zuiver en in het water schoon voelde. Ik sprong om dingen aan mijn vrienden te bewijzen, en toen ik ze eenmaal had bewezen, sprong ik omdat ik eraan verslaafd was, omdat ik steeds hogere rotswanden, diepere afgronden moest vinden. Ik sprong om dezelfde reden waarom ik later privé-detective werd – omdat ik er de pest aan heb precies te weten wat er gaat gebeuren.

'Ik moet even op adem komen,' zei Poole. Hij pakte een stammetje vast en gebruikte het om zich op de grond te laten zakken. De gymtas viel uit zijn hand en zijn voet gleed uit. Hij viel bovenop de tas, al hield hij zijn hand stevig om het stammetje geklemd.

We waren ongeveer vijftien meter van de top. Ik kon een vage groene schittering van water zien, als een flard van bewolking, weerspiegeld in de donkere rotswanden en in de kobaltblauwe hemel.

'Ja, goed.' Broussard bleef bij zijn collega staan. De oudere man legde zijn zaklantaarn in zijn schoot en hapte naar adem.

In het donker was Poole zo wit als ik hem nog nooit had gezien. Hij glansde. Zijn ademhaling schuurde moeizaam in de duisternis en zijn ogen dreven in hun kassen, leken weg te zweven, op zoek naar iets dat ze niet konden vinden.

Angie knielde bij hem neer. Ze legde haar hand onder zijn kin en voelde zijn pols. 'Haal eens diep adem.'

Poole knikte met uitpuilende ogen en zoog lucht naar binnen.

Broussard liet zich op zijn hurken zakken. 'Alles goed, makker?'

'Prima,' kon Poole uitbrengen. 'Perfect.'

De glans op zijn gezicht strekte zich nu tot zijn keel uit en maakte zijn boord nat.

'Te oud om me zo'n...' Hij hoestte. 'Om me zo'n helling op te hijsen.'

Angie keek Broussard aan. Broussard keek mij weer aan.

Poole hoestte nog wat. Ik scheen met mijn zaklantaarn omlaag en zag kleine spikkeltjes bloed op zijn kin.

'Even wachten,' zei hij.

Ik schudde mijn hoofd en Broussard knikte en haalde zijn walkie-talkie uit zijn jasje.

Poole greep omhoog en pakte zijn pols vast. 'Wat doe je?'

'Ik meld het,' zei Broussard. 'We moeten je van deze heuvel af halen, beste kerel.'

Poole verstrakte zijn greep op Broussards pols en hoestte zó hard dat ik dacht dat hij erin zou blijven.

'Jij meldt niks,' zei hij. 'Alleen wij vieren mogen hier komen.'

'Poole,' zei Angie. 'Het gaat niet goed met je.'

Hij keek naar haar op en glimlachte. 'Ik mankeer niets.'

'Onzin,' zei Broussard, en hij wendde zich af van het bloed op Pooles kin.

'Echt waar.' Poole ging verzitten op de grond en sloeg zijn arm om het stammetje. 'Ga over de heuvel, kinderen. Ga over de heuvel.' Hij glimlachte, maar zijn mondhoeken trilden tegen zijn glanzende wangen.

We keken naar hem. Hij zag eruit of hij nog maar één rugwelving of oogdraai van een grafsteen verwijderd was. Zijn huid had de kleur van rauwe oesters en zijn ogen konden zich niet concentreren. Zijn ademhaling klonk raspend.

Maar zijn greep op Broussards pols was nog zo krachtig als die van een cipier. Hij keek naar ons drieën en kon blijkbaar raden wat we dachten.

'Ik ben oud en sta in het rood,' zei hij. 'En het komt wel goed met me. Als jullie haar niet vinden, komt het niet goed met haar.'

'Ik kén haar niet, Poole,' zei Broussard. 'Snap je?'

Poole knikte en verstrakte zijn greep op Broussards pols tot die rood werd. 'Dat stel ik op prijs, jongen. Echt waar. Wat is het eerste dat ik je heb geleerd?'

Broussard wendde zijn ogen af. Zijn ogen glinsterden in het licht dat van Angies zaklantaarn kwam en op de borst van zijn collega en zijn pupillen viel.

'Wat is het eerste dat ik je heb geleerd?' herhaalde Poole.

Broussard schraapte zijn keel en spuwde het bos in.

'Huh?'

'De zaak afronden,' zei Broussard, en zijn stem klonk alsof Pooles hand zijn pols had losgelaten en zijn keel had gevonden.

'Altijd,' zei Poole. Hij rolde met zijn ogen in de richting van de helling achter hem. 'Nou, ga hem dan afronden.'

'Ik...'

'Heb niet het lef medelijden met me te hebben, jongen. Heb niet het lef. Pak die tas.'

Broussard liet zijn kin op zijn borst zakken. Hij greep onder Poole, trok de tas te voorschijn en sloeg de aarde van de bodem.

'Toe dan,' zei Poole. 'Ga verder.'

Broussard trok zijn pols los uit Pooles vingers en richtte zich op. Hij keek het donkere bos in als een kind dat net te horen heeft gekregen wat het betekent om alleen te zijn.

Poole keek mij en Angie aan en glimlachte. 'Ik kom er wel bovenop. Als jullie het meisje hebben gered, laten jullie hulp voor mij komen.'

Ik wendde me af. Voor zover ik wist, had Poole zojuist een lichte hartaanval of een beroerte gehad. En het bloed dat hij uit zijn longen had gehoest, gaf niet bepaald aanleiding tot optimisme. Ik keek naar een man die zou sterven als hij niet onmiddellijk hulp kreeg.

'Ik blijf,' zei Angie.

We keken naar haar. Ze was bij Poole op haar knieën neergehurkt gebleven sinds hij was gaan zitten en streek nu met haar hand over zijn witte voorhoofd en door zijn stugge korte haren.

'Geen denken aan,' zei Poole, en hij sloeg naar haar hand. Hij hield zijn hoofd schuin om naar haar op te kijken. 'Dat kind zal vanavond sterven, Angie.' Hij zette zijn tanden even op elkaar en trok een grimas om iets dat door zijn borstbeen omhoogschoot. Hij moest hard slikken om het weg te krijgen. 'Tenzij we iets doen. We hebben iedereen nodig om haar hier heelhuids uit te krijgen. En nu...' Hij worstelde met het stammetje, trok zich wat overeind. 'Nu ga jij naar die groeven. En jij ook, Patrick.' Hij keek Broussard aan. 'En jij helemaal. Dus hup. Erheen.'

Niemand van ons wilde verder gaan. Dat was duidelijk. Maar toen stak Poole zijn arm uit en draaide hij de pols naar ons toe tot we allemaal de verlichte wijzerplaat van zijn horloge konden zien: drie minuten over acht.

We waren laat.

'Ga dan!' snauwde hij.

Ik keek naar de top van de heuvel, en toen in de donkere bossen achter Poole, en ten slotte naar de man zelf. Zoals hij daar half lag en half zat, zijn benen gespreid en zijn ene voet opzij bungelend, leek hij net een vogelverschrikker die van zijn stok was gevallen.

'Ga dan!'

We lieten hem achter.

We klauterden tegen de helling op, Broussard voorop. Het pad werd smaller door struiken en hoog opschietende planten. Afgezien van de geluiden die we zelf maakten, was de avond zó stil dat we gemakkelijk hadden kunnen geloven dat wij de enigen op de wereld waren.

Drie meter onder de top stuitten we op een hek van harmonicagaas van drieëneenhalve meter hoog, maar dat bleek niet zo'n obstakel te zijn. Een stuk zo breed en hoog als een garagedeur was weggeknipt en we liepen door het gat zonder zelfs maar de pas in te houden.

Op de top van de helling bleef Broussard lang genoeg staan om zijn walkie-talkie aan te zetten en erin te fluisteren. 'Zijn bij de groeve aangekomen. Adjunct-inspecteur Raftopoulos is ziek. Stuur op mijn teken – ik herhaal, op mijn teken – een hulpploeg naar de spoorweghelling, vijftien meter onder de top. Wacht op mijn teken. Bevestig dit.'

'We hebben het gehoord.'

'Sluiten.' Broussard stopte de walkie-talkie weer in zijn regenjas.

'Wat nu?' zei Angie.

We stonden op een rots die zich zo'n twaalf meter boven het water verhief. In het donker zag ik de silhouetten van andere rotsen, kromgebogen bomen en richels in het gesteente. Meteen links van ons verhief zich een verhakte, verstrooide en verstoorde granietmassa met enkele puntige spitsen, drie tot vijf meter hoger dan de top waar we stonden. Rechts van ons bleef het terrein zo'n zestig meter vlak, om vervolgens een boog te beschrijven en zich weer puntig en grillig uit het donker te verheffen. Beneden ons wachtte het water, een brede kring van lichtgrijs, afstekend tegen de zwarte rotswanden.

'De vrouw die Lionel belde, zei dat we op instructies moesten wachten,' zei Broussard. 'Zien jullie instructies?'

Angie scheen met haar zaklantaarn naar onze voeten, liet het licht over de granietwanden schijnen en een boog over bomen en struiken beschrijven. Het dansende licht was als een lui oog. We vingen fragmentarische glimpen op van een dichtbegroeide, vreemde wereld die zich binnen enkele centimeters afstand dramatisch kon veranderen – van steen tot mos tot gehavende witte schors tot muntgroene plantengroei. En tussen de bomen door zagen we de zilverige lijnen van het hek van harmonicagaas, als stroken tandfloss.

'Ik zie geen instructies,' zei Angie.

Bubba, wist ik, was ergens om ons heen. Waarschijnlijk kon hij ons op dat moment zien. Misschien kon hij Mullen en Gutierrez zien, en wie er verder ook maar met hen samenwerkte. Misschien kon hij Amanda McCready zien. Hij was van de kant van Milton gekomen, dwars door Cunningham Park gelopen en had een pad gevolgd dat hij jaren geleden had ontdekt, als hij daarheen ging om gestolen wapens te dumpen, of een auto, of een lijk – wat het ook was dat kerels als Bubba in de groeven gooiden.

Hij zou een vizier met lichtversterker op zijn geweer hebben, en door dat vizier zou het lijken of wij drieën in een nevelige wereld van zeewier stonden, of we ons bewogen op een foto die zich voor zijn ogen aan het ontwikkelen was.

De walkie-talkie op Broussards heup piepte. In al die stilte klonk het zachte gepiep als hard gekrijs. Hij frommelde aan het apparaat en bracht het naar zijn mond.

'Broussard.'

'Met Doyle. Wijk Zestien heeft net een telefoontje van de vrouw gekregen met een boodschap voor jullie. We denken dat het de vrouw is die Lionel McCready heeft gebeld.'

'Begrepen. Wat is de boodschap?'

'Jij moet naar rechts lopen, Broussard, naar de zuidelijke rotswanden. Kenzie en Gennaro moeten naar links gaan.'

'Is dat het?'

'Dat is het. Doyle sluiten.'

Broussard hing de walkie-talkie weer bij zijn heup en keek naar de rij rotswanden aan de overkant van het water. 'Verdeel en heers.'

Hij keek naar ons, en zijn ogen waren klein en leeg. Hij leek veel jonger dan anders. De zenuwen en de angst trokken tien jaar van zijn gezicht.

'Wees voorzichtig,' zei Angie.

'Jullie ook,' zei hij.

We bleven daar nog enkele ogenblikken staan, alsof we met onze onbeweeglijkheid het onvermijdelijke konden uitstellen, het moment waarop we zouden ontdekken of Amanda leefde of dood was, het moment waarop alle hoop, alle planning ons uit handen zou worden genomen en we niets meer voor het slachtoffer konden doen.

'Nou,' zei Broussard. 'Shit.' Hij haalde zijn schouders op en liep over het vlakke pad. De lichtbundel van de zaklantaarn danste voor hem uit.

Angie en ik gingen zo'n drie meter van de rand vandaan en volgden de rotswand tot we bij een opening kwamen en zich aan de andere kant een twintig centimeter hogere granietplaat verhief. Ik pakte haar hand vast en we stapten door de opening op de volgende plaat, die we zo'n tien meter volgden en toen stuitten we op een muur.

Die verhief zich ruim drie meter boven ons, en door de crèmeachtige beige kleur liepen slierten chocoladebruin. Het geheel deed me aan een marmercake denken. Een marmercake van zes ton, maar evengoed.

We schenen met onze zaklantaarns naar de linkerkant van die granietmassa en zagen alleen maar een steile wand van zo'n tien meter hoog, tot in de bomen. Ik richtte de lantaarn op de sectie recht voor me en zag uitsparingen in de rotswand, alsof er lagen waren weggehakt. Tachtig centimeter boven het pad zag ik een kleine richel van ongeveer dertig centimeter breed, en ruim een meter daarboven was er een tweede, nog bredere richel.

'De laatste tijd veel aan het beklimmen van rotsen gedaan?' vroeg ik Angie.

'Je denkt toch niet...?' Het schijnsel van haar zaklantaarn danste over de rotswand.

'Ik zie geen alternatief.' Ik gaf haar mijn zaklantaarn en bracht de punt van mijn schoen omhoog tot ik hem op de eerste richel had. Ik keek Angie over mijn schouder aan. 'Ga maar niet recht achter me staan. Misschien kom ik heel snel weer naar beneden.'

Ze schudde haar hoofd en ging naar links. Terwijl ze beide zaklantaarns op de rotswand richtte, zette ik de punt van mijn schoen weer op de richel en bewoog me een paar keer omhoog en omlaag om te zien of de richel afbrokkelde. Toen dat niet gebeurde, haalde ik diep adem, en zette me ertegen af en graaide naar de hogere richel. Ik kreeg mijn vingers op die richel, en ze gleden uit over stof en steenzout en kwamen weer los. Ik viel van de rotswand achterover en belandde op mijn achterste.

'Dat was goed,' zei Angie. 'Jij hebt absoluut een genetische aanleg voor alles wat atletisch is.'

Ik stond op en veegde het stof van mijn vingers door het aan mijn jeans te smeren. Ik keek Angie kwaad aan en probeerde het opnieuw, en opnieuw kwam ik op mijn achterste terecht.

'Maar het gaat op je gemoed werken,' zei Angie.

Bij de derde poging kon ik mijn vingers ruim vijftien seconden op de richel houden voordat ik mijn greep erop verloor.

Angies zaklantaarns schenen in mijn gezicht. Ik keek op naar het monster van koppig graniet.

'Mag ik?' zei ze.

Ik nam de zaklantaarns van haar over en scheen ermee op de rotswand. 'Ga je gang.'

Ze ging een paar meter achteruit en keek naar de rots. Toen ging ze op haar hurken zitten en bewoog zich een paar keer op en neer om haar romp uit te strekken vanuit het onderste van haar rug en plooide ze de spieren van haar vingers. Voordat ik wist wat ze van plan was, stond ze op en rende zo hard als ze kon naar de rotswand. Een paar centimeter voordat ze ertegenaan zou zijn gesmakt, als Wile E. Coyote tegen een opgeschilderde deur, sprong ze met haar ene voet gestrekt naar de onderste richel en kreeg haar rechterhand de bovenste richel te pakken. Haar kleine lichaam sprong nog eens zestig centimeter hoger en haar linkerhand sloeg zich over de top.

Ze hing daar ruim dertig seconden, plat tegen de rots gedrukt alsof ze ertegenaan was gegooid.

'Wat ga je nu doen?' zei ik.

'Ik wou hier een tijdje blijven hangen.'

'Dat klinkt als sarcasme.'

'O, je herkent het?'

'Een van mijn talenten.'

'Patrick,' zei ze, op een toon die me deed denken aan mijn moeder en een aantal nonnen die ik had gekend, 'ga onder me staan en duw me omhoog.'

Ik stak een van de zaklantaarns achter de gesp van mijn riem, zodat het licht naar boven in mijn gezicht scheen, en de andere in mijn achterzak. Toen ging ik onder Angie staan, zette mijn beide handen onder haar hielen en duwde haar omhoog. Beide zaklantaarns samen waren waarschijnlijk zwaarder dan zij. Ze schoot over de rotswand omhoog en ik stak mijn armen uit tot ik ze recht boven mijn hoofd had, en toen kwamen haar voeten vrij van mijn handen. Ze draaide zich boven op de rots om, keek, op haar handen en knieën gezeten, naar me omlaag en stak haar hand uit.

'Klaar, olympiër?'

Ik spoog in mijn hand. 'Kreng.'

Ze trok haar hand terug en glimlachte. 'Wat zei je?'

'Ik zei, ik bréng de andere zaklantaarn ook naar mijn achterzak.'

'O.' Ze liet de hand weer zakken. 'Natuurlijk.'

Nadat ze me omhoog had getrokken, schenen we met de zaklantaarns over de bovenkant van de rots. Die strekte zich minstens twintig meter ononderbroken uit, zo glad als een kegelbal. Ik ging op mijn buik liggen en stak mijn hoofd en zaklantaarn over de rand. De rotswand daalde nog eens zo'n twintig meter recht en glad naar het water af.

We waren nu ongeveer halverwege tegen de noordkant van de groeve opgeklommen. Recht tegenover ons, aan de andere kant van het water, zagen we een rij rotsen en richels, beklad met graffiti en zelfs met een achtergebleven piton van een klimmer. Als ik met mijn zaklantaarn op het water scheen, glinsterde het tegen de rotsen, als hittegolven op een weg in de zomer. Het was het vaalgroen dat ik me herinnerde, een beetje meer melkachtig, maar ik wist dat de kleur bedrieglijk was. Duikers die vorige zomer in dit water naar een lichaam zochten, moesten het zoeken staken toen een hoge concentratie slikafzetting, in combinatie met het slechte zicht dat je van nature in diepten van meer dan vijftig meter hebt, het hun onmogelijk maakte om meer dan een halve of een hele meter vooruit te kijken. Ik scheen weer over het water naar onze kant toe. Het licht gleed over een verfomfaaid nummerbord dat in het groen dreef, een houtblok dat in het midden door dieren was opengeknaagd tot het op een kano leek, en toen op de rand van iets ronds en vleeskleurigs.

'Patrick,' zei Angie.

'Wacht even. Schijn eens daar omlaag.' Ik scheen weer naar rechts, waar ik die curve van vlees had gezien, en zag alleen maar groen water.

'Ange,' zei ik. 'Nu, in godsnaam.'

Ze lag naast me op de rots en scheen met haar zaklantaarn in dezelfde richting als ik met de mijne. Omdat het licht een afstand van twintig meter omlaag moest afleggen, werd het zwakker, en het hielp ook al niet erg dat het water zo zachtgroen was. Onze kringen van licht bewogen zich evenwijdig, als een paar ogen. Ze zwaaiden heen en weer over het water, en toen op en neer, in strakke, rechthoekige patronen.

'Wat zag je dan?'

'Weet ik niet. Het kan een rots zijn geweest...'

De koffiebruine schors van het houtblok dreef in mijn licht-bundel, en toen zag ik het nummerbord weer, verkreukeld alsof dikke, woedende handen ermee aan het werk waren geweest.

Misschien was het inderdaad een rots geweest. Het witte licht, het groene water en al dat zwart eromheen hadden misschien een truc met mijn ogen uitgehaald. Als het een lichaam was geweest, zouden we het inmiddels hebben gevonden. Trouwens, lichamen drijven niet. Niet in de groeven.

'Ik heb iets.'

Ik draaide mijn pols om Angies lichtbundel te volgen, en de twee stralen richtten zich op het ronde hoofd en de dode ogen van Amanda McCready's pop Pea. De pop dreef op haar rug in het groene water. Haar gebloemde jurk was vuil en nat.

O Jezus, dacht ik. Nee.

'Patrick,' zei Angie. 'Ze zou daar beneden kunnen zijn.'

'Wacht...'

'Ze zou daar beneden kunnen zijn,' herhaalde ze, en ik kon horen dat ze zich op haar rug rolde en de schoen van haar linkervoet trapte.

'Angie. Wacht. We moeten...'

Aan de andere kant van de groeve barstte het los in de bomen achter de rotsen. Er ratelden schoten door de takken en er waren gele en witte lichtflitsen in de duisternis.

'Ik ben in het nauw gedreven!' schreeuwde Broussards stem door de walkie-talkie. 'Ik heb onmiddellijk ondersteuning nodig! Herhaal: onmiddellijk ondersteuning!'

Een scherfje marmer sprong van de rots en vloog tegen mijn wang, en toen begonnen de bomen achter ons opeens te gonzen en met hun takken te zwaaien. De vonken werden van de rots-wand geslagen.

Angie en ik rolden ons van de rand weg en ik greep mijn walkie-talkie. 'Hier Kenzie. Er wordt op ons geschoten. Ik herhaal: er wordt op ons geschoten vanaf de zuidkant van de groeve.'

Ik rolde verder de duisternis in en keek naar mijn zaklantaarn, die ik op de rand had laten liggen en zijn lichtbundel nog over de groeve wierp. Degene die vanaf de andere kant van het water aan het schieten was, richtte waarschijnlijk op die zaklantaarn.

'Ben je geraakt?'

Angie schudde haar hoofd. 'Nee.'

'Ik ben zo terug.'

'Wat?'

Een nieuwe kogelregen hamerde in de rotsen en bomen achter

ons, en ik hield mijn adem in en wachtte tot het even wat rustiger was. Toen er een oorverdovende stilte intrad, klauterde ik door het donker en sloeg met de rug van mijn hand naar de zaklantaarn. Ik mepte hem over de rand en hij viel naar het water.

'Jezus,' zei Angie, toen ik naar haar terug kroop. 'Wat doen we nu?'

'Weet ik niet. Als ze nachtvizieren op hun geweren hebben, zijn we dood.'

De schutter opende weer het vuur. Bladeren in de bomen achter Angie sprongen de duisternis in en kogels sloegen in de boomstammen en lieten dunne takken afknappen. Het geweervuur werd een halve seconde onderbroken omdat de schutter opnieuw moest richten, en toen sloeg er metaal in de rotswand onder ons, net over de rand. De kogels hamerden als een hagelstorm tegen de rots. De schutter zou zijn armen maar vijf centimeter omhoog hoeven brengen en de kogels zouden over de rand gaan en in onze gezichten slaan.

'Ik heb hulp nodig!' riep Broussard door de walkie-talkie. 'Onmiddellijk! Ik word van beide kanten beschoten!'

'Hulp onderweg,' antwoordde een rustige, kille stem.

Toen het schieten weer ophield, drukte ik op de zendknop. 'Broussard.'

'Ja. Alles goed met jullie twee?'

'We kunnen geen kant op.'

'Ik ook niet.' Aan zijn kant hoorde ik plotseling een salvo kogels, en toen ik over de groeve keek, zag ik de gestage witte flikkering van geweervuur tussen de bomen.

'Verdomme!' schreeuwde Broussard.

Toen was het of de hemel zich opende en een wit licht over ons uitgoot. Twee helikopters vlogen over het midden van de groeve, met op hun neus zulke krachtige schijnwerpers dat een heel sportstadion in het licht zou kunnen baden Een ogenblik werd ik verblind door de immense gloed van dat plotselinge witte licht. Alles verloor zijn kleur en werd wit: witte bomen, witte rotswand, wit water.

De razernij van wit werd onderbroken door een lang, donker voorwerp dat met een boog van de boomlijn aan de andere kant kwam, door de lucht buitelde en toen over de rotswand naar het water viel. Voordat het uit het zicht verdween, kon ik het lang genoeg zien om te constateren dat het een geweer was, maar toch kwam er nog steeds geweervuur uit de bomen aan de overkant.

Maar toen hield het op. Ik tuurde in het witte licht en ving nog net een glimp op van de kolf van een ander geweer dat door de duisternis naar het water viel.

Een van de heli's zwenkte boven de boomlijn aan Broussards kant opzij en ik hoorde het ratelen van automatisch vuur. Toen hoorde ik Broussard door de walkie-talkie schreeuwen: 'Niet schieten! Niet schieten, idioot!'

De groene boomtoppen zwiepten zich in het witte licht aan flarden. Ze ranselden door de lucht en knapten af. Toen kwam er een eind aan het geratel van het wapen waarmee vanuit de helikopter werd geschoten. De tweede helikopter zwenkte opzij en scheen met zijn licht in mijn gezicht. De wind van de rotorbladen vond mijn lichaam en sloeg me tegen de vlakte. Angie pakte de walkie-talkie en zei: 'Terug. We zijn ongedeerd. Je hangt in de vuurlinie.'

Het witte licht verdween even, en toen ik weer goed kon zien en de rotorwind was afgenomen, zag ik dat de helikopter zo'n vijftien meter omhoog was gegaan. Het toestel hing nu boven de groeve en scheen met zijn licht naar het water.

Er werd niet meer geschoten, maar de razernij van het mechanisch geluid had plaatsgemaakt voor het gieren van helikopter-turbines en het ratelen van rotoren.

Ik keek in het witte schijnsel en zag het groene water kolken. Het houtblok en het nummerbord stuiterden tegen Amanda's pop. Ik draaide me om naar Angie en zag nog net dat ze haar rechterschoen ook uittrapte en tegelijk haar sweatshirt over haar hoofd trok. Ze droeg nu alleen nog een zwarte beha en een spijkerbroek, huiverde in de koude avondlucht en haalde diep adem.

'Je gaat niet naar beneden springen,' zei ik.

'Je hebt gelijk.' Ze knikte en boog zich naar haar sweatshirt en vloog me toen voorbij. Toen ik me naar haar toe had gedraaid, had ze de sprong al gemaakt. Ze sloeg haar benen uit en duwde haar borst naar voren. De helikopter helde naar rechts over en Angies lichaam draaide in het licht en vormde toen een rechte lijn.

Ze viel als een raket.

Haar lichaam was donker in het witte licht. Met haar handen strak tegen haar dijen leek ze, al neervallend, net een slank standbeeld.

Ze ging als een slagersmes het water in en verdween onder het oppervlak.

'We hebben er een in het water,' zei iemand in de walkie-talkie. 'We hebben er een in het water.'

Alsof hij er zeker van was dat ik haar voorbeeld zou volgen, zwenkte de helikopter terug naar de rotswand. Hij draaide zich naar rechts en bleef daar hangen. Hij bewoog een beetje heen en weer, maar vormde als het ware een muur tegenover me.

Als je van rotsen af springt, is het altijd de truc geweest dat je snel op de rand af gaat en een flinke sprong maakt. Je moet zo ver mogelijk springen, opdat je niet in je val door de grillen van de lucht en de zwaartekracht naar de rotswand terug wordt geduwd. Nu die helikopter voor me hing, zou de neerwaartse luchtstroom, gesteld al dat ik kans zou zien onder het toestel te duiken, me tegen de rotswand laten smakken en zouden ze me eraf moeten schrapen.

Ik lag op mijn buik en keek of ik Angie zag. Ze was met zoveel vaart in het water gekomen dat ze, ook als ze begon te trappelen zodra ze kopje-onder ging, evengoed heel diep zou duiken. En in die groeven kon je onder het wateroppervlak van alles tegenkomen: boomstammen, een oude koelkast op een onderwaterheuvel.

Vijftien meter van de pop vandaan dook ze weer op. Ze keek haastig om zich heen en dook weer onder.

Aan de zuidkant van de groeve verscheen Broussard op de top van een ruige rotsmassa. Hij zwaaide met zijn armen en de helikopter aan die kant vloog naar hem toe. Broussard stak zijn handen omhoog en het gieren van de turbine – als van een tandartsboor – krijste door de duisternis. De helikopter liet zijn onderstel naar Broussard toe zakken. Hij greep ernaar, maar een windstoot blies het toestel met een slingering van hem vandaan.

Dezelfde windstoot beukte tegen de helikopter die tegenover me hing, en die sloeg bijna tegen de rotswand aan. Hij trok zich terug, helde naar rechts, draaide zich naar het midden van de groeve en begon terug te komen. Ik trapte mijn schoenen uit en liet mijn jasje van me afglijden.

Beneden kwam Angie weer boven. Ze zwom naar de pop, draaide haar hoofd, keek naar de helikopters boven haar en ging weer onder.

Aan de overkant van de groeve zwenkte de andere helikopter zich naar Broussard toe, die de rotsmassa besteeg. Even leek het of hij zijn evenwicht verloor, maar toen stak hij zijn armen omhoog en sloeg ze om het onderstel van de helikopter, die meteen van de rotsen wegzwenkte, naar het midden van de groeve. Broussard trappelde met zijn benen door de lucht, en zijn lichaam ging omlaag en omhoog, omlaag en omhoog, maar toen werd hij in de cabine gehesen.

De helikopter aan mijn kant kwam recht op me af, en ik besefte bijna te laat dat hij probeerde te landen. Ik pakte mijn schoenen en jasje op en strompelde van de afgrond vandaan. Ik ging een eindje naar links en zag het onderstel van de helikopter de rots naderen. Toen ging het toestel met een schokje terug en zwaaide de staartrotor naar links.

Toen hij iets hoger terugkwam, was de neerwaartse luchtstroom van de rotorbladen zó sterk dat ik omviel. Het gieren van de turbine drukte als scherp metaal tegen mijn trommelvliezen.

Toen ik overeind krabbelde, stuiterde de helikopter twee keer op het gladde gesteente. Ik zag aan het gezicht van de piloot hoeveel moeite het hem kostte om houvast te krijgen. De neus van het toestel ging omlaag en de staart kwam omhoog, en een ogenblik dacht ik dat de rotorbladen over de rotsen tussen het plateau en de bomen zouden schrapen.

Een politieman in een donkerblauwe pilotenoverall en met een zwarte helm op sprong uit de cabine. Met gebogen hoofd en voorovergebogen rende hij over het rotsplateau naar me toe.

'Kenzie?' schreeuwde hij.

Ik knikte.

'Kom.' Hij pakte mijn arm vast en duwde mijn hoofd omlaag. Intussen vloog de andere helikopter van het water vandaan naar de helling waar we Poole hadden achtergelaten. Daar zouden ze nooit kunnen landen, wist ik. Er was gewoon te weinig ruimte. Ze konden hem daar alleen vandaan krijgen als ze een man en een mand naar beneden lieten zakken om Poole naar boven te hijsen.

De politieman duwde me in de cabine. De rotoren waren gewoon blijven draaien, en zodra ik binnen was, zwenkte het toestel van de rots vandaan.

We daalden en ik zag Angie in het water. Ze hield Amanda's pop in haar ene hand en verdween onder het oppervlak. Toen de helikopter over het water scheerde, begon dat hevig te kolken.

'Ga weer naar boven!' schreeuwde ik.

De tweede piloot keek naar me om.

Ik wees met mijn duim naar het plafond. 'Straks verdrinkt ze nog! Ga weer naar boven!'

De tweede piloot stootte de piloot aan en die trok de knuppel naar zich toe. Mijn maag zakte weg in mijn darmen zodra de helikopter naar rechts zwenkte en ik door het cockpitraam een met graffiti bezaaide rotswand zag opdoemen. Meteen daarop maakte die rotswand zich los van ons doordat we bleven stijgen. We beschreven een volledige cirkel en bleven op zo'n tien meter hoogte boven de plaats hangen waar we Angie voor het laatst hadden gezien.

Ze kwam naar boven en sloeg naar de draaikolken om haar heen, spuwde water uit en draaide zich op haar rug.

'Wat doet ze?' zei de politieman naast me.

'Ze gaat naar de kant,' zei ik. Angie zwom op haar rug naar de rotsen. De pop ging mee met de zwaaiende beweging van haar linkerarm.

De politieman knikte en richtte zijn geweer op de bomen.

Omdat Angies school geen zwemteam had gehad, had ze een plaats in de Girls Clubs of America veroverd en op haar zestiende in een regionale wedstrijd een zilveren medaille gewonnen. Zelfs nu ze al jarenlang rookte, had ze de slag nog goed te pakken. Haar lichaam sneed door het water, maakte nauwelijks golven en liet zo weinig in haar kielzog achter dat ze net een paling leek die naar de wal gleed.

'Ze zal lopend terug moeten gaan,' schreeuwde de tweede piloot. 'Daar kunnen we niet landen.'

Angie voelde dat ze de rotsen naderde voordat ze ertegenaan zou zijn geslagen. Ze draaide haar lichaam om en dreef de rest van de afstand naar de rotsen, waarna ze de pop voorzichtig in een spleet daartussenin legde en zichzelf naar boven hees.

De piloot liet de helikopter langs de rotsen omlaag zwenken en sprak door een megafoon die boven de schijnwerper was aangebracht: 'Mevrouw Gennaro, we kunnen geen evacuatie ondernemen. De rotswanden zijn te dicht bij elkaar en we kunnen nergens landen.'

Angie knikte en zwaaide vermoeid. Haar lichaam was wit in het felle licht van de schijnwerper en er plakten slierten van haar lange zwarte haar aan haar wangen vast.

'Recht achter die rotsen,' riep de piloot door de megafoon, 'loopt een pad. Volg dat naar beneden en sla steeds linksaf. Dan komt u op Ricciuti Drive. Daar wordt u door iemand opgewacht.'

Angie stak haar duimen naar hem omhoog en ging op de rotsen zitten. Ze haalde diep adem en legde de pop op haar schoot.

Toen de helikopter weer opzij zwenkte en over de wanden van de groeve omhoog vloog, verschrompelde ze tot niets dan een licht stipje in een muur van zwart. Het terrein gleed veel te snel onder ons door. We doken over de oude spoorlijn heen en gingen toen naar het westen, naar de skihellingen in de Blue Hills.

'Wat had ze daar beneden te zoeken?' De politieman naast me liet zijn geweer zakken.

'Het meisje,' zei ik.

'Verdomme,' zei de politieman. 'We gaan terug met duikers.'

'In het donker?' zei ik.

De politieman keek me door het vizier van zijn helm aan. 'Waarschijnlijk,' zei hij een beetje aarzelend. 'Of anders zeker morgenvroeg.'

'Ik denk dat ze haar al wat eerder hoopte te vinden,' zei ik.

De politieman haalde zijn schouders op. 'Man, als Amanda McCready in die groeve is, beslist alleen God of we haar lijk vinden of niet.'

19

We landden op de flauwe helling van het Blue Hills Reservation, zakten netjes tussen de lijnen van de skiliften omlaag en zagen dat de tweede helikopter zo'n twintig meter van ons vandaan hetzelfde deed.

We werden begroet door een aantal politieauto's en ambulances, twee auto's van de rangers en enkele eenheden van de staatspolitie.

Broussard sprong uit de tweede helikopter, rende naar de eerste politiewagen en trok de geüniformeerde agent achter het stuur vandaan.

Ik draafde naar hem toe en kwam bij hem aan toen hij de motor al had gestart. 'Waar is Poole?'

'Weet ik niet,' zei hij. 'Hij was niet waar we hem achterlieten. Hij was nergens op het pad. Ik denk dat hij op eigen houtje naar beneden probeerde te gaan of naar de top is gekropen toen hij de schoten hoorde.'

Hoofdinspecteur Dempsey kwam over het gras naar ons toe gerend. 'Broussard, wat is daar gebeurd?'

'Dat is een lang verhaal,' antwoordde Broussard.

Ik ging naast Broussard in de auto zitten.

'Waar is het kind?'

'Er was daar geen kind,' zei Broussard. 'Het was een val.'

Dempsey boog zich naar het raampje toe. 'Ik hoorde dat de pop van het meisje op het water dreef.'

Broussard keek me met felle ogen aan.

'Ja,' zei ik. 'Maar we hebben haar lichaam niet gezien.'

Broussard zette de auto in de versnelling. 'We moeten Poole vinden.'

'Adjunct-inspecteur Raftopoulos meldde zich twee minuten geleden. Hij is in Pritchett Street. Zegt dat daar een paar doden zijn.'

'Wie?'

'Weet ik niet.'

Dempsey boog zich van het raampje vandaan. 'Ik heb een wagen van de rangers naar Ricciuti Drive gestuurd om uw collega te halen, meneer Kenzie.'

'Bedankt.'

Wie heeft daarboven met al die artillerie geschoten?'

'Weet ik niet. Maar ze dreven me goed in het nauw.'

Plotseling kwam het gieren van een turbine opzetten, en Dempsey moest schreeuwen om zich verstaanbaar te maken.

'Ze kunnen er niet uit!' schreeuwde Dempsey. 'Ze zijn ingesloten! Er is geen uitweg!'

'Zo is het,' beaamde ik.

'Geen teken van het meisje?' Dempsey dacht blijkbaar dat als hij die vraag maar vaak genoeg stelde, hij vroeg of laat het antwoord zou krijgen waarop hij hoopte.

Broussard schudde zijn hoofd. 'Met alle respect, hoofdinspecteur, adjunct-inspecteur Raftopoulos heeft onderweg een hartaanval of zoiets gehad. Ik wil naar hem toe.'

'Ga maar.' Dempsey ging een stap opzij en gaf een aantal auto's een teken dat ze ons moesten volgen. Broussard drukte op het gaspedaal en reed de helling af. Hij stevende op een rij bomen af en vloog een zandpad op, zwaaide een paar seconden later naar rechts en reed met grote snelheid een pad op vol kuilen, dat op de afrit van de grote weg uitkwam. Die afrit leidde via een rotonde naar Pritchett Street.

Nog twee stoffige paden en we waren in Quarry Street en reden met grote snelheid over de zuidkant van de heuvels naar beneden. In de spiegel zagen we de rode en blauwe zwaailichten hotsend en slingerend achter ons aan komen.

Toen we bij een stopteken aan het eind van Quarry Street kwamen, ging Broussard geen moment langzamer rijden. Hij slingerde door de berm, reed de rotonde op en drukte het gaspedaal juist nog wat harder in. Een ogenblik verzetten alle vier de banden zich tegen hem. Het leek of de zware auto zich in zichzelf terugtrok en steigerde, alsof hij plotseling op zijn kant zou gaan liggen, maar toen kregen de wielen weer vat op het terrein, kreunde de krachtige motor en schoten we van de rotonde af. Broussard gooide het stuur weer om en we scheurden over een andere berm, waardoor gras en aarde op de motorkap spoten. We vlogen langs een leegstaande fabriek aan onze linkerkant. Zo'n vijftig meter verder zagen we Poole links van de weg tegen de achterkant van de Lexus RX 300 zitten.

Pooles hoofd steunde op het spatbord. Zijn overhemd hing open tot de navel en hij had zijn hand op zijn hart gedrukt.

Broussard trapte op de rem en sprong uit de auto. Hij slipte door het zand en zakte op zijn knieën bij Poole neer.

'Collega! Collega!'

Poole deed zijn ogen open en glimlachte zwakjes. 'Ik verdwaalde.'

Broussard voelde zijn pols, legde zijn hand op zijn hart en duwde met zijn duim Pooles linker ooglid omhoog. 'Oké, makker. Ja. Jij... Jij komt er wel bovenop.'

Een paar politiewagens reden ons voorbij. Uit de eerste, een wagen van Quincy, stapte een jonge agent, en Broussard zei: 'Doe je achterportier open!'

De agent klungelde met de zaklantaarn in zijn hand, liet hem in het zand vallen. Hij bukte zich om hem op te rapen.

'Doe je portier open!' schreeuwde Broussard. 'Meteen!'

De jonge agent zag nog kans de zaklantaarn onder de auto te schoppen voordat hij zijn hand naar achteren stak en het portier openmaakte.

'Kenzie, help me hem op te tillen.'

Ik pakte Pooles onderbenen vast en Broussard ging achter hem staan en sloeg zijn armen om zijn borst. Zo droegen we hem naar de achterkant van de politiewagen en schoven hem op de bank.

'Ik mankeer niks,' zei Poole, en zijn ogen rolden naar links.

'Nee, natuurlijk niet.' Broussard glimlachte. Hij keek de jonge agent aan, die een erg nerveuze indruk maakte. 'Kun je hard rijden?'

'Eh, ja.'

Achter ons liep een aantal agenten van de staat en uit Quincy met getrokken pistolen naar de voorkant van de Lexus.

'Meteen uitstappen!' schreeuwde een agent, en hij wees met zijn wapen naar Gutierrez' voorruit.

'Welk ziekenhuis is dichterbij?' vroeg Broussard. 'Quincy of Milton?'

'Eh, van hier uit Milton,' zei de agent.

'Hoe snel kun je daar komen?' vroeg Broussard hem.

'In drie minuten.'

'Maak er twee van.' Broussard sloeg op de schouder van de agent en duwde hem naar het portier aan de bestuurderskant.

De agent sprong achter het stuur. Broussard gaf een kneepje in Pooles hand en zei: 'Tot straks.'

Poole knikte slaperig.

We deden een stap achteruit en Broussard sloot het achterportier.

'Twee minuten,' zei hij nog eens tegen de agent. De wielen van de politiewagen spuwden grind en spoten wolken stof op. De agent vloog de weg op, deed zijn licht aan en reed zó snel over het asfalt dat het leek of hij uit een draagraket was weggeschoten.

'Shit nog aan toe,' zei een andere agent. Hij stond voor de Lexus. 'Shit nog aan toe,' zei hij opnieuw.

Broussard en ik liepen naar de Lexus en Broussard greep twee agenten vast en wees naar het verlaten gebouw van de groeve. 'Doorzoek dat gebouw. Meteen.'

De agenten aarzelden geen moment. Ze legden hun hand op het pistool op hun heup en renden de weg op naar het gebouw.

We kwamen bij de Lexus aan, baanden ons een weg door de kleine menigte politieagenten die voor de voorbumper stond en keken door de voorruit naar Chris Mullen en Pharaoh Gutierrez. Gutierrez zat achter het stuur en Mullen zat naast hem. De koplampen waren nog aan en de motor draaide. Een enkel gat vormde een klein spinnenweb in de ruit voor Gutierrez. Precies zo'n gat doorboorde de ruit vóór Mullen.

De gaten in hun hoofd waren ook ongeveer hetzelfde – allebei zo groot als een dubbeltje, allebei rimpelig en wit langs de randen, allebei met een dun stroompje bloed dat over de neus van de mannen liep.

Zo te zien had Gutierrez de eerste kogel gekregen. Op zijn gezicht stond alleen wat ergernis te lezen, en zijn handen waren leeg en lagen met de palmen omhoog op de zitting. De sleutel zat in het contact en de versnellingspook stond op PARK. Chris Mullens rechterhand hield het pistool achter zijn broeksband omklemd en zijn gezicht drukte plotselinge schrik, angst en verbazing uit. Hij had ongeveer een halve seconde geweten dat hij zou sterven, misschien nog korter. In die korte tijd was alles voor hem in slowmotion overgegaan. Duizend doodsbange gedachten waren door zijn verwoede hoofd getuimeld in de tijd die hij nodig had om te beseffen dat Pharaoh door een kogel was getroffen, om naar zijn pistool te grijpen en de volgende kogel door de voorruit te horen tikken.

Bubba, dacht ik.

Het verlaten gebouw met zijn half ingezakte platform op het dak, vijftig meter voor de Lexus, was ideaal voor een sluipschutter.

In de bundels licht van de koplampen zag ik de twee agenten langzaam naar het gebouw lopen, hun knieën enigszins gebogen, hun pistool getrokken en op het platform op het dak gericht. Een van hen wees naar de ander, en ze naderden de zijdeur. Een van de agenten gooide die deur open en de ander ging ervoor staan, zijn pistool op borsthoogte.

Bubba, dacht ik, ik hoop dat je dit niet voor de lol deed. Zeg tegen me dat je Amanda McCready hebt.

Broussard zag waar ik naar keek. 'Wedden dat blijkt dat die kogels vanuit dat gebouw zijn afgevuurd?'

'Daar wed ik niet om,' zei ik.

Twee uur later waren ze nog bezig de zaak te ordenen. Het was plotseling een koude nacht geworden. Er viel een lichte ijzige regen, die tegen de voorruiten spetterde en als luizen in ons haar bleef zitten.

De agenten die het gebouw van de groeve waren binnengegaan, waren teruggekomen met een Winchester Model 94 pompgeweer met LAD-vizier, dat ze daar hadden gevonden. Het geweer was in een vat afgewerkte olie op de eerste verdieping gegooid, rechts van het raam onder het dakplatform. Het serienummer was weggevijld, en de eerste man van de forensische dienst die ernaar keek, moest lachen toen iemand zei dat er misschien vingerafdrukken op zaten.

Er werden nog meer agenten het gebouw in gestuurd om naar sporen te zoeken, maar na twee uur hadden ze geen patroonhulzen en ook niets anders gevonden. Het was de forensische dienst ook niet gelukt vingerafdrukken op het hek van het platform of op het kozijn van de deur daarvan te vinden.

De ranger die Angie aan de andere kant van de heuvel van Swingle's Quarry had opgewacht, had haar een knaloranje regenjas en een paar dikke sokken gegeven, maar evengoed huiverde ze nog in de kille nachtlucht. Ze wreef de hele tijd met een handdoek over haar donkere haar, al was dat al uren geleden opgedroogd of bevroren. Het waren mooie herfstdagen geweest, een *Indian Summer*, zoals ze dan zeggen, maar die zomer was dezelfde kant opgegaan als de indianen in Massachusetts.

Twee duikers hadden geprobeerd iets in de Granite Rail-groeve te vinden, maar op tien meter diepte bleek het zicht tot bijna nul gereduceerd te zijn, en toen het weer was omgeslagen, kwamen er zoutafzettingen van de granietwanden los, waardoor zelfs ondiep water in een zandstorm veranderde.

De duikers hielden er om tien uur mee op. Het enige dat ze hadden gevonden, was een mannenspijkerbroek die zo'n zeven meter onder de waterlijn aan een richel had gehangen.

Toen Broussard bij de zuidkant van de groeve was aangekomen, bijna recht tegenover de rots vanwaar Angie en ik de pop hadden gezien, lag daar een briefje op hem te wachten. Het was netjes onder een steen gelegd en werd verlicht door een klein zaklantaarntje dat aan een tak erboven hing.

DUIKEN

Toen Broussard het briefje wilde pakken, barstte in de bomen geweervuur los. Hij dook het rotsplateau op en graaide naar zijn pistool en walkie-talkie. De geldtas en zijn zaklantaarn liet hij bij de bomen liggen. Een tweede spervuur joeg hem naar de rand van de rotsmassa, waar hij alleen nog door de duisternis werd beschermd. Hij richtte zijn pistool op de bomen, maar schoot niet, want dan zouden ze aan de vuurflits van zijn wapen kunnen zien waar hij was.

Toen ze gingen zoeken op de plaats waar Broussard bij de bomen had gestaan, vonden ze het briefje, de zaklantaarn van de kidnappers, Broussards zaklantaarn en de geldtas, die open en leeg was. In het afgelopen uur waren tussen de bomen en op de plateaus recht achter Broussards rots meer dan honderd lege patroonhulzen gevonden. De agent die dat via de radio meldde, zei: 'We vinden er vast nog veel meer. Het lijkt erop dat de schutters helemaal uit hun dak gingen. Jezus, het lijkt hier wel Grenada.'

De agenten aan onze kant van de groeve hadden gemeld dat ze minstens vijftig patronen op ons rotsplateau en in de bomen achter ons hadden gevonden.

Een agent die we over de radio hoorden, vatte vrij goed samen hoe iedereen erover dacht. 'Hoofdinspecteur Dempsey, ze hadden nooit mogen wegkomen. Dat had niet mogen gebeuren.'

Alle wegen rondom de groeve bleven afgezet, maar omdat de schoten vanaf de zuidkant van de Granite Rail-groeve waren afgevuurd, was het vooral daar dat de plaatselijke politie met speurhonden op zoek ging. Zelfs vanaf de straat aan de noordkant zagen we af en toe het schijnsel van hun lichten in de boomtoppen.

De artsen vermoedden dat Poole een hartinfarct had gehad en het hem geen goed had gedaan dat hij daarna de helling was afgelopen naar Quarry Street. Toen Poole daar eenmaal was aangekomen, had hij, gedesoriënteerd en misschien in een delirium, blijkbaar Gutierrez en Mullen in de Lexus in de richting van Pritchett Street zien rijden. Hij was daar nog net op tijd aangekomen om hun lijken te vinden en zijn vondst met behulp van de autotelefoon in de Lexus te melden.

Het laatste dat we hadden gehoord, was dat Poole op de intensive care van het Milton Hospital lag en zijn toestand kritiek was.

'Al iemand die het rekenwerk gedaan heeft?' vroeg Dempsey aan ons. We leunden op de motorkap van onze Crown Victoria. Broussard rookte een van Angies sigaretten en Angie slurpte huiverend koffie uit een beker met het logo van de politie van Massachusetts erop, terwijl ik met mijn hand over haar rug streek om te proberen wat warmte in haar bloed te krijgen.

'Wat voor rekenwerk?' vroeg ik.

'Het rekenwerk waaruit blijkt dat Gutierrez en Mullen op die weg waren toen jullie drieën onder vuur genomen werden.' Hij kauwde op een rode plastic tandenstoker, raakte die soms even met zijn duim en wijsvinger aan, maar haalde hem nooit uit zijn mond. 'Tenzij ze ook een helikopter hadden, maar op de een of andere manier geloof ik dat niet... Jullie wel?'

'Ik denk niet dat ze een helikopter hadden,' zei ik.

Hij glimlachte. 'Goed. Nou, dan is het in feite niet mogelijk dat ze daar in die heuvels waren en een minuut of zo later met hun Lexus hier over de weg reden. Dat lijkt me – tja, ik weet het niet – onmogelijk. Kunnen jullie me volgen?'

Angies tanden klapperden toen ze zei: 'Wie was er dan daarboven?'

'Dat is de vraag, nietwaar? Een van de vragen.' Hij keek weer over zijn schouder naar het donkere silhouet van de heuvels die zich aan de andere kant van de snelweg verhieven. 'Om nog maar te zwijgen over de vraag: waar is het meisje? En waar is het geld? Waar zijn degenen die daarboven genoeg kogels hebben afgevuurd om een Schwarzenegger-film te vullen? Waar zijn degenen die Gutierrez en Mullen zo efficiënt naar de andere wereld hebben geholpen?' Hij zette zijn voet op het spatbord, raakte de tandenstoker weer aan en keek op naar de auto's die aan de andere kant van de Lexus over de snelweg voorbijraasden. 'De pers gaat een geweldige dag tegemoet.'

Broussard nam een diepe trek van zijn sigaret en blies de rook hoorbaar uit. 'Jij speelt AJI, hè, Dempsey?'

Dempsey haalde zijn schouders op, zijn uilenogen nog op de snelweg gericht.

205

'Aji?' klapperde Angie.

'Altijd Je Indekken,' zei Broussard. 'Hoofdinspecteur Dempsey wil niet de publiciteit ingaan als de smeris die in één nacht Amanda McCready, tweehonderdduizend dollar en twee mensenlevens kwijtraakte. Waar of niet?'

Dempsey keek om tot de tandenstoker recht naar Broussard wees. 'Nee, zo zou ik niet de publiciteit willen ingaan, rechercheur Broussard.'

'Dus ben ik de lul.' Broussard knikte.

'Jij hebt het geld verloren,' zei Dempsey. 'We lieten je je gang gaan, en dit is ervan terechtgekomen.' Hij keek met opgetrokken wenkbrauwen naar de Lexus. Twee medewerkers van de lijkschouwer trokken Gutierrez' lichaam achter het stuur vandaan en legden het in de zwarte zak die ze op de weg hadden uitgespreid. 'Die inspecteur Doyle van jou? Die hangt al sinds halfnegen bij de commissaris aan de telefoon om het uit te leggen. De laatste keer dat ik hem zag, probeerde hij jou en je collega te dekken. Ik heb hem gezegd dat hij zijn tijd verspilde.'

'Wat had hij dan moeten doen toen ze hem op die manier begonnen te beschieten?' vroeg Angie. 'Had hij de tegenwoordigheid van geest moeten hebben om de tas te grijpen en daarmee in de afgrond te springen?'

Dempsey haalde zijn schouders op. 'Ja, dat zou een mogelijkheid zijn geweest.'

'Ik kan mijn oren niet geloven,' zei Angie. Haar tanden hielden op met klapperen. 'Hij zette zijn leven op het spel voor...'

'Angie.' Broussard onderbrak haar door zijn hand op haar knie te leggen. 'Hoofdinspecteur Dempsey zegt alleen maar dingen die inspecteur Doyle ook zal zeggen.'

'Luister naar Broussard,' zei Dempsey tegen haar.

'We hebben het verprutst en iemand moet daarvoor opdraaien,' zei Broussard, 'en dat ben ik dan.'

Dempsey grinnikte. 'Jij bent de enige die zich kandidaat stelt.'

Hij liep van ons vandaan naar een groepje agenten. Terwijl hij achteromkeek naar de heuvels van de steengroeve, praatte hij in zijn walkie-talkie.

'Dit is niet eerlijk,' zei Angie.

'Toch wel,' zei Broussard. Hij mikte zijn sigaret, die tot op het filter was opgerookt, de straat op. 'Ik heb het verprutst.'

'Wíj hebben het verprutst,' zei Angie.

Hij schudde zijn hoofd. 'Als we het geld nog hadden, konden ze er wel mee leven dat Amanda nog vermist werd of dood was.

Maar zonder het geld? Zonder het geld zijn we klungels. En dat is míjn schuld.' Hij spuwde op de straat, schudde zijn hoofd en trapte met de achterkant van zijn voet tegen de band van de auto.

Angie zag iemand van de forensische dienst Amanda's pop in een plastic zak schuiven, die zak dichtmaken en er met een zwarte markeerstift op schrijven.

'Ze is daar, hè?' Angie keek op naar de donkere heuvels.

'Ze is daar,' zei Broussard.

20

Toen het ochtend begon te worden, waren we daar nog steeds. Een sleepwagen trok de Lexus door Pritchett Street en draaide de rotonde op om naar de snelweg te gaan.

Agenten liepen de heuvels in en uit. In de zakjes waarmee ze terugkwamen, zaten patroonhulzen of kogelfragmenten die ze op de rotsen hadden gevonden of uit boomstammen hadden gepeuterd. Een van hen had ook Angies sweatshirt en schoenen gevonden, maar niemand scheen te weten welke agent dat was of wat hij ermee had gedaan. In de loop van de nacht had een agent uit Quincy een deken over Angies schouders gelegd, maar ze huiverde nog steeds en haar lippen leken blauw in het licht van de straatlantaarns, de koplampen en de schijnwerpers die door de politie waren neergezet.

Inspecteur Doyle kwam om een uur of een de heuvels uit en wenkte Broussard met een gekromde vinger naar zich toe. Ze liepen over de weg naar de afzetting van geel lint bij het gebouw van de groeve, en zodra ze daar waren blijven staan en zich naar elkaar toe hadden gebogen, barstte Doyle los. Je kon de woorden niet horen, maar je hoorde het volume, en aan de manier waarop hij met zijn wijsvinger naar Broussards gezicht wees kon je zien dat hij niet in een stemming verkeerde van 'Ach, volgende keer beter'. Broussard hield zijn hoofd het grootste deel van de tijd gebogen, maar het ging een hele tijd door, minstens twintig minuten, en het leek wel of Doyle zich steeds meer opwond. Toen hij zijn gal had gespuid, keek Broussard op. Doyle schudde met zijn hoofd naar hem en deed dat op een zodanige manier dat je zelfs op vijftig meter afstand de kille minachting kon zien. Hij liet Broussard daar staan en liep het gebouw in.

'Slecht nieuws, neem ik aan,' zei Angie, toen Broussard weer een van haar sigaretten uit het pakje op de motorkap van de auto bietste.

'Ik word morgen geschorst, in afwachting van een onderzoek door de interne recherche.' Broussard stak de sigaret aan en haalde zijn schouders op. 'De laatste officiële taak die ik te verrichten heb, is Helene McCready vertellen dat het ons niet is gelukt haar dochter terug te krijgen.'

'En je inspecteur,' zei ik. 'Die akkoord ging met deze operatie. Hoeveel blaam treft hem?'

'Geen enkele.' Broussard leunde tegen de bumper, nam een diepe trek van de sigaret en blies een dunne straal blauwe rook uit.

'Geen enkele?' zei Angie.

'Geen enkele.' Broussard tikte de as op de straat. 'Wanneer ik alle schuld op me neem en toegeef dat ik relevante informatie heb achtergehouden om alle eer voor de arrestatie te kunnen opeisen, word ik niet ontslagen.' Hij haalde zijn schouders weer op. 'Dat is nou korpspolitiek.'

'Maar...' zei Angie.

'O ja,' zei Broussard, en hij keek haar aan. 'De inspecteur heeft heel goed duidelijk gemaakt dat als jullie met iemand over deze zaak spreken, hij – even kijken of ik het goed heb onthouden – hij jullie tot aan jullie oogleden in de Marion Socia-moordzaak zal begraven.'

Ik keek naar de deur van het gebouw waar ik Doyle voor het laatst had gezien. 'Hij heeft geen schijn van bewijs.'

Broussard schudde zijn hoofd. 'Hij bluft nooit. Als hij zegt dat hij jullie erop kan pakken, kan hij dat.'

Ik dacht erover na. Vier jaar geleden hadden Angie en ik onder de snelweg naar het zuidoosten in koelen bloede een pooier en crackdealer vermoord, een zekere Marion Socia. We hadden ongeregistreerde pistolen gebruikt waarvan we de vingerafdrukken zorgvuldig hadden verwijderd.

Maar we hadden een getuige achtergelaten, een aankomend gangster die Eugene heette. Ik heb zijn achternaam nooit geweten, en ik was er indertijd vrij zeker van dat als ik Socia niet doodde, hij Eugene zou doden. Toen nog niet, maar wel gauw. Eugene, veronderstelde ik, zou in de loop van de jaren wel een paar keer zijn opgepakt – een carrière in de ambtenarij had er voor hem niet ingezeten – en bij een van die gelegenheden zou hij wel hebben aangeboden om in ruil voor een lichtere straf ons te verlinken. Omdat er verder helemaal niets was dat ons met Socia's dood in verband bracht, zou de officier van justitie wel hebben besloten er niet op in te gaan, maar iemand had de informatie in zijn hoofd geprent en aan Doyle doorgegeven.

'Je bedoelt dat hij ons bij de ballen heeft.'

Broussard keek naar mij en toen naar Angie en glimlachte. 'Eufemistisch gesproken, natuurlijk. Maar inderdaad. Hij heeft jullie in zijn zak zitten.'

'Een geruststellende gedachte,' zei Angie.

'Het is een week vol geruststellende gedachten geweest.' Broussard wierp zijn sigaret weg. 'Ik ga een telefoon zoeken om mijn vrouw het goede nieuws te vertellen.'

Hij liep in de richting van de agenten en wagens rondom Gutierrez' Lexus, zijn schouders ingetrokken, zijn handen diep in zijn zakken, zijn stappen een klein beetje onzeker, alsof de grond onder zijn voeten anders aanvoelde dan een half uur geleden.

Angie huiverde in de kou en ik huiverde met haar mee.

Toen de dageraad zich in schakeringen van gekneusd purper en dieproze over de heuvels aandiende, gingen de duikers naar de groeve terug. Met geel lint en dranghekken werden Pritchett Street en Quarry Street afgezet, want straks zou het spitsuur beginnen. Een contingent agenten vormde een menselijke barrière om de toegang tot de heuvels zelf te versperren. Om vijf uur 's morgens waren er agenten aan het begin van alle wegen van enig belang geposteerd, maar het verkeer mocht doorrijden langs controleposten, en de op- en afritten van de snelweg werden ook weer opengesteld. Binnen de kortste keren verstopten de wagens van journalisten en televisieploegen de vluchtstrook. Het leek wel of ze om de hoek hadden staan wachten. Ze schenen met hun lichten op ons en op de heuvels aan de overkant. Een paar keer riep een verslaggever naar Angie om te vragen waarom ze geen schoenen droeg. Een aantal keren antwoordde Angie door haar hoofd te buigen en haar middelvinger op te steken. Haar handen liet ze dan gewoon op haar schoot liggen.

In het begin waren de journalisten gekomen omdat was uitgelekt dat iemand in de steengroeven van Quincy een paar honderd schoten had gelost en er in Pritchett Street twee lijken waren gevonden; blijkbaar was dat een professionele executie geweest. Toen was Amanda McCready's naam op de een of andere manier met de ochtendbries uit de heuvels komen waaien, en toen begon het circus pas goed.

Een van de verslaggevers op de snelweg herkende Broussard, en toen herkende de rest hem ook, en algauw voelden we ons net galeislaven. Er werd van alle kanten naar ons omlaag geschreeuwd.

'Rechercheur, waar is Amanda McCready?'

'Is ze dood?'

'Is ze in de groeve?'

'Waar is uw collega?'

'Is het waar dat de kidnappers van Amanda McCready gister-avond zijn doodgeschoten?'

'Zit er enige waarheid in het gerucht dat het losgeld verloren is gegaan?'

'Is Amanda's lichaam uit de groeve opgedoken? Heeft u daar-om geen schoenen aan, mevrouw?'

Juist op dat moment stak een agent Pritchett Street over. Hij had een papieren zak en die gaf hij aan Angie. 'Uw spullen, me-vrouw. Ze hebben ze met wat kogels naar ons toe gestuurd.'

Angie bedankte hem zonder op te kijken. Ze pakte haar Doc Martins uit de zak en trok ze aan.

'Het zal wat lastiger worden om dat sweatshirt aan te trekken,' zei Broussard met een vaag glimlachje.

'O ja?' Angie kwam van de motorkap af en keerde haar rug naar de journalisten. Een van hen probeerde over de vangrail te springen, maar een agent duwde hem met een verlengde gummi-knuppel terug.

Angie liet de deken en regenjas van haar schouders glijden, en zodra de meute besefte dat haar blote huid en zwarte behaband-jes te zien waren, zwaaide een aantal camera's onze kant op.

Ze keek me aan. 'Moet ik langzaam gaan strippen en een beet-je met mijn heupen bewegen?'

'Het is jouw show,' zei ik. 'Ik denk dat je ieders aandacht hebt.'

'De mijne in ieder geval,' zei Broussard, die openlijk naar An-gies borsten keek, die tegen het zwarte kant drukten.

'God nog aan toe.' Met een grimas trok ze het sweatshirt over haar hoofd.

Iemand op de snelweg applaudisseerde en iemand anders floot. Angie bleef met haar rug naar hen toe staan en trok dikke stren-gen van haar haar uit de kraag.

'Mijn show?' zei ze tegen me, en ze glimlachte er triest bij en schudde vaag met haar hoofd. 'Het is hun show, man. Helemaal van hen.'

Kort na zonsopgang ging Pooles toestand van kritiek over in zorgwekkend, en omdat we niets anders konden doen dan wach-ten, verlieten we Pritchett Street en volgden Broussards Taurus naar het Milton Hospital.

In het ziekenhuis discussieerden we met de zuster op de recep-tie over het aantal van ons dat de intensive care mocht binnengaan, hoewel niemand van ons tot Pooles bloedverwanten behoorde. Een arts die voorbijliep, wierp één blik op Angie en zei: 'Weet u wel dat uw huid blauw is?'

Na nog een kleine woordenwisseling volgde Angie de dokter achter een gordijn om zich op onderkoeling te laten onderzoeken en liet de zuster ons met een nors gezicht tot Poole toe.

'Een hartinfarct,' zei hij, steunend op de kussens. 'Een hard woord, hé?'

'Zeg dat wel,' zei Broussard. Hij stak stuntelig zijn hand uit en gaf een kneepje in Pooles arm.

'Ja. Een verrekte hartaanval.' Hij siste, want zodra hij zich bewoog, schoot er een hevige pijn door hem heen.

'Ontspan je,' zei Broussard. 'Alsjeblieft.'

'Wat is daar eigenlijk gebeurd?' zei Poole.

We vertelden hem hoe weinig we wisten.

'Twee schutters in de bossen en één op de grond?' zei hij toen we klaar waren.

'Daar ziet het naar uit,' zei Broussard. 'Of één schutter met twee geweren in de bossen en één op het dakplatform.'

Poole trok een gezicht alsof hij evenveel waarde aan die theorie hechtte als aan de theorie dat John F. Kennedy door één schutter is gedood. Hij bewoog zijn hoofd op het kussen en keek me aan. 'Je hebt duidelijk gezien dat er twee geweren over de rotsen werden gegooid?'

'Daar ben ik vrij zeker van,' zei ik. 'Het was daar een gekkenhuis.' Ik haalde mijn schouders op en knikte. 'Nee, ik weet het zeker. Twee geweren.'

'En de schutter in het gebouw liet zijn wapen achter.'

'Ja.'

'Maar niet de patroonhulzen.'

'Precies.'

'En de schutter of schutters in de bossen ontdoen zich van de geweren maar laten overal patroonhulzen achter.'

'Dat klopt,' zei Broussard.

'Jezus,' zei hij. 'Ik snap het niet.'

Angie kwam naar de afdeling. Ze veegde met een watje over haar arm en plooide de spieren van haar onderarm. Ze ging naar Pooles bed en keek hem glimlachend aan.

'Wat zei de dokter?' vroeg Broussard.

'Lichte onderkoeling.' Ze haalde haar schouders op. 'Hij spoot kippensoep of zoiets bij me in en zei dat ik mijn vingers en tenen zou houden.'

Er was weer wat kleur op haar huid gekomen – lang niet zoveel als anders, maar genoeg. Ze ging naast Poole op het bed zitten en zei: 'Wij samen, Poole – we lijken net twee geesten.'

Er kwamen barsten in zijn lippen toen hij glimlachte. 'Ik hoorde dat je de beroemde rotsduikers van de Galapagoseilanden wilde imiteren.'

'Acapulco,' zei Broussard. 'Er zijn geen rotsduikers op de Galapagos.'

'Fiji dan,' zei Poole. 'En verbeter me niet steeds. Nogmaals, jongelui, wat is er aan de hand?'

Angie tikte zachtjes tegen zijn wang. 'Vertel jij het ons. Wat is er met jou gebeurd?'

Hij drukte zijn lippen even op elkaar. 'Dat weet ik eigenlijk niet. Om de een of andere reden liep ik de helling af. Het probleem was dat ik mijn walkie-talkie en mijn zaklantaarn had achtergelaten.' Hij trok zijn wenkbrauwen op. 'Erg slim, hè? En toen ik al die schoten hoorde, probeerde ik terug te gaan naar de plaats waar ik vandaan was gekomen, maar wat ik ook deed, het leek wel of ik steeds verder van het geluid vandaan ging, in plaats van ernaartoe. Bossen,' zei hij hoofdschuddend. 'Opeens sta ik op de hoek van Quarry Street en de afrit van de snelweg, en daar zie ik die Lexus voorbijvliegen. Ik erachteraan. Als ik daar aankom, hebben onze vrienden die gaatjes in hun hoofd. Ik kijk ernaar en word duizelig.'

'Weet je nog dat je het meldde?' vroeg Broussard.

'Heb ik dat gedaan?'

Broussard knikte. 'Met de autotelefoon.'

'Wow,' zei Poole. 'Ik ben niet dom, hè?'

Angie glimlachte en pakte een zakdoekje uit de trolley naast Pooles bed om zijn voorhoofd ermee af te vegen.

'Jezus,' zei Poole met gesmoorde stem.

'Wat?'

Zijn ogen rolden even van ons weg en keken ons toen weer aan. 'Huh? Niets, alleen de geneesmiddelen die ze me hebben ingespoten. Ik kan me niet goed concentreren.'

De zuster trok het gordijn naast Broussard opzij. 'U moet gaan. Alstublieft.'

'Wat is daar gebeurd?' zei Poole met onduidelijke stem.

'Onmiddellijk,' zei de zuster, terwijl Pooles ogen naar links rolden en hij met zijn droge lippen smakte en met zijn ogen knipperde. 'Meneer Raftopoulos kan dit niet aan.'

'Nee,' zei Poole. 'Wacht.'

Broussard klopte op zijn arm. 'We komen terug, ouwe jongen. Maak je geen zorgen.'

'Wat is er gebeurd?' vroeg Poole opnieuw, en zijn stem zakte al weg in de slaap toen we van het bed vandaan gingen.

Goede vraag, dacht ik, toen we de intensive care uitliepen.

Zodra we thuis waren, nam Angie een warme douche en belde ik Bubba.

'Wat?' zei hij toen hij opnam.

'Zeg dat je haar hebt.'

'Wat? Patrick?'

'Zeg dat je Amanda McCready hebt.'

'Nee. Wat? Waarom zou ik haar hebben?'

'Je hebt Gutierrez koud gemaakt en...'

'Nee, dat heb ik níet gedaan.'

'Bubba,' zei ik. 'Dat heb je wel gedaan. Je moest wel.'

'Gutierrez en Mullen? Welnee, jongen. Ik heb twee uur in Cunningham Park met mijn gezicht op de grond gelegen.'

'Je was er niet eens bij?'

'Ik werd overvallen. Er lag iemand op de loer, Patrick. Ik kreeg een loden pijp of zoiets tegen mijn achterhoofd en was buiten westen. Ik ben niet eens het park uitgekomen.'

'Goed,' zei ik, en voelde hoe er wolken van olie door mijn hoofd zweefden. 'Vertel het me nog een keer. Langzaam. Je kwam in Cunningham Park...'

'Om ongeveer halfzeven. Ik pak mijn spullen en loop door het park naar de bomen. Ik wil net het bos ingaan en naar de heuvels lopen als ik iets hoor. Ik begin me om te draaien en verdomme – krak – iemand slaat me op mijn achterhoofd. En weet je, in het begin maak ik me alleen maar een beetje kwaad, maar dan kan ik opeens ook niks meer zien, en ik begin weg te duiken en me om te draaien, en dan is het weer krak! Ik zak op mijn knie en krijg een derde dreun. Ik denk dat er ook nog een vierde dreun is geweest, maar het volgende dat ik me herinner, is dat ik wakker word in een plas bloed. Het is halfnegen. Als ik de bomen weer inga, krioelt het daar van de smerissen. Ik ga terug, ga naar Giggle Doc.'

Giggle Doc was de ether snuivende arts die door Bubba en de helft van de penose in de stad werd gebruikt om verwondingen te laten behandelen die ze niet in officiële administraties wilden hebben.

'Alles goed met je?' zei ik.

'Het galmt nog door mijn hoofd en zo nu en dan wordt alles weer zwart, maar ik red het wel. Ik wil die klootzak, Patrick. Niemand slaat mij neer, weet je.'

Ik wist het. Van alle dingen die ik in de afgelopen tien uur had gehoord was dit verreweg het meest deprimerende. Iemand die snel en slim genoeg was om Bubba uit te schakelen, is heel, heel goed in zijn werk.

En dan nog iets: als je op die manier met Bubba omsprong, waarom liet je hem dan in leven? De kidnappers hadden Mullen en Gutierrez gedood en ze hadden geprobeerd Broussard, Angie en mij te doden. Waarom hadden ze Bubba niet gewoon vanuit de verte neergeschoten? Dan waren ze van hem af geweest.

'Giggle Doc zei dat als ik nog een dreun had gekregen, de pezen achter in mijn schedel waarschijnlijk zouden zijn gescheurd. Man,' zei hij. 'Ik ben verrekte kwaad.'

'Zodra ik weet wie het was,' zei ik, 'geef ik het aan je door.'

'Ik heb zelf ook wat vragen laten stellen, weet je. Giggle Doc vertelde me over de Pharaoh en Mullen, en dus liet ik Nelson wat rondbellen. Ik hoorde dat de kit het geld ook kwijt is.'

'Ja.'

'En geen meisje.'

'Geen meisje.'

'Deze keer heb je ruzie gezocht met een stel gemene rotzakken, jongen.'

'Dat weet ik.'

'Hé, Patrick?'

'Ja.'

'Cheese zou nooit zo stom zijn om tegen iemand te zeggen dat hij mij met een pijp op mijn kop moet slaan.'

'Niet bewust. Misschien verwachtte hij niet dat jij daar zou zijn.'

'Cheese weet dat jij en ik goede maatjes zijn. Hij kon heus wel bedenken dat je mij erbij zou halen.'

Hij had gelijk. Cheese nam altijd het zekere voor het onzekere. Hij had heus wel verwacht dat Bubba erbij betrokken zou zijn. En Cheese wist natuurlijk ook wel dat Bubba in staat was een granaat naar een groepje van Cheese's mannen toe te rollen, op de gok dat hij de man zou doden die hem met een pijp had geslagen. Dus als Cheese het bevel had gegeven – nogmaals, waarom had hij er dan geen doodvonnis voor Bubba van gemaakt? Als Bubba dood was, hoefde Cheese niet bang te zijn voor represailles. Maar nu hij hem in leven had gelaten, kon hij zijn organisatie alleen in stand houden als hij minstens een van degenen die op die avond in het bos waren aan Bubba zou overdragen. Tenzij hij nog andere dingen kon doen die ik niet kon bedenken.

'Jezus!' zei ik.

'Ik heb nog wat anders voor je,' zei Bubba.

Ik wist niet of ik nog een kronkel in mijn toch al verwarde hersenen kon gebruiken, maar ik zei: 'Nou?'

'Er gaat een gerucht over Pharaoh Gutierrez.'

'Weet ik. Hij wilde samen met Mullen de organisatie van Cheese overnemen.'

'Nee, dat bedoel ik niet. Dat weet iedereen. Wat ik heb gehoord, is dat Pharaoh niet een van ons was.'

'Wat was hij dan?'

'Een smeris, Patrick,' zei Bubba, en ik voelde dat alles in mijn hersenen naar links gleed. 'Ze zeggen dat hij van de DEA was.'

21

'De DEA?' zei Angie. 'Dat meen je niet.'

Ik haalde mijn schouders op. 'Gewoon iets wat Bubba heeft gehoord. Je weet hoe het met dat soort verhalen is: het kan totale bullshit zijn, maar ook de totale waarheid. Daar kun je nu nog niets van zeggen.'

'Maar hoe kan het dan? Gutierrez werkt zes jaar undercover en infiltreert in Cheese Olamons bende, maar als hij betrokken raakt bij de kidnapping van een kind van vier geeft hij dat niet aan zijn superieuren door?'

'Dat klopt niet helemaal, hè?'

'Nee. Maar het gebeurt wel vaker dat iets niet klopt.'

Ik leunde op de keukenstoel achterover en weerstond de aandrang om tegen de muur te stompen. Ik had bijna nog nooit een zaak meegemaakt waarover ik me zó kwaad kon maken. Er was geen touw meer aan vast te knopen. Er verdwijnt een meisje van vier. We gaan op onderzoek uit en geloven dat het kind ontvoerd is door drugshandelaren die door de moeder zijn bestolen. Het gestolen geld wordt als losgeld opgeëist, en dat gebeurt via een vrouw die voor de drugshandelaren schijnt te werken. Als het losgeld wordt afgeleverd, loopt de politie in een hinderlaag. De drugshandelaren komen om. Een van de drugshandelaren is misschien wel, en misschien niet, een undercoverman van een federaal politiekorps. Het vermiste meisje blijft vermist of ligt op de bodem van een ondergelopen steengroeve.

Angie reikte over de tafel en legde haar warme hand op mijn pols. 'We moeten op z'n minst proberen een paar uur slaap te krijgen.'

Ik draaide mijn pols om en nam haar hand in de mijne. 'Is er aan deze zaak ook maar iets dat je begrijpt?'

'Nu Gutierrez en Mullen zijn koudgemaakt? Nee. In Cheese's

organisatie is niemand anders die het geld kon oppikken. Ach, in zijn hele organisatie is niemand slim genoeg om dit te doen.'

'Wacht eens even…'

'Wat?'

'Je hebt het net zelf gezegd. Er is momenteel een machtsvacuüm in Olamons organisatie. Als dat het nu eens is?'

'Huh?'

'Als Cheese nu eens wist wat Mullen en Gutierrez van plan waren? Of misschien wist hij dat van Mullen en had hij ook gehoord dat Gutierrez niet was wat hij beweerde te zijn?'

'Dus Cheese heeft het allemaal opgezet – de kidnapping, het losgeldbriefje, enzovoort – enkel en alleen om Mullen en Gutierrez te kunnen uitschakelen?' Ze liet mijn hand los. 'Meen je dat nou écht?'

'Het is een theorie.'

'Een idiote theorie,' zei ze.

'Hé.'

'Nee, denk nou na. Waarom zou hij al die moeite doen als hij ook gewoon een paar jongens had kunnen inhuren om Mullen en Gutierrez in hun slaap van kant te maken?'

'Maar hij is ook kwaad op Helene en wil zijn tweehonderdduizend terug.'

'En dus geeft hij Mullen opdracht het kind te ontvoeren. Hij bedenkt een ingewikkelde truc om het kind tegen geld in te wisselen en stuurt dan iemand om Mullen dood te schieten als die uitwisseling aan de gang is?'

'Waarom niet?'

'Nou, waar is Amanda dan? Waar is het geld? Wie was er gisteravond vanuit de bomen aan het schieten? Wie heeft Bubba buiten westen geslagen? Hoe komt het dat Mullen niet wist dat hij in de val zou lopen? Besef je wel hoeveel mensen in Cheese's organisatie in dat ingewikkelde complot zouden moeten zitten? En Mullen was niet dom. Hij was de slimste van Cheese's gangsters. Zou hij nou echt niet hebben gemerkt dat er een plannetje was om hem van kant te maken?'

Ik wreef over mijn ogen. 'Jezus. Ik heb koppijn.'

'Ik ook. En jij helpt niet erg.'

Ik trok een grimas naar haar en ze lachte.

'Goed,' zei ze. 'Laten we opnieuw beginnen. Amanda is ontvoerd. Waarom?'

'Om de tweehonderdduizend dollar die haar moeder van Cheese heeft gestolen.'

218

'Waarom stuurde Cheese niet gewoon iemand om haar te bedreigen? Ze zou vast wel hebben toegegeven. Dat zouden zij ook weten.'

'Misschien deden ze er drie maanden over om erachter te komen dat het geld niet in beslag is genomen door de politie toen die een inval bij die motorrijders deed.'

'Goed. Maar dan zouden ze snel in actie zijn gekomen. Toen we Ray Likanski ontmoetten, had hij twee blauwe ogen.'

'Je denkt dat hij die van Mullen had gekregen?'

'Als Mullen echt het vermoeden had dat Likanski hem had geript, zou hij hem wel wat ergers hebben gedaan dan hem twee blauwe ogen te slaan. Kijk, dat bedoel ik nou. Als Mullen dacht dat Likanski en Helen de organisatie hadden bestolen, zou hij Helenes kind niet hebben gekidnapt. Dan zou hij gewoon Helen hebben vermoord.'

'Dus misschien was Cheese niet degene die Amanda liet ontvoeren?'

'Misschien niet.'

'En dat van die tweehonderdduizend dollar was toeval?' Ik hield mijn hoofd een beetje schuin en trok vragend mijn wenkbrauwen op.

'Volgens jou zou het wel een heel groot toeval zijn.'

'Volgens mij zou het een toeval zo groot als Californië zijn. Vooral omdat in het briefje in Kimmies ondergoed stond dat die tweehonderdduizend dollar gelijkstonden met de terugkeer van een kind.'

Ze knikte, kneep in het oor van haar koffiekopje en schoof het kopje heen en weer over de tafel. 'Goed. Zo komen we weer op Cheese. En al de vragen over zijn motieven om al die moeite te doen.'

'Dat begrijp ik ook niet. Het lijkt me niks voor Cheese.'

Ze keek op van haar koffiekopje. 'Dus waar is ze, Patrick?'

Ik legde mijn hand op haar arm, onder de mouw van haar ochtendjas. 'Ze is in de steengroeve, Ange.'

'Waarom?'

'Ik weet het niet.'

'Iemand ontvoert dat meisje, eist een losgeld en vermoordt haar. Ligt het zo simpel?'

'Ja.'

'Waarom?'

'Omdat ze de gezichten van haar kidnappers had gezien? Omdat degene die gisteravond in de groeve was de politie had geroken, omdat hij wist dat we hem te slim af probeerden te zijn? Ik weet het niet. Want mensen vermoorden kinderen.'

Ze stond op. 'Laten we naar Cheese gaan.'

'En slapen dan?'

'We kunnen slapen als we dood zijn.'

22

De ijzige regen die we de vorige avond korte tijd hadden gehad, was die ochtend teruggekomen, en toen we bij de Concord-gevangenis aankwamen, leek het wel of er stuivers op de motorkap regenden.

Omdat we deze keer niet door twee leden van het politiekorps werden vergezeld, werd Cheese naar de bezoekerskamer gebracht, waar hij ons door een ruit van dik glas kon aankijken. Angie en ik pakten in ons hokje een telefoon op en Cheese deed dat aan zijn kant ook.

'Hé, Ange,' zei hij. 'Je ziet er goed uit.'

'Hé, Cheese.'

'Zeg, als ik hier nog eens uitkom, gaan we dan samen een chocolademalt drinken of zoiets?'

'Een chocolademalt?'

'Ja.' Hij haalde zijn schouders op. 'Een milkshake met gemberbier. Of zoiets.'

Ze kneep haar ogen halfdicht. 'Goed, Cheese. Goed. Bel me maar als je vrij bent.'

'Verdomme!' Cheese sloeg met zijn dikke handpalm tegen de ruit. 'Dat wéét je.'

'Cheese,' zei ik.

Hij trok zijn wenkbrauwen op.

'Chris Mullen is dood.'

'Dat heb ik gehoord. Eeuwig zonde.'

'Je blijft er goed onder,' zei Angie.

Cheese leunde op zijn stoel achterover en keek ons even aandachtig aan. Daarbij krabde hij gedachteloos over zijn borst. 'In dit vak, weet je? Ze gaan jong dood.'

'Pharaoh Gutierrez ook.'

'Ja.' Cheese knikte. 'Jammer van de Pharaoh. Die kerel kon zich kleden! Snap je wat ik bedoel?'

'Volgens de geruchten werkte de Pharaoh niet alleen voor jou.'

Cheese trok zijn wenkbrauwen weer op. Zo te zien wist hij echt niet wat ik bedoelde. 'Wil je dat eens uitleggen, *brother*?'

'Ik heb gehoord dat de Pharaoh van de kit was.'

'Shit.' Cheese grijnsde en schudde zijn hoofd, maar zijn ogen bleven groot en een beetje wazig. 'Als je alles gelooft wat je op straat hoort, moet je – weet ik veel – moet je smeris worden of zoiets.'

Het was een zwakke analogie, dat wist hij zelf ook wel. Bij Cheese ging het er vooral om dat alles soepel en snel en grappig uit zijn mond kwam, zelfs de dreigementen. En aan zijn haperend taalgebruik was duidelijk te merken dat hij nooit eerder op het idee was gekomen dat Pharaoh wel eens voor de politie zou kunnen werken.

Ik glimlachte. 'Een smeris, Cheese. In jouw organisatie. Ga maar na wat dat voor je reputatie kan betekenen.'

Cheese's ogen bleven ons geamuseerd en nieuwsgierig aankijken, en hij leunde doodgemoedereerd achterover in zijn stoel. 'Die Broussard van jou, die kwam een uur geleden bij me. Hij zei dat Mullen en Gutierrez niet meer op deze wereld zijn. Hij zei dat hij denkt dat ik mijn eigen jongens heb koudgemaakt. Hij zei dat hij me daarvoor zou laten boeten. Hij zei dat het mijn schuld is dat hij geschorst is en dat die ouwe lul van een collega van hem ziek is geworden. Kwaad dat hij op de Cheese was!'

'Ik vind het jammer om dat te horen, Cheese.' Ik boog me naar de ruit toe. 'Iemand anders is ook erg kwaad.'

'Ja? Wie dan?'

'*Brother* Rogowski.'

Cheese's vingers hielden op met krabben over zijn borst. De voorpoten van zijn stoel kwamen naar voren en raakten de vloer. 'Waarom is *brother* Rogowski boos?'

'Iemand van jouw team heeft hem een paar dreunen met een loden pijp verkocht.'

Cheese schudde zijn hoofd. 'Niet van míjn team, jongen. Niet míjn team.'

Ik keek Angie aan.

'Dat is jammer,' zei ze.

'Ja,' zei ik. 'Erg jammer.'

'Wat?' zei Cheese. 'Jullie weten dat ik *brother* Rogowski nooit iets zou doen.'

'Weet je nog, die kerel?' zei Angie.

'Welke?' zei ik.

'Die van een paar jaar terug, een grote baas in de Ierse maffia, je weet wel…' Ze knipte met haar vingers.

'Jack Rouse,' zei ik.

'Ja. Hij was de Ierse peetvader of zoiets, nietwaar?'

'Wacht even,' zei Cheese. 'Niemand weet wat er met Jack Rouse is gebeurd. Hij had de Patrisos kwaad gemaakt of zoiets.'

Hij keek ons door de ruit aan. We schudden langzaam met ons hoofd.

'Wacht. Je bedoelt dat Jack Rouse is gemold door…'

'Ssst,' zei ik, en hield een vinger bij mijn lippen.

Cheese legde de telefoon een minuut op de tafel en keek naar het plafond. Toen hij ons weer aankeek, leek hij wel dertig centimeter kleiner te zijn geworden. Zijn haar was nat geworden en plakte aan zijn voorhoofd vast; hij leek er tien jaar jonger door. Toen bracht hij de telefoon weer naar zijn lippen.

'Het gerucht van de kegelbaan?' fluisterde hij.

Een paar jaar geleden hadden Bubba, een huurmoordenaar die Pine heette, ikzelf en Phil Dimassi in een leegstaande kegelbaan in de leerbewerkingswijk een ontmoeting met Jack Rouse en zijn dementerende rechterhand, Kevin Hurlihy, gehad. We gingen met z'n zessen naar binnen en kwamen er met z'n vieren uit. Jack Rouse en Kevin Hurlihy, vastgebonden, gekneveld en gefolterd door Bubba en een paar kegelballen, maakten geen schijn van kans. De opdracht was gegeven door Dikke Freddy Constantine, hoofd van de Italiaanse maffia hier, en degenen van ons die weer naar buiten kwamen, wisten dat niemand de lijken zou vinden en dat zelfs niemand zo dom zou zijn om ernaar te gaan zoeken.

'Het is waar?' fluisterde Cheese.

Ik gaf antwoord door Cheese strak aan te kijken.

'Bubba moet weten dat ik er niks mee te maken had dat iemand hem met een loden pijp sloeg,' zei hij.

Ik keek Angie aan. Ze zuchtte, keek Cheese aan en keek toen naar de smalle plank onder de ruit.

'Patrick,' zei Cheese, en zijn stem klonk ineens opvallend serieus. 'Je moet het Bubba laten weten.'

'Wat moet hij weten?' zei Angie.

'Dat ik daar niks mee te maken had.'

Angie glimlachte en schudde haar hoofd. 'Ja, goed, Cheese. Goed.'

Hij sloeg met de rug van zijn hand tegen het glas. 'Luister nou! Ik had er niks mee te maken.'

'Bubba ziet dat heel anders, Cheese.'

'Vertel het hem dan.'

'Waarom?' zei ik.

'Omdat het waar is.'

'Daar trap ik niet in, Cheese.'

Cheese trok zijn stoel naar voren en kneep zó hard in de telefoon dat ik dacht dat het ding in tweeën zou knappen. 'Luister nou naar me, klojo. Die psychopaat denkt dat ik hem heb laten meppen. Misschien moet ik een bewaker overhoop steken, dan weet ik tenminste zeker dat ik de rest van mijn leven in een isoleercel zit. Die man is een wandelend doodvonnis. Zeg jij nou tegen hem...'

'Pleur op, Cheese.'

'Wat?'

Ik zei het nog een keer, en nu heel langzaam.

Toen zei ik: 'Twee dagen geleden ben ik bij je gekomen en smeekte ik om het leven van een meisje van vier. Nu is ze dood. Door jou. En jij wilt genade? Ik ga tegen Bubba zeggen dat je je verontschuldigingen aanbood omdat je hem met die pijp hebt laten slaan.'

'Nee.'

'Ik zeg tegen hem dat jij zei dat je er spijt van had. Dat je op de een of andere manier zult proberen het goed te maken.'

'Nee.' Cheese schudde zijn hoofd. 'Dat kun je niet doen.'

'Wacht maar af, Cheese.'

Ik haalde de telefoon van mijn oor vandaan en maakte aanstalten om neer te leggen.

'Ze is niet dood.'

'Wat?' zei Angie.

Ik hield de telefoon weer tegen mijn oor.

'Ze is niet dood,' zei Cheese.

'Wie?' zei ik.

Cheese rolde met zijn ogen en hield zijn hoofd schuin in de richting van de bewaarder, die bij de deur stond.

'Je weet wel wie.'

'Waar is ze?' zei Angie.

Cheese schudde zijn hoofd. 'Geef me een paar dagen de tijd.'

'Nee,' zei ik.

'Je hebt geen keus.' Hij keek weer over zijn schouder, boog zich toen dicht naar het raam toe en fluisterde in de telefoon. 'Er neemt iemand contact met jullie op. Geloof me. Ik moet eerst een paar dingen regelen.'

'Bubba is erg kwaad,' zei Angie. 'En hij heeft vrienden.' Ze keek naar de gevangenismuren om haar heen.

'Serieus,' zei Cheese. 'Zijn maten, die verrekte Twoomey-broers, zijn net opgepakt voor een bankoverval in Everett. Volgende week krijgen we ze hier. Dus jullie hoeven niet te proberen me bang te maken. Ik ben al bang. Ja? Maar ik heb tijd nodig. Roep de hond terug. Ik stuur jullie bericht. Dat beloof ik.'

'Hoe weet je zeker dat ze in leven is?'

'Ik weet het. Ja?' Hij keek ons met een zuur glimlachje aan. 'Jullie beiden hebben er geen flauw idee van wat er aan de hand is. Weten jullie dat?'

'We weten het nu,' zei ik.

'Laat aan Bubba weten dat ik niks te maken had met wat ze hem hebben geflikt. Jullie hebben er belang bij dat ik in leven blijf. Ja? Zonder mij is dat meisje er geweest. Begrijp je dat? *Gone, baby, gone,*' zong hij.

Ik leunde in mijn stoel achterover en keek hem een hele tijd aan. Hij maakte een oprechte indruk, maar daar is Cheese goed in. Daar had hij zijn succes aan te danken: precies weten welke dingen mensen het meest kwaad doen en dan de mensen vinden die behoefte aan die dingen hebben. Die er niet zonder kunnen. Hij weet hoe je zakjes heroïne voor de ogen van verslaafde vrouwen moet laten bungelen, hoe je ze kunt dwingen om daarvoor vreemden te pijpen, en hoe je ze dan de helft kunt geven van wat je hebt beloofd. Hij weet precies hoe je smerissen en officieren van justitie halve waarheden kunt aansmeren en op die manier beloften van ze los kunt krijgen, en hoe je dan weer op je beloften terug kunt komen.

'Je moet me meer vertellen,' zei ik.

De bewaarder trommelde op de deur en zei: 'Zestig seconden, gedetineerde Olamon.'

'Meer? Wat wou je dan?'

'Ik wil het meisje,' zei ik. 'Ik wil haar nú.'

'Ik kan je niet vertellen...'

'Pleur op.' Ik sloeg tegen de ruit. 'Waar is ze, Cheese? Waar is ze?'

'Als ik je dat vertel, weten ze dat het van mij kwam, en dan ben ik morgenvroeg al dood.' Hij deinsde terug, hield zijn handen voor zijn gezicht, met de palmen naar ons toe. Zijn dikke gezicht drukte een en al angst uit.

'Geef me iets concreets. Iets waarmee ik kan werken.'

'Onafhankelijke corroboratie,' zei Angie.

'Onafhankelijke wat?'

'Dertig seconden,' zei de bewaarder.

'Vertel ons iets, Cheese.'

Cheese keek wanhopig over zijn schouder en staarde toen naar de muren die hem gevangen hielden, naar het dikke glas tussen ons in.

'Kom nou,' smeekte hij.

'Twintig seconden,' zei Angie.

'Niet doen. Hoor eens...'

'Vijftien...'

'Nee, ik...'

'Tik tak,' zei ik. 'Tik tak.'

'Het vriendje van dat wijf,' zei Cheese. 'Weet je wel?'

'Die is de stad uit gegaan,' zei Angie.

'Vind hem dan,' snauwde Cheese. 'Dat is alles wat ik kan zeggen. Vraag hem wat hij deed op de avond dat het kind verdween.'

'Cheese...' begon Angie.

De bewaarder doemde achter Cheese op en legde zijn hand op zijn schouder.

'Wat jullie ook denken dat er is gebeurd,' zei Cheese, 'jullie zitten er finaal naast. Jullie zitten er zó ver naast dat jullie net zogoed in Groenland zouden kunnen zitten. Ja?'

De bewaker trok de telefoon uit zijn hand.

Cheese stond op en liet zich naar de deur trekken. Toen de bewaker de deur opendeed, keek Cheese naar ons achterom en vormden zijn lippen één woord:

'Groenland.'

Hij trok zijn wenkbrauwen een paar keer op, en toen duwde de bewaker hem door de deuropening en verdween hij uit ons zicht.

De volgende dag vonden duikers kort na twaalf uur 's middags in de Granite Rail-groeve een stuk textiel op een scherp uitsteeksel dat als een ijshaak uit een plateau langs de zuidelijke rotswand stak, vijf meter onder de waterlijn.

Om drie uur identificeerde Helene dat stuk stof als een deel van het T-shirt dat haar dochter had gedragen op de avond dat ze verdween. Het stuk was uit de achterkant van het T-shirt gescheurd, bij de kraag, en de initialen A. McC. waren er met een viltstift op geschreven.

Nadat Helene het stukje textiel in de huiskamer van Beatrice en Lionel had geïdentificeerd, keek ze naar Broussard, die het roze stukje stof weer in de plastic zak deed, en op dat moment sprong het glas Pepsi kapot dat ze in haar hand had.

'Jezus,' zei Lionel. 'Helene.'

'Ze is dood, hè?' Helene balde haar hand tot een vuist en drukte de glasscherven dieper in haar huid. Het bloed viel in dikke parachutedruppels op de hardhouten vloer.

'Helene,' zei Broussard, 'dat weten we niet. Alsjeblieft, laat me je hand zien.'

'Ze is dood,' herhaalde Helene, ditmaal harder. 'Dat ís toch zo?' Ze trok haar hand van Broussard weg en het bloed sproeide over de salontafel.

'Helene, in godsnaam.' Lionel legde zijn hand op de schouder van zijn zus en probeerde haar verwonde hand vast te pakken.

Helene draaide zich met een ruk van hem weg en verloor haar evenwicht. Ze viel op de vloer en bleef naar ons zitten kijken, haar verwonde hand in haar andere hand. Haar ogen vonden de mijne, en ik herinnerde me dat ik in Wee Daves huis tegen haar had gezegd dat ze dom was.

Ze was niet dom, ze was verdoofd – verdoofd voor de wereld in zijn geheel, voor het reële gevaar waarin haar kind had verkeerd, zelfs voor de glasscherven die in haar huid, haar pezen en aderen sneden.

Maar de pijn kwam wel. Die kwam eindelijk. Terwijl ze me aankeek, werden haar ogen flets en groot en drong de waarheid tot haar door. Het was een gruwelijk besef, een kernfusie van helderheid die zich van haar pupillen meester maakte, en tegelijk was er het besef hoe erg ze haar dochter had verwaarloosd, hoe erg de pijn waarschijnlijk voor haar dochter was geweest. Al die afschuwelijke gedachten gingen als zuigers in een motor door haar kleine schedel op en neer.

Toen deed Helene haar mond open en huilde ze zonder geluid te maken.

Ze zat daar op de vloer en het bloed stroomde uit haar hand op haar spijkerbroek. Haar hele lichaam schudde van ellende en verdriet en verschrikking, en haar hoofd zakte weer op haar schouder. Ze keek naar het plafond en de tranen stroomden uit haar ogen. Schommelend op haar hurken bleef ze huilen zonder geluid te maken.

Om zes uur die avond liep Bubba, voordat wij de kans hadden gehad met hem te praten, samen met Nelson Ferrare een bar binnen die Cheese in Lower Mills bezat. Ze zeiden tegen de daar aanwezige drie junks en de barkeeper dat ze een lunchpauze moesten nemen, en tien minuten later vloog het grootste deel van de bar het parkeerterrein op. Een complete tafel vloog door de voordeur en vernielde de Honda Accord van een wethouder, die hem onterecht op een plek voor gehandicapten had gezet. Toen de brandweer ter plaatse was, moesten er zuurstofmaskers worden opgezet. De explosie was zó krachtig geweest dat bijna alle energie in één keer was verbruikt. Daarom brandde er niet veel meer in de bar zelf, maar in de kelder stuitte de brandweer op een laaiende stapel onversneden heroïne. Toen de eerste twee brandweerlieden die de kelderdeur waren gepasseerd, begonnen te braken, trok de brandweer zich terug. Ze lieten de heroïne branden tot ze geen gevaar meer liepen.

Ik zou hebben geprobeerd Cheese te laten weten dat Bubba op eigen houtje had gehandeld, maar om halfzeven gleed Cheese uit over een pasgeboende vloer in de Concord-gevangenis. Het was me de uitglijer wel. Op de een of andere manier zag Cheese kans zijn evenwicht zo volledig te verliezen dat hij over de reling op de derde verdieping vloog en dertien meter omlaag viel, waarna hij met zijn grote, altijd onzin uitkramende blonde hoofd op een betonnen vloer belandde en ter plekke stierf.

DEEL II

Winter

23

Vijf maanden gingen voorbij, en Amanda McCready kwam niet terug. Haar foto – waarop haar haar sluik om haar gezicht viel en haar ogen leeg en roerloos leken – keek de mensen aan vanaf schuttingen en telefoonpalen, meestal gescheurd of half vergaan, en nu en dan zag je haar ook op de televisie. En hoe vaker we die foto zagen, des te waziger werd hij, des te meer leek Amanda iemand die niet echt had bestaan. Haar gezicht werd geleidelijk een van de vele gezichten op aanplakborden, op de televisie. Op een gegeven moment keken voorbijgangers met een weemoedig soort onverschilligheid naar haar. Ze konden zich niet meer herinneren wie ze was of waarom haar portret op de lantaarnpaal bij de bushalte was geplakt.

Degenen die het nog wel wisten, lieten die kille herinnering waarschijnlijk zo gauw mogelijk van zich afglijden. Ze richtten hun blik op de sportpagina's van de krant of op de bus die eraankwam. Wat leven we toch in een verschrikkelijke wereld, dachten ze. Elke dag gebeuren er erge dingen. Mijn bus is te laat.

Er was een maand in de granietgroeven gezocht, maar dat had niets opgeleverd, en er was een eind aan het zoeken gekomen toen de temperatuur zakte en de novemberwinden over de heuvels gierden. Volgend voorjaar zouden de duikers het weer proberen, beloofden ze, en opnieuw werden er voorstellen gedaan om de groeven te draineren en op te vullen. Gemeentebestuurders van Quincy die zich zorgen maakten over de miljoenen dollars die dat zou kosten, vonden vreemde bondgenoten in milieuactivisten die waarschuwden dat het volstorten van de groeven het milieu zou schaden en tal van prachtige vergezichten voor wandelaars zou bederven. Bovendien, zeiden ze, zou de bevolking van Quincy plaatsen van grote historische betekenis verliezen en zouden een paar van de beste klimrotsen in de staat verloren gaan.

Poole begon in februari weer te werken, zes maanden voordat hij zijn dertig dienstjaren erop had zitten en met pensioen kon gaan. Hij werd overgeplaatst naar Narcotica en stilletjes tot rechercheur eerste klas gedegradeerd. Maar vergeleken met Broussard had hij geluk. Broussard werd van rechercheur eerste klas tot gewoon agent gedegradeerd, kreeg een proeftijd van negen maanden en werd bij de patrouilledienst ingedeeld. Op de dag na zijn degradatie, ruim een week na die avond in de granietgroeve, gingen we ergens iets met hem drinken. Hij keek met een bitter glimlachje naar zijn plastic roerstokje waarmee hij de blokjes ijs in zijn Tanqueary met tonic liet rondgaan.

'Dus Cheese zei dat ze nog leefde, en iemand anders zei dat Gutierrez van de DEA was.'

Ik knikte. 'Wat dat eerste betreft, zei Cheese dat Ray Likanski het kan bevestigen.'

Broussards bittere glimlach leek opeens erg zielig. 'We hebben hier en in Pennsylvania een opsporingsverzoek voor Likanski laten uitgaan. Als jullie willen, zorg ik dat het van kracht blijft.' Hij keek me schouderophalend aan. 'Dat kan nooit kwaad.'

'Je denkt dat Cheese loog,' zei Angie.

'Toen hij zei dat Amanda McCready nog leefde?' Hij haalde het roerstokje uit het glas, zoog de gin eraf en legde het op de rand van het servetje. 'Ja, Angie, ik denk dat Cheese loog.'

'Waarom?'

'Omdat hij een crimineel is, en die liegen altijd. Omdat hij wist dat jullie haar zó graag in leven wilden hebben dat jullie het zouden geloven.'

'Dus toen jij die dag bij hem was, heeft hij jou daar niets over verteld?'

Broussard schudde zijn hoofd en haalde een pakje Marlboro uit zijn zak. Hij rookte nu fulltime. 'Hij deed alsof hij erg verrast was toen ik zei dat Mullen en Gutierrez doodgeschoten waren, en ik zei tegen hem dat ik zijn leven zou verpesten, al was dat het laatste dat ik ooit zou doen. Hij lachte. De volgende dag was hij dood.' Hij stak de sigaret aan, hield zijn ene oog dicht om het tegen de oplaaiende hitte van de lucifer te beschermen. 'Ik zweer je, ik wou dat ik hem had gedood. Shit, ik wou dat ik een gedetineerde op hem af had gestuurd. Echt waar. Ik wou dat hij doodging omdat iemand die om dat kleine meisje gaf hem koud maakte. Ik wou dat hij wist dat hij daarom stierf, dat hij dat het hele eind tot aan de hel in zijn gedachten had.'

'Wie heeft hem vermoord?' vroeg Angie.

'Ik heb gehoord dat ze die psychopaat uit Arlington verdenken die net veroordeeld is voor een dubbele moord.'

'De jongen die vorig jaar zijn twee zussen heeft vermoord?' zei Angie.

Broussard knikte. 'Peter Popovich. Hij zat daar een maand, in afwachting van definitieve plaatsing, en het schijnt dat hij op de binnenplaats ruzie met Cheese heeft gehad. Of anders is Cheese echt uitgegleden over die vloer.' Hij haalde zijn schouders op. 'Mij maakt het niet uit.'

'Vind je het niet verdacht dat Cheese tegen ons zegt dat hij informatie over Amanda McCready heeft en dat hij de volgende dag wordt vermoord?'

Broussard nam een slokje uit zijn glas. 'Nee. Hoor eens, ik zal er niet omheen draaien. Ik weet niet wat er met dat meisje is gebeurd, en dat zit me dwars. Dat zit me erg dwars. Maar ik geloof niet dat ze in leven is, en ik geloof niet dat Cheese Olamon de waarheid kon spreken, zelfs niet als dat in zijn belang was.'

'En Gutierrez als DEA-agent?' zei Angie.

Hij schudde zijn hoofd. 'Nee. Dan hadden we het inmiddels al gehoord.'

'Nou,' zei Angie rustig. 'Wat is er met Amanda McCready gebeurd?'

Broussard keek een tijdje naar de tafel, streek de witte kegel van zijn sigaret langs de rand van de asbak af, en toen hij opkeek, glinsterden de tranen in de rode randjes onder zijn ogen.

'Ik weet het niet,' zei hij. 'Ik wou dat ik het allemaal anders had aangepakt. Ik wou dat ik de FBI erbij had gehaald. Ik wou…' Zijn stem sloeg over en hij liet zijn hoofd zakken en bedekte zijn rechteroog met de muis van zijn hand. 'Ik wou…'

Hij slikte; zijn adamsappel ging op en neer. Toen zoog hij weer wat vochtige adem in zijn longen, maar hij zei niets meer.

Angie en ik namen die winter andere zaken aan, al hadden die geen van alle iets te maken met vermiste kinderen. Niet dat veel verdrietige ouders ons zouden hebben ingeschakeld. Per slot van rekening was het ons niet gelukt Amanda te vinden. De zurige lucht van die mislukking leek ons overal te volgen, ook als we 's avonds door de buurt wandelden of op zaterdagmiddag boodschappen deden in de supermarkt.

Ray Likanski kwam ook niet terug, en dat zat me nog het meest dwars. Voor zover hij wist, werd er niet naar hem gezocht; hij had geen enkele reden om weg te blijven. Gedurende een paar maanden postten Angie en ik nu en dan een dag en een nacht bij het huis van zijn vader, maar het enige dat we daarvoor terugkregen, was de smaak van koude koffie en stijve botten en spieren van het in de auto zitten. In januari bracht Angie een microfoontje in Lenny Likanski's telefoon aan, en twee weken lang luisterden we naar bandjes waarop te horen was dat hij 900-nummers belde en prullaria bestelde bij het Home Shopping Network. Niet één keer belde hij zijn zoon of werd hij door hem gebeld.

Op een dag hadden we er genoeg van en reden we de hele nacht door naar Allegheny, Pennsylvania. We keken in het telefoonboek waar het Likanski-gebroed woonde en hielden hen een weekend in de gaten. Daar waren Yardack en Leslie en Stanley, drie broers en neven van Ray. Alle drie werkten ze in een papierfabriek die een lucht verspreidde die naar toner uit een fotokopieerapparaat rook, en alle drie dronken ze elke avond in dezelfde kroeg, flirtten ze met dezelfde vrouwen en gingen ze zonder die vrouwen terug naar het huis waar ze met z'n drieën woonden.

Op de vierde avond volgden Angie en ik Stanley een steegje in, waar hij wat coke kocht van een vrouw die op een crossmotor reed. Zodra de crossmotor het steegje uit was en Stanley een ruw lijntje op de rug van zijn hand had gelegd om het op te snuiven, ging ik achter hem staan. Ik hield mijn .45 tegen zijn oorlel en vroeg hem waar zijn neef Ray was.

Stanley urineerde ter plekke; de damp steeg op van de bevroren grond tussen zijn schoenen. 'Ik weet het niet. Ik heb Ray in geen twee jaar gezien.'

Ik spande de haan van het pistool en drukte het tegen zijn slaap.

'O Jezus, God, nee,' zei Stanley.

'Je liegt, Stanley, en dus ga ik je nu overhoop schieten. Goed?'

'Niet doen! Ik weet het niet! Ik zweer het! Ray, Ray, ik heb Ray al bijna twee jaar lang niet meer gezien. Alsjeblieft, geloof me!'

Ik keek over zijn schouder naar Angie, die naar zijn gezicht keek. Ze keek me aan en knikte. Stanley sprak de waarheid.

'Coke maakt je pik zacht,' zei Angie tegen hem, en we liepen het steegje door, stapten in onze auto en verlieten Pennsylvania.

Eens per week gingen we naar Beatrice en Lionel. Wij vieren herkauwden alles wat we wisten, en dan alles wat we niet wisten, en dat laatste leek altijd veel meer te zijn en dieper te gaan dan het eerste.

Op een avond aan het eind van februari, toen we hun huis verlieten en ze zoals altijd op de veranda stonden om er zeker van te zijn dat we zonder problemen bij onze auto kwamen, zei Beatrice: 'Ik denk soms aan grafstenen.'

We waren bij het trottoir aangekomen, maar bleven staan en keken naar haar om.

'Wat?' zei Lionel.

'Als ik 's nachts niet kan slapen,' zei Beatrice, 'vraag ik me af wat we op haar grafsteen moeten zetten. En ik vraag me af of we er een voor haar moeten nemen.'

'Schat, niet...'

Ze wuifde hem weg en trok haar vest om zich heen. 'Ik weet het, ik weet het. Het is net of ik het opgeef, of ik zeg dat ze dood is, terwijl we willen geloven dat ze nog leeft. Ik weet het. Maar... Weet je, uit niets blijkt dat ze ooit heeft geleefd.' Ze wees naar de veranda. 'Uit niets blijkt dat ze hier ooit is geweest. Onze herinneringen zijn niet goed genoeg, weet je. Die vervagen.' Ze knikte. 'Ze vervagen,' zei ze opnieuw, en toen draaide ze zich om en ging naar binnen.

Eind maart zag ik Helene een keer toen ik met Bubba aan het darten was in Kelly's Tavern, maar ze zag mij niet – of deed alsof ze me niet zag. Ze zat in haar eentje aan een hoek van de tapkast en zat daar een heel uur met één glas. Ze keek in dat glas alsof Amanda op de bodem lag te wachten.

Bubba en ik waren daar laat aangekomen, en toen we klaar waren met darten, gingen we naar de biljarttafel. Intussen stroomde de laatste lichting bezoekers binnen en was de tent binnen tien minuten tot drie rijen dik gevuld. Het laatste rondje werd omgeroepen, en Bubba en ik maakten ons partijtje af, dronken ons bier op, zetten de lege glazen op de tapkast en liepen naar de deur.

'Dank je.'

Ik draaide me naar de tapkast om en zag Helene daar zitten, omringd door krukken die de barkeeper al op het mahoniehout om haar heen had gezet. Om de een of andere reden had ik gedacht dat ze was weggegaan.

Of misschien had ik dat alleen maar gehoopt.

'Dank je,' zei ze opnieuw, heel zachtjes. 'Voor het proberen.'

Ik stond daar op de rubberen tegels en besefte dat ik niet wist wat ik met mijn handen moest doen. Of met mijn armen. Of met mijn benen. Mijn hele lichaam voelde stuntelig aan.

Helene bleef in haar glas kijken. Haar ongewassen haar hing voor haar gezicht en ze zag er nietig uit, tussen al die op hun kop gezette krukken, in het vage licht dat tegen sluitingstijd over de kroeg was neergedaald.

Ik wist niet wat ik moest zeggen. Ik wist niet eens of ik wel kon spreken. Ik wilde naar haar toe gaan en mijn armen om haar heen slaan en me verontschuldigen omdat ik haar dochter niet had gered, omdat ik Amanda niet had gevonden, omdat ik had gefaald, omdat alles mis was gegaan. Ik zou wel willen huilen.

In plaats daarvan draaide ik me om en liep naar de deur.

'Patrick.'

Ik bleef met mijn rug naar haar toe staan.

'Ik zou het helemaal anders doen,' zei ze, 'als ik kon. Ik zou… Ik zou haar nooit meer uit het oog verliezen.'

Ik weet niet of ik knikte of niet, of ik liet blijken dat ik haar had gehoord of niet. Ik weet dat ik niet omkeek. Ik maakte dat ik daar weg kwam.

De volgende morgen werd ik eerder wakker dan Angie. Ik ging koffie zetten in de keuken en probeerde Helene McCready uit mijn hoofd te zetten, die verschrikkelijke woorden van haar:

'Dank je.'

Ik ging naar beneden om de krant te halen, stak hem onder mijn arm en kwam weer boven. Ik schonk me een kop koffie in en ging daarmee naar de eetkamer, waar ik de krant opensloeg en zag dat er weer een kind was verdwenen.

Hij heette Samuel Pietro en was acht.

Hij was voor het laatst gezien toen hij op zaterdagmiddag van zijn vriendjes vandaan ging op een speelplaats in Weymouth en naar huis terugliep. Het was nu maandagochtend. Zijn moeder had hem pas de vorige dag als vermist opgegeven.

Op de foto die ze van zijn schoolfoto hadden gehaald, zag hij er goed uit, met grote, donkere ogen, die me aan die van Angie deden denken, en een vriendelijke, scheve grijns. Hij leek optimistisch. Hij leek jong. Hij leek zelfverzekerd.

Ik dacht erover om de krant voor Angie te verbergen. Na Allegheny, toen we uit dat steegje waren gekomen en alle energie, alle vastbeslotenheid, uit ons was weggetrokken, was Amanda McCready een nog grotere obsessie voor haar geworden. Maar het was geen obsessie die een uitlaatklep vond in actie, want er was bitter weinig actie te ondernemen. In plaats daarvan bestudeerde Angie steeds weer al onze aantekeningen, maakte ze schema's op karton en praatte urenlang met Broussard of Poole. Steeds weer kwam ze op dezelfde dingen terug; steeds weer verkende ze hetzelfde terrein.

Al die schema's en lange nachten leverden geen nieuwe theorieën of plotselinge antwoorden op, maar ze bleef er toch mee doorgaan. En telkens wanneer de vermissing van een kind in het landelijke nieuws was, luisterde en keek ze gefascineerd naar alle bijzonderheden.

Als die kinderen dood werden teruggevonden, huilde ze.

Ze deed dat altijd stilletjes, altijd achter gesloten deuren, altijd op tijden dat ze dacht dat ik aan de andere kant van de woning was en het niet kon horen.

Pas de laatste tijd was tot me doorgedrongen hoe diep Angie door de dood van haar vader getroffen was. Het was niet de dood zelf, denk ik. Het was het feit dat ze niet zeker wist hóe hij was gestorven. Omdat er geen lichaam was geweest om naar te kijken en in de grond te laten zakken, was hij misschien nog niet helemaal dood voor haar.

Ik was een keer bij haar toen ze Poole naar hem vroeg, en ik zag aan Pooles gezicht hoe moeilijk hij het ermee had dat hij geen antwoorden kon geven. Hij zei dat hij de man amper had gekend, dat hij hem alleen wel eens op straat was tegengekomen, en ook een keer bij een inval in een gokhuis. Dat was een inval bij Jimmy Suave geweest, altijd een gentleman, een man die begreep dat politiemensen hun werk deden zoals hij het zijne deed.

'Het zit je nog dwars, hè?' had Poole gezegd.

'Soms,' zei Angie. 'In je hoofd moet je accepteren dat iemand er niet meer is, maar je hart kan het nooit helemaal bevatten.'

En zo was het ook met Amanda McCready. Zo was het in die lange wintermaanden met al die kinderen die verdwenen en niet gevonden werden, niet dood en niet levend. Misschien, dacht ik een keer, was ik privé-detective geworden omdat ik beslist niet wilde weten wat er ging gebeuren. Misschien was Angie het geworden omdat ze dat juist wel wilde weten.

Ik keek naar het glimlachende, zelfverzekerde gezicht van Samuel Pietro, die ogen die je leken op te drinken, zoals die van Angie dat ook deden.

Het was dom om de krant te verbergen, wist ik. Er waren altijd andere kranten, er was altijd radio en televisie, er waren altijd mensen die in supermarkten en kroegen en bij de benzinepomp stonden te praten.

Misschien was het veertig jaar geleden nog mogelijk om aan

het nieuws te ontkomen, maar nu niet meer. Het nieuws was overal, het informeerde ons, beukte op ons in, verrijkte misschien zelfs onze kennis. Maar het was er. Het was er altijd. Je kon er niet voor wegduiken, je kon je nergens verbergen.

Ik bewoog mijn vinger over de contouren van Samuel Pietro's gezicht, en voor het eerst in vijftien jaar bad ik een stil gebed.

DEEL III

De wreedste maand

24

Begin april was het al zo ver dat Angie de meeste avonden met haar schema's en aantekeningen over Amanda McCready bezig was. Ze had van de zaak een soort schrijn gemaakt in de kleine tweede slaapkamer van mijn flat, de kamer die ik vroeger had gebruikt om spullen in op te slaan, en dozen die ik naar de Goodwill wilde brengen, de kamer waar kleine apparaten stof verzamelden terwijl ze wachtten tot ik ze liet repareren.

Ze had de kleine televisie en een videorecorder daarheen gebracht en keek telkens weer naar de journaalbeelden uit oktober. In de twee weken sinds Samuel Pietro was verdwenen, bracht ze minstens vijf uren per avond in die kamer door. Vanaf de muur boven de tv staarden foto's van Amanda met die onbewogen blik op haar neer.

Ik weet ongeveer wat een obsessie is, zoals de meesten van ons dat weten, en ik geloofde niet dat dit Angie veel kwaad deed – nóg niet. In de loop van die lange winter was ik geleidelijk gaan accepteren dat Amanda McCready dood was, dat ze ergens zestig meter onder de waterlijn van de groeve lag, waar haar vlasblonde haar in de zachte draaiingen van de stroming zweefde. Maar ik was daar niet zodanig van overtuigd dat ik alleen maar minachting kon opbrengen voor iemand die geloofde dat ze nog leefde.

Angie klampte zich vast aan Cheese's bewering dat Amanda nog leefde, dat er ergens in onze aantekeningen iets over haar verblijfplaats te vinden was, ergens in de gegevens van ons onderzoek en dat van de politie. Ze had Broussard en Poole overgehaald kopieën van hun aantekeningen aan haar te geven, en ook van de dagrapporten en ondervragingen van de meeste andere leden van Misdrijven Tegen Kinderen die aan de zaak hadden gewerkt. En ze was ervan overtuigd, zei ze, dat al die papieren en al die videobeelden vroeg of laat de waarheid zouden prijsgeven.

De waarheid, zei ik een keer tegen haar, was dat iemand in Cheese's organisatie Mullen en Gutierrez had bedrogen nadat ze Amanda in een afgrond hadden gegooid. En die iemand had hen vermoord en was daarna weggelopen met tweehonderdduizend dollar.

'Cheese dacht van niet,' zei ze.

'Daar had Broussard gelijk in. Cheese was een beroepsleugenaar.'

Ze haalde haar schouders op. 'Dat ben ik dan niet met je eens.'

En dus keerde ze 's avonds terug naar de herfst en naar alles wat toen mis was gegaan. Ik zat dan te lezen, keek naar een oude film of ging biljarten met Bubba – en dat was ik aan het doen toen hij zei: 'Ik heb je nodig. Ik wil dat je met me meerijdt naar iets in Germantown.'

Ik had toen nog maar een half biertje gehad, dus was ik er vrij zeker van hem goed te hebben verstaan.

'Je wilt dat ik met je naar een deal ga?'

Ik keek over het biljart naar Bubba, terwijl een of andere onbenul een nummer van de Smiths op de jukebox had aangezet. Ik heb de pest aan de Smiths. Ik zou me liever op een stoel laten vastbinden om onder dwang naar een medley van nummers van Suzanne Vega en Natalie Merchant te luisteren terwijl performance-kunstenaars vlak voor me spijkers door hun geslachtsdelen timmerden, dan dat ik ook maar dertig seconden naar Morrissey en de Smiths luisterde, met hun pretentieuze artistieke gejengel dat ze zo menselijk zijn en liefde nodig hebben. Misschien ben ik een cynicus, maar als je liefde nodig hebt, moet je er niet over jengelen, en wie weet, kun je dan een nummertje maken, en dat kan een veelbelovende eerste stap zijn.

Bubba keek naar de tapkast en schreeuwde: 'Welk stuk verdriet heeft die shit opgezet?'

'Bubba,' zei ik.

Hij stak zijn vinger op. 'Eén seconde.' Hij keek weer naar de tapkast. 'Wie heeft dit nummer opgezet? Huh?'

'Bubba,' zei de barkeeper. 'Rustig nou.'

'Ik wil alleen maar weten wie dit nummer heeft opgezet.'

Gigi Varon, een dertigjarige alcoholiste die eruitzag als een verschrompelde vrouw van vijfenveertig, stak aan het eind van de tapkast braaf haar hand op. 'Dat wist ik niet, meneer Rogowski. Het spijt me. Ik zal de stekker eruittrekken.'

'O, Gigi!' Bubba zwaaide op een overdreven manier naar haar. 'Hallo! Nee, laat maar.'

'Ik wil het echt wel doen.'

'Nee, nee, schat.' Bubba schudde zijn hoofd. 'Paulie, geef Gigi twee drankjes van mij.'

'Dank u, meneer Rogowski.'

'Geen probleem. Maar Morrissey is waardeloos, Gigi. Echt waar. Vraag het Patrick. Vraag het wie dan ook.'

'Ja, Morrissey is waardeloos,' zei een van de vaste klanten, en enkele anderen vielen hem bij.

'Ik zet straks de Amazing Royal Crowns op,' zei Gigi.

Ik had Bubba een paar maanden geleden op de Amazing Royal Crowns attent gemaakt, en dat was nu zijn favoriete band.

Bubba spreidde zijn armen. 'Paulie, maak er maar drie van.'

We waren in de Live Bootleg, een kroeg in de rij van Southie/Dorchester zonder een bord aan de voorkant. De bakstenen muur was aan de buitenkant zwart geverfd, en je kon alleen zien dat de kroeg een naam had doordat er in de rechter benedenhoek van de muur tegenover Dorchester Avenue iets met rode verf geschilderd was. Officieel was het etablissement eigendom van Carla Dooley, alias 'The Lovely Carlotta', en haar man Shakes, maar in werkelijkheid was het Bubba's bar, en ik had nog nooit meegemaakt dat niet alle krukken bezet waren en de drank niet rijkelijk vloeide. Het was ook een goed publiek. In de drie jaar sinds Bubba de bar had geopend, was er nooit gevochten en had er nooit een rij voor de wc gestaan omdat een junkie te lang werk had om zich vol te spuiten. Natuurlijk wist iedereen die daar kwam wie de werkelijke eigenaar was en hoe hij zou reageren als iemand de politie ooit reden gaf om op zijn deur te kloppen, en dus was de Live Bootleg, ondanks zijn donkere interieur en louche reputatie, ongeveer zo gevaarlijk als de woensdagavondbingo in de Saint Bart's. En meestal was er ook betere muziek.

'Ik snap niet waarom je Gigi een hartinfarct bezorgt,' zei ik. 'Die jukebox is van jou. Jij hebt die cd van de Smiths er zelf ingedaan.'

'Ik heb er geen cd van die verrekte Smiths ingedaan,' zei Bubba. 'Het is een van die compilaties van "Het beste uit de jaren tachtig". Ik moest een nummer van de Smiths accepteren omdat "Come on, Eileen" er ook op staat, en een heleboel andere goeie shit.'

'Katrina en de Waves?' zei ik. 'Bananarama? Dat soort coole bands?'

'Hé,' zei hij. 'Nena zit erop, dus hou je kop maar.'

'"Ninety-nine Luftballoons",' zei ik. 'Nou, goed dan.' Ik boog me naar de biljarttafel toe en stootte de zeven in de pocket. 'Wat had je nou over een deal waar ik met je naar toe moet?'

'Ik heb ondersteuning nodig. Nelson is de stad uit en de Twoomey's doen twee tot zes jaar.'

'Er zijn wel een miljoen andere kerels die je voor een meier willen helpen.' Ik stootte de zes, maar onderweg kwam hij tegen Bubba's tien, en ik ging een stap van de tafel terug.

'Nou, ik heb twee redenen.' Hij boog zich over de tafel en stootte de speelbal tegen de negen, zag hem over de tafel stuiteren en deed zijn ogen even stijf dicht toen de speelbal in de zijpocket viel. Voor iemand die zoveel biljart kan Bubba er niks van.

Ik legde de keu weer op de tafel en mikte op de vier in de zijkant. 'Reden nummer één?'

'Ik vertrouw jou en je staat bij me in het krijt.'

'Dat zijn twee redenen.'

'Het is er één. Hou je kop en speel.'

Ik kreeg de vier in de pocket en de speelbal rolde langzaam door en kwam heel mooi voor bal twee te liggen.

'Reden nummer twee,' zei Bubba, en hij krijtte zijn keu zo stevig dat het piepte. 'Ik wil dat je die mensen ziet aan wie ik verkoop.'

Ik kreeg de twee in de pocket maar stootte de speelbal achter een van Bubba's ballen. 'Waarom?'

'Vertrouw me nou maar. Het zal je interesseren.'

'Kun je het me niet gewoon vertellen?'

'Ik weet niet zeker of ze zijn wie ik denk dat ze zijn, dus moet je meegaan om het zelf te zien.'

'Wanneer?'

'Zodra ik dit partijtje win.'

'Hoe gevaarlijk?' zei ik.

'Niet gevaarlijker dan normaal.'

'Ah,' zei ik. 'Dus erg gevaarlijk.'

'Doe niet zo lullig. Speel nou maar.'

Germantown ligt aan de haven die Quincy van Weymouth scheidt. Het had zijn naam in het midden van de achttiende eeuw gekregen, toen een glasfabrikant contractarbeiders uit Duitsland haalde. Hij had een stadje laten bouwen met brede straten en grote pleinen, helemaal volgens Duitse traditie. Het bedrijf ging op de fles en de Duitsers moesten zichzelf zien te redden, want het bleek voordeliger te zijn hen vrij te laten dan hen ergens anders heen te sturen.

Er volgde een lange rij van mislukkingen. Het leek wel of er een vloek op het havenstadje rustte, en op de generaties die van de oorspronkelijke contractarbeiders afstamden. Aardewerk, chocolade, kousen, walvisolieproducten en medicinale zout en salpeter: in de volgende twee eeuwen staken al die industrieën de kop op om vervolgens weer weg te zakken. Een tijdlang genoten de kabeljauw- en walvisindustrie enige populariteit, maar ook die trokken naar Gloucester in het noorden of naar Cape Cod verder in het zuiden, op zoek naar betere vangsten en betere wateren.

Germantown werd een vergeten stukje land. Zijn wateren waren door een gaashek van zijn inwoners gescheiden en bovendien vervuild door afval van de Quincy Shipyards, een energiecentrale, olietanks en de Procter & Gamble-fabriek die de enige silhouetten van zijn skyline vormden. Een experiment met huisvestingsprojecten voor oorlogsveteranen had tot gevolg dat de kustlijn ontsierd werd door puimsteenkleurige huizenblokken, elk een verzameling van vier gebouwen waarin zestien woningen waren ondergebracht. Die blokken waren gerangschikt in de vorm van een hoefijzer, skeletachtige metalen waslijnstructuren die zich uit plassen van roest in het gebarsten asfalt verhieven.

Het huis waarvoor Bubba zijn Hummer parkeerde, stond een blok van de kust vandaan, en de huizen aan weerskanten waren afgekeurd en bezig in de aarde terug te zakken. In het donker leek het of dit huis ook inzakte, en hoewel ik niet veel details kon zien, hing er een duidelijke atmosfeer van verval rond het bouwsel.

De oude man die de deur openmaakte, had een kortgekipte baard die zijn kaken met rechthoekige plukken zilver en zwart bedekte maar weigerde om over het kloofje van zijn spitse kin heen te groeien, zodat er een bobbelige roze cirkel van naakte huid te zien was, knipogend als een oog. Hij was ergens tussen de vijftig en de zestig, met een knokige kromming in zijn tengere postuur, zodat hij veel ouder leek dan hij was. Hij droeg een versleten honkbalpet van de Red Sox die zelfs voor zijn kleine hoofd nog te klein leek, een kort geel T-shirt dat zijn gerimpelde, melkwitte middenrif bloot liet, en een zwarte nylon maillot die boven zijn blote enkels en voeten eindigde en zó strak om zijn kruis zat dat zijn aanhangsel op een vuist leek.

De man trok de klep van zijn honkbalpet verder over zijn voorhoofd omlaag en zei tegen Bubba: 'Jij bent Jerome Miller?'

'Jerome Miller' was Bubba's favoriete schuilnaam. Het was de naam van Bo Hopkins' personage in *The Killer Elite*, een film die

Bubba ongeveer elfduizend keer had gezien en waaruit hij naar hartelust kon citeren.

'Wat denk je?' Bubba's enorme lichaam doemde voor de tengere man op en onttrok hem aan mijn zicht.

'Ik vraag het maar,' zei de man.

'Ik ben de paashaas en sta met een gymtas vol wapens op je stoep.' Bubba boog zich over de man heen. 'Laat me erin, verdomme.'

De oude man ging opzij en we liepen over de drempel en kwamen in een donkere huiskamer die stijf stond van de sigarettenrook. De oude man boog zich naar de salontafel toe en pakte een brandende sigaret uit een veel te volle asbak. Hij zoog er met veel vocht aan en keek door de rook naar ons. Zijn fletse ogen gloeiden nagenoeg in het donker.

'Nou, laat maar zien,' zei hij.

'Wil je het licht aandoen?' zei Bubba.

'Er is hier geen licht,' zei de man.

Bubba keek hem met een brede, koude grijns aan, een en al tanden. 'Breng me dan naar een kamer waar wel licht is.'

De man haalde zijn knokige schouders op. 'Zoals je wilt.'

Toen we hem door een smalle gang volgden, zag ik dat het riempje aan de achterkant van de honkbalpet openhing en de uiteinden te ver uit elkaar hingen om bijeen te kunnen komen. In het algemeen zat de achterkant van die pet te ver omhoog op het hoofd van de man. Ik vroeg me af waar ik die kerel van kende. Omdat ik niet veel oude mannen kende die in een kort T-shirt en een maillot rondliepen, zou je verwachten dat de kandidatenlijst niet erg lang was. Toch kende ik de man niet, al kwam hij me bekend voor, en ik had het gevoel dat die honkbalpet of die baard me op het verkeerde been zette.

In de gang, waar vier deuren op uitkwamen, rook het naar vuil afwaswater dat er al dagen stond, en de muren roken naar schimmel. De gang liep helemaal door tot de achterdeur. Boven ons, op de eerste verdieping, maakte iets plotseling een zacht bonkgeluid. Het plafond trilde in het ritme van bastonen, van speakers die veel geluid voortbrachten, al was de muziek zelf zó zwak – eigenlijk niet meer dan blikkerig gefluister – dat het geluid van een halve straat verderop zou kunnen komen. Geluiddichte isolatie, dacht ik. Misschien hadden ze daarboven een band, een groep oude mannen in een kort T-shirt en een maillot die oude nummers van Muddy Waters coverden, swingend op het ritme.

We kwamen bij de eerste twee deuropeningen, ergens midden

in de gang, en ik keek in die aan mijn linkerkant en zag alleen een donkere kamer met schaduwen en silhouetten, zo te zien van een ligstoel en stapels boeken of tijdschriften. Uit de kamer kwam de lucht van oude sigarenrook. De deuropening aan mijn rechterkant leidde naar een keuken die in zo'n fel wit licht baadde, dat de tl-buizen waarschijnlijk van industriële kwaliteit waren, het soort dat je normaal gesproken in vrachtwagendepots aantrof, niet in woningen. In plaats van de keuken te verlichten spoelde het alles weg, en ik moest meermalen met mijn ogen knipperen om weer iets te kunnen zien.

De man pakte een klein voorwerp van het aanrecht en gooide het zijdelings in mijn richting. Ik knipperde in het felle licht, zag het voorwerp laag naar me toe vliegen, rechts van me, liet mijn hand uitschieten en ving het op. Het was een kleine papieren zak, en ik had hem bij de bodem te pakken gekregen. Pakjes geld dreigden op de vloer te vallen, maar ik kreeg de zak op tijd rechtop en duwde het geld weer naar binnen. Ik draaide me om naar Bubba en gaf het aan hem.

'Goeie vangst,' zei de man. Hij keek met een grijns van zijn geelbruine nicotinetanden in Bubba's richting. 'Uw gymtas, meneer.'

Bubba zwaaide de gymtas tegen de borst van de man, die zijn evenwicht verloor en op zijn achterste viel. Hij zat wijdbeens op de zwarte en witte tegels, zijn armen gespreid, de muizen van zijn handen steunend op de tegels.

'Slechte vangst,' zei Bubba. 'Als ik het nou eens gewoon op de tafel zet?'

De man keek naar hem op en knikte, knipperend in het felle licht.

Het was zijn neus die me bekend voorkwam, dacht ik, die haviksneus. De rest van het gezicht van die man was vlak, maar die neus stak er als een rotspunt uit naar voren en was zó dramatisch naar beneden gekromd dat de punt een schaduw wierp over de lippen van de man.

Hij krabbelde overeind, veegde het stof van het zitvlak van zijn zwarte maillot en wreef daarna met zijn handen over elkaar. Hij stond bij de tafel en keek naar Bubba, die de rits van de gymtas openmaakte. Toen de man in de tas keek, schitterden er twee oranje lichtjes in zijn ogen, als de glinstering van achterlichten in het donker. Op zijn bovenlip verschenen druppeltjes zweet.

'Dus dit zijn mijn schatjes,' zei de man, toen Bubba de plooien van de tas terugtrok en vier Calico M-110 machinepistolen liet zien. De zwarte aluminiumlegering glansde van de olie. De Calico M-110 is een van de vreemdste wapens die ik ooit heb gezien. Het is een handvuurwapen dat honderd patronen afvuurt uit hetzelfde spiraalvormig gevoede magazijn dat voor de karabijnen van Calico wordt gebruikt. Van de ongeveer veertig centimeter die het wapen lang is, wordt twintig centimeter in beslag genomen door de handgreep en de loop, terwijl de slede en de kolf van het wapen achter de handgreep zaten. Het wapen deed me denken aan de namaakwapens die we als kinderen van elastiekjes, kleerhangers en lollystokjes maakten om paperclips op elkaar af te schieten.

Maar met elastiekjes en lollystokjes konden we niet meer dan tien paperclips per minuut afvuren. De M-110 kon in de volautomatische stand honderd kogels in zo'n vijftien seconden uitspuwen.

De oude man pakte er een uit de tas en legde hem in de palm van zijn hand. Hij bewoog zijn arm op en neer om het gewicht te voelen, en zijn fletse ogen glansden alsof ze ook geolied waren, net als het wapen. Hij smakte met zijn lippen alsof hij het geweervuur al kon proeven.

'Je slaat wapens in voor een oorlog?' zei ik.

Bubba wierp me een blik toe en begon het geld uit de papieren zak te tellen.

De man keek grijnzend naar het wapen, alsof het een klein poesje was. 'Vervolging heb je altijd en overal, beste jongen. Je moet op alles voorbereid zijn.' Hij streek met de toppen van zijn vingers over de kolf van het wapen. 'O, wat goed,' koerde hij.

En op dat moment herkende ik hem.

Leon Trett, de kinderlokker van wie Broussard me een foto had gegeven toen Amanda McCready nog maar net verdwenen was. De man die van de verkrachting van meer dan vijftig kinderen en de verdwijning van twee kinderen werd verdacht.

En wij hadden hem net van wapens voorzien.

Fantastisch.

Hij keek plotseling naar me op, alsof hij kon voelen wat ik dacht, en toen ik die fletse ogen naar me zag kijken, voelde ik me opeens koud en klein.

'Magazijnen?' zei hij.

'Als ik wegga,' zei Bubba. 'Laat me nou even tellen.'

Hij ging een stap in Bubba's richting. 'Nee, nee. Niet als je weggaat,' zei Leon Trett. 'Nu.'

'Stil,' zei Bubba. 'Ik ben aan het tellen.' Ik hoorde hem mompelen: '… vierhonderdvijftig, zestig, vijfenzestig, zeventig, vijfenzeventig…'

Leon Trett schudde een aantal keren met zijn hoofd, alsof hij daarmee de magazijnen kon laten verschijnen, alsof hij daarmee Bubba redelijk kon maken.

'Nu,' zei Trett. 'Nu. Ik wil mijn magazijnen nu. Ik heb ervoor betaald.'

Hij greep naar Bubba's arm, en Bubba sloeg hem met de rug van zijn arm tegen zijn borst, zodat hij tegen het tafeltje onder het raam smakte.

'Klootzak!' Bubba hield op met tellen en sloeg de biljetten in zijn handen tegen elkaar. 'Nou moet ik helemaal overnieuw beginnen.'

'Jij geeft me mijn magazijnen,' zei Trett. Zijn ogen waren nat en hij had de jengelende stem van een verwend kind van acht. 'Je geeft ze aan mij.'

'Rot op.' Bubba begon de biljetten weer te tellen.

Tretts ogen liepen vol en hij sloeg op het wapen dat hij in zijn handen had.

'Wat is er, schat?'

Ik draaide me om naar de stem en aanschouwde de grootste vrouw die ik ooit had gezien. Ze was niet zomaar een amazone van een vrouw, ze was een Sasquatch, kolossaal en bedekt met dicht grijs haar, dat zich minstens twaalf centimeter van haar hoofd verhief en daarna omlaagviel langs de zijkanten van haar gezicht. Het onttrok haar jukbeenderen en mondhoeken aan het oog en golfde als wier over haar brede schouders.

Ze was van top tot teen in het donkerbruin gehuld, en de lichaamsmassa onder de losse plooien van haar kleren leek te trillen en te sidderen. Ze stond in de deuropening en hield een .38 in haar grote klauw van een hand.

Roberta Trett. Haar foto deed haar geen eer aan.

'Ze willen me de magazijnen niet geven,' zei Leon. 'Ze nemen het geld, maar ze geven me de magazijnen niet.'

Roberta deed een stap de kamer in en draaide haar hoofd van rechts naar links om de situatie in ogenschouw te nemen. De enige die niet had laten blijken dat hij haar had opgemerkt, was Bubba. Hij bleef midden in de keuken staan en probeerde met gebogen hoofd zijn geld te tellen.

Roberta wees nonchalant met het pistool in mijn richting. 'Geef ons de magazijnen.'

Ik haalde mijn schouders op. 'Ik heb ze niet.'

'Jij.' Ze richtte het pistool op Bubba. 'Hé, jij.'

'... achthonderdvijftig,' zei Bubba. 'Achthonderdzestig, acht-honderdzeventig...'

'Hé!' zei Roberta. 'Kijk me aan als ik tegen je praat.'

Bubba draaide zijn hoofd enigszins naar haar toe maar hield zijn blik op het geld gericht. 'Negenhonderd. Negenhonderdtien, negenhonderdtwintig...'

'Miller,' zei Leon wanhopig. 'Mijn vrouw praat tegen je.'

'... negenhonderdvijfenzestig, negenhonderdzeventig...'

'Miller!' Leons stem was zó schel dat ik hem in het binnenste van mijn oren hoorde galmen. Het geluid zoemde langs mijn her-senstam.

'Duizend.' Bubba hield midden in het pak bankbiljetten op en stopte het pak dat hij al had geteld in zijn jaszak.

Leon zuchtte hoorbaar. De opluchting verspreidde zich over zijn gezicht.

Bubba keek me aan alsof hij niet begreep waar iedereen zich zo druk om maakte.

Roberta liet het pistool zakken. 'Nou, Miller, als we nu even...'

Bubba likte aan zijn duim en pakte het bovenste biljet van de stapel die hij nog in zijn handen had. 'Twintig, veertig, zestig, tachtig, honderd...'

Leon Trett zag eruit alsof hij ter plekke een embolie had ge-kregen. Zijn gezicht, daarnet nog krijtwit, was vuurrood en opge-zet en hij kneep in het lege wapen dat hij tussen zijn handen had en wiebelde heen en weer alsof hij nodig naar de wc moest.

Roberta Trett bracht het pistool weer omhoog, en ditmaal had dat gebaar niets nonchalants. Ze richtte het op Bubba's hoofd en deed haar linkeroog dicht. Ze keek langs de loop en legde de vei-ligheidspal om.

De contouren van haar en Bubba leken wel geëtst in het felle licht. Ze stonden midden in de keuken, allebei zo groot als iets dat je normaal gesproken met touw en rotshaken zou beklimmen, niet iets dat uit een moederschoot was gekomen.

Ik trok mijn .45 uit de holster op het onderste van mijn rug, liet hem langs mijn rechterbeen zakken en haalde de veiligheidspal over.

'Tweehonderdtwintig,' zei Bubba, terwijl Roberta Trett weer een stap in zijn richting deed. 'Tweehonderddertig, tweehonderd-veertig, hé, wil je dat kreng even overhoop schieten, tweehon-derdvijftig, tweehonderdzestig...'

Roberta Trett bleef staan en hield haar hoofd een beetje naar links, alsof ze niet goed wist wat ze had gehoord. Blijkbaar kon ze de verschillende mogelijkheden niet overzien. Waarschijnlijk was dat voor haar een nogal vreemde situatie.

Ik betwijfelde of ze ooit eerder in haar leven genegeerd was.

'Miller, je houdt nu meteen op met tellen.' Ze stak haar arm uit tot hij helemaal recht en hard was. Haar knokkels staken wit af tegen het zwarte staal.

'... driehonderd, driehonderdtien, driehonderdtwintig, ik zei: schiet dat grote kreng overhoop, driehonderddertig...'

Ditmaal wist ze zeker wat ze had gehoord. Haar pols begon te trillen, en het pistool trilde mee.

'Mevrouw,' zei ik. 'Leg dat pistool neer.'

Haar ogen rolden in hun kassen, en ze zag dat ik me niet had bewogen, dat ik niets op haar richtte. En toen besefte ze dat ze mijn rechterhand niet kon zien, en op dat moment gebruikte ik mijn duim om de veiligheidspal van mijn .45 over te halen. Het geluid sneed even hard door het tl-gezoem van die fel verlichte keuken als een schot zelf.

'... vier vijftig, vier zestig, vier zeventig...'

Roberta Trett keek over Bubba's schouder naar Leon, en de .38 trilde nog even en Bubba hield op met tellen.

Voorbij de keuken hoorde ik het geluid van een deur die erg snel open- en dichtging. Het kwam van de achterkant van het huis, van het achterste eind van de lange gang die het huis in tweeën verdeelde.

Roberta hoorde het ook. Haar ogen gingen even met een ruk naar links en richtten zich toen weer op Leon.

'Laat hem ophouden,' zei Leon. 'Laat hem ophouden met tellen. Het doet pijn.'

'... zeshonderd,' zei Bubba, en zijn stem werd iets harder. 'Zes tien, zes twintig, zes vijfentwintig – dat zijn wel genoeg vijfjes – zes dertig...'

Er kwamen voetstappen door de gang, en Roberta's rug verstijfde.

'Hou op,' zei Leon. 'Hou op met tellen.'

Een man die nog kleiner was dan Leon verstijfde zodra hij door de deuropening kwam. Zijn donkere ogen gingen wijdopen van verwarring. Ik haalde het pistool achter mijn been vandaan en richtte het op het midden van zijn voorhoofd.

Zijn borst was zo erg ingevallen dat het leek of hij achterstevoren was ingebouwd, alsof het borstbeen en de ribbenkast naar binnen gedraaid waren terwijl het buikje als dat van een pygmee naar voren stak. Zijn rechteroog was lui en gleed steeds van ons weg, alsof het in een boot op zee zwalkte. Kleine krasjes boven zijn rechtertepel staken rood af in het witte licht.

Hij droeg alleen een badstoffen handdoek, en zijn huid glom van het zweet.

'Corwin,' zei Roberta, 'ga meteen naar je kamer terug.'

Corwin Earle. Blijkbaar had hij toch nog zijn knusse gezinnetje gevonden.

'Corwin blijft hier,' zei ik, en ik stak mijn arm helemaal uit en zag hoe Corwins goede oog in de loop van de .45 keek.

Corwin knikte en liet zijn handen langs zijn zijden hangen.

Alle ogen, behalve de mijne, werden weer op Bubba gericht en gaven hem al hun aandacht.

'Tweeduizend!' kraaide hij. Hij hield het pak geld omhoog.

'We zijn het erover eens dat je de koopsom hebt ontvangen,' zei Roberta Trett, en haar stem trilde als het pistool in haar hand. 'En maak dan nu de transactie compleet, Miller. Geef ons de magazijnen.'

'Geef ons de magazijnen!' krijste Leon.

Bubba keek hem over zijn schouder aan.

Corwin Earle ging een stap terug, en ik zei: 'Vergeet het maar.'

Hij slikte en ik zwaaide met het pistool naar voren en hij gehoorzaamde.

Bubba grinnikte. Dat was een diep, zacht *heh-heh-heh*, en Roberta Tretts nek ging meteen stijf krom staan.

'De magazijnen,' zei Bubba, en hij keek Roberta weer aan. Het leek wel of hij nu pas merkte dat ze een pistool op hem richtte. 'Natuurlijk.'

Hij drukte zijn lippen op elkaar en wierp Roberta een kus toe. Ze knipperde met haar ogen en deinsde een stap terug alsof Bubba's lippen giftig waren.

Bubba greep in de zak van zijn regenjas, en toen kwam zijn arm bliksemsnel weer omhoog.

'Hé!' zei Leon.

Roberta deinsde terug op het moment dat Bubba zijn pols tegen de hare sloeg. De .38 sprong uit haar hand en vloog over de gootsteen het aanrecht op.

Iedereen dook weg, behalve Bubba.

De .38 raakte de muur boven het aanrecht. De hamer sloeg over en het pistool ging af.

De kogel boorde een gat in het goedkope formica achter het aanrecht en ricochetteerde tegen de muur naast het raam waarbij Leon ineengedoken zat.

De .38 kletterde op het aanrecht, en de loop draaide rond en wees uiteindelijk naar het rek met vuile borden.

Bubba keek naar het gat in de muur. 'Cool,' zei hij.

De rest van ons richtte zich op, behalve Leon. Hij zat op de vloer en drukte zijn hand tegen zijn hartstreek, en toen ik zag hoe hard zijn fletse ogen waren, wist ik dat hij lang niet zo zwak was als ik dacht toen hij jengelde dat Bubba moest ophouden met tellen. Het was maar een masker, nam ik aan. Hij speelde een rol om ons te laten denken dat we geen rekening met hem hoefden te houden, en dat masker viel van hem af toen hij daar op de keukenvloer zat en met naakte haat naar Bubba opkeek.

Bubba stopte het tweede pak bankbiljetten in zijn zak. Hij liep naar Roberta toe en tikte met zijn voet op de vloer vlak voor haar, tot ze haar hoofd omhoogbracht en hem in de ogen keek.

'Je had een pistool op me gericht, Xena de Grote.' Hij wreef over zijn kin, en in de hele keuken hoorden we hoe zijn stoppels over zijn ruwe huid schuurden.

Roberta liet haar handen langs haar zijden hangen.

Bubba lachte haar vriendelijk toe.

Heel zachtjes zei hij: 'Dus moet ik je nu doden?'

Roberta schudde één keer nadrukkelijk met haar hoofd.

'Weet je dat zeker?'

Roberta knikte, opnieuw heel nadrukkelijk.

'Maar je richtte dat pistool op me.'

Roberta knikte weer. Ze probeerde te spreken, maar er kwam alleen wat gegorgel uit.

'Wat zei je?' zei Bubba.

Ze slikte. 'Het spijt me, Miller.'

'O.' Bubba knikte.

Hij knipoogde naar me. In zijn glimlachende ogen danste weer dat groene, woedende licht dat ik al eerder had gezien, het licht dat betekende dat er van alles kon gebeuren. Alles.

Steunend op de keukentafel begon Leon achter Bubba overeind te komen.

'Kleine man,' zei Bubba, die zijn blik op Roberta gericht hield, 'als je naar die Charter .22 grijpt die je onder de tafel hebt, schiet ik hem leeg in je ballen.'

Leon haalde zijn hand bij de rand van de tafel weg.

Het zweet drupte uit Corwins haar. Hij knipperde met zijn ogen en hield zijn hand tegen de deurpost om zich overeind te houden.

Bubba liep naar me toe, en terwijl hij zijn blik op de keuken gericht hield, fluisterde hij in mijn oor: 'Ze zijn tot de tanden bewapend. We moeten snel weg. Snap je?'

Ik knikte.

Terwijl hij terugliep naar Roberta, zag ik Leon eerst naar de tafel kijken, toen naar een kast en vervolgens naar de vaatwasmachine, die roestig was en langs de deur met vuil was aangekoekt en waar waarschijnlijk geen vaat meer in gewassen was sinds ik op school zat.

Ik zag Corwin Earle hetzelfde doen. Toen keken hij en Leon elkaar even aan, en meteen was de angst verdwenen.

Ik was het met Bubba's beoordeling eens. We stonden blijkbaar midden in Tombstone. Als we even niet op onze hoede waren, zouden de Tretts en Corwin Earle hun wapens grijpen en de OK Corral nog eens dunnetjes overdoen.

'Alsjeblieft,' zei Roberta Trett tegen Bubba. 'Ga weg.'

'En de magazijnen?' zei Bubba. 'Jullie wilden de magazijnen. Willen jullie die nog steeds?'

'Ik…'

Bubba raakte met zijn vingertoppen haar kin aan. 'Ja of nee?'

Ze deed haar ogen dicht. 'Ja.'

'Sorry.' Bubba straalde. 'Jullie kunnen ze niet krijgen. Ik moet gaan.'

Hij keek me aan, hield zijn hoofd schuin en liep naar de deuropening.

Corwin drukte zich tegen de muur en ik richtte mijn pistool op de keuken in het algemeen en liep achteruit de keuken uit, achter Bubba aan. Ik zag de woede in Leon Tretts ogen en wist dat ze als de gesmeerde bliksem achter ons aan zouden komen.

Ik greep Corwin Earle in zijn nek en duwde hem naar het midden van de keuken, waar Roberta stond. Toen keek ik Leon aan.

'Ik vermoord je, Leon,' zei ik. 'Blijf in de keuken.'

Toen hij sprak, deed hij dat niet meer met de jengelende stem van een kind van acht. Daarvoor in de plaats was een diepe, enigszins hese stem gekomen, zo koud als steenzout.

'Je moet naar de voordeur, jongen. En dat is een heel eind lopen.'

Ik liep achteruit de gang in en hield de .45 op de keuken gericht. Bubba stond een meter of zo verderop. Hij floot.

'Moeten we rennen?' fluisterde ik vanuit mijn mondhoek.

Hij keek weer over zijn schouder. 'Waarschijnlijk.'

En daar ging hij. Hij rende als een rugbyspeler op de voordeur af, stampend met zijn zware schoenen op de oude vloerplanken.

Hij lachte maniakaal, een bulderend *Ah-ha-ha!* dat door het hele huis ging.

Ik liet mijn arm zakken en rende achter hem aan. We renden uit alle macht naar de voordeur en intussen zag ik de donkere gang en de donkere huiskamer waanzinnig heen en weer zwaaien.

Ik hoorde ze in de keuken in actie komen, hoorde de deur van de vaatwasmachine openzwaaien en dichtvallen. Ik voelde dat er vizieren op mijn rug waren gericht.

Bubba bleef niet staan om de hordeur tussen ons en de vrijheid open te maken. Hij rende er dwars doorheen. Het houten kozijn vloog meteen kapot en het groene gaas hing als een sluier om zijn hoofd.

Toen ik bij de drempel was aangekomen, waagde ik het een blik achterom te werpen en zag Leon Trett met gestrekte arm de gang in komen. Ik draaide me om en richtte mijn pistool op hem, door de donkere gang, maar ik was nu buiten, en Trett en ik keken elkaar een hele tijd door de donkere ruimte aan, onze wapens op elkaar gericht.

Toen liet hij zijn arm zakken en keek me hoofdschuddend aan. 'Een andere keer,' riep hij.

'Natuurlijk,' zei ik.

Achter me, in de voortuin, maakte Bubba een hoop lawaai. Hij ontdeed zich van de restanten van de hordeur en bulderde met die krankzinnige lach van hem.

'Ah-ha-ha! Ik ben Conan!' schreeuwde hij, en spreidde zijn armen wijd uit. 'De grote overwinnaar van slechte dwergen! Niemand durft mijn moed of kracht op de proef te stellen! Ah-ha-ha!'

Ik kwam de voortuin in, en we draafden naar zijn Hummer toe. Ik ging met mijn rug naar de Hummer staan, mijn blik op het huis gericht en het pistool in beide handen. Intussen stapte Bubba in en maakte het portier aan mijn kant open. In het huis bewoog zich niets.

Ik stapte in de grote, brede auto en Bubba stoof weg van de trottoirband voordat ik mijn portier goed en wel dicht had.

'Waarom wou je ze die magazijnen niet geven?' vroeg ik toen we een huizenblok van de Tretts vandaan waren.

Bubba reed door rood licht. 'Ze ergerden me en lieten me niet rustig tellen.'

'Daarom? Hield je daarom die magazijnen achter?'

Hij trok een kwaad gezicht. 'Ik heb er de pest aan als mensen me niet rustig laten tellen. Daar heb ik verschrikkelijk de pest aan.'

'O ja,' zei ik toen we een hoek omgingen. 'Wat zei je nou over slechte dwergen?'

'Wat?'

'In *Conan* kwamen geen slechte dwergen voor.'

'Weet je dat zeker?'

'Vrij zeker.'

'Verdomme.'

'Sorry.'

'Waarom moet je nou alles bederven?' zei hij. 'Man, met jou kun je ook geen lol hebben.'

25

'Ange!' riep ik, toen Bubba en ik mijn woning kwamen binnenstormen.

Ze stak haar hoofd uit het kleine kamertje waar ze zat te werken. 'Wat is er?'

'Jij hebt die Pietro-zaak nogal goed gevolgd, hè?'

Het was meteen of er met naalden in haar ogen was gestoken. 'Ja.'

'Kom eens naar de huiskamer,' zei ik, en trok haar mee. 'Kom mee. Kom mee.'

Ze keek eerst mij aan, en toen Bubba, die op zijn hielen wiebelde en een grote roze Bazooka-ballon door zijn dikke, rubberachtige lippen blies.

'Wat hebben jullie twee gedronken?'

'Niets,' zei ik. 'Kom nou mee.'

We deden licht aan in de huiskamer en vertelden haar over ons bezoek aan de Tretts.

'Stelletje uilskuikens,' zei ze, toen we klaar waren. 'Kleine psychopatenjongetjes die met een psychopatenfamilie spelen.'

'Goed, goed,' zei ik. 'Ange, wat droeg Samuel Pietro toen hij verdween?'

Ze leunde in haar stoel achterover. 'Een spijkerbroek, een rood sweatshirt over een wit T-shirt, een blauw met rode parka, zwarte wanten en hoge sportschoenen.' Ze keek me met half dichtgeknepen ogen aan. 'Hoezo?'

'Is dat alles?' zei Bubba.

Ze haalde haar schouders op. 'Ja. En een honkbalpet van de Red Sox.'

Ik keek Bubba aan en hij knikte en stak toen zijn handen omhoog.

'Ik kan me daar niet mee bemoeien. Mijn wapens liggen in dat huis.'

'Geen probleem,' zei ik. 'We bellen Poole en Broussard.'
'Waarvoor bellen we Poole en Broussard?' zei Angie.

'Jullie zagen Trett een pet van de Red Sox dragen?' zei Poole. Hij zat tegenover ons in een Wollaston-cafetaria.
Ik knikte. 'Die drie of vier maten te klein voor hem was.'
'En daardoor geloven jullie dat voornoemde pet het eigendom van Samuel Pietro was.'
Ik knikte weer.
Broussard keek Angie aan. 'Geloof jij dat ook?'
Ze stak een sigaret op. 'Er is veel dat in die richting wijst. De Tretts wonen in Germantown, recht tegenover Weymouth, een paar kilometer van de speelplaats in Nantasket Beach waar Pietro was voordat hij verdween. En die granietgroeven zijn niet te ver van Germantown vandaan, en...'
'O, alsjeblieft!' Broussard verkreukelde een leeg sigaretten-pakje en gooide het op de tafel. 'Weer Amanda McCready? Omdat Trett binnen tien kilometer van de granietgroeven woont, denken jullie natuurlijk dat hij haar moet hebben vermoord? Menen jullie dat nou?'
Hij keek Poole aan en ze schudden allebei met hun hoofd.
'Je hebt ons foto's van de Tretts en Corwin Earle laten zien,' zei Angie. 'Weet je nog wel? Je zei dat Corwin Earle graag kinderen oppikte voor de Tretts. Je zei dat we naar hem moesten uitkijken,' zei Angie. 'Dat was jij toch, rechercheur Broussard?'
'Agent Broussard,' corrigeerde Broussard haar. 'Ik ben geen rechercheur meer.'
'Nou,' zei Angie, 'als we bij de Tretts langsgaan en een beetje rondkijken, word je dat misschien opnieuw.'

Leon Tretts huis stond zo'n tien meter van de weg vandaan in een veld van hoog opgeschoten gras. In de regen leek het kleine witte huis erg groezelig, alsof het besmeurd was met lange vuile vingers. Maar langs de muur had iemand een tuintje aangelegd, en de bloemen begonnen net uit te komen. Het had mooi moeten zijn, maar het was vreemd om al die liefdevol verzorgde paarse krokussen, witte sneeuwklokjes, knalrode tulpen en zachtgele forsythia's te zien bloeien in de schaduw van zo'n vuil, vervallen huis.
Roberta Trett, herinnerde ik me, was bloemiste geweest, en blijkbaar nog een goede ook, als ze in deze lange winter zoveel bloemen uit de harde aarde kon krijgen. Ik kon het me niet voor-

stellen – dat die logge vrouw die de vorige avond haar pistool op Bubba's hoofd had gericht en de haan van haar .38 had gespannen, gevoel had voor delicate zachtheid, voor tere bloemblaadjes en kwetsbare schoonheid.

Het was een klein huis met een bovenverdieping, en de bovenramen aan de kant van de weg waren dichtgetimmerd met donker hout. De shingles onder die ramen waren gebarsten of verdwenen, zodat het bovenste deel van het huis op een driehoekig gezicht met beurs geslagen ogen en een half tandeloze grijns leek.

Zoals ik ook al had gevoeld toen ik in het donker naar het huis toe ging, hing het verval er als een geur omheen, tuin of geen tuin.

Een hekje met gaas langs de bovenrand scheidde de achterkant van Tretts perceel van dat van zijn buren. De zijkanten van het huis keken uit op een veld met onkruid, op die twee afgekeurde en leegstaande huizen, en verder niets.

'Je kunt er alleen via die voordeur in,' zei Angie.

'Daar ziet het wel naar uit,' zei Poole.

De hordeur die Bubba de vorige avond had vernield, lag in brokstukken op het gazon, maar de eigenlijke deur, een witte houten deur met barsten in het midden, was er nog. Het was stil aan dit eind van de straat. Er hing de lege atmosfeer van een plaats waar maar weinig mensen kwamen. In de tijd dat we hier waren, was er maar één auto voorbijgekomen.

De achterdeur van de Crown Victoria ging open en Broussard stapte naast Poole in. Hij schudde regen van zijn haar, en de druppels spatten op Pooles kin en slapen.

Poole veegde over zijn gezicht. 'Ben je een hond geworden?'

Broussard grijnsde. 'Het regent.'

'Dat merk ik.' Poole haalde een zakdoek uit zijn borstzakje. 'Ik herhaal: ben je een hond geworden?'

'Woef.' Broussard schudde weer met zijn hoofd. 'De achterdeur is waar Kenzie zei dat hij was. Ongeveer dezelfde plaats als de voordeur. Eén bovenraam aan de oostkant, één aan de westkant, één achter. Allemaal dichtgetimmerd. Dikke gordijnen voor alle benedenramen. Een afgesloten luik bij de achterhoek, ongeveer drie meter rechts van de achterdeur.'

'Nog tekenen van leven daarbinnen?' vroeg Angie.

'Dat is door die dikke gordijnen niet te zien.'

'Wat doen we nu?' zei ik.

Broussard nam de zakdoek van Poole over, veegde over zijn gezicht en gooide de doek terug op Pooles schoot. Poole keek er met een mengeling van verbazing en walging naar.

259

'Doen?' zei Broussard. 'Jullie twee?' Hij trok zijn wenkbrauwen op. 'Niets. Jullie zijn burgers. Als jullie naar binnen gaan of Trett ook maar een haar krenken, zal ik jullie arresteren. Mijn vroegere en toekomstige collega en ik lopen straks naar dat huis toe en kloppen op de deur. We vragen of meneer en mevrouw Trett met ons willen praten. Als ze zeggen dat we moeten oprotten, komen we terug en bellen we de politie van Quincy voor assistentie.'

'Waarom bel je niet meteen voor assistentie?' vroeg Angie.

Broussard keek Poole aan. Toen keken ze allebei naar haar en schudden hun hoofd.

'Neem me niet kwalijk dat ik achterlijk ben,' zei Angie.

Broussard glimlachte. 'Je kunt niet om assistentie vragen als er geen gerede aanleiding is, mevrouw Gennaro.'

'Maar als jullie daar eenmaal hebben aangeklopt, is er dan wel gerede aanleiding?'

'Als een van hen dom genoeg is om open te doen,' zei Poole.

'Waarom?' zei ik. 'Denk je dat je door een kier van de deur kunt kijken en dan Samuel Pietro ziet staan met een bord met HELP in zijn handen?'

Poole haalde zijn schouders op. 'Het zou je verbazen wat je door de kier van een deur kunt horen, Kenzie. Ik heb smerissen gekend die een ketel hoorden fluiten en dachten dat het een gillend kind was. Nu is het natuurlijk jammer als er deuren worden ingetrapt en meubilair wordt vernietigd en bewoners worden gemaltraiteerd omdat iemand zich op die manier heeft vergist, maar dan blijf je altijd nog binnen de grenzen van de gerede aanleiding.'

Broussard spreidde zijn handen. 'Het rechtsstelsel is gebrekkig, maar we proberen er iets van te maken.'

Poole haalde een kwartje uit zijn zak, liet het op zijn duimnagel balanceren en porde Broussard aan. 'Kop of munt.'

'Welke deur?' zei Broussard.

'Statistisch gezien,' zei Poole, 'is de kans dat er bij de voordeur op je wordt geschoten groter.'

Broussard keek de regen in. 'Statistisch gezien.'

Poole knikte. 'Maar we weten allebei dat het een heel eind lopen is naar die achterdeur.'

'Door open terrein.'

Poole knikte weer.

'De verliezer moet op de achterdeur kloppen.'

'Waarom gaan jullie niet gewoon samen naar de voordeur?' vroeg ik.

260

Poole rolde met zijn ogen. 'Omdat ze minstens met z'n drieën zijn, Kenzie.'

'Verdeel en heers,' zei Broussard.

'En al die wapens?' zei Angie.

'De wapens die jullie mysterieuze vriend daarbinnen gezien zegt te hebben?'

Ik knikte. 'Ja, die. Calico M-110's, denkt hij.'

'Maar zonder magazijnen.'

'Gisteravond wel,' zei ik. 'Wie weet, hebben ze in de afgelopen zestien uur ergens anders wat magazijnen op de kop getikt.'

Poole knikte. 'Als ze die magazijnen hebben, is het zwaar geschut.'

'Dat zien we wel als het zo ver is.' Broussard keek Poole aan. 'Ik verlies altijd met muntje gooien.'

'En opnieuw lacht de fortuin u toe.'

Broussard zuchtte. 'Kop.'

Poole maakte een snelle beweging met zijn duim en het kwartje vloog door het halfduister van de achterbank, ving wat geel licht van de straatlantaarn op en glinsterde gedurende een fractie van een seconde als Spaans goud. Het muntje landde op Pooles handpalm en hij sloeg het op de rug van zijn hand.

Broussard keek naar het muntje en trok een grimas. 'De beste twee van drie?'

Poole schudde zijn hoofd en deed de munt in zijn zak. 'Ik de voordeur, jij de achterdeur.'

Broussard leunde achterover, en een volle minuut zei niemand iets. We keken door de schuin vallende regen naar het vuile kleine huis. Eigenlijk was het maar een kubus van steen en hout, en het verval kwam je over de hele linie tegemoet: de scheefgezakte veranda, de ontbrekende shingles, de dichtgetimmerde ramen.

Als je naar dat huis keek, kon je je niet voorstellen dat in de slaapkamers de liefde was bedreven, dat in de tuin kinderen hadden gespeeld, dat er gelachen was.

'Geweren?' zei Broussard ten slotte.

Poole knikte. 'Helemaal in de stijl van het wilde westen.'

Broussard greep naar de deurhendel.

'Ik wil dit John Wayne-moment niet bederven,' zei Angie, 'maar komen die geweren niet verdacht over op de bewoners van dat huis? Jullie komen toch alleen maar wat vragen stellen?'

'Ze zien de geweren niet,' zei Broussard, terwijl hij de deur opendeed en de regen in stapte. 'Daarvoor heeft God de regenjas geschapen.'

Broussard liep over de weg naar de achterkant van de Taurus en maakte de kofferbak open. Ze hadden de auto naast een boom geparkeerd die zo oud was als de stad. Die boom, groot, misvormd, de wortels tot boven het trottoir, onttrok de auto en Broussard aan het zicht van de Tretts.

'Dus we zijn zo ver,' zei Poole op de achterbank.

Broussard haalde een regenjas uit de kofferbak en trok hem aan. Ik keek achterom naar Poole.

'Als er iets misgaat, gebruik je je mobiele telefoon om 911 te bellen.' Hij boog zich naar voren en hield zijn wijsvinger bij onze gezichten. 'Jullie verlaten onder geen beding deze auto. Is dat begrepen?'

'Ja,' zei ik.

'Angie?'

Angie knikte.

'Nou, dan is het goed.' Poole maakte zijn portier open en stapte de regen in.

Hij liep over de weg en ging bij zijn collega achter de Taurus staan. Broussard reageerde met een hoofdknikje op iets wat Poole zei en keek naar ons terwijl hij een hagelgeweer onder de flap van zijn regenjas stak.

'Cowboys,' zei Angie.

'Dit is misschien Broussards kans om weer rechercheur te worden. Allicht dat hij opgewonden is.'

'Té opgewonden?' vroeg Angie.

Het leek wel of Broussard kon liplezen. Hij lachte door het water heen dat over onze portieren stroomde en haalde zijn schouders op. Toen keek hij Poole weer aan, bracht zijn lippen vlak bij zijn oor en zei iets. Poole klopte hem op de rug en Broussard liep van de Taurus vandaan. Met grote stappen liep hij door de schuin vallende regen. Hij liep over de straat, ging naar de oostkant van Tretts tuin en slenterde nonchalant door het onkruid in de richting van de achterdeur.

Poole maakte de kofferbak dicht en trok aan de flappen van zijn regenjas tot ze zijn geweer bedekten. Het geweer zat tussen zijn rechterarm en zijn borst. Terwijl hij zijn Glock met zijn linkerhand achter zijn rug hield, liep hij de weg op, zijn blik gericht op de dichtgetimmerde bovenramen.

'Zag je dat?' zei Angie.

'Wat?'

'Het raam links van de voordeur. Ik denk dat het gordijn bewoog.'

'Weet je dat zeker?'

Ze schudde haar hoofd. 'Ik zei: "ik denk".' Ze haalde haar mobiele telefoon uit haar tasje en legde hem op haar schoot.

Poole kwam bij de verandatrap aan. Hij bracht zijn voet naar de eerste tree, maar zag daar toen blijkbaar iets dat hem niet beviel, want hij stak zijn been over de eerste tree heen, zette zijn voet op de tweede en ging naar boven.

De veranda boog in het midden diep door, en Pooles lichaam helde naar links toen hij daar stond. De regen stroomde tussen zijn voeten door van de veranda in de goot die door het doorbuigen was ontstaan.

Hij keek naar het raam links van de deur, bleef daar een ogenblik naar kijken en richtte zijn blik toen op het rechterraam.

Ik greep in het handschoenenvakje en pakte mijn .45 eruit.

Angie greep ook in het vakje, nam haar .38, draaide met haar pols om de cilinder te inspecteren en liet hem terugklikken.

Poole ging naar de deur en bracht de hand met de Glock omhoog om met zijn knokkels op het hout te kloppen. Hij ging een stap terug en wachtte af. Zijn hoofd ging naar links en naar rechts, en toen keek hij weer naar de deur. Hij boog zich naar voren en klopte nogmaals aan.

De regen maakte bijna geen geluid. Het waren kleine druppels en ze vielen schuin, en afgezien van het kreunen en licht gieren van de wind was de straat buiten de auto helemaal stil.

Poole boog zich naar voren en draaide de deurknop naar rechts en links. De deur bleef dicht. Hij klopte voor de derde keer aan.

Er reed een auto voorbij, een beige Volvo stationwagon met fietsen op het dak. Een vrouw met een perzikgele hoofdband en een samengeknepen nerveus gezicht zat over het stuur gebogen. We zagen haar remlichten rood oplichten en bij het stoplicht, honderd meter verderop. Toen sloeg de auto linksaf en zagen we hem niet meer.

Het geweerschot aan de achterkant van het huis scheurde door de kreunende wind. We hoorden glasgerinkel. Iets krijste in de fluisterende regen, als het geluid van beschadigde remmen.

Poole keek even naar ons om. Toen bracht hij zijn voet omhoog om de deur in te trappen en hij verdween in een uitbarsting van splinters, vuur en lichtflitsen, het ratelen van een automatisch wapen.

Het salvo gooide hem ondersteboven, en hij viel zó hard tegen het verandahek dat het barstte en los kwam te hangen van de veranda, als een arm die uit de kom was getrokken. Pooles Glock vloog uit zijn hand en belandde in een bloembed onder de veranda. Zijn geweer kletterde het trapje af.

En het vuren eindigde even plotseling als het begonnen was.

Een ogenblik zaten we verstijfd in de auto, in de stilte die na het geweervuur was overgebleven. Pooles geweer gleed van de onderste tree en de kolf verdween in het gras, terwijl de loop zwart, nat en glanzend op het tegelpad bleef liggen. Een sterke windvlaag joeg de regen met nieuwe kracht door de straat, en het kleine huis gierde en kraakte toen de wind hard tegen het dak beukte en de ramen liet rinkelen.

Ik maakte het portier van de auto open en stapte uit. Zo ver mogelijk voorovergebogen rende ik naar het huis toe. In het zachte sissen van de regen hoorde ik het geluid van mijn rubberzolen op het natte wegdek van teer en grind.

Angie rende naast me, met de mobiele telefoon bij haar rechteroor en haar mondhoek. 'Agent neergeschoten op 322 Admiral Farragut Road in Germantown. Nogmaals: agent neergeschoten op 322 Admiral Farragut, Germantown.'

Toen we over het pad naar de trap renden, keek ik heen en weer tussen de ramen en de deur. De deur zag eruit alsof grote dieren hem met messcherpe klauwen te lijf waren gegaan. Het hout vertoonde gaten in de vorm van scherpe regendruppels. Op verschillende plaatsen kon ik door die gaten in het huis kijken en een glimp van gedempte kleuren en licht opvangen.

Toen we bij de trap kwamen, werd het plotseling donker achter die gaten. Ik haalde uit met mijn rechterarm om Angie op het gazon te duwen en dook zelf naar links.

Het was of de wereld explodeerde. Niets kan je voorbereiden op het geluid van een vuurwapen dat zeven patronen per seconde afvuurt. Door een houten deur klonk de razernij van de kogels bijna menselijk, een kakofonie van venijnige, woedende moordzucht.

Zodra de kogels van de veranda werden gespuwd, draaide Poole zich op zijn linkerzij, en ik greep in het gras bij mijn voeten en vond de kolf van zijn geweer. Ik stak mijn .45 in de holster en hees me op een van mijn knieën. Toen stak ik de loop van het geweer in de regen en schoot in de deur, en het hout braakte rook uit. Toen de rook was opgetrokken, zat er in het midden van de deur een gat zo groot als mijn vuist. Ik begon overeind te komen, maar gleed uit over het natte gras en hoorde links van me glas rinkelen.

Ik draaide me snel om en schoot over het verandahek naar het raam. De ruit en het kozijn vlogen aan stukken en er kwam een groot gat in het donkere gordijn.

In het huis schreeuwde iemand.

Het vuren was opgehouden. Echo's van de schoten en het ratelen van het automatisch wapen bulderden door mijn hoofd.

Angie zat op haar knieën aan de voet van het trapje. Ze had een strakke grimas op haar gezicht en richtte haar .38 op het gat in de deur.

'Alles goed met jou?' zei ik.

'Mijn enkel is kapot.'

'Door een kogel geraakt?'

Ze schudde haar hoofd, al bleef ze naar de deur kijken. 'Ik denk dat hij knapte toen je me tegen de grond duwde.' Ze drukte haar lippen op elkaar en haalde diep adem.

'Knapte? Je bedoelt dat hij gebroken is?'

Ze knikte en zoog weer wat adem in.

Poole kreunde. Het bloed liep met een snelle, knalrode stroom uit de hoek van zijn mond.

'Ik moet hem van de veranda krijgen,' zei ik.

Angie knikte. 'Ik dek je.'

Ik legde het geweer op het natte gras, stak mijn hand omhoog en pakte de bovenrand vast van het hek dat Poole had verbogen toen hij er met zijn volle gewicht tegenaan viel. Ik zette mijn voet tegen de fundering van de veranda, trok uit alle macht aan het hek en voelde dat de onderkant loskwam van het rottende hout. Ik gaf nog een harde ruk en het halve hek scheurde los. Poole viel tegen me aan en ik viel in het natte gras.

Hij kreunde weer en wriemelde in mijn armen, en ik schoof onder hem vandaan en zag het gordijn van het rechterraam bewegen.

'Angie,' zei ik, maar ze had zich al bliksemsnel omgedraaid. Ze loste drie schoten op het raam en de ruit vloog uit het kozijn en daalde als een regen van scherven neer op de veranda.

Ik zat gehurkt bij de lage struiken langs de onderkant van de veranda, maar niemand beantwoordde het vuur en Pooles rug welfde zich van het gazon en er kwam schuimend bloed uit zijn mond.

Angie liet haar wapen zakken, wierp een laatste blik op de deur en de ramen en kroop toen over het pad naar ons toe. Al kruipend hield ze haar linkerenkel, die helemaal verdraaid was, een eindje boven de grond. Ik trok mijn .45, richtte over haar heen toen ze voorbijkroop en schoof toen naar de andere kant van Poole.

Aan de achterkant van het huis ratelde een nieuw salvo van automatisch vuur.

'Broussard.' Poole spuwde het woord uit terwijl hij Angies arm vastgreep. Zijn hakken trapten tegen het gras.

Angie keek me aan.

'Broussard,' zei Poole opnieuw, met een zwak gegorgel in zijn keel. Zijn rug welfde zich van het gras.

Angie trok haar sweatshirt over haar hoofd en drukte het tegen de donkere fontein van bloed in het midden van Pooles borst. 'Ssst.' Ze hield haar hand tegen zijn wang. 'Ssst.'

Degene die achter in het huis aan het schieten was, had geen gebrek aan munitie. Gedurende maar liefst twintig seconden hoorde ik het staccato ratelen van dat wapen. Er volgde een korte stilte, en toen begon het opnieuw. Ik wist niet of het de Calico was of een ander automatisch wapen, maar dat maakte niet veel verschil. Een machinepistool is een machinepistool.

Ik deed mijn ogen heel even dicht, slikte omdat mijn keel pijnlijk droog was en voelde hoe de adrenaline als giftige brandstof door mijn bloed ging.

'Patrick,' zei Angie. 'Dénk er niet eens aan.'

Ik wist dat als ik haar aankeek, ik nooit van dat gras vandaan zou komen. Ergens aan de achterkant van dat huis zat Broussard in het nauw – of erger. Samuel Pietro zou daar kunnen zijn en misschien vlogen de kogels als horzels om hem heen.

'Patrick!' schreeuwde Angie, maar ik was de drie traptreden al opgesprongen en kwam neer op de spleet waar de twee kanten van de verwoeste veranda samenkwamen.

De deurknop was weggeschoten toen Poole in de hinderlaag liep, en ik schopte de deur open en vuurde op borsthoogte de donkere kamer in. Ik draaide me snel naar rechts, en toen naar links, en schoot mijn magazijn leeg, liet het uit de kolf vallen en had er al een nieuw magazijn ingedrukt voordat het oude op de vloer lag. De kamer was leeg.

'Onmiddellijk assistentie nodig,' schreeuwde Angie achter me in de mobiele telefoon. 'Agent neergeschoten! Agent neergeschoten!'

Het interieur van het huis was even donkergrijs als de lucht buiten. Ik zag een veeg bloed op de vloer, ontstaan doordat een lichaam zich over de vloer van de gang had gesleept. Aan het andere eind van de gang kwam er licht door kogelgaten in de achterdeur naar binnen. De deur zelf hing scheef omdat het onderste scharnier van de deurpost was geschoten.

Halverwege in de gang ging de veeg bloed naar rechts en verdween door de deuropening van de keuken. Ik draaide me naar de huiskamer, keek in de schaduwen en zag de glasscherven onder de ramen, de stukken hout en gordijnflarden die in het vuurgevecht waren losgekomen, een oude bank waar de vulling uitkwam en bezaaid was met bierblikjes.

Het automatisch geweervuur was opgehouden zodra ik het huis was binnengegaan, en voorlopig hoorde ik alleen de regen die achter me tegen de veranda sloeg, het tikken van een klok ergens aan de achterkant van het huis en mijn eigen ademhaling, ondiep en onregelmatig.

De vloerplanken kraakten toen ik door de huiskamer begon te lopen om het bloed naar de gang te volgen. Het zweet liep over mijn gezicht en maakte mijn handen zacht. Intussen keek ik heen en weer tussen de deur aan het eind van de gang en de vier afzonderlijke deuropeningen. De deur aan de rechterkant, drie meter vóór me, was van de keuken. Uit die aan de linkerkant viel geel licht in de gang.

Ik drukte me plat tegen de rechtermuur en schuifelde verder tot ik enig zicht had op de kamer aan de linkerkant. Dat bleek een zitkamer of zoiets te zijn. Twee stoelen stonden aan weerskanten van een wijnkast die in de muur was ingebouwd. Een van die stoelen was de fauteuil die ik de vorige avond in het donker had kunnen zien. De andere was precies zo'n stoel. De wijnkast bevond zich in het midden van de muur, en de vitrineruiten die gewoonlijk in zo'n kast zitten, waren weg. De planken lagen vol met stapels kranten en tijdschriften, en er lagen nog meer tijdschriften naast de stoelen op de vloer. Twee ouderwetse tinnen asbakken op voetstukken van een meter hoog stonden naast de armleuningen van de leren stoelen, en in een daarvan smeulde een half opgerookte sigaar. Ik stond tegen de muur gedrukt en richtte mijn pistool op de rechterkant van die kamer. Ik was bedacht op bewegende schaduwen, vloerplanken die kraakten.

Niets.

Ik deed twee snelle stappen door de gang, drukte me tegen de andere muur en richtte mijn pistool op de keuken.

De vloer van zwarte en witte tegels glansde van de vegen bloed en ingewanden. Natte handafdrukken, oranje gekleurd in het felle tl-licht, vormden vlekken op kastdeuren en de koelkast. Ik zag een schaduw aan de rechterkant van de kamer en hoorde een onregelmatige ademhaling die niet van mezelf was.

Ik haalde lang en diep adem, telde van drie tot nul en sprong toen naar de andere kant van de deuropening. In een flits zag ik dat de kamer rechts van me leeg was, en toen keek ik langs de loop van mijn pistool naar Leon Trett, die op het aanrecht zat en naar mij keek.

Een van de Calico M-110's lag net voorbij de deuropening. Toen ik naar binnen ging, schopte ik hem onder de tafel rechts van me.

Leon keek me met een grijns op zijn van pijn vertrokken gezicht aan. Hij had zich geschoren, en zijn zachte, onregelmatige huid had een ongezonde, rauwe glans, alsof het vlees met een staalborstel was weggeschraapt en vervolgens met olie was overgoten – alsof je het met een lepel van het bot kon scheppen. Zonder die baard leek zijn gezicht langer dan het de vorige avond had geleken, en zijn wangen waren zó diep ingevallen dat zijn mond een ovaal vormde.

Zijn linkerarm hing onbruikbaar langs zijn zij, met een gat dat donker bloed uit de biceps pompte. Zijn rechterarm lag over zijn buik en probeerde zijn ingewanden binnen te houden. Zijn geelbruine broek was doorweekt van zijn bloed.

'Kom je me mijn magazijnen brengen?' zei hij.

Ik schudde mijn hoofd.

'Ik heb er vanmorgen zelf een paar gehaald.'

Ik haalde mijn schouders op.

'Wie ben jij?' zei hij met een zachte stem, en trok zijn wenkbrauwen op.

'Op de vloer,' zei ik.

Hij kreunde. 'Jongen, zie je niet dat ik mijn darmen moet binnenhouden? Als ik beweeg, lukt me dat niet meer.'

'Dat is niet mijn probleem,' zei ik. 'Op de vloer.'

Hij klemde zijn kaken op elkaar. 'Nee.'

'Ga op de vloer liggen, verdomme.'

'Nee,' zei hij opnieuw.

'Leon. Doe het.'

'Schiet me maar kapot.'

'Leon...'

Zijn ogen flitsten even naar links en zijn kaken ontspanden zich enigszins. Hij zei: 'Heb nou een beetje genade, jongen. Kom nou.'

Ik zag zijn ogen weer flikkeren, zag de vage glimlach op zijn lippen en liet me op mijn knieën zakken op het moment dat Roberta Trett naar de plaats vuurde waar ik had gestaan en met een langdurig salvo van haar M-110 het hoofd van haar man schoot.

Ze gaf een schreeuw van schrik en verbazing toen Leons gezicht verdween als een ballon waarin met een speld was geprikt, en ik rolde me op mijn rug en loste een schot. Ik trof haar rechterheup en ze viel in de hoek van de keuken neer.

Ze draaide zich meteen naar me toe, met die grote massa grijs haar die om haar gezicht zwaaide, en jammer genoeg kwam de M-110 met haar mee. Haar bezwete vinger graaide naar de trekker, gleed steeds weer weg, en haar andere hand greep naar de wond op haar heup. Intussen bleef haar blik strak op het verdwenen hoofd van haar man gericht. Ik zag de loop van de M-110 mijn kant op zwaaien, en ik wist dat ze ieder moment van de schok kon bekomen en de trekker zou vinden.

Ik dook de keuken uit, de gang weer in, rolde me op mijn rechterzij, terwijl Roberta zich helemaal omdraaide en de loop van de Calico naar me begon te knipperen. Ik sprong overeind en rende naar de achterdeur, zag de deur steeds dichterbij komen, en toen hoorde ik Roberta achter me de gang op komen.

'Jij hebt mijn Leon vermoord, klootzak. Jij hebt mijn Leon vermoord!'

Roberta haakte haar vinger om de trekker en begon te vuren. De gang schudde als een aardbeving.

Ik dook zonder te kijken in de kamer links van me en ontdekte te laat dat het helemaal geen kamer was, maar een trap.

Mijn voorhoofd ramde een traptrede, de zevende of achtste van onderen, en de schok van het hout tegen mijn schedel golfde als elektrische stroom door mijn tanden. Ik hoorde Roberta's zware voetstappen toen ze door de gang naar de trap strompelde.

Ze schoot niet met haar machinepistool, en dat maakte me banger dan wanneer ze dat wel zou hebben gedaan.

Ze wist dat ik geen kant meer op kon.

De pijn laaide op in mijn scheenbeen toen ik daarmee tegen de rand van een tree kwam. Ik vloog de trap op, gleed een keer uit en rende door, zag een metalen deur aan de bovenkant en hoopte vurig – alsjeblieft, God, alsjeblieft, God – dat hij open was.

Roberta kwam bij de opening beneden aan en ik dook op de deur af, trof hem in het midden met de muis van mijn hand en voelde dat hij meegaf als een stoot zuurstof die uit mijn longen losbarstte.

Ik smakte met mijn borst op de vloer toen Roberta haar wapen weer leegschoot. Ik rolde naar links en gooide de deur achter me dicht. De kogels spatten tegen het metaal als hagel op een zinken dak. De deur was zwaar en dik – de deur van een industriële koelcel of een kluis – en aan de binnenkant zaten zware grendels: vier stuks, vanaf een hoogte van ongeveer een meter zestig en met een diepte van ongeveer vijftien centimeter. Ik schoof ze een voor een dicht, terwijl de kogels aan de andere kant tegen het metaal sloegen. De deur zelf was kogelvrij en de grendels konden niet vanaf de andere kant worden kapotgeschoten, want ze werden afgeschermd door lagen staal.

'Jij hebt mijn Leon vermoord!'

Er kwamen geen kogels meer en Roberta liep van de andere kant van de deur vandaan. Ze slaakte de jammerkeet van een krankzinnige, zó gekweld en ellendig en verteerd door plotselinge, afschuwelijke eenzaamheid dat het geluid iets verwrong in mijn binnenste.

'Jij hebt mijn Leon vermoord! Je hebt hem vermoord! Je zult sterven! Je zult sterven!'

Er bonkte iets zwaars tegen de deur, en na een tweede bonk besefte ik dat het Roberta Trett zelf was, dat ze dat kolossale lichaam van haar als een stormram tegen de deur wierp, keer op keer, brullend en krijsend en onder het aanroepen van de naam van haar man. Met daverend geweld stortte ze zich op de enige grens die ons van elkaar scheidde.

Ook als zij haar wapen had verloren en ik het mijne nog zou hebben, zou ze me, als ze door die deur was gekomen, met haar blote handen aan stukken hebben gescheurd, hoeveel kogels ik ook in haar lijf zou hebben gepompt.

'Leon! Leon!'

Ik luisterde of ik sirenes hoorde en het snaterende geluid van walkie-talkies, het schetteren van een megafoon. De politie moest inmiddels bij het huis zijn aangekomen. Dat móest wel.

Toen drong tot me door dat ik niets kon horen, behalve Roberta, en dan nog alleen omdat ze aan de andere kant van de deur stond.

Er hing een kaal gloeilampje van veertig watt in de kamer, en toen ik me omdraaide en mijn omgeving in me opnam, was het of er een sneltrein van koude angst door mijn aderen denderde.

Ik bevond me in een grote slaapkamer aan de straatkant. De ramen waren met planken afgedekt, dik, donker hout, dat aan de kozijnen was vastgeschroefd. Vanaf elk raam staarden de dode, zilverachtige ogen van veertig of vijftig platte koppen van slotbouten me aan.

De vloer was kaal en bezaaid met muizenkeutels. Langs de plinten lagen zakken van potato chips en Fritos en tortilla-chips, waarvan de kruimels in het hout gedrukt waren. Drie onbedekte matrassen, bevuild door uitwerpselen en bloed en God mocht weten wat nog meer, lagen tegen de muren. De muren zelf waren bedekt met dik grijs spons- en piepschuimmateriaal zoals ook in opnamestudio's wordt gebruikt om het geluid te dempen. Alleen was dit geen opnamestudio.

Net boven de matrassen waren metalen stangen in de muren bevestigd, met aan het eind ervan kleine ringen waaraan handboeien bungelden. In een kleine metalen prullenbak in de westelijke hoek van de kamer zaten allerlei zwepen, dildo's met scherpe punten en leren riemen. De hele kamer rook naar vlees, zó vies en vunzig dat het hart was aangetast en de hersenen waren vergiftigd.

Roberta beukte niet meer op de deur, maar ik kon nog net horen dat ze op de trap stond te jammeren.

Ik liep naar het oostelijk eind van de slaapkamer en zag dat daar een muur was afgebroken om de kamer groter te maken. De ribbel van pleisterkalk en stof stak nog uit de vloer omhoog. Een dikke muis met een piekerige vacht rende me voorbij. Hij sloeg rechtsaf naar het oostelijk eind van de kamer en verdween door een opening voorbij het eind van de muur.

Terwijl ik mijn pistool voor me uit gericht hield, stapte ik door over meer chipszakken, lege bierblikjes met schimmel aan de openingen, en nieuwsbrieven van NAMBLA, een organisatie van pedofielen. Tijdschriften, gedrukt op het goedkoopste glanzende papier, lagen wijd open: jongens, meisjes, volwassenen – zelfs dieren – die bezig waren met iets waarvan ik wist dat het geen seks was, al leek het er wel op. In de halve seconde voordat ik me kon afwenden, schroeiden die foto's zich in mijn hersenen, en wat daar op die foto's was vastgelegd, had helemaal niets met normale menselijke interactie te maken, alleen met ziekte – zieke geesten en harten en organen.

Ik kwam bij de opening waardoor de muis was verdwenen, een kleine ruimte onder de dakrand, waar het dak naar de regenpijpen afhelde. Daaronder zat een blauw deurtje.

Voor die deur stond Corwin Earle. Hij stond met gekromde rug om niet tegen het dak te komen en hield een kruisboog bij zijn gezicht. De steel rustte tegen zijn schouder en hij probeerde met zijn linkeroog door het vizier te kijken en tegelijk het zweet weg te knipperen. Zijn luie rechteroog probeerde zich te concentreren en gleed keer op keer naar mij toe voordat het uiteindelijk naar rechts werd geduwd, alsof er een motor achter zat.

Hij deed het ten slotte dicht en drukte zijn schouder weer tegen de steel van de kruisboog. Hij was naakt en er zat bloed op zijn borst, en ook wat op zijn naar voren stekende buik. Op zijn miezerige, verslagen gezicht stond slechts verslagenheid en zelfbeklag te lezen.

'De Tretts vertrouwen je geen machinepistool toe, Corwin?'

Hij schudde enigszins met zijn hoofd.

'Waar is Samuel Pietro?' zei ik.

Hij schudde weer met zijn hoofd, ditmaal langzamer, en bewoog zijn schouders tegen de kruisboog aan.

Ik keek naar de pijlpunt, zag hem enigszins trillen, zag dat de trillingen zich door de onderkant van Corwin Earles armen bewogen.

'Waar is Samuel Pietro?' herhaalde ik.

Hij schudde weer met zijn hoofd, en ik schoot hem in zijn buik.

Hij maakte geen geluid, maar klapte dubbel en liet de kruisboog voor zich op de vloer vallen. Hij viel op zijn knieën en zakte toen in foetushouding naar rechts. Ten slotte bleef hij met zijn tong uit zijn mond liggen, als een hond.

Ik stapte over hem heen, maakte de blauwe deur open en kwam in een badkamer ter grootte van een kast. Ik zag het dichtgetimmerde zwarte raam, een gerafeld douchegordijn dat onder de wasbak lag, bloed op de tegels en op het toilet en bloedspatten op de muren, alsof iemand een emmer bloed had rondgezwaaid.

De witte katoenen onderbroek van een kind lag in de wasbak in bloed te weken.

Ik keek in de badkuip.

Ik weet niet hoe lang ik daar met gebogen hoofd en open mond heb gestaan. Ik voelde een warme natheid op mijn wangen, stromen daarvan, en pas nadat ik een eeuwigheid in dat bad had gekeken, naar de kleine, naakte jongen die opgerold bij de afvoer lag, besefte ik dat ik huilde.

Ik liep de badkamer weer uit en zag Corwin Earle op zijn knieën. Hij zat met zijn armen om zijn buik en met zijn rug naar me toe, terwijl hij zijn knieschijven probeerde te gebruiken om zich over de vloer te bewegen.

Ik bleef achter hem staan en wachtte af, mijn pistool omlaag gericht. Langs de zwarte metalen korrel op de loop zag ik zijn donkere haar overeind staan.

Hij maakte onder het kruipen een puffend geluid, een diep *juh-juh-juh-juh-juh* dat me aan het puffen van een draagbare generator deed denken.

Toen hij bij de kruisboog was aangekomen en zijn ene hand op de steel had gelegd, zei ik: 'Corwin.'

Hij keek over zijn schouder naar me, zag het pistool dat op hem gericht was en kneep zijn ogen dicht. Hij draaide zijn hoofd en greep met zijn bloederige hand de kruisboog stevig vast.

Ik schoot een kogel in zijn nek en liep door. Terwijl de patroonhuls op hout ratelde en Corwins lichaam met een plof tegen de vloer sloeg, ging ik linksaf, de slaapkamer weer in, en liep naar de kluisdeur. Ik schoof de grendels een voor een los.

'Roberta,' zei ik. 'Ben je daar nog? Hoor je me? Ik ga je nu doden, Roberta.'

Ik maakte de laatste grendel los, gooide de deur open en keek recht in de loop van een geweer.

Remy Broussard liet de loop zakken. Tussen zijn benen lag Roberta Trett met haar gezicht omlaag op de trap. In het midden van haar rug had ze een donkerrood ovaal ter grootte van een opdienschaal.

Broussard leunde op de trapleuning. Het zweet liep als warme regen onder zijn haar vandaan.

'Ik moest het slot van het luik kapotschieten om door de kelder in het huis te komen,' zei hij. 'Sorry dat het zo lang duurde.'

Ik knikte.

'Alles in orde daar?' Hij haalde diep adem en keek me met zijn donkere ogen rustig aan.

'Ja.' Ik schraapte mijn keel. 'Corwin Earle is dood.'

'Samuel Pietro,' zei hij.

Ik knikte. 'Ik denk dat het Samuel Pietro is.' Ik keek naar mijn pistool, zag dat het op en neer ging door de trillingen in mijn arm, trillingen die als een serie kleine beroerten door mijn lichaam gingen. Ik keek Broussard weer aan en voelde hoe het warme vocht weer in mijn ogen opkwam. 'Het is moeilijk te vertellen,' zei ik, en mijn stem sloeg over.

Broussard knikte. Ik zag dat hij ook huilde.

'In de kelder,' zei hij.

'Wat?'

'Geraamten,' zei hij. 'Twee. Kinderen.'

Mijn stem klonk als die van iemand anders: 'Ik weet niet hoe ik daarop moet reageren.'

'Ik ook niet,' zei hij.

Hij keek naar het lijk van Roberta Trett. Hij liet het geweer zakken, zette het tegen haar achterhoofd en zijn vinger kromde zich om de trekker.

Ik wachtte tot hij haar dode hersenen over de trap had geschoten.

Na een tijdje haalde hij het geweer weg en zuchtte. Hij zette zijn voet voorzichtig op de bovenkant van haar hoofd en duwde haar toen naar beneden.

Dat kreeg de politie van Quincy te zien toen ze bij de trap kwamen: Roberta Tretts grote lichaam dat over de donkere trap naar hen toe gleed en twee mannen die boven stonden te huilen als kinderen, omdat ze op de een of andere manier nooit hadden geweten dat de wereld zó slecht kon zijn.

26

Het duurde twintig uur voordat was vastgesteld dat het lichaam in het bad inderdaad dat van Samuel Pietro was. De Tretts en Corwin Earle hadden zijn gezicht op een zodanige manier met een mes bewerkt dat het lichaam alleen aan de hand van tandartsgegevens kon worden geïdentificeerd. Gabrielle Pietro was in een shock geraakt toen een verslaggever van de *News*, die een tip had gekregen, haar nog vóór de politie had gebeld om haar om commentaar op de dood van haar zoon te vragen.

Toen ik Samuel Pietro vond, was hij vijfenveertig minuten dood. De patholoog-anatoom stelde vast dat hij in de twee weken sinds zijn verdwijning meermalen was misbruikt, met een zweep op zijn rug, billen en benen was geslagen en zó strak met handboeien was vastgemaakt dat het vlees van zijn rechterpols tot op het bot was weggeschuurd. Sinds hij het huis van zijn moeder had verlaten, had hij niets anders te eten en te drinken gekregen dan chips, Fritos en bier.

Nog geen uur voordat we het huis van de Tretts waren binnengegaan, was de jongen door Corwin Earle, een of beiden van de Tretts, of misschien wel door alledrie – wie zou dat ooit kunnen zeggen en wat maakte het uiteindelijk voor verschil? – in zijn hart gestoken. Vervolgens was het mes over zijn keel gehaald om de halsslagader door te snijden.

Die ochtend en het grootste deel van de middag had ik in ons kleine kantoortje in de klokkentoren van de St. Bartholomew doorgebracht. Ik had het gewicht van het grote gebouw om me heen gevoeld, de torenspitsen die naar de hemel reikten. Ik keek uit het raam en probeerde nergens aan te denken. Ik dronk koude koffie en zat daar maar, met een zacht getik in mijn borst, in mijn hoofd.

Angies enkel was de vorige avond op de afdeling spoedgevallen van het New England in het gips gezet, en toen ik die ochtend wakker werd, was ze al weg. Ze had een taxi naar haar huisarts genomen om hem het werk van de arts in het ziekenhuis te laten inspecteren. Ze wilde ook van hem horen hoe lang ze waarschijnlijk nog in het gips zou lopen.

Zodra Broussard me bijzonderheden over de moord op Samuel Pietro had gegeven, verliet ik het kantoor en ging de trap af naar de kapel. In het stille halfduister zat ik op de voorste rij. Ik rook chrysanten en een restje wierook, zag hoe de gebrandschilderde heiligen met ogen als edelstenen op me neerkeken, keek naar de lichtjes van de kleine votiefkaarsen die op het mahoniehouten altaarhek flakkerden en vroeg me af waarom een achtjarig kind net lang genoeg op deze aarde mocht leven om alles te ondergaan wat er verschrikkelijk aan was.

Ik keek op naar de gebrandschilderde Jezus, die zijn armen spreidde boven het gouden tabernakel.

'Acht jaar oud,' fluisterde ik. 'Leg dat eens uit.'

Dat kan ik niet.

Kun je dat niet of wil je dat niet?

Geen antwoord. God kan net zo goed dichtklappen als ieder ander.

Je zet een kind op deze wereld, geeft hem acht jaar te leven. Je laat hem ontvoeren en veertien dagen martelen, uithongeren en verkrachten – meer dan driehonderddertig uur, negentienduizend achthonderd lange minuten – en als laatste beeld dat hem voor ogen staat geef je hem de gezichten van monsters die staal in zijn hart steken, die het vlees van zijn gezicht snijden en zijn keel opensnijden op een badkamervloer.

Waarom doe je dat?

'Waarom doet U dat?' zei ik hardop, en ik hoorde de echo van mijn stem tegen de stenen muren.

Stilte.

'Waarom?' fluisterde ik.

Nog meer stilte.

'Er is verdomme geen antwoord. Of wel?'

Denk om je woorden. Je bent in de kerk.

Nu wist ik dat de stem in mijn hoofd niet die van God was. Waarschijnlijk was het de stem van mijn moeder, misschien die van een dode non, maar ik betwijfelde of God zich in zo'n tijd van bittere nood nog druk zou maken om formaliteiten.

Aan de andere kant, wat wist ik ervan? Misschien was God, als Hij bestond, net zo kleinzielig en pietluttig als de rest van ons.

In dat geval was Hij geen God die ik kon volgen.

Toch bleef ik in die kerkbank zitten. Ik kon niet in beweging komen.

Ik geloof in God omdat... Ja, waarom?

Talent – zoals dat waarmee Van Gogh en Michael Jordan, Stephen Hawking of Dylan Thomas geboren waren – had me altijd een bewijs van Gods bestaan geleken. Net als liefde.

Dus ja, ik geloof in U. Maar ik weet niet of ik U graag mag.

Daar zit ik niet mee.

'Wat voor goeds komt er van het verkrachten en doden van een kind?'

Stel geen vragen als je hersenen te klein zijn om het antwoord te bevatten.

Ik keek nog een tijdje naar de flakkerende kaarsen, zoog de stilte in mijn longen, deed mijn ogen dicht en wachtte op transcendentie of een staat van vrede of wat het maar was waarop je, zo was me door de nonnen geleerd, moest wachten als de wereld je te veel werd.

Na ongeveer een minuut deed ik mijn ogen open. Dat was waarschijnlijk de reden waarom ik nooit een succesvolle katholiek was geweest: het ontbreekt me aan geduld.

De achterdeur van het gebouw ging open en ik hoorde het klakken van Angies krukken tegen de klink van de deur. Ik hoorde haar 'Shit' zeggen, en toen ging de deur dicht en zag ik haar op de overloop tussen de kapel en de trap die naar de klokkentoren leidde. Ze zag me nog net voordat ze zich naar de trap wendde. Meteen draaide ze zich onhandig om en keek glimlachend naar me.

Ze manoeuvreerde zich met de twee krukken de twee beklede trappen naar de vloer van de kapel af en zwaaide haar lichaam langs de biechthokjes en de doopvont. Ten slotte bleef ze voor mijn bank bij het altaarhek staan.

'Hé.'

'Hé,' zei ik.

Ze keek op naar het plafond, naar de schildering van het Laatste Avondmaal, en keek toen mij weer aan. 'Je bent in de kapel, en de kerk staat er nog.'

'Stel je voor,' zei ik.

We zaten daar een tijdje zwijgend naast elkaar. Angies hoofd hing schuin achterover, want ze keek naar het plafond, naar de details die waren uitgehakt in het pleisterwerk boven aan de dichtstbijzijnde pilaster.

'Wat zei de dokter over je been?'

'Dat het een breuk van het kuitbeen linksonder is.'

Ik glimlachte. 'Je vindt het mooi om dat te zeggen, hè?'

'Het kuitbeen linksonder?' Ze keek me met een brede grijns aan. 'Ja. Net of ik in ER meespeel. Straks vraag ik nog om een Chem-Zeven of een BP-telling.'

'De dokter zei zeker dat je het moest ontzien.'

Ze haalde haar schouders op. 'Ja, maar dat zeggen ze altijd.'

'Hoe lang moet het gips blijven zitten?'

'Drie weken.'

'Geen aerobics.'

Ze haalde haar schouders weer op. 'En een heleboel andere dingen ook niet.'

Ik keek even naar mijn schoenen en keek haar toen weer aan.

'Wat?' zei ze.

'Het doet erg pijn. Samuel Pietro. Ik kan het niet uit mijn hoofd zetten. Toen Bubba en ik naar dat huis gingen, leefde hij nog. Hij was boven en hij… We…'

'Jullie waren in een huis met drie zwaar bewapende, erg paranoïde criminelen. Jullie konden niet…'

'Zijn lichaam,' zei ik. 'Het…'

'Ze hebben bevestigd dat het zijn lichaam was?'

Ik knikte. 'Het was zo klein. Het was zo klein,' fluisterde ik. 'Het was naakt en er was in gesneden en… Jezus, Jezus, Jezus.' Ik veegde mijn zurige tranen weg en hield mijn hoofd achterover.

'Wie heb je gesproken?' zei Angie zachtjes.

'Broussard.'

'Hoe is het met hem?'

'Ongeveer hetzelfde als met mij.'

'Nog iets over Poole gehoord?' Ze boog zich een beetje naar voren.

'Het gaat slecht met hem, Ange. Ze verwachten niet dat hij erdoor komt.'

Ze knikte en hield haar hoofd een tijdje omlaag. Haar goede been bungelde zacht tegen het hek.

'Wat heb je in die badkamer gezien, Patrick? Ik bedoel, precies?'

Ik schudde mijn hoofd.

'Kom,' zei ze zachtjes. 'Ik ben het. Ik kan het aan.'

'Ik niet,' zei ik. 'Niet nog een keer. Niet nog een keer. Als ik er maar even aan denk – als ik die badkamer in een flits door mijn hoofd zie gaan – wil ik doodgaan. Ik wil dat beeld niet met me meenemen. Ik wil doodgaan, dan is het weg.'

Ze liet zich voorzichtig van het altaarhek glijden en gebruikte de voorkant van de kerkbank om zich daarop te hijsen. Ik schoof een eindje op en ze kwam naast me zitten. Ze nam mijn gezicht in haar handen, maar ik kon haar niet in de ogen kijken, want ik wist dat de warmte en de liefde die ik daarin zou zien me nog meer het gevoel zouden geven dat ik iets vuils was, iets dat helemaal uit het lood was geslagen.

Ze kuste mijn voorhoofd en toen mijn oogleden, en de tranen op mijn gezicht droogden op. Ze hield mijn hoofd tegen haar schouder en kuste mijn nek.

'Ik weet niet wat ik moet zeggen,' fluisterde ze.

'Er valt niets te zeggen.' Ik schraapte mijn keel en sloeg mijn armen om haar middel. Ik hoorde het kloppen van haar hart. Ze voelde zo goed aan, zo mooi, als alles wat goed was op de wereld. En nog steeds wilde ik doodgaan.

Die avond probeerden we de liefde te bedrijven, en in het begin was het goed en eigenlijk ook wel leuk om het ondanks dat zware gips te doen. Angie giechelde van de pijnstillers. Maar toen we allebei naakt waren, in het licht van de maan die door mijn slaapkamerraam naar binnen scheen, zag ik haar huid en zag ik meteen ook weer Samuel Pietro voor me. Ik raakte haar borst aan en zag Corwin Earles slappe buik, bespat met bloed, streek met mijn tong over haar ribbenkast en zag bloedspatten op een badkamermuur, alsof iemand met een emmer bloed had gezwaaid.

Toen ik daar bij dat bad had gestaan, was ik in een shock geraakt. Ik zag alles en het was genoeg om me te laten huilen, maar een deel van mijn hersenen sloot zich af in een beschermende impuls van de beelden, zodat de ware verschrikking van alles waarnaar ik keek niet helemaal tot me doordrong. Het was erg geweest, bloederig en gewetenloos – zoveel had ik wel beseft – maar toch waren het ook willekeurige beelden gebleven, beelden die in een zee van wit porselein en zwarte en witte tegels zweefden.

In de dertig uur daarna hadden mijn hersenen alles naast elkaar gezet, en nu was ik alleen, alleen met Samuel Pietro's naakte, geschonden, geteisterde lichaam in die badkamer. De deur van die badkamer zat op slot en ik kon er niet uit.

'Wat is er?' zei Angie.

Ik rolde me van haar weg en keek door het raam naar de maan. Haar warme hand streek over mijn rug. 'Patrick?'

Een gil werd in mijn keel gesmoord.

'Patrick, kom nou. Praat tegen me.'

De telefoon ging en ik nam op.

Het was Broussard. 'Hoe gaat het?'

Ik voelde een enorme opluchting toen ik zijn stem hoorde. Ik besefte dat ik niet alleen was.

'Niet best. En met jou?'

'Verrekte slecht, als je weet wat ik bedoel.'

'Dat weet ik,' zei ik.

'Ik kan er niet eens met mijn vrouw over praten, en ik vertel haar alles.'

'Ik weet wat je bedoelt.'

'Hoor eens... Patrick, ik ben nog in de stad. Met een fles. Wil je daarvan iets met me drinken?'

'Ja.'

'Ik ben op de Ryan. Is dat goed?'

'Ja.'

'Tot straks.'

Hij hing op en ik wendde me tot Angie.

Ze had het laken over haar lichaam getrokken en stak haar hand uit om haar sigaretten van haar nachtkastje te pakken. Ze zette de asbak op haar schoot, stak de sigaret op en keek me tussen de rook door aan.

'Dat was Broussard,' zei ik.

Ze knikte en nam weer een trek van haar sigaret.

'Hij wil een ontmoeting.'

'Met ons allebei?' Ze keek naar de asbak.

'Alleen met mij.'

Ze knikte. 'Ga dan maar.'

Ik boog me naar haar toe. 'Ange...'

Ze stak haar hand op. 'Je hoeft je niet te verontschuldigen. Ga nou maar.' Ze keek naar mijn naakte lichaam en glimlachte. 'Trek eerst wat kleren aan.'

Ik pakte mijn kleren van de vloer en trok ze aan, terwijl Angie van achter haar sigarettenrook zat te kijken.

Toen ik de slaapkamer verliet, drukte ze haar sigaret uit en zei: 'Patrick.'

Ik keek door de deuropening achterom.

'Als je eraan toe bent om te praten, ben ik een en al oor. Alles wat je moet zeggen.'

Ik knikte.

'En als je niet praat, moet je dat zelf weten. Begrijp je dat?'

Ik knikte opnieuw.

Ze zette de asbak weer op het nachtkastje en het laken gleed van haar bovenlichaam af.

Een hele tijd zeiden we geen van beiden iets.

'Voor alle duidelijkheid,' zei Angie. 'Ik zal me niet als die politievrouwen in films gedragen.'

'Hoe bedoel je?'

'Net zolang zeuren tot je gaat praten.'

'Dat verwacht ik ook niet van jou.'

'Ze weten nooit wanneer ze moeten ophouden, die vrouwen.'

Ik boog me de kamer weer in en keek haar aan.

Ze verschoof de kussens achter haar hoofd. 'Wil je het licht uitdoen als je gaat?'

Ik deed het licht uit, maar bleef daar nog even staan. Ik voelde dat Angies ogen op me gericht waren.

27

Op het Ryan-speelterrein ontmoette ik een erg dronken politieman. Pas toen ik daar aankwam en hem op een schommel zag zitten, zonder das, met een verkreukeld colbertje onder een overjas
die vuil was van het zand, de veters van zijn ene schoen los, besefte ik dat ik hem nooit eerder met ook maar één slordige haar
had meegemaakt. Zelfs na de granietgroeve en die sprong op het
onderstel van die helikopter had hij er onberispelijk uitgezien.
    'Jij bent Bond,' zei ik.
    'Huh?'
    'James Bond,' zei ik. 'Jij bent James Bond, Broussard. Alles
even perfect.'
    Hij glimlachte en dronk het laatste restje van een fles Mount
Gay. Hij gooide de lege fles in het zand, haalde een volle uit zijn
jas en maakte hem open. Met een snelle beweging van zijn duim
gooide hij de dop in het zand. 'Het is een last om er altijd zo goed
uit te zien. Heh-heh.'
    'Hoe is het met Poole?'
    Broussard schudde een aantal keren met zijn hoofd. 'Nog het-
zelfde. Hij leeft nog, maar amper. Hij is niet bij bewustzijn gekomen.'
    Ik ging op de schommel naast de zijne zitten. 'En de prognose?'
    'Niet gunstig. Ook niet als hij blijft leven. Hij heeft de afgelo-
pen uren een stuk of wat beroerten gehad. Zijn hersenen zijn veel
zuurstof te kort gekomen. Hij zou gedeeltelijk verlamd zijn, denken de artsen, en waarschijnlijk kan hij nooit meer spreken. Hij
komt nooit meer uit bed.'
    Ik dacht aan die eerste middag waarop ik Poole had ontmoet,
de eerste keer dat ik dat vreemde ritueel van hem had gezien, dat
snuiven aan een sigaret alvorens hem in tweeën te breken, en hoe
hij met zijn kaboutergrijns naar me had opgekeken toen hij mijn

verbazing zag, en dat hij had gezegd: 'Sorry. Ik ben gestopt.' En toen Angie hem had gevraagd of hij het erg vond als ze rookte, had hij gezegd: 'O, God, zou je dat willen doen?'

Verdomme. Ik besefte nu pas hoe ik op hem gesteld was.

Geen Poole meer. Geen ironische opmerkingen meer, met die geamuseerde glinstering in zijn ogen.

'Ik vind dit erg, Broussard.'

'Remy,' zei Broussard, en hij gaf me een plastic drinkbekertje. 'Je weet nooit. Hij is de taaiste kerel die ik ooit heb ontmoet. Hij heeft een enorme wil om te leven. Misschien komt hij erdoor. En jij?'

'Huh?'

'Hoe is het met jouw wil om te leven?'

Ik wachtte tot hij de beker voor de helft met rum had gevuld.

'Die is wel eens sterker geweest,' zei ik.

'De mijne ook. Ik snap het niet.'

'Wat niet?'

Hij hield de fles omhoog en we toastten in stilte en namen een slok.

'Ik snap niet,' zei Broussard, 'waarom ik zo kapot ben van wat er in dat huis is gebeurd. Ik bedoel, ik heb al zóveel rottigheid gezien.' Hij boog zich op zijn schommel naar voren en keek me over zijn schouder aan. 'Gruwelijke rottigheid, Patrick. Baby's die gootsteenontstopper in hun flesje krijgen, kinderen die worden verstikt of doodgeschud, of zo erg geslagen dat je niet meer kunt zien wat voor kleur huid ze hadden.' Hij schudde langzaam met zijn hoofd. 'Een hoop rottigheid. Maar iets aan dat huis…'

'De kritische massa,' zei ik.

'Huh?'

'De kritische massa,' herhaalde ik. Ik nam weer een slok rum. Het gleed nog niet gemakkelijk naar binnen, maar het scheelde niet veel. 'Je ziet iets verschrikkelijks, en later nog eens, maar daar zit tijd tussen. Gisteren zagen we allerlei soorten rottigheid in heel korte tijd, en dat alles bereikte meteen een kritische massa.'

Hij knikte. 'Ik heb nog nooit zoiets ergs gezien als die kelder,' zei hij. 'En toen dat kind in dat bad?' Hij schudde zijn hoofd. 'Ik zit al bijna twintig jaar bij de politie en heb nog nooit…' Hij nam weer een slok en huiverde door de brandende alcohol. Toen keek hij me met een vaag glimlachje aan. 'Weet je wat Roberta aan het doen was toen ik haar doodschoot?'

Ik schudde mijn hoofd.

'Ze klauwde als een hond naar die deur. Ik zweer het je. Ze klauwde en jengelde en huilde om haar Leon. Ik was net uit die kelder gekomen waar ik die twee kinderskeletten in kalk en grind had gevonden, een complete horrorshow, en zie Roberta boven aan de trap. Man, ik heb niet eens gekeken of ze gewapend was. Ik schoot gewoon mijn wapen op haar leeg.' Hij spuwde in het zand. 'Dat verrekte wijf. De hel is nog te goed voor dat kreng.'

Een tijdje zaten we zwijgend naast elkaar, luisterend naar het kraken van de schommelkettingen, naar de auto's die door de straat reden, naar de tikkende, schrapende geluiden van een stel kinderen die straathockey speelden op het parkeerterrein van een elektronicafabriek aan de overkant.

'Die skeletten,' zei ik na een tijdje tegen Broussard.

'Niet geïdentificeerd. Het enige dat de patoloog-anatoom me kan vertellen, is dat het een jongen en een meisje zijn, en hij denkt dat ze geen van beiden ouder dan negen of jonger dan vier waren. Over een week weet hij meer.'

'Tandartsgegevens?'

'Daar hebben de Tretts aan gedacht. Beide skeletten vertoonden tekenen van zoutzuur. De patoloog-anatoom denkt dat de Tretts ze in dat spul hebben gelegd, dat ze de tanden en kiezen eruit hebben getrokken toen ze zacht waren en de beenderen in dozen met kalksteen in de kelder hebben gedumpt.'

'Waarom lieten ze die in de kelder?'

'Om er nog eens naar te kijken?' Broussard haalde zijn schouders op. 'Wie zal het zeggen?'

'Dus een van die twee zou Amanda McCready kunnen zijn.'

'Absoluut. Of anders ligt ze in die granietgroeve.'

Ik dacht een tijdje aan die kelder en Amanda. Amanda McCready met haar doffe ogen, haar onverschilligheid ten opzichte van dingen waarvan andere kinderen veel verwachtten, haar levenloze lichaam dat in een bad met zoutzuur werd gegooid, haar haar dat als papier-maché van haar hoofd loskwam.

'Wat een wereld,' fluisterde Broussard.

'Het is een rotwereld, Remy. Weet je?'

'Twee dagen geleden zou ik je hebben tegengesproken. Goed, ik ben smeris, maar ik heb ook geluk gehad. Ik heb een geweldige vrouw, een mooi huis, en heb mijn geld in de loop van de jaren goed belegd. Zodra ik mijn twintig jaar erop heb zitten, laat ik de hele rotzooi achter me.' Hij haalde zijn schouders op. 'Maar dan komt er zoiets als – Jezus – dat kapotgesneden kind in die verrekte badkamer en dan ga je denken: nou, goed, met mij gaat het goed, maar voor de meeste mensen is de wereld nog een puin-zooi. En ook al is míjn wereld goed, dé wereld is niks dan rottig-heid. Begrijp je?'

'O,' zei ik. 'Ik begrijp het. Helemaal.'

'Niets werkt.'

'Wat bedoel je?'

'Niets werkt,' zei hij. 'Snap je het niet? De auto's, de wasma-chines, de koelkasten en de "huizen voor starters", de schoenen en kleren en... Niets werkt. Scholen werken niet.'

'Niet de openbare scholen,' zei ik.

'Openbaar? Kijk maar eens naar de lijpo's die tegenwoordig van de particuliere scholen komen. Heb je ooit met een van die gevoelloze types met een goede schoolopleiding gepraat? Als je ze vraagt wat ethiek is, zeggen ze dat het een concept is. Als je ze vraagt wat fatsoen is, zeggen ze dat het een woord is. Kijk maar eens naar die rijkeluiskinderen die in Central Park zwervers in el-kaar slaan omdat ze ruzie om drugs hebben, of gewoon voor de lol. De scholen doen het niet goed, omdat de ouders het niet goed doen, omdat hún ouders het niet goed deden, omdat niets het goed doet, dus waarom zou je energie of liefde of wat dan ook in de wereld investeren als je toch alleen maar teleurgesteld wordt? Jezus, Patrick, wíj doen het niet goed. Dat kind was daar al twee weken; niemand kon hem vinden. Hij was in dat huis, we ver-moedden dat al uren voordat hij werd vermoord, en we zaten er in een broodjeszaak over te práten. Toen wij de deur hadden moeten intrappen, werd de keel van die jongen doorgesneden.'

'We zijn de rijkste, verst voortgeschreden samenleving uit de geschiedenis van de beschaving,' zei ik, 'en we kunnen niet eens voorkomen dat een kind door drie monsters in een badkuip aan stukken wordt gesneden. Waarom niet?'

'Ik weet het niet.' Hij schudde zijn hoofd en schopte in het zand. 'Ik weet het gewoon niet.' Iedere keer dat je met een oplos-sing komt, zijn er wel mensen die zeggen dat je het mis hebt. Ge-loof jij in de doodstraf?'

Ik hield hem mijn beker voor. 'Nee.'

Hij hield op met inschenken. 'Huh?'

Ik haalde mijn schouders op. 'Ik geloof er niet in. Sorry. Wil je blijven schenken?'

Hij vulde mijn beker en dronk enkele ogenblikken uit de fles. 'Je hebt Corwin Earle in zijn achterhoofd geschoten en zegt tegen me dat je niet in de doodstraf gelooft?'

'Ik geloof dat de samenleving het recht niet heeft, en ook niet de intelligentie. Laat de samenleving mij maar eens bewijzen dat ze goed wegen kunnen bestraten. Als ze dat kunnen, mogen ze van mij over leven en dood beslissen.'

'Maar nogmaals: jij hebt gisteren iemand geëxecuteerd.'

'Formeel gezien had hij zijn hand op een wapen. En trouwens, ik ben de samenleving niet.'

'Wat bedoel je daar nou weer mee?'

Ik haalde mijn schouders op. 'Ik vertrouw op mezelf en kan met mijn daden leven. Ik vertrouw de samenleving niet.'

'Ben je daarom privé-detective geworden, Patrick? De eenzame ridder?'

Ik schudde mijn hoofd. 'Daar zeik ik op.'

Hij lachte weer.

'Ik ben privé-detective omdat... Ik weet het niet, misschien ben ik verslaafd aan het grote "Wat gaat er nu gebeuren?". Misschien hou ik ervan om façades neer te halen. Dat maakt me nog geen goed mens. Het maakt me alleen iemand die een hekel heeft aan mensen die iets verbergen, die zich voordoen als iets wat ze niet zijn.'

Hij bracht de fles omhoog en ik tikte met mijn plastic beker tegen de zijkant.

'Als iemand zich nu eens als iets voordoet omdat de samenleving vindt dat hij dat moet zijn, terwijl hij in werkelijkheid iets anders is omdat híj vindt dat hij dat moet zijn?'

Ik schudde mijn benevelde hoofd. 'Wil je dat nog een keer zeggen?' Ik stond op en wankelde in het zand. Ik liep naar het klimrek tegenover de schommels en hees me op een sport.

'Als de samenleving niet werkt, hoe kunnen wij, die toch voor eerzame mensen willen doorgaan, dan leven?'

'In de marge,' zei ik.

Hij knikte. 'Precies. Toch moeten we coëxisteren binnen de samenleving, of anders zijn we – nou, dan zijn we huursoldaten, kerels die camouflagebroeken dragen en over belastingen klagen terwijl ze op wegen rijden die door de overheid bestraat zijn. Ja?'

'Het zou kunnen.'

Hij stond op, wankelde ook, greep de schommelketting vast en liet zich achteroverzakken in de duisternis achter de schommels. 'Ik heb een keer bewijsmateriaal bij iemand geplant.'

'Wat?'

Hij kwam het licht weer in. 'Ja. Een schoft die Carlton Volk heette. Hij was al maanden bezig hoeren te verkrachten. Maanden. Een paar pooiers probeerden het hem af te leren, maar hij schakelde ze uit. Carlton was een psychopaat, een jongen van de zwarte band, zo eentje die in de gevangenis niets anders doet dan gewichtheffen. Er viel niet met hem te praten. En onze vriend Ray Likanski belde me op en vertelde me alles. Die magere Ray had een zwak voor een van die hoertjes, geloof ik. Hoe dan ook, ik wist dat Carlton Volk hoertjes verkrachtte, maar wie zou hem veroordelen? Ook als de meisjes zouden willen getuigen – en dat wilden ze niet – wie zou ze dan geloven? Een hoer die zegt dat ze verkracht is – de meeste mensen vinden dat een goede bak. Net zoiets als het vermoorden van een lijk. Het kan niet, denken ze. Nou, ik wist dat Carlton al twee keer had gezeten en dat hij voorwaardelijk vrij was. Ik verstop zo'n twintig gram heroïne en twee illegale vuurwapens in zijn kofferbak, helemaal onder de reserveband, waar hij die dingen nooit zou vinden. En toen plakte ik een verlopen keuringssticker over de nieuwe sticker op zijn nummerbord. Wie kijkt er nou naar zijn eigen nummerbord, als het niet bijna tijd is om de sticker te vernieuwen?' Hij zwaaide weer even de duisternis in. 'Veertien dagen later werd Carlton aangehouden omdat hij een verlopen sticker had. Hij stelde zich recalcitrant op, enzovoort, enzovoort. Om een lang verhaal kort te maken: omdat het de derde keer was dat hij moest voorkomen, kreeg hij twintig jaar, zonder mogelijkheid van voorwaardelijke vrijlating.'

Ik zei pas weer iets toen hij het licht in was geschommeld.

'Denk je dat het goed was wat je deed?'

Hij haalde zijn schouders op. 'Voor die hoertjes was het goed, ja.'

'Maar...'

'Altijd een "maar" als je zo'n verhaal vertelt, hè?' Hij zuchtte. 'Maar een kerel als Carlton is in de gevangenis helemaal in zijn element. Waarschijnlijk verkracht hij meer jonge jongens die daar voor inbraak of drugs dealen zitten dan hij ooit hoertjes verkracht zou hebben. Dus of het voor de samenleving als geheel goed was wat ik deed? Waarschijnlijk niet. Of ik iets goeds voor een paar hoertjes heb gedaan aan wie niemand anders zich iets gelegen liet liggen? Misschien.'

'Als je het nog een keer moest doen?'

'Patrick, laat me jou eens vragen: wat zou jij met een kerel als Carlton doen?'

'Zo komen we weer op de doodstraf, hè?'

'De persoonlijke doodstraf,' zei hij, 'niet die van de samenleving. Als ik het lef had gehad om Volk koud te maken, zou er nooit meer iemand door hem zijn verkracht. Dat is niet betrekkelijk. Dat is zwart-wit.'

'Maar die jongens in de gevangenis zouden dan door iemand anders worden verkracht.'

Hij knikte. 'Voor elke oplossing is er een probleem.'

Ik nam weer een slok rum en zag een eenzame ster boven de ijle nachtwolken en de smog hangen.

'Ik stond bij het lichaam van dat kind en toen knapte er iets in mij,' zei ik. 'Het kon me niet schelen wat er met me gebeurde, met mijn leven, met wat dan ook. Ik wilde alleen…' Ik spreidde mijn handen.

'Evenwicht.'

Ik knikte.

'En dus schoot je een kogel in iemands achterhoofd terwijl hij op zijn knieën zat.'

Ik knikte weer.

'Hé, Patrick? Ik wil niet over jou oordelen, man. Ik denk dat we soms iets goeds doen dat op de rechtbank nooit zou standhouden. Het zou de goedkeuring van de' – hij maakte aanhalingstekens met zijn vingers – '"samenleving" nooit kunnen wegdragen.'

Ik hoorde weer dat *juh-juh-juh*-gejengel van Earle, zag weer de bloedvlek die uit zijn nek kwam, hoorde weer de bons waarmee hij op de vloer viel, het geratel van de patroonhuls op het hout.

'Onder dezelfde omstandigheden,' zei ik, 'zou ik het opnieuw doen.'

'En is het daarom goed wat je deed?' Remy Broussard slenterde naar het klimrek en goot nog wat rum in mijn beker.

'Nee.'

'Maar het maakt het ook niet verkeerd, hè?'

Ik keek naar hem op, glimlachte en schudde mijn hoofd. 'Nee.'

Hij leunde tegen het klimrek en geeuwde. 'Het zou mooi zijn als we alle antwoorden hadden, nietwaar?'

Ik keek naar het silhouet van zijn gezicht in de duisternis naast me en voelde dat iets als een klein vishaakje in het achterste deel van mijn schedel kriebelde. Wat had hij zojuist gezegd dat me dwarszat?

Ik keek Remy Broussard aan en voelde dat het vishaakje zich nog dieper in mijn schedel groef. Ik zag hem zijn ogen dichtdoen, en om duistere redenen voelde ik opeens de aandrang om hem te slaan.

In plaats daarvan zei ik: 'Ik ben er blij om.'

'Wat?'

'Dat ik Corwin Earle heb gedood.'

'Ik ook. Ik ben blij dat ik Roberta heb gedood.' Hij goot weer wat rum in mijn beker. 'Ach, Patrick, ik ben blij dat geen van die zieke rotschoften dat huis levend is uitgelopen. Zullen we daarop drinken?'

Ik keek naar de fles, en toen keek ik Broussard aan en zocht op zijn gezicht naar wat het ook was dat me plotseling dwarszat aan hem. Dat me bang maakte. Ik kon het daar in het donker, in de nevel van de drank, niet vinden, en dus bracht ik mijn beker omhoog en tikte met het plastic tegen de fles.

'Moge hun hel bestaan uit een leven in de lichamen van hun slachtoffers,' zei Broussard. Hij trok zijn wenkbrauwen even op. 'Wil je daar amen op zeggen, broeder?'

'Amen, broeder.'

28

Ik zat een hele tijd in het asgrauwe halfduister van mijn door de maan beschenen slaapkamer en keek naar Angie, die sliep. Ik liet mijn gesprek met Broussard keer op keer door mijn hoofd gaan en dronk daarbij uit een grote kop Dunkin' Donuts-koffie die ik op weg naar huis had opgepikt. Glimlachend hoorde ik hoe Angie de naam van de hond mompelde die ze als kind had gehad en haar hand uitstak en met de palm van haar hand over het kussen streek.

Misschien kwam het door de schok van wat ik in het huis van de Tretts had gezien. Misschien kwam het door de rum. Misschien kwam het door mijn vastbeslotenheid om dingen uit mijn hoofd te zetten. Hoe dan ook, ik richtte me steeds meer op de kleine dingen, op de details, een achteloos uitgesproken woord of frase, dingen die door mijn hoofd galmden en niet weg wilden gaan. Wat het ook was, die avond had ik op de speelplaats een waarheid en een leugen ontdekt. Allebei tegelijk.

Broussard had gelijk gehad: niets werkte.

En ik had gelijk gehad: façades stortten meestal in, hoe goed ze ook waren opgebouwd.

Angie rolde zich op haar rug, liet een zacht gekreun horen en schopte naar het laken dat verward om haar voeten lag. Blijkbaar was het daardoor – doordat ze probeerde met een voet te schoppen die in het gips zat – dat ze wakker werd. Ze knipperde met haar ogen en bracht haar hoofd omhoog, keek naar het gips, keek opzij en zag mij.

'Hé. Wat…' Ze ging rechtop zitten, smakte met haar lippen, streek het haar uit haar ogen. 'Wat doe je?'

'Ik zit hier,' zei ik. 'Ik denk.'

'Ben je dronken?'

Ik hield mijn koffiekopje omhoog. 'Niet zo erg dat je het zou merken.'

'Kom dan in bed.' Ze stak haar hand uit.

'Broussard heeft tegen ons gelogen.'

Ze trok haar hand terug en gebruikte hem om zich hoger tegen de hoofdplank op te duwen. 'Wat?'

'Vorig jaar,' zei ik. 'Toen Ray Likanski uit die kroeg kwam rennen en verdween.'

'Wat is daarmee?'

'Broussard zei dat hij de man amper kende. Hij zei dat Ray een van de verklikkers was met wie Poole soms werkte.'

'Ja. Nou, en?'

'Toen hij vanavond een sloot rum naar binnen had gegooid, zei hij tegen me dat Ray zijn eigen verklikker was.'

Ze greep naar het nachtkastje en deed het licht aan. 'Wat?'

Ik knikte.

'Nou... Nou, misschien vergiste hij zich vorig jaar gewoon. Misschien hebben we hem verkeerd verstaan.'

Ik keek haar aan.

Ten slotte stak ze haar hand op. Ze draaide zich naar het nachtkastje om en pakte haar sigaretten. 'Je hebt gelijk. We verstaan dingen nooit verkeerd.'

'Niet wij tegelijk.'

Ze stak een sigaret op en trok het laken over haar been omhoog, waarbij ze even over haar knie krabde, net boven het gips. 'Waarom zou hij liegen?'

Ik haalde mijn schouders op. 'Dat zat ik me nou net af te vragen.'

'Misschien had hij een reden om geheim te houden dat Ray zijn verklikker was.'

Ik nam een slokje koffie. 'Misschien, maar het is wel erg toevallig, hè? Ray is een mogelijke hoofdgetuige in de zaak van Amanda McCready's verdwijning. Broussard liegt dat hij hem niet kent. Het lijkt nogal...'

'Louche.'

Ik knikte. 'Een beetje. En dan is er nog iets.'

'Wat dan?'

'Broussard gaat binnenkort bij de politie weg.'

'Hoe gauw?'

'Dat weet ik niet zeker. Zo te horen erg gauw. Hij zei dat hij zijn twintig jaar er bijna op had zitten en dat hij dan meteen weg zou gaan.'

Ze nam een trek van haar sigaret en keek me over de gloeiende punt heen aan. 'Dus hij gaat bij de politie weg. Nou, en?'

'Vorig jaar maakte je een grapje tegen hem, vlak voordat we naar de granietgroeve klommen.'

Ze legde haar hand op haar borst. 'O ja?'

'Ja. Je zei iets in de trant van: "Misschien wordt het tijd dat we met pensioen gaan."'

Haar ogen begonnen te stralen. 'Ik zei: "Wordt het geen tijd om ermee te kappen?"'

'En toen zei hij?'

Ze boog zich naar voren, haar ellebogen op haar knieën, en dacht na. 'Hij zei...' Ze stootte meermalen met haar sigaret door de lucht. 'Hij zei dat hij het zich niet kon veroorloven met pensioen te gaan. Hij zei iets over doktersrekeningen.'

'Die van zijn vrouw, nietwaar?'

Ze knikte. 'Kort voordat ze trouwden, had ze een auto-ongeluk. Ze was niet verzekerd. Hij was het ziekenhuis een kapitaal schuldig.'

'Hoe is het dan verder gegaan met die ziekenhuisrekeningen? Denk je dat het ziekenhuis zei: "Ach, je bent zo'n beste kerel, laat dat geld maar zitten?"'

'Dat lijkt me stug.'

'Uitermate stug. Dus een politieman die arm is, liegt over het feit dat hij een hoofdrolspeler in de zaak-McCready kent, en zes maanden later heeft die politieman genoeg geld om met werken te stoppen – niet het soort geld dat een politieman krijgt als hij er dertig dienstjaren op heeft zitten, maar het soort geld dat hij na twintig jaar krijgt.'

Ze kauwde een tijdje op haar onderlip. 'Wil je me een T-shirt toegooien?'

Ik maakte mijn kast open, pakte een donkergroen Saw Doctors-shirt uit de la en gaf het aan haar. Ze trok het over haar hoofd, schopte de lakens weg en keek of ze haar krukken ergens zag. Toen keek ze naar mij en zag dat ik grinnikte.

'Wat is er?'

'Je ziet er heel grappig uit.'

Haar gezicht betrok. 'Hoe dan?'

'Zoals je daar in mijn T-shirt zit met een groot wit stuk gips aan je been.' Ik haalde mijn schouders op. 'Je ziet er gewoon grappig uit.'

'Ha,' zei ze. 'Ha-ha. Waar zijn mijn krukken?'

'Achter de deur.'

'Zou je zo goed willen zijn?'

Ik bracht ze haar en ze hees zich erop, en toen volgde ik haar door de donkere gang naar de keuken. Op de digitale display van de magnetron stond dat het 4:04 uur was, en ik voelde dat in mijn gewrichten en in mijn nek, maar niet in mijn geest. Toen Broussard het op die speelplaats over Ray Likanski had gehad, was er iets alert geworden in mijn hoofd, iets dat met dubbele snelheid begon te draaien, en dat was nog versterkt doordat ik er met Angie over had gepraat.

Terwijl Angie een halve pot cafeïnevrije koffie zette en melk uit de koelkast en suiker uit de kast pakte, ging ik in gedachten terug naar die avond in de granietgroeve, toen het erop leek dat we Amanda McCready voorgoed kwijtgeraakt waren. Ik wist dat veel van de informatie die ik me probeerde te herinneren in het dossier van die zaak te vinden was, maar ik wilde nog niet op die aantekeningen afgaan. Als ik me daar weer overheen boog, zou ik in dezelfde positie komen te verkeren als zes maanden geleden, terwijl ik, wanneer ik het allemaal vanuit de keuken probeerde te reconstrueren, misschien op nieuwe ideeën kwam.

De kidnapper had geëist dat vier koeriers Cheese Olamons geld zouden brengen, in ruil voor Amanda. Waarom wij alle vier? Waarom niet één persoon?

Ik vroeg het Angie.

Ze leunde met haar armen over elkaar en dacht na. 'Daar heb ik nooit bij stilgestaan. Jezus, hoe kon ik zo stom zijn?'

'Het is een kwestie van beoordeling.'

Ze fronste haar wenkbrauwen. 'Je hebt er niet naar gevraagd.'

'Ik weet dat ik dom ben,' zei ik. 'We hebben het nu over jou.'

'Er was een compleet vangnet om die heuvels gelegd,' zei ze. 'Alle toegangswegen waren afgesloten. En toch konden ze niemand vinden.'

'Misschien hadden de kidnappers een tip gekregen over een vluchtroute. Misschien waren sommige politiemensen omgekocht.'

'Misschien was er daar die avond niemand boven, behalve wij.'

Haar ogen begonnen te schitteren.

'Allemachtig.'

Ze beet op haar onderlip en trok haar wenkbrauwen een aantal keren op. 'Denk je?'

'Broussard loste die schoten van zijn kant.'

'Waarom niet? We konden daar niets zien. We zagen vuurflitsen. We hóórden Broussard zeggen dat er op hem geschoten werd. Maar hebben we hem al die tijd gezien?'

'Nee.'

'Dan zijn we daar dus alleen naar toe gebracht om zijn verhaal te bevestigen.'

Ik leunde in mijn stoel achterover en haalde mijn handen langs mijn slapen door mijn haar. Kon het zo eenvoudig zijn? Of kon het zo vernuftig zijn?

'Denk je dat Poole ook in het complot zat?' Angie wendde zich van het aanrecht af. Achter haar steeg damp op van het koffiezetapparaat.

'Waarom zeg je dat?'

Ze tikte met haar koffiekopje tegen haar dij. 'Hij was degene die beweerde dat Ray Likanski zijn verklikker was, en dus niet Broussards verklikker. En vergeet niet dat hij Broussards naaste collega is. Je weet hoe dat gaat. Ik bedoel, kijk maar naar Oscar en Devin – die hebben een hechtere band dan een echtpaar. En hun blinde loyaliteit is nog veel groter.'

Ik dacht daarover na. 'Hoe speelde Poole het dan mee?'

Ze goot haar koffie uit de pot, al pruttelde het apparaat nog en druppelde er koffie door het filter om sissend op de warmhoudplaat te vallen. 'Weet je wat al die maanden aan me heeft geknaagd?' zei ze, terwijl ze melk in haar kopje deed.

'Zeg het eens.'

'Die lege tas. Ik bedoel, je bent de kidnappers. Je drijft een politieman in het nauw op een rots en sluipt dichterbij om het geld te pakken.'

'Ja. Nou, en?'

'Neem je dan de moeite om de tas open te maken en het geld eruit te halen? Je kunt toch ook gewoon de tas meenemen?'

'Dat weet ik niet. Trouwens, wat maakt het voor verschil?'

'Niet veel.' Ze wendde zich van het aanrecht af en keek me aan. 'Tenzij de tas van het begin af leeg was.'

'Ik heb die tas gezien toen Doyle hem aan Broussard gaf. Hij zat propvol geld.'

'Maar toen we bij de granietgroeve aankwamen?'

'Heeft hij hem leeggehaald toen we de helling opliepen? Hoe?'

Ze drukte haar lippen op elkaar en schudde toen met haar hoofd. 'Dat weet ik niet.'

Ik kwam uit mijn stoel, pakte een kopje uit de kast, en het viel uit mijn vingers, schampte langs de rand van het aanrecht en plofte op de vloer. Ik liet het daar liggen.

'Poole,' zei ik. 'Verrek. Het was Poole. Toen hij zijn hartaanval kreeg, of wat het ook was, viel hij op die tas. Toen het tijd was om verder te gaan, greep Broussard onder hem en trok de tas te voorschijn.

'En toen ging Poole langs de zijkant van de groeve omlaag,' zei ze vlug, 'en gaf de tas aan een derde.' Ze zweeg even. 'En doodde hij Mullen en Gutierrez?'

'Denk je dat ze een tweede tas bij die boom hadden liggen?' zei ik.

'Ik weet het niet.'

Ik wist het ook niet. Misschien kon ik me wel voorstellen dat Poole tweehonderdduizend dollar aan losgeld achterover had gedrukt, maar dat hij Mullen en Gutierrez had geëxecuteerd? Dat ging wel erg ver.

'We zijn het er dus over eens dat er een derde bij betrokken moet zijn geweest.'

'Waarschijnlijk. Ze moesten het geld daar weg hebben.'

'Dus wie was het?'

Ze haalde haar schouders op. 'De onbekende vrouw die naar Lionel belde?'

'Misschien.' Ik pakte mijn koffiekopje op. Het was niet gebroken, en nadat ik had gekeken of er geen schilfers af waren gesprongen, schonk ik er koffie in.

'Jezus,' zei Angie grinnikend. 'Dit is nogal wat.'

'Wat?'

'Dit alles. Ik bedoel, heb je geluisterd naar wat we zeiden? Dat Broussard en Poole het allemaal hebben opgezet? Waarvoor?'

'Het geld.'

'Denk je dat tweehonderdduizend dollar voldoende motief voor kerels als Poole en Broussard zijn om een kind te vermoorden?'

'Nee.'

'Waarom dan?'

Ik zocht naar een antwoord maar kon niets vinden.

'Denk je nou echt dat een van hen in staat is Amanda Mc-Cready te vermoorden?'

'Mensen zijn tot alles in staat.'

'Ja, maar sommige mensen zijn ook categorisch niet in staat om bepaalde dingen te doen. Die twee? Een kind vermoorden?'

Ik herinnerde me Broussards gezicht en Pooles stem toen Poole vertelde dat hij een kind in waterig cement had gevonden. Ze konden natuurlijk heel goede acteurs zijn, maar het moest wel een prestatie op het niveau van Robert De Niro zijn geweest wanneer ze echt zo onverschillig tegenover het leven van een kind stonden als tegenover dat van een mier.

'Hmm,' zei ik.

'Ik weet wat dat betekent.'

'Wat?'

'Je "hmm". Dat betekent altijd dat je er echt geen gat in ziet.'

Ik knikte. 'Ik zie er echt geen gat in.'

'Je bent de enige niet.'

Ik nam een slokje koffie. Als ook maar een tiende van onze hypotheses waar was, was er een vrij groot misdrijf gepleegd waar we bij stonden. Niet zomaar bij ons in de buurt. Niet zomaar binnen dezelfde postcode. Nee, terwijl we bij de daders neerknielden. Onder onze neus.

Heb ik al verteld dat we als privé-detective de kost verdienden?

Kort na zonsopgang kwam Bubba naar ons toe.

Hij zat met zijn benen over elkaar op de huiskamervloer en signeerde Angies gips met een zwarte markeerstift. Met zijn grote vierdeklassersletters schreef hij:

Angie
Breek een been, brekebeen. Ha ha.

Ruprecht Rogowski

Angie streelde zijn wang. 'Ach, je hebt met "Ruprecht" getekend. Wat lief.'

Bubba kreeg een kleur, duwde haar hand weg en keek op naar mij. 'Wat?'

'Ruprecht.' Ik grinnikte. 'Dat was ik bijna vergeten.'

Bubba stond op. Zijn schaduw viel over mijn hele lichaam en over het grootste deel van de muur. Hij wreef over zijn kin en glimlachte een beetje gespannen. 'Weet je nog, de eerste keer dat ik je ooit heb geslagen, Patrick?'

Ik slikte. 'In de eerste klas.'

'Weet je nog waarom?'

Ik schraapte mijn keel. 'Omdat ik je pestte met je naam.'

Bubba boog zich over me heen. 'Wil je het nog een keer proberen?'

'Eh, nee,' zei ik, en toen hij zich omdraaide, voegde ik eraan toe: 'Ruprecht.'

Ik danste weg van zijn vuist en Angie zei: 'Jongens! Jongens!'

Bubba verstijfde en ik gebruikte die tijd om te zorgen dat ik aan de andere kant van de salontafel kwam te staan.

'Kunnen we ter zake komen?' Ze sloeg het notitieboekje open dat ze op haar schoot had en trok met haar tanden de dop van een pen. 'Bubba, je kunt Patrick altijd nog in elkaar slaan.'

Bubba dacht daarover na. 'Dat is waar.'

'Goed.' Angie schreef iets in haar boekje en keek me scherp aan.

'Hé.' Bubba wees naar haar gips. 'Hoe ga je douchen in dat ding?'

Angie zuchtte. 'Wat heb je ontdekt?'

Bubba ging op de bank zitten en legde zijn soldatenschoenen op de salontafel. Anders tolereer ik zoiets niet, maar ik stond al op dun ijs vanwege dat 'Ruprecht', en daarom zei ik er maar niets van.

'Van wat er nog van Cheese's mensen over is, heb ik gehoord dat Mullen en Gutierrez niets van een verdwenen kind wisten. Voor zover bekend, gingen ze die avond naar Quincy om te scoren.'

'Om wat te scoren?' zei Angie.

'Wat drugshandelaren meestal scoren: drugs. Wat ze rond het kampvuur vertellen,' zei Bubba, 'is dat de markt na een lange droge tijd zou worden overspoeld met China White.' Hij haalde zijn schouders op. 'Dat is niet gebeurd.'

'Weet je dit zeker?' zei ik.

'Nee,' zei hij langzaam, alsof hij tegen een achterlijk kind praatte. 'Ik heb met wat mensen uit Olamons organisatie gepraat, en die zeiden allemaal dat Mullen en Gutierrez nooit hadden gezegd dat ze met een kind naar die groeve gingen. En niemand van Cheese's mensen heeft ooit ergens een kind gezien. Dus als Mullen en Gutierrez haar hadden, was het iets van henzelf. En als ze die avond naar Quincy gingen om een kind te dumpen, dan was dat ook iets van henzelf.'

Hij keek Angie aan en wees met zijn duim naar me. 'Was hij vroeger niet slimmer?'

Ze glimlachte. 'Hij had zijn top op de middelbare school, denk ik.'

'En dan nog iets,' zei Bubba. 'Ik heb nooit begrepen waarom iemand me op die avond niet gewoon koud heeft gemaakt.'

'Ik ook niet,' zei ik.

'Alle mensen van Cheese die ik spreek, zweren bij hoog en bij laag dat ze niets met die aanval op mij te maken hadden. Ik geloof ze. Ik kom nogal angstaanjagend over. Vroeg of laat zou iemand het hebben opgehoest.'

'Dus degene die je aanviel...'

'... is waarschijnlijk niet het type dat regelmatig iemand koud maakt.' Hij haalde zijn schouders op. 'Het is maar een mening.'

In de keuken ging de telefoon.

'Wie belt ons nou om zeven uur in de ochtend?' zei ik.

'Niet iemand die weet op welke uren wij slapen,' zei Angie.

Ik liep de keuken in en pakte de telefoon op.

'Hé, makker.' Broussard.

'Hé,' zei ik. 'Weet je wel hoe laat het is?'

'Ja. Sorry. Zeg, ik heb een gunst nodig. Een grote.'

'Wat dan?'

'Een van mijn jongens brak gisteravond zijn arm toen hij achter een dader aan zat, en nou komen we iemand te kort voor de wedstrijd.'

'De wedstrijd?' zei ik.

'Football,' zei hij. 'Diefstal-Moordzaken tegen Narcotica-Zeden-Misdrijven Tegen Kinderen. Ik mag dan bij de patrouilledienst zitten, maar als het op football aankomt, zit ik nog in dat team.'

'En wat heb ik daarmee te maken?' zei ik.

'Ik kom een speler te kort.'

Ik lachte zó hard dat Bubba en Angie in de huiskamer over hun schouders naar me keken.

'Is dat grappig?' zei Broussard.

'Remy,' zei ik, 'ik ben blank en boven de dertig. Ik heb een permanente zenuwbeschadiging in mijn ene hand en sinds mijn vijftiende geen football meer in handen gehad.'

'Ik hoorde van Oscar Lee dat je in je studietijd aan atletiek hebt gedaan, en dat je ook hebt gehonkbald.'

'Om mijn collegegeld te kunnen betalen,' zei ik. 'Ik behoorde in beide gevallen tot het tweede garnituur.' Ik schudde mijn hoofd en grinnikte. 'Zoek maar een ander. Sorry.'

'Ik heb geen tijd. De wedstrijd is om drie uur. Kom nou, man. Alsjeblieft. Ik smeek het je. Ik heb iemand nodig die een bal onder zijn arm kan stoppen en een kort stukje kan hardlopen, iemand die een beetje kan verdedigen. En mij neem je niet in de maling. Oscar zegt dat je een van de snelste blanke jongens bent die hij kent.'

'Ik neem aan dat Oscar er ook bij is.'

'Jazeker. Al speelt hij natuurlijk tegen ons.'

'Devin?'

'Amronklin?' zei Broussard. 'Dat is hun coach. Alsjeblieft,

Patrick. Als jij me niet uit de nood helpt, kunnen we het wel schudden.'

Ik keek om naar de huiskamer. Bubba en Angie zaten verbaasd naar me te kijken.

'Waar?'

'Het Harvard Stadium. Drie uur.'

Ik zei even niets.

'Hoor eens, man, misschien helpt het als ik zeg dat ik fullback speel. Ik knap het zware werk wel voor je op. Ik zorg dat je geen schrammetje oploopt.'

'Drie uur,' zei ik.

'Het Harvard Stadium. Dan zie ik je daar.'

Hij hing op.

Ik draaide meteen Oscars nummer.

Het duurde een volle minuut voordat hij ophield met lachen. 'Hij trapte erin?' sputterde hij ten slotte.

'Waarin?'

'Al die onzin die ik hem over jouw snelheid heb aangepraat.' Nog meer gelach, hard gelach, gevolgd door een lichte hoestbui.

'Waarom is dat zo grappig?'

'Woe-ie,' zei Oscar. 'Woe-ie! Laat hij je voor running back spelen?'

'Dat schijnt de bedoeling te zijn.'

Oscar lachte nog wat meer.

'Wat is de clou?' zei ik.

'De clou,' zei Oscar, 'is dat je beter van de linkerkant vandaan kunt blijven.'

'Waarom?'

'Omdat ik op left tackle begin.'

Ik deed mijn ogen dicht en leunde met mijn hoofd tegen de koelkast. Van alle apparaten in de keuken was de koelkast op dat moment het meest geschikt om aan te raken. Hij had namelijk ongeveer de vorm, het formaat en het gewicht van Oscar.

'Tot kijk op het veld,' brulde Oscar nog een paar keer, en toen hing hij op.

Ik liep door de huiskamer om naar de slaapkamer te gaan.

'Waar ga je heen?' zei Angie.

'Naar bed.'

'Waarom?'

'Ik heb vanmiddag een zware wedstrijd.'

'Wat voor wedstrijd?' zei Bubba.

'Football.'

'Wat?' zei Angie met luide stem.

'Je hebt me goed verstaan,' zei ik. Ik ging naar de slaapkamer en deed de deur achter me dicht.

Ze zaten nog steeds te lachen toen ik in slaap viel.

29

Het leek wel of de helft van de kerels van de afdelingen Narcotica, Zeden en Misdrijven Tegen Kinderen met de naam John door het leven ging. We hadden John Ives, John Vreeman en John Pasquale. De quarterback was John Lawn en een van de wide receivers was John Coltraine, maar iedereen noemde hem The Jazz. Een lange, magere narcoticarechercheur met een babyface die Johnny Davis heette, speelde tight end in de aanval en free safety. John Corkery, nachtwachtcommandant van het 16de district en de enige, afgezien van mij dan, in het team die niet deel uitmaakte van een van de drie afdelingen, was de coach. Een derde van de Johns had een broer in dezelfde afdeling, en John Pasquale speelde op het tight end en zijn broer Vic was een wide receiver. John Freeman stond links in de verdediging en zijn broer Mel rechts. John Lawn ging door voor een vrij goede quarterback, maar hij kreeg nogal wat kritiek omdat hij extra veel passes aan zijn broer Mike zou geven.

Al met al gaf ik het na tien minuten al op om namen bij gezichten te onthouden en besloot iedereen John te noemen totdat ze me verbeterden.

De rest van de spelers van de DoRights, zoals ze zich noemden, had andere namen, maar ze hadden allemaal dezelfde uitdrukking op hun gezicht, ondanks de trekken en de huidkleur. Het was het politiegezicht, de houding die tegelijk nonchalant en behoedzaam was, de harde waarschuwing in hun ogen, zelfs als ze lachten, het gevoel dat je van hen kreeg dat je nu misschien nog hun vriend was, maar in een fractie van een seconde hun vijand kon worden. Het was hen om het even, je kon kiezen, maar als het besluit eenmaal was genomen, zouden ze zich onmiddellijk dienovereenkomstig gedragen.

Ik heb veel dienders gekend. Ik heb met ze opgetrokken, met

ze gedronken en beschouwde sommigen als mijn vrienden. Maar zelfs als een politieman je vriend was, was het een ander soort vriendschap dan je met burgers had. Ik voelde me bij een politieman nooit helemaal op mijn gemak en wist nooit helemaal zeker wat ze dachten. Dienders houden altijd iets achter, behalve soms, neem ik aan, als ze bij andere dienders zijn.

Broussard sloeg op mijn schouder en stelde me voor aan de rest van het team. Ze schudden me de hand en sommigen glimlachten of knikten, en één van hen zei: 'Goed werk met Corwin Earle, Kenzie.' En toen gingen we allemaal om John Corkery heen staan en legde hij ons de tactiek van de wedstrijd uit.

Die tactiek stelde niet veel voor. In feite kwam het erop neer dat die jongens van Moordzaken en Diefstal een stelletje watjes waren en dat we deze wedstrijd voor Poole moesten spelen, die zo te horen alleen nog een kans maakte om levend van de intensive care te komen als wij gehakt maakten van het andere team. Verloren we, dan hadden we Pooles dood op ons geweten.

Terwijl Corkery praatte, keek ik over het veld naar het andere team. Oscar zag me kijken en zwaaide blijmoedig, met op zijn gezicht een grijns ter grootte van de Merrimack Valley. Devin zag me ook kijken en glimlachte ook, en hij porde een woest uitziend monster met de samengeknepen gelaatstrekken van een pekinees aan, en wees over het veld naar me. Het monster knikte. De andere jongens van Moordzaken en Diefstal leken niet zo groot als die van ons team, maar ze leken intelligenter, en sneller, en ze hadden iets taais en slanks, meer kraakbeen dan tere verfijnde massa.

'Honderd dollar voor de eerste die een van hen uit de wedstrijd slaat,' zei Corkery, en hij klapte in zijn handen. 'Vermóórd die klootzakken.'

Dat was blijkbaar pas inspirerend, want de teamleden kwamen overeind, klapten in hun handen en sloegen hun vuisten tegen elkaar.

'Waar zijn de helmen?' zei ik tegen Broussard.

Er kwam net een van de Johns voorbij, en die sloeg op Broussards rug en zei: 'Die kerel is een komiek, Broussard. Waar heb je hem opgeduikeld?'

'Geen helmen,' zei ik.

Broussard knikte. 'Het is een touch-wedstrijd,' zei hij. 'Geen hard contact.'

'Uh-huh,' zei ik. 'Natuurlijk.'

Moordzaken en Diefstal, of de HurtYous, zoals ze zich noemden, wonnen de toss en kozen voor de receive. Onze kicker dreef ze terug naar hun elf, en toen we in een rij stonden, wees Broussard me op een slanke zwarte jongen van de HurtYous. Hij zei: 'Jimmy Paxton. Hij is je man. Kleef als een tumor aan hem vast.'

De center van de HurtYous schoot de bal naar voren en de quarterback ging drie stappen terug, knalde de bal over mijn hoofd en trof Jimmy Paxton op de vijfentwintig. Ik had geen idee hoe Paxton kans zag langs me te komen, laat staan hoe hij bij de vijfentwintig kwam, maar ik deed een stuntelige uitval, waardoor ik mijn enkels verzwikte op de negenentwintig, en de teams gingen verder het veld op naar de scrimmagelijn.

'Ik zei: als een tumor,' zei Broussard. 'Is dat niet tot je doorgedrongen?'

Ik keek naar hem en zag een felle woede in zijn ogen. Toen glimlachte hij, en ik besefte hoeveel hij zijn hele leven waarschijnlijk aan die glimlach had gehad. Die glimlach was zo goed, zo jongensachtig en Amerikaans en zuiver.

'Misschien kan ik me aanpassen,' zei ik.

De HurtYous verbraken hun huddle, en ik zag Devin aan de zijlijn een hoofdknikje met Jimmy Paxton uitwisselen.

'Ze krijgen me niet nog een keer te pakken,' zei ik tegen Broussard.

John Pasquale, de cornerback, zei: 'Dus je wilt je verbeteren?'

De HurtYous trapten de bal en Jimmy Paxton rende langs de zijlijn en ik rende met hem mee. Zijn ogen fonkelden en hij stak zijn rug omhoog en zei: 'Tot kijk, blanke jongen,' en ik ging met hem mee, draaide mijn lichaam om en stak mijn rechterarm uit, sloeg naar de lucht, kreeg in plaats daarvan varkensleer te pakken en sloeg de bal buiten de lijn.

Jimmy Paxton en ik vielen samen op het veld neer. We smakten op de grond en ik wist dat dit de eerste van vele botsingen was die me waarschijnlijk de hele volgende dag in bed zouden houden.

Ik stond als eerste op en stak mijn hand naar Paxton uit. 'Ik dacht dat je ergens heen ging.'

Hij glimlachte en pakte de hand vast. 'Blijven praten, blanke jongen. Je komt al op dreef.'

We liepen langs de zijlijnen naar de scrimmagelijn terug en ik zei: 'Zeg, je hoeft mij geen blanke jongen te noemen en ik hoef jou geen zwarte jongen te noemen. Voor je het weet, krijgen we rassenrellen. Ik ben Patrick.'

Hij sloeg op mijn hand. 'Jimmy Paxton.'

'Aangenaam kennis te maken, Jimmy.'

Devin leidde het volgende spel weer naar me toe, en opnieuw sloeg ik de bal uit Jimmy Paxtons wachtende handen.

'Je zit bij een stel gemene rotzakken, Patrick,' zei Jimmy Paxton, toen we aan de lange wandeling naar de scrimmage terug begonnen.

Ik knikte. 'Ze vinden dat jullie watjes zijn.'

Jimmy knikte. 'Misschien zijn we geen watjes, maar we zijn ook geen cowboys zoals die gekken. Narcotica, Zeden en Misdrijven Tegen Kinderen.' Hij floot. 'De eersten die naar binnen gaan omdat ze van de jizz houden.'

'De jizz?'

'De actie, het orgasme. Die jongens doen niet aan een voorspel. Ze beginnen meteen te fucken. Snap je wat ik bedoel?'

In het volgende spel stond Oscar fullback en zette hij drie jongens op de snap, en de running back rende door een gat zo groot als mijn achtertuin. Maar een van de Johns – Pasquale of Vreeman, dat kon ik niet meer volgen – greep de arm vast van degene die met de bal op zesendertig liep, en de HurtYous besloten een punt te maken.

Vijf minuten later begon het te regenen, en de rest van de eerste helft sopten en glibberden we door de modder. Geen van beide teams kwam veel vooruit. Als running back verwierf ik ongeveer twaalf meter met vier carry's, en als safety werd ik twee keer uitgeschakeld door Jimmy Paxton, maar ik maakte weer een potentiële bom onschadelijk en bleef in het algemeen zó dicht bij hem dat de quarterback voor andere receivers koos.

Tegen het eind van de eerste helft was de score gelijk maar waren wij in opkomst. In de rode zone van de HurtYous, met nog twintig seconden te gaan, gooide John Lawn mij de bal toe en zag ik een gapend gat en niets dan groen daarachter. Ik manoeuvreerde me snel om een linebacker heen, stapte in het gat, nam de bal onder mijn arm, stak mijn hoofd naar voren, en toen doemde Oscar uit het niets op, zijn adem dampend in de koude regen, en hij raakte me zó hard dat ik het gevoel had dat ik een 747 tegen het lijf was gelopen.

Toen ik overeind was gekrabbeld, was de tijd om. De harde regen spetterde modder van het veld op mijn wang. Oscar greep omlaag met een van die kolenschoppen die hij handen noemt en hielp me zacht grinnikend overeind.

'Ga je kotsen?'

'Ik denk erover,' zei ik.

Hij sloeg me op mijn rug met wat vermoedelijk als een kameraadschappelijk schouderklopje was bedoeld, en bijna smakte ik opnieuw met mijn gezicht in de modder.

'Leuk gespeeld,' zei hij, en liep naar zijn bank.

'Wat is er toch van touch-voetbal geworden?' zei ik tegen Remy aan de zijlijn, waar de DoRights een koelbox vol bier en frisdrank openmaakten.

'Zodra iemand doet wat brigadier Lee daarnet deed, gaan de handschoenen uit.'

'Dus in de tweede helft krijgen we helmen?'

Hij schudde zijn hoofd en pakte een biertje uit de koelbox. 'Geen helmen. Maar we worden gemener.'

'Is er ooit iemand omgekomen bij een van die wedstrijden?'

Hij glimlachte. 'Nog niet. Maar wat niet is, kan nog komen. Bier?'

Ik schudde mijn hoofd en hoopte dat het galmen daarbinnen zou ophouden. 'Geef maar water.'

Hij gaf me een flesje Poland Spring, legde zijn hand op mijn schouder en leidde me een paar meter langs de zijlijn van de rest vandaan. Op de tribune had zich een groepje mensen verzameld – vooral hardlopers, die de trappen op wilden joggen en zagen dat er een wedstrijd aan de gang was. Een lange man zat in z'n eentje met zijn lange benen op het hek, met een honkbalpet laag over zijn ogen.

'Gisteravond,' zei Broussard, en hij liet het woord in de lucht hangen.

Ik dronk nog wat water.

'Ik zei een paar dingen die ik niet had moeten zeggen. Als ik te veel rum drink, slaat mijn hoofd op hol.'

Ik keek naar de rij brede Griekse zuilen voorbij de tribune. 'Zoals?'

Hij kwam voor me staan, zijn ogen glinsterend en bijna dansend. 'Probeer geen spelletje met me te spelen, Kenzie.'

'Patrick,' zei ik, en ging een stap naar rechts.

Hij volgde, zijn neus een paar centimeter van de mijne vandaan, met die vreemde, dansende glinstering in zijn ogen. 'We weten allebei dat ik me heb versproken. Laten we het vergeten. Laten we het er verder niet over hebben.'

Ik keek hem met een vriendelijk, verbaasd glimlachje aan. 'Ik weet niet waar je het over hebt, Remy.'

Hij schudde langzaam zijn hoofd. 'Zo moet je het niet spelen, Kenzie. Begrijp je?'

'Nee, ik…'

Ik zag zijn hand niet bewegen, maar voelde een scherpe tik op mijn knokkels, en plotseling lag mijn fles water aan mijn voeten en klokte de inhoud in de modder.

'Als je gisteravond vergeet, zijn we vrienden.' De lichtjes in zijn ogen waren opgehouden met dansen maar brandden fel, alsof er gloeiende kooltjes in de pupillen zaten.

Ik keek naar de waterfles aan mijn voeten, naar de modder die tegen de zijkant van het doorzichtig plastic plakte. 'En als ik het niet vergeet?'

'Dat is geen "als" waarmee jij zou willen leven.' Hij hield zijn hoofd schuin en keek in mijn ogen alsof hij daar iets zag dat hij er al dan niet uit moest trekken – daar was hij nog niet zeker van. 'Hebben we dit nu duidelijk besproken?'

'Ja, Remy,' zei ik. 'We hebben het duidelijk besproken. Ja.'

Hij keek me een hele tijd aan, rustig ademhalend door zijn neusgaten. Ten slotte bracht hij zijn bier naar zijn lippen, nam een grote slok uit het blikje en liet het zakken.

'Noem me voortaan maar agent Broussard,' zei hij, en liep het veld weer op.

De tweede helft van de wedstrijd was oorlog.

De regen en de modder en de geur van bloed brachten in beide teams iets verschrikkelijks naar boven, en in het bloedbad dat volgde verlieten drie HurtYous en twee DoRights het veld om er niet terug te keren. Een van hen – Mike Lawn – moest van het veld worden gedragen nadat Oscar en iemand van Diefstal, een zekere Zeke Monfriez, aan weerskanten van zijn lichaam met elkaar in botsing waren gekomen en hem bijna in tweeën hadden gescheurd.

Ik liep twee zwaar gekneusde ribben op en kreeg een dreun tegen het onderste van mijn rug waardoor ik de volgende morgen waarschijnlijk bloed zou pissen, maar als ik naar die bloederige gezichten keek, de neuzen die tot pulp gedrukt waren, en één kerel die twee tanden uitspuwde, prees ik me relatief gelukkig.

Broussard ging tailback staan en bleef de rest van de wedstrijd bij me vandaan. Hij liep een gescheurde onderlip op, maar een tijdje later vloerde hij de man die hem die lip had bezorgd zo venijnig dat de man een volle minuut hoestend en kotsend op het veld lag voordat hij op zijn benen kon staan, en toen wankelde hij zo erg dat het leek of hij in de kiel van een schoener op hoge zee stond. Nadat hij die arme stumper had gevloerd en de man al op de grond lag, had Broussard hem voor alle zekerheid ook nog een paar schoppen verkocht, en toen waren de HurtYous helemaal door het lint gegaan. Broussard stond achter een muurtje van zijn eigen mannen toen Oscar en Zeke hem te pakken probeerden te krijgen. Ze noemden hem een vuile rotzak, en hij keek me aan en grijnsde als een blij kind van drie.

Hij stak een met donker bloed aangekoekte vinger omhoog en bewoog hem voor me heen en weer.

Wij wonnen met één punt verschil.

Zoals alle jongens in Amerika wilde ik vroeger altijd een bekende sportman worden, en nog steeds probeer ik geen afspraken te maken voor zondagmiddagen in het najaar. Eigenlijk zou ik dus in extase moeten verkeren over wat waarschijnlijk mijn laatste teamsportervaring was, de sensatie van de overwinning en de seksuele intensiteit van de strijd. Ik had in een juichstemming moeten verkeren. Ik had tranen in de ogen moeten hebben toen ik daar op dat veld stond van het allereerste footballstadion dat ooit in Amerika was gebouwd en naar die Griekse zuilen keek, en naar de regen die van de lange tribuneplanken dampte, en kon ruiken hoe het laatste restje winter in de aprilregen verdween, en de metaalachtige geur van de regen zelf kon ruiken, de eenzame opkomst van de avond in de koude, purperen hemel.

Maar ik voelde niets van die dingen.

Ik had het gevoel dat we een stel idiote, zielige mannen waren die niet wilden accepteren dat ze ouder werden en bereid waren botten te breken en andere mannen te verscheuren, alleen om een bruine bal een paar meter of centimeter verder over een veld te krijgen.

En toen ik daar langs de zijlijn stond en naar Remy Broussard keek die bier over zijn bloederige vinger goot en zijn gescheurde lip ermee natmaakte en door zijn maten op de schouders werd geslagen, was ik ook bang.

'Vertel me over hem,' zei ik tegen Devin en Oscar, toen we tegen de bar geleund stonden.

'Broussard?'

'Ja.'

Beide teams hadden besloten om na de wedstrijd bijeen te komen in een bar aan Western Avenue in Allston, een kleine kilometer van het stadion vandaan. De bar heette de Boyne, naar een rivier in Ierland die zich door het dorp slingerde waar mijn moeder was opgegroeid en haar vader, die visser was, en twee broers in de dodelijke vloeibare combinatie van whisky en de zee had verloren.

Het café was voor een Ierse kroeg buitensporig goed verlicht, en dat felle licht werd nog versterkt door de blankhouten tafels en licht beige nissen en een glanzende blankhouten bar. De meeste Ierse kroegen zijn donker, met veel mahoniehout en eikenhout en zwarte vloeren. In het donker, heb ik altijd gedacht, is de vertrouwelijke sfeer te vinden die mijn volk nodig heeft om zo zwaar te drinken als we vaak doen.

In het felle licht van de Boyne was duidelijk te zien dat de strijd die we zojuist op het veld hadden uitgevochten hier in de kroeg nog niet voorbij was. De kerels van Moordzaken en Diefstal stonden aan de bar of aan de kleine hoge tafels daartegenover. De dienders van Narcotica en Zeden en Misdrijven Tegen Kinderen zochten hun heil in het achterste deel van de kroeg, waar ze over de wanden van de nissen hingen en dicht opeen stonden bij het kleine podium naast de branduitgang. Ze praatten zó hard dat de uit drie man bestaande Ierse band er na vier nummers maar mee ophield.

Ik had geen idee hoe de bedrijfsleiding over de vijftig bebloede mannen dacht die in de rustige bar waren binnengedrongen. Misschien had ze een stel extra uitsmijters in de keuken klaarstaan of kon ze op een alarmknopje drukken om de politie te laten komen. Hoe dan ook, ze maakte veel omzet, want het bier en de whisky vloeiden rijkelijk. Het kostte het personeel grote moeite om steeds maar weer nieuwe voorraden te laten aanrukken, en intussen liep er hulppersoneel tussen de mannen door om de gebroken flessen en omgegooide asbakken op te vegen.

Broussard en John Corkery hielden hof in het achterste gedeelte. Ze spraken met luide stem en dronken op de DoRights, waarbij Broussard beurtelings een servetje en een koud bierflesje tegen zijn beschadigde lip hield.

'Ik dacht dat jullie vrienden waren,' zei Oscar. 'Mogen jullie van jullie moeders niet meer met elkaar spelen of hebben jullie ruzie gehad?'

'Dat van die moeders,' zei ik.

'Geweldige politieman,' zei Devin. 'Nogal een patser, maar dat zijn al die kerels van Narcotica en Zeden.'

'Maar Broussard is van Misdrijven Tegen Kinderen. Of nee, zelfs dat is hij niet meer. Volgens mij zit hij nu bij de patrouilledienst.'

'Misdrijven Tegen Kinderen was kort geleden,' zei Devin. 'De laatste twee jaar of zo. Daarvoor zat hij een tijdje bij Zeden en een tijdje bij Narcotica.'

'Meer dan dat.' Oscar liet een boer. 'We kwamen samen van Huisvesting, werkten allebei een jaar in uniform, en toen ging hij naar Zeden en ik naar Geweldsmisdrijven. Dat was in 1983.'

Remy had zich afgewend van twee van zijn mannen die allebei in zijn oor tetterden, en hij keek door het café naar Oscar en Devin en mij. Hij bracht zijn bierflesje omhoog en hield zijn hoofd schuin.

Wij brachten ons flesje ook even omhoog.

Hij glimlachte, keek nog even naar ons en wendde zich toen weer tot zijn mannen.

'Eens Zeden, altijd Zeden,' zei Devin. 'Die verrekte kerels.'

'Volgend jaar krijgen we ze wel,' zei Oscar.

'Dan zijn het niet dezelfden,' mopperde Devin. 'Broussard kapt ermee, en Vreeman ook. Corkery heeft in januari zijn dertig dienstjaren. Ik hoorde dat hij al een boerderijtje in Arizona heeft gekocht.'

Ik porde tegen zijn elleboog. 'En jij? Jij moet ook dicht tegen de dertig jaren zitten.'

Hij snoof. 'Ik met pensioen? En wat dan?' Hij schudde zijn hoofd en sloeg een slok Wild Turkey achterover.

'Wij stappen alleen uit dit werk als ze ons op een brancard wegdragen,' zei Oscar, en hij en Devin lieten hun glazen tegen elkaar tikken.

'Vanwaar die belangstelling voor Broussard?' zei Devin. 'Ik dacht dat jullie bloedbroeders waren, na wat er in Tretts huis gebeurd is.' Hij keek om en sloeg met de rug van zijn hand tegen mijn schouder. 'Dat was trouwens een knap stuk werk.'

Ik negeerde het compliment. 'Broussard interesseert me gewoon.'

'Sloeg hij daarom een fles water uit je hand?' zei Oscar.

Ik keek Oscar aan. Ik was er vrij zeker van geweest dat Broussard er met zijn lichaam voor had gestaan.

'Dat heb je gezien?'

Oscar knikte met zijn grote hoofd. 'En ik heb ook gezien hoe hij je aankeek toen hij Rog Doleman had neergelegd.'

'En ik zie iemand nu steeds hierheen kijken, terwijl wij toch heel vriendelijk en ongedwongen staan te praten.'

Een van de Johns wrong zich tussen ons in en riep om twee bier en drie Beam. Hij keek me aan, met zijn elleboog bijna op mijn schouder, en keek toen Devin en Oscar aan.

'Hoe gaat het, jongens?'

'Rot op, Pasquale,' zei Devin.

Pasquale lachte. 'Ik weet dat je dat op een heel sympathieke manier bedoelt.'

'Maar natuurlijk,' zei Devin.

Pasquale grinnikte, en op dat moment bracht de barkeeper hem het bier. Ik boog me opzij toen Pasquale de glazen aan John Lawn doorgaf. Hij draaide zich weer om teneinde op zijn whisky te wachten en trommelde met zijn vingers op de bar.

'Hebben jullie gehoord wat onze vriend Kenzie in dat huis van Trett deed?' Hij knipoogde naar mij.

'Iets,' zei Oscar.

Pasquale zei: 'Roberta Trett, schijnt het, had Kenzie recht voor haar vizier in de keuken. Maar Kenzie dook weg en Roberta schoot in plaats daarvan haar eigen man in zijn kop.'

'Goed duikwerk,' zei Devin.

Pasquale kreeg zijn glazen whisky en gooide wat geld op de bar. 'Hij is een goeie duiker,' zei hij, en zijn elleboog ging rakelings langs mijn oor toen hij zijn glazen van de bar pakte. Hij draaide zich om en keek me aan. 'Maar dat is meer geluk dan talent. Duiken. Denk je niet?' Hij stond nu met zijn rug naar Oscar en Devin toe en keek me strak aan terwijl hij een van de whisky's achteroversloeg. 'En weet je wat het met geluk is, man? Op een gegeven moment laat het je in de steek.'

Devin en Oscar draaiden zich om op hun kruk en keken hem na toen hij door de menigte naar het achterste gedeelte liep.

Oscar haalde een half opgerookte sigaar uit zijn borstzakje en stak hem aan, al bleef zijn blik op Pasquale gericht. Hij zoog aan de sigaar en de zwarte, gescheurde tabak begon te knetteren.

'Subtiel,' zei hij, en gooide zijn lucifer in de asbak.

'Wat is er aan de hand, Patrick?' Devins stem klonk dof. Hij keek naar het lege whiskyglas dat Pasquale had achtergelaten.

'Dat weet ik niet precies,' zei ik.

'Je hebt de cowboys tot vijanden gemaakt,' zei Oscar. 'Dat is nooit verstandig.'

'Ik deed het niet met opzet.'

'Weet je iets van Broussard?' zei Devin.

'Misschien,' zei ik. 'Ja.'

Devin knikte en liet zijn rechterhand naar de bar zakken om mijn elleboog stevig vast te grijpen. 'Wát het ook is,' zei hij, en hij glimlachte strak in Broussards richting, 'vergeet het.'

'En als ik dat niet kan?'

Oscars hoofd doemde bij Devins schouder op en hij keek me met die doffe blik van hem aan. 'Loop ervan weg, Patrick.'

'En als ik dat niet kan?' herhaalde ik.

Devin zuchtte. 'Dan kun je binnenkort misschien helemaal niet meer lopen.'

30

In de blinde hoop dat het verschil zou kunnen maken, besloten we naar Poole te rijden.

Het New England Medical Center strekt zich uit over twee stadsblokken. Het ziekenhuis bestaat uit allerlei gebouwen en loopbruggen en neemt een centrale plaats in tussen Chinatown, de theaterwijk en wat nog ternauwernood van de oude Combat Zone over is.

Op een vroege zondagochtend is het al moeilijk om in de buurt van het New England Med een vrije parkeerplek te vinden; op een donderdagavond is het onmogelijk. Het Schubert bracht de zoveelste reprise van *Miss Saigon* en het Wang vertoonde de nieuwste bombastische Andrew Lloyd Webber of een ander uit-verkocht, overdreven, gekunsteld, jengelend zangspel, en in Tre-mont Street krioelde het van de taxi's, limousines, zwarte dassen en lichte bontjassen, en woedende agenten die op fluitjes bliezen en het verkeer met een brede boog om de ergste drukte heen loodsten.

We namen niet eens de moeite om rond het blok te rijden maar reden gewoon de parkeergarage van het New England Med in, namen ons kaartje en reden zes verdiepingen omhoog tot we een plekje vonden. Nadat ik uit de auto was gestapt, hield ik Angies portier voor haar open. Ze worstelde zich op haar krukken naar buiten. Ik maakte het portier achter haar dicht en ze zocht zich een weg tussen de auto's door.

'Waar is de lift?' riep ze me na.

Een jongeman met het lange, pezige lichaam van een basket-balspeler zei: 'Die kant op,' en hij wees naar links. Hij leunde te-gen de achterkant van een zwarte Chevrolet Suburban en rookte een dunne sigaar waar het rode Cohiba-bandje nog omheen zat.

'Dank u,' zei Angie, en we glimlachten obligaat vriendelijk naar hem toen we hem voorbijliepen.

Hij glimlachte terug en wuifde even met de sigaar.

'Hij is dood.'

We bleven staan, en ik draaide me om en keek de man aan. Hij droeg een marineblauw fleece jasje met een bruine leren kraag over een zwarte trui met v-hals en zwarte jeans. Zijn zwarte cowboylaarzen waren zó verweerd als die van een rodeorijder. Hij tikte wat as van de sigaar, stak hem weer in zijn mond en keek me aan.

'Nu moeten jullie zeggen: "Wie is er dood?"' Hij keek naar zijn laarzen.

'Wie is er dood?' zei ik.

'Nick Raftopoulos,' zei hij.

Angie draaide zich op haar krukken helemaal om. 'Sorry?'

'Daar kwamen jullie toch voor?' Hij stak zijn handen uit en haalde zijn schouders op. 'Nou, jullie kunnen niet met hem praten, want hij is een uur geleden gestorven. Hartstilstand ten gevolge van een ernstig trauma als gevolg van schotwonden die hij op Leon Tretts voorveranda heeft opgelopen. Niet zo verbazingwekkend, gezien de omstandigheden.'

Angie zwaaide met haar krukken en ik deed een paar stappen tot we allebei voor de man stonden.

Hij glimlachte. 'Jullie volgende tekst is: "Hoe weet jij wie we hier komen opzoeken?"' zei hij. 'Zeg dat maar, een van jullie.'

'Wie ben jij?' vroeg ik.

Hij zwaaide zijn hand laag in mijn richting. 'Neal Ryerson. Zeg maar Neal. Ik wou dat ik een mooie bijnaam had, maar die hebben we nu eenmaal niet allemaal. Jij bent Patrick Kenzie en jij Angela Gennaro. En ik moet zeggen, mevrouw, dat je foto je geen recht doet, ook niet met dat gips om. Jij bent wat mijn vader een moordgriet noemde.'

'Is Poole dood?' zei Angie.

'Ja. Jammer genoeg wel. Hé, Patrick, wil je me nou eindelijk eens een hand geven? Het is een beetje vermoeiend om hem de hele tijd zo te houden.'

Ik kneep zacht in zijn hand en hij stak hem Angie toe. Ze boog zich op haar krukken achterover en negeerde de hand. In plaats daarvan keek ze op naar Neal Ryersons gezicht en schudde haar hoofd.

Hij keek me aan. 'Bang voor pietjes?'

Hij trok zijn hand terug en stak hem in de binnenzak van zijn jas.

Ik greep achter mijn rug.

'Wees maar niet bang, Kenzie. Wees maar niet bang.' Hij haalde een dunne portefeuille te voorschijn en sloeg hem open om ons een zilveren insigne en een legitimatiebewijs te laten zien. 'Speciaal agent Neal Ryerson,' zei hij met een diepe basstem. 'Departement van Justitie. *Ta-da!*' Hij sloot de portefeuille en schoof hem weer in zijn jasje. 'Afdeling Georganiseerde Criminaliteit, als jullie het moeten weten. Jezus, jullie zijn een gezellig stel.'

'Waarom val je ons lastig?' zei ik.

'Omdat, Kenzie, jij niet veel vrienden hebt, als ik tenminste af moet gaan op wat ik vanmiddag onder die footballwedstrijd heb gezien. En ik zit in de vriendenbusiness.'

'Ik ben niet op zoek naar een vriend.'

'Misschien heb je geen keus. Misschien moet ik je vriend zijn, of je dat nu leuk vind of niet. En ik ben er ook nog vrij goed in. Ik zal naar de verhalen over je avonturen luisteren, zal met je naar het honkballen kijken en ga met je mee naar de betere kroegen.'

Ik keek Angie aan en we draaiden ons om en begonnen naar onze auto te lopen. Ik ging eerst naar haar kant, deed het portier van het slot en begon het open te maken.

'Broussard zal je vermoorden,' zei Ryerson.

We keken hem weer aan. Hij nam een trek van zijn Cohiba en kwam van de achterkant van de Suburban vandaan. Vervolgens slenterde hij met nonchalante, grote passen naar ons toe, alsof hij van het veld liep omdat het rust was geworden.

'Hij is daar heel goed in, mensen doden. Meestal doet hij het niet zelf, maar hij bereidt het goed voor. Hij is een eersteklas planner.'

Ik nam Angies krukken van haar over en duwde Ryerson opzij met het achterportier, dat ik openmaakte om de krukken op de achterbank te leggen. 'We redden ons wel, speciaal agent Ryerson.'

'Dat zullen Chris Mullen en Pharaoh Gutierrez ook hebben gedacht.'

Angie leunde tegen haar open portier. 'Was Pharaoh Gutierrez van de DEA?' Ze greep in haar zak om haar sigaretten te pakken.

Ryerson schudde zijn hoofd. 'Nee. Informant van de afdeling Georganiseerde Misdaad.' Hij liep mij voorbij en gaf Angie vuur met een zwarte Zippo. 'Mijn informant. Ik heb hem overgehaald. Ik heb zeseneenhalf jaar met hem samengewerkt. Hij zou me helpen Cheese ten val te brengen, en daarna Cheese's organisatie. Daarna zou ik achter Cheese's leverancier aan gaan, een zekere Ngyun Tang.' Hij wees naar de oostelijke muur van de garage. 'Een grote baas uit Chinatown.'

'Maar?'

'Maar…' Hij haalde zijn schouders op. 'Maar Pharaoh liet zich koud maken.'

'En je denkt dat Broussard het heeft gedaan?'

'Ik denk dat Broussard het heeft uitgedacht. Hij heeft hem niet zelf vermoord, want hij had het daar in die granietgroeve te druk met te doen alsof hij beschoten werd.'

'Wie heeft Mullen en Gutierrez dan wél vermoord?'

Ryerson keek naar het plafond van de garage. 'Wie het geld uit de heuvels heeft meegenomen? Wie was de eerste die in de buurt van de slachtoffers werd aangetroffen?'

'Wacht eens even,' zei Angie. 'Poole? Je denkt dat Poole de schutter was?'

Ryerson leunde tegen de Audi die naast onze auto geparkeerd stond. Hij nam een lange trek van zijn sigaar en blies rookkringen naar de tl-lampen.

'Nicholas Raftopoulos. Geboren in Swampscott, Massachusetts, in 1948. Kwam in 1968 bij de politie van Boston, kort na zijn terugkeer uit Vietnam, waar hij de Silver Star had gekregen en – verrassing! – een uitmuntende schutter was. Zijn luitenant daar zei dat korporaal Raftopoulos in staat was om, en nu citeer ik, "op vijftig meter afstand de kringspier van een tseetseevlieg te raken".' Hij schudde zijn hoofd. 'Die legerjongens – altijd van die levendige beelden.'

'En je denkt…'

'Ik denk, Kenzie, dat wij drieën eens met elkaar moeten praten.'

Ik deed een stapje achteruit. Hij was minstens een meter negentig, en aan zijn perfect gekapte rossige haar, zijn zelfverzekerde houding en de snit van zijn kleren was te zien dat hij uit een goede familie kwam. Ik herkende hem nu ook: hij was de toeschouwer geweest die op die middag in z'n eentje aan het achterste eind van de tribunes in het Harvard Stadium had gezeten, onderuitgezakt, zijn lange benen over de reling, een honkbalpet over zijn ogen. Ik kon me al helemaal voorstellen hoe hij op Yale had lopen dubben of hij jurist zou worden of een baan bij de overheid zou nemen. In beide gevallen was er de mogelijkheid van een politieke carrière wanneer je een beetje grijs bij de slapen werd, maar als hij voor de overheid ging werken, zou hij met een vuurwapen mogen rondlopen. Schitterend. Ja, graag.

'Het was me een genoegen, Neal.' Ik liep naar de bestuurderskant.

'Ik meende het toen ik zei dat hij je zal vermoorden.'

Angie grinnikte. 'En nu kom jij ons zeker redden.'

'Ik ben van Justitie.' Hij legde zijn hand op zijn borst. 'Kogelvrij.'

Ik keek hem over het dak van de Crown Victoria aan. 'Ja, omdat je altijd áchter de mensen staat die je geacht wordt te beschermen, Neal.'

'Oooh.' Zijn hand bewoog zich fladderend over zijn borst. 'Dat is een goeie, Pat.'

Angie stapte in de auto, en ik deed dat ook. Toen ik de motor startte, tikte Neal Ryerson met zijn knokkels op Angies raampje. Ze fronste haar wenkbrauwen en keek me aan. Ik haalde mijn schouders op. Ze draaide het raampje langzaam omlaag, en Neal Ryerson ging op zijn hurken zitten en liet zijn ene arm op de raamstijl rusten.

'Ik moet dit tegen jullie zeggen,' zei hij. 'Ik denk dat jullie een grote fout maken als jullie niet naar me luisteren.'

'Het zou onze eerste fout niet zijn,' zei Angie.

Hij boog zich van haar portier vandaan en nam een trek van zijn sigaar. Hij blies de rook uit voordat hij zich weer naar haar toe boog.

'Toen ik nog een kind was, ging mijn vader altijd met me jagen in de bergen bij ons in de buurt. Dat was in Boone, North Carolina. En pa zei altijd tegen me – iedere keer, vanaf mijn achtste tot mijn achttiende – dat je niet moest uitkijken voor de elanden en de herten. Nee, waar je echt voor moest uitkijken, waren de andere jagers.'

'Diep,' zei Angie.

Hij glimlachte. 'Weet je, Pat, Angie…'

'Noem hem geen Pat,' zei Angie. 'Daar houdt hij niet van.'

Hij stak de hand met de sigaar tussen de vingers omhoog. 'Mijn verontschuldigingen, Patrick. Hoe kan ik dit zeggen? Wij zijn zelf de vijand. Begrijp je? En die "wij" gaan binnenkort op zoek naar jou.' Hij wees met de dunne sigaar naar mij. 'Die "wij" hadden vandaag al woorden met je, Patrick. Hoelang duurt het voordat hij een stap verder gaat? Hij weet dat zelfs wanneer je een beetje terugdeinst, je vroeg of laat weer de verkeerde vragen gaat stellen. Daarom wilde je vanavond toch ook naar Nick Raftopoulos? Je hoopte dat hij nog genoeg bij zijn positieven was om antwoord te geven op een paar van je verkeerde vragen. En nu kun je wegrijden. Ik kan je niet tegenhouden. Maar hij komt je halen. En dit wordt alleen maar erger.'

Ik keek Angie aan. Zij keek mij aan. De rook van Ryersons sigaar vond de binnenkant van de auto en toen de binnenkant van mijn longen en bleef daar hangen, als een haar in een afvoerputje.

Angie keek hem weer aan en verdreef hem met een snelle polsbeweging van de raamstijl. 'De Blue Diner,' zei ze. 'Ken je die?'

'Dat is maar zes blokken hiervandaan.'

'We zien je daar,' zei ze, en we reden weg van ons plekje en gingen op weg naar de uitgang.

De buitenkant van de Blue Diner ziet er 's avonds helemaal niet slecht uit. Een grote witte koffiekop boven het naambord is het enige neon in Kneeland Street aan het begin van de vroegere leerbewerkingswijk. Verder zijn er alleen kantoren in die straat, zodat het etablissement, in elk geval vanaf de snelweg, op iets lijkt dat zo uit Edward Hoppers nachtelijke droombeelden is weggelopen.

Ik denk trouwens niet dat Hopper zesduizend dollar voor een hamburger zou hebben betaald. Niet dat de Blue Diner zoveel in rekening brengt, maar het scheelt niet veel. Ik heb auto's gekocht voor minder geld dan ik voor een kop van hun koffie heb betaald.

Neal Ryerson verzekerde ons dat het ministerie van Justitie voor de rekening zou opdraaien, en dus deden we ons te goed aan koffie en een paar cola's. Ik bestelde bijna een hamburger, maar herinnerde me toen dat het ministerie van Justitie met mijn belastinggeld werd gefinancierd, en ineens was ik niet meer zo onder de indruk van Ryersons gulheid.

'Laten we bij het begin beginnen,' zei hij.

'Goed idee,' zei Angie.

Hij goot wat melk in zijn koffie en gaf het kannetje aan mij. 'Waar is dit alles begonnen?'

'Met de verdwijning van Amanda McCready,' zei ik.

Hij schudde zijn hoofd. 'Nee. Dat is alleen maar het moment waarop jullie twee erbij kwamen.' Hij roerde in zijn koffie, nam het lepeltje eruit en wees ermee naar ons. 'Drie jaar geleden werden Cheese Olamon, Chris Mullen en Pharaoh Gutierrez opgepakt door Remy Broussard, rechercheur van de afdeling Narcotica. Dat gebeurde toen ze een kwaliteitscontrole uitvoerden in een drugsfabriekje in South Boston.'

'Ik dacht dat de drugsproductie altijd in het buitenland plaatsvond,' zei Angie.

'Productie is een eufemisme. In feite waren ze het spul – cocaïne, in dat geval – aan het versnijden met babymelkpoeder. Broussard en zijn collega Poole en een paar andere cowboys van Narcotica betrapten Olamon, mijn vriend Gutierrez en een stel andere kerels. Maar weet je, ze arresteerden hen niet.'

'Waarom niet?'

Ryerson haalde een nieuwe sigaar uit zijn zak en fronste zijn wenkbrauwen toen hij een bord zag met GEEN SIGAREN OF PIJP ROKEN, A.U.B. Hij kreunde, legde de sigaar op de tafel en frommelde aan de cellofaanverpakking.

'Ze arresteerden ze niet, want toen ze het bewijsmateriaal hadden verbrand, was er niets meer om ze op te arresteren.'

'Ze verbrandden de coke,' zei ik.

Hij knikte. 'Ja, dat deden ze, volgens Pharaoh. Er gingen al jaren geruchten dat er een speciale eenheid van Narcotica was die opdracht had dealers te treffen waar het echt pijn deed. Niet met arrestaties, want die leverden de dealers alleen maar een betere straatreputatie, publiciteit en een erg dubieus strafblad op. Nee. Deze eenheid had volgens de geruchten opdracht alles te vernietigen waarmee ze de dealers betrapten. En dan moesten de dealers toekijken. Vergeet niet dat er in die tijd een oorlog tegen de drugshandel werd gevoerd. En een stel ondernemende rechercheurs uit Boston besloot er een guerrillaoorlog van te maken. Volgens de geruchten waren dat de echte "untouchables", de onkreukbaren. Ze waren niet te koop. Er viel niet met ze te praten. Het waren fanaten. Op die manier haalden ze een hoop kleine dealertjes uit de roulatie en joegen ze een hoop nieuwkomers de stad uit. De grotere dealers – de Cheese Olamons, de Winter Hill-bende en zo, de Italianen en de Chinezen – begonnen die invallen algauw in te calculeren als een extra onkostenpost, en omdat de hele drugsbestrijding niet meer zo op de voorgrond stond en die invallen uiteindelijk niet zoveel effectiever bleken te zijn dan alle andere tactieken, schijnt de eenheid te zijn opgeheven.'

'En Broussard en Poole gingen over naar Misdrijven Tegen Kinderen.'

Hij knikte. 'Een paar andere kerels deden dat ook, of bleven bij Narcotica, of gingen naar Zeden of Arrestatieteams, noem maar op. Maar Cheese Olamon vergat het nooit. En hij vergaf het nooit. Hij zwoer dat hij Broussard nog eens te pakken zou krijgen.'

'Waarom Broussard, en niet die andere rechercheurs?'

'Volgens Pharaoh voelde Cheese zich persoonlijk beledigd door Broussard – niet alleen omdat Broussard zijn product had verbrand, maar ook omdat Broussard hem had bespot terwijl ze dat deden, omdat hij hem te kakken had gezet waar zijn mannen bij waren. Cheese bleef hem dat kwalijk nemen.'

Angie stak een sigaret op en hield Ryerson het pakje voor.

Hij keek naar zijn sigaar, keek toen naar het bord waarop stond dat hij hem niet mocht roken en zei: 'Goed. Waarom níet?'

Hij rookte de sigaret als een sigaar. Hij nam trekjes zonder te inhaleren en liet de rook een ogenblik om zijn tong kringelen alvorens hem uit te blazen.

'Vorig najaar,' zei hij, 'nam Pharaoh contact met me op. We spraken elkaar, en hij zei dat Cheese iets over die smeris van een paar jaar geleden wist. Cheese, verzekerde hij me, wilde het hem betaald zetten, en hij had van Mullen gehoord dat iedereen die op die avond in dat pakhuis was en zich moest laten vernederen terwijl Broussard en zijn jongens de coke verbrandden en hen in hun gezicht uitlachten nu zelf eens zou kunnen lachen. Nou, wat me naast al het andere nogal verbaasde, was dat Mullen en Pharaoh plotseling zulke goede maatjes waren dat Mullen hem iets toevertrouwde. Pharaoh lulde iets van vergeten en vergeven, maar daar trapte ik niet in. Ik veronderstelde dat er maar één ding was dat Pharaoh en Chris Mullen bij elkaar kon krijgen, en dat was hebzucht.'

'Dus er was een paleiscoup op komst,' zei ik.

Hij knikte. 'Maar Pharaoh had de pech dat Cheese er lucht van kreeg.'

'Wat wist Cheese over Broussard?' zei Angie.

'Dat heeft Pharaoh me niet verteld. Hij beweerde dat Mullen het niet wilde vertellen. Hij zei dat het de verrassing zou bederven. Ik hoorde voor het laatst iets van Pharaoh op de middag voordat hij stierf. Hij vertelde me dat hij en Mullen de afgelopen paar dagen smerissen door de hele stad hadden gesleept en dat ze die avond tweehonderdduizend dollar zouden binnenhalen, de smeris zouden vernederen en dan naar huis zouden gaan. En zodra dat gebeurd was, en zodra Pharaoh precies wist wat die smeris had gedaan, zou hij hem en Mullen aan mij verlinken, en dat zou dan de grootste arrestatie van mijn carrière zijn, en dan zou ik hem voorgoed met rust laten. Tenminste, dat hoopte hij.' Ryerson drukte zijn sigaret uit. 'We weten de rest.'

Angie keek hem met gefronste wenkbrauwen aan. 'We weten niets. Nul komma nul. Neal, heb jij ook een theorie over de verdwijning van Amanda McCready in verband met dit alles?'

Hij haalde zijn schouders op. 'Misschien heeft Broussard haar zelf gekidnapt.'

'Waarom?' zei ik. 'Werd hij op een dag wakker en besloot hij een kind te ontvoeren?'

'Ik heb wel vreemdere dingen meegemaakt.' Hij boog zich naar ons toe. 'Kijk, Cheese wist iets van hem. Wat was dat? Alles komt steeds weer terug op de verdwijning van dat meisje. Dus laten we daar eens naar kijken. Broussard ontvoert haar, misschien om haar moeder onder druk te zetten, om haar zo ver te krijgen dat ze hem de tweehonderdduizend dollar geeft die ze volgens Pharaoh van Cheese heeft gestolen.'

'Wacht eens even,' zei ik. 'Dat zit me de hele tijd al dwars: waarom gaf Cheese geen opdracht aan Mullen om, maanden voordat Amanda verdween, dat gestolen geld uit Helene en Ray Likanski te slaan?'

'Omdat Cheese pas van die verduistering hoorde op de dag dat Amanda verdween.'

'Wat?'

Hij knikte. 'Het mooie van Likanski's truc – al was het ook kortzichtig, dat geef ik toe – was dat hij wist dat iedereen zou aannemen dat het geld tegelijk met de drugs door de politie in beslag was genomen toen die motorrijders werden opgepakt. Cheese deed er drie maanden over om achter de waarheid te komen. De dag waarop hem dat lukte, was de dag waarop Amanda McCready verdween.'

'Nou,' zei Angie. 'Dat wijst erop dat Mullen de kidnapper is.'

Hij schudde zijn hoofd. 'Dat geloof ik niet. Ik denk dat Mullen, of iemand anders die voor Cheese werkt, op die avond naar Helene ging om haar in elkaar te slaan en erachter te komen waar het geld was. Maar in plaats daarvan zagen ze Broussard het kind meenemen. En toen had Cheese iets dat hij tegen Broussard kon gebruiken. Hij chanteerde hem. Maar Broussard speelde het heel handig. Hij zei tegen de politie dat Cheese haar had gekidnapt en een losgeld eiste. Hij zei tegen Cheese dat hij het geld die avond naar de groeve zou brengen en aan Mullen zou geven, in de wetenschap dat hij ze koud zou maken, het kleine meisje zou dumpen en er met het geld vandoor zou gaan. Hij...'

'Dat is idioot,' zei ik.

'Waarom?'

'Waarom zou Cheese voor de kidnapper van Amanda McCready willen doorgaan?'

'Daar wilde hij niet voor doorgaan. Broussard luisde hem erin zonder hem iets te vertellen.'

Ik schudde mijn hoofd. 'Broussard heeft het hem wél verteld. Ik was erbij. We gingen in oktober naar de Concord-gevangenis en ondervroegen Cheese over die verdwijning. Als hij met Broussard in een complot zat, hadden ze moeten afspreken dat de schuld bij Cheese's mannen kwam te liggen. En waarom zou Cheese dat doen, als hij, zoals jij zegt, Broussard bij de ballen had? Waarom zou hij de schuld op zich nemen van de ontvoering en dood van een vierjarig kind als hij dat niet hoefde te doen?'

Hij wees met zijn niet-aangestoken sigaar naar mij. 'Opdat jíj het zou geloven, Kenzie. Hebben jullie je nooit afgevraagd waarom jullie zo nauw bij een politieonderzoek werden betrokken? Waarom jullie aangewezen werden om die avond bij de groeve te zijn? Jullie waren getuigen. Dat was jullie rol. Broussard en Cheese hebben in de Concord-gevangenis een show voor jullie opgevoerd: Poole en Broussard voerden bij die groeve een show voor jullie op. Het was de bedoeling dat jullie zagen wat ze wílden dat jullie zagen, en dat jullie dat als de waarheid accepteerden.'

'O ja,' zei Angie, 'hoe kon Poole een hartaanval simuleren?'

'Cocaïne,' zei Ryerson. 'Dat heb ik al eens meegemaakt. Het is verrekte riskant, want de coke kan gemakkelijk een echte hartaanval ontketenen. Maar als het je wél lukt, en je bent een kerel van Pooles leeftijd en je hebt zijn beroep? Er zullen niet veel artsen zijn die dan naar coke gaan zoeken. Ze denken gewoon dat hij een hartaanval heeft gehad.'

Ik telde twaalf auto's die door Kneeland Street voorbij reden voordat iemand van ons weer iets zei.

'Neal, laten we het nog even op een rijtje zetten.' Angies sigaret was in de asbak opgebrand tot een lange, gebogen witte kegel, en ze schoof het filter los. 'We zijn het erover eens dat Cheese in Mullen en Gutierrez een bedreiging zag. Als hij nu eens dacht dat hij ze moest uitschakelen? En als hij nu eens zóiets ergs van Broussard wist dat hij hem kon dwingen het op te knappen?'

'Dat hij het Broussard liet doen?'

Ze knikte.

Ryerson leunde achterover en keek uit het raam naar de donkere gebouwen op de hoek van South Street. Over zijn schouder zag ik in Kneeland Street het vertrouwde beeld van een logge, nootbruine wagen van UPS die met zijn alarmlichten aan stond en een rijbaan blokkeerde. De bestuurder maakte de achterkant open, pakte een steekwagentje, trok een paar dozen uit de wagen en stapelde ze op elkaar.

'Nou,' zei Ryerson tegen Angie. 'Jullie gaan er dus van uit dat, terwijl Cheese dacht dat hij Mullen en Gutierrez in de maling nam, Broussard ze alledrie in de maling nam.'

'Misschien,' zei ze. 'Misschien. We hebben gehoord dat Mullen en Gutierrez dachten dat ze die avond bij de groeve drugs zouden oppikken.'

De man van UPS kwam vlug langs het raam lopen, het steekwagentje voor zich uit, en ik vroeg me af wie er zo laat op de avond nog iets bezorgd kreeg. Misschien een advocatenkantoor dat nog lang doorwerkte aan een grote zaak. Of een drukkerij waar ze alles op alles moesten zetten om een deadline te halen. Of een high-tech computerfirma die deed wat high-tech computerfirma's deden terwijl de rest van de wereld op het punt stond naar bed te gaan.

'Aan de andere kant,' zei Ryerson, 'komen we steeds weer op het motief terug. Als Cheese nu eens van Broussard wist dat hij het meisje had ontvoerd? Goed. Maar waarom? Wat haalde Broussard zich in zijn hoofd toen hij die avond naar dat huis ging om een kind te ontvoeren dat hij nooit had gezien, om haar van haar moeder weg te halen? Dat is toch idioot?'

De UPS-man was in een ommezien terug, zijn klembord onder zijn arm. Hij liep nu vlugger, omdat zijn steekwagentje leeg was.

'En dan nog iets,' zei Ryerson. 'Als we accepteren dat uitgerekend een gedecoreerde politieman die voor een eenheid werkt die kinderen opspoort zoiets idioots zou doen als een kind uit haar huis ontvoeren, hoe heeft hij dat dan gedaan? Hij observeert het huis in zijn eigen tijd tot de vrouw weggaat en weet dan op de een of andere manier dat ze haar deur niet op slot zou doen? Dat kan toch niet?'

'Toch denk je dat het zo is gegaan,' zei Angie.

'Ja, ergens wel. Ik weet dat Broussard dat meisje heeft ontvoerd. Ik begrijp alleen niet waarom.'

De UPS-man sprong in de wagen, die langs het raam reed, naar de linkerrijbaan ging en uit het zicht verdween.

'Patrick?'

'Huh?'

'Let je nog een beetje op?'

'Niet met een strafblad. Dat kan niet.'

Angie legde haar hand op mijn arm. 'Wat zei je?'

Ik had niet gemerkt dat ik het hardop had gezegd. 'Je kunt geen baan als UPS-koerier krijgen als je een strafblad hebt.'

Ryerson knipperde met zijn ogen en wierp me een blik toe alsof hij dacht dat hij een thermometer moest halen om te kijken of ik koorts had. 'Waar heb je het nou over?'

Ik keek weer naar Kneeland Street en keek vervolgens eerst

Ryerson en toen Angie aan. 'Op die eerste dag dat hij bij ons was, zei Lionel dat hij een keer een douw had gehad, en nog een flinke douw ook, voordat hij op het rechte pad kwam.'

'Nou?' zei Angie.

'Als hij veroordeeld is, moet dat ergens geregistreerd staan. En hoe kon hij in dat geval aan een baan bij UPS komen?'

'Ik begrijp niet...' zei Ryerson.

'Stil nou.' Angie stak haar hand op en keek in mijn ogen. 'Je denkt dat Lionel...'

Ik ging verzitten en schoof mijn koude koffie weg. 'Wie had er toegang tot Helenes woning? Wie kon de deur met een sleutel openmaken? Met wie zou Amanda zó meegaan, zonder protest, zonder lawaai?'

'Maar hij kwam naar ons toe.'

'Nee,' zei ik. 'Zijn vrouw kwam naar ons toe. Hij zei steeds weer: "Bedankt dat jullie naar ons wilden luisteren, bla, bla, bla." Hij wilde eigenlijk zo gauw mogelijk van ons af. Beatrice was degene die bleef aandringen. Wat zei ze toen ze in ons kantoor was? "Niemand wilde dat ik hierheen ging. Niet Helene, niet mijn man." Beatrice was degene die de druk op de ketel hield. En Lionel – goed, hij is gek op zijn zus. Maar is hij blind? Hij is niet dom. Hoe kan het dan dat hij niet wist dat Helene voor Cheese werkte? Hoe kan het dan dat hij niets van haar drugs-probleem wist? Jezus nog aan toe, hij deed alsof hij verbaasd was toen hij hoorde dat ze aan de coke was. Ik spreek mijn eigen zus eens per week en zie haar maar eens per jaar, maar als ze aan de drugs was, zou ik het weten. Ze is mijn zus.'

'Je had het daarnet over een strafblad,' zei Ryerson. 'Welke rol speelt dat?'

'Misschien was Broussard degene die hem oppakte en had hij hem daarna in zijn zak zitten. Lionel stond bij hem in het krijt. Wie weet?'

'Maar waarom zou Lionel zijn eigen nichtje kidnappen?'

Ik dacht daarover na, deed mijn ogen dicht tot ik Lionel voor me zag staan. Dat hondengezicht en die trieste ogen, die schou-ders die de hele wereld leken te torsen, dat gekwelde fatsoen in zijn stem – de stem van een man die echt niet kon begrijpen waarom mensen al die rottige, slordige dingen deden. Ik hoorde weer de vulkanische woede in zijn stem toen hij tegen Helene uitvoer, die ochtend toen we haar in de keuken voor de voeten wierpen dat ze Cheese kende. Ik hoorde weer de ondertoon van haat in zijn stem. Hij had ons verteld dat hij geloofde dat zijn zus van haar kind hield en goed voor haar was. Maar als hij nu eens had gelogen? Als hij nu eens het tegenovergestelde geloofde? Als hij de moederlijke kwaliteiten van zijn zus nu eens lager inschatte dan zijn vrouw? Maar hij, zelf het kind van alcoholisten en slechte ouders, had geleerd dingen te maskeren, zijn woede te camoufleren. Dat moest wel, anders had hij zich nooit kunnen opwerken tot het soort staatsburger, het soort vader, dat hij was geworden.

'Als,' zei ik hardop, 'Amanda McCready nu eens niet was ontvoerd door iemand die haar wilde misbruiken of geld voor haar wilde eisen?' Ik keek in Ryersons sceptische ogen en toen in Angies nieuwsgierige, opgewonden ogen. 'Als Amanda McCready nu eens voor haar eigen bestwil is ontvoerd?'

Ryerson sprak langzaam en zorgvuldig. 'Je denkt dat de oom het kind heeft ontvoerd...'

Ik knikte. 'Om het kind te redden.'

31

'Lionel is weg,' zei Beatrice.

'Weg?' zei ik. 'Waarheen?'

'North Carolina,' zei ze. Ze stapte van de deur vandaan. 'Kom binnen.'

We volgden haar naar de huiskamer. Haar zoon Matt keek op toen we binnenkwamen. Hij lag op zijn buik op de vloer en tekende met allerlei pennen, potloden en viltstiften op een schrijfblok. Hij zag er goed uit, met heel vaag de hondse slapheid die zijn vader ook op zijn gezicht had, maar zonder die loden last op zijn schouders. Hij had de ogen van zijn moeder; het saffierblauw schitterde onder zijn pikzwarte wenkbrauwen en golvende haar.

'Hallo, Patrick. Hallo, Angie.' Hij keek nieuwsgierig maar niet onvriendelijk naar Neal Ryerson op.

'Hé.' Ryerson hurkte bij hem neer. 'Ik ben Neal. Hoe heet je?'

Matt schudde zonder aarzeling Ryersons hand en keek hem aan met de openheid van een kind dat had geleerd respect voor volwassenen te hebben maar niet bang voor ze te zijn.

'Matt,' zei hij. 'Matt McCready.'

'Leuk je te ontmoeten, Matt. Wat ben je daar aan het tekenen?'

Matt draaide het papier naar ons toe. Lucifermannetjes in allerlei kleuren klommen over een auto die drie keer zo groot was als zij en zo lang was als een vliegtuig.

'Mooi.' Ryerson trok zijn wenbrauwen op. 'Wat is het?'

'Mannen die in een auto proberen te rijden,' zei Matt.

'Waarom kunnen ze er niet in?' vroeg ik.

'Hij zit op slot,' zei Matt, alsof dat antwoord alles verklaarde.

'Maar ze willen die auto,' zei Ryerson. 'Huh?'

Matt knikte. 'Ze kennen er niet in…'

'Kunnen, Matthew,' zei Beatrice.

Hij keek even verbaasd naar haar op, maar glimlachte toen.

'Ja. Ze kunnen er niet in, maar dat willen ze wel, want binnen zijn tv's en Game Boys en Whoppers en… eh, Cokes.'

Ryerson veegde met zijn hand over zijn mond om een glimlach te camoufleren. 'Alle goeie dingen.'

Matt glimlachte naar hem. 'Ja.'

'Nou, ga ermee door,' zei hij. 'Het ziet er goed uit.'

Matt knikte en draaide het papier weer naar zich toe. 'Ik doe er straks huizen bij. Er moeten huizen bij.'

En alsof we deel hadden uitgemaakt van een droom, pakte hij een potlood en boog hij zich weer volledig geconcentreerd over het papier. Voor hem waren wij en alle andere dingen uit de kamer verdwenen.

'Meneer Ryerson,' zei Beatrice. 'Ik geloof dat we elkaar nog niet hebben ontmoet.'

Haar kleine hand verdween in zijn grote. 'Neal Ryerson, mevrouw. Ik ben van Justitie.'

Beatrice keek even naar Matt en dempte haar stem. 'Dus het gaat over Amanda?'

Ryerson haalde zijn schouders op. 'We wilden uw man een paar dingen vragen.'

'Welke dingen?'

Ryerson had in het restaurant al duidelijk gemaakt dat we Lionel of Beatrice absoluut niet de stuipen op het lijf wilden jagen. Als Beatrice merkte dat haar man onder verdenking stond, zou hij misschien voorgoed verdwijnen en dan zouden we misschien ook nooit te weten komen waar Amanda was.

'Ik zal eerlijk tegen u zijn, mevrouw. Het departement van Justitie heeft een dienst die ze het Bureau Preventie Jeugdcriminaliteit noemen. We hebben veel informatie ingewonnen bij het Nationale Centrum voor Vermiste en Misbruikte Kinderen en de Organisatie voor Vermiste Kinderen. Die organisaties hebben grote databases met algemene informatie.'

'Dus er is geen doorbraak in de zaak?' Beatrice kneedde de zoom van haar shirt tussen haar vingers en de muis van haar hand. Ze keek op naar Ryerson.

'Nee, mevrouw, ik wou dat het wel zo was. Zoals ik al zei, wilden we alleen maar wat vragen stellen naar aanleiding van gegevens uit de databases. En omdat uw man als eerste ter plaatse was op de avond dat uw nichtje verdween, wilde ik alles nog een keer met hem doornemen om te kijken of er iets was dat hem was opgevallen – een klein dingetje hier of daar – dat een nieuw licht op de dingen wierp.'

Ze knikte, en ik huiverde bijna toen ik zag hoe gemakkelijk ze in Ryersons leugens trapte.

'Lionel helpt een vriend van hem die antiek verkoopt. Ted Kenneally. Hij en Lionel zijn al vrienden sinds de lagere school. Ted is eigenaar van Kenneally Antiques in South Boston. Zo ongeveer elke maand rijden ze naar North Carolina. Dan gaan ze naar een plaatsje dat Wilson heet.'

Ryerson knikte. 'Ja, het antiekcentrum van Noord-Amerika.' Hij glimlachte. 'Ik kom uit dat deel van het land.'

'O. Kan ik u ergens mee helpen? Lionel is morgenmiddag terug.'

'Nou, ja, u zou kunnen helpen. Vindt u het erg als ik u een aantal vervelende vragen stel die u vast en zeker al duizend keer hebt beantwoord?'

Ze schudde vlug met haar hoofd. 'Nee, dat vind ik helemaal niet erg. Ik wil de hele nacht wel vragen beantwoorden. Zal ik wat thee gaan zetten?'

'Dat zou geweldig zijn, mevrouw McCready.'

Terwijl Matt bleef tekenen, dronken we thee en stelde Ryerson een groot aantal vragen aan Beatrice die allang waren beantwoord: over de avond waarop Amanda verdween, over Helene als moeder, over die eerste krankzinnige dagen toen Amanda net verdwenen was, de dagen waarin Beatrice zoekacties organiseerde, in de media verscheen en de straten met de foto van haar nichtje beplakte.

Van tijd tot tijd liet Matt zien hoe ver hij met de tekening was. Hij liet ons de wolkenkrabbers met rijen scheve raamrechthoeken zien, en de wolken en de honden die hij ook nog aan de tekening had toegevoegd.

Ik begon er spijt van te krijgen dat we hierheen waren gekomen. Ik was een spion in hun huis, een verrader. Ik hoopte gegevens te verzamelen waardoor Beatrices man en Matts vader naar de gevangenis zou gaan. Kort voordat we weggingen, vroeg Matt aan Angie of hij zijn handtekening op haar gips mocht zetten. Toen ze zei dat hij dat natuurlijk mocht, begonnen zijn ogen te stralen en zocht hij een halve minuut naar de juiste pen. Toen hij bij het gips neerknielde en heel zorgvuldig zijn naam schreef, voelde ik een doffe pijn achter mijn ogen. Het was of er een rotsblok van melancholie in mijn borst kwam te rusten bij de gedachte hoe het leven van dat kind zou zijn als we gelijk hadden wat zijn vader betrof en als Justitie zich met het gezin bemoeide en het helemaal uit elkaar haalde.

Evengoed was mijn bezorgdheid om Amanda nog zó groot dat ik me over mijn schaamte heen kon zetten.

Waar was ze?

Verdomme nog aan toe. Waar wás ze?

Toen we het huis hadden verlaten, bleven we bij de Suburban van Ryerson staan. Hij peuterde het cellofaan van zijn zoveelste dunne sigaar en gebruikte een zilveren mesje om het puntje eraf te halen. Terwijl hij zijn sigaar aanstak, keek hij naar het huis.

'Ze is een aardige vrouw.'

'Ja, dat is ze.'

'Een leuk kind.'

'Ja, hij is een leuk kind,' beaamde ik.

'Dit zit me helemaal niet lekker,' zei hij, en trok aan de sigaar terwijl hij de vlam erbij hield.

'Mij ook niet.'

'Ik ga Ted Kenneally's winkel in de gaten houden. Hoever is dat hier vandaan? Een kilometer?'

'Wel vijf,' zei Angie.

'Ik heb haar niet naar het adres gevraagd. Verdomme.'

'Er zijn maar een paar antiekzaken in South Boston,' zei ik. 'Die van Kenneally is aan Broadway, recht tegenover een restaurant, Amrhein.'

Hij knikte. 'Hebben jullie zin om met me mee te gaan? Het zou wel eens de veiligste plek voor jullie kunnen zijn, nu Broussard ergens los rondloopt.'

'Goed,' zei Angie.

Ryerson keek mij aan. 'Kenzie?'

Ik keek weer naar Beatrices huis, naar de gele rechthoeken van licht in de huiskamerramen, en dacht aan de bewoners van de andere kant van die rechthoeken, de tornado waarvan ze niet eens wisten dat hij om hun leven cirkelde, met telkens meer kracht, razend en bulderend.

'Dan zie ik jullie daar.'

Angie keek me aan. 'Wat is er?'

'Ik zie je daar wel,' zei ik. 'Ik moet eerst iets doen.'

'Wat?'

'Niets bijzonders.' Ik legde mijn handen op haar schouders. 'Ik zie je daar wel. Goed? Alsjeblieft. Geef me hier een beetje ruimte.'

Nadat ze me een hele tijd had aangekeken, knikte ze. Ze vond het niet prettig, maar ze kent mijn koppigheid net zogoed als die van haarzelf. En ze weet dat het op bepaalde momenten geen zin heeft met me in discussie te treden, zoals ik bij haar ook altijd wist wanneer het zo'n moment was.

'Geen domme dingen doen,' zei Ryerson.

'O, nee,' zei ik. 'Dat doe ik niet.'

Het was nogal vergezocht, maar het leverde iets op.

Om twee uur die nacht verlieten Broussard, Pasquale en een paar andere leden van het DoRights-footballteam de Boyne. Ze omhelsden elkaar op het parkeerterrein en ik kon zien dat ze van Pooles dood hadden gehoord en dat hun verdriet oprecht was. Dienders omhelzen elkaar niet, tenzij een van hen is weggevallen.

Pasquale en Broussard stonden nog een tijdje op het parkeerterrein te praten toen de anderen al waren weggereden, en toen sloeg Pasquale voor het laatst zijn armen stevig om Broussard heen. Hij trommelde even met zijn vuisten op de rug van de grote man en ze gingen uit elkaar.

Pasquale reed weg in een Bronco en Broussard liep met de zorgvuldige, zelfbewuste stappen van een dronken man naar een Volvo stationwagen. Hij reed achteruit Western Avenue op en zette koers naar het oosten. Ik bleef een heel eind achter hem op de bijna lege avenue en raakte hem bijna kwijt toen zijn achterlichten bij de rivier de Charles verdwenen.

Ik gaf meer gas, want hij kon Storrow Drive zijn opgereden om naar North Beacon te gaan, of hij kon op datzelfde kruispunt over de Massachusetts Pike naar het oosten of het westen zijn gegaan.

Ik tuurde in de verte en zag de Volvo, die net door een lichtkring reed. Hij had de Massachusetts Pike genomen en reed in westelijke richting naar de tolhokjes.

Ik dwong me om langzamer te rijden en passeerde de tol ongeveer een minuut na hem. Na een kilometer of drie pikte ik de Volvo weer op. Hij reed op de linkerbaan met een snelheid van zo'n honderd kilometer per uur, en ik bleef zo'n honderd meter achter hem en reed even snel.

Wie bij de politie van Boston werkt, is verplicht in Boston of naaste omgeving te wonen, maar ik kende er verscheidenen die verder weg gingen wonen en hun woning in Boston aan familie of kennissen verhuurden.

Broussard, ontdekte ik, woonde een heel eind weg. Na meer dan een uur, en nadat we de snelweg hadden verlaten en over een serie kleine donkere landweggetjes hadden gereden, kwamen we in het stadje Sutton, dat in de schaduw van het reservaat Purgatory Chasm ligt, veel dichter bij de grenzen van zowel Rhode Island als Connecticut dan bij Boston.

Toen Broussard een steil hellend pad opreed dat naar een klein bruin Cape Cod-huis leidde, waarvan de ramen door struiken en kleine bomen aan het oog werden onttrokken, reed ik door tot ik bij een kruispunt kwam waar de weg bij een torenhoog naaldbos eindigde. Ik keerde en mijn lichten bewogen zich met een boog door de diepe duisternis, die veel zwarter was dan stadsduisternis. Het was of ik in die lichtbundel opeens allerlei wezens zou tegenkomen die door de duisternis zwierven en me met hun gloeiende groene ogen zoveel schrik zouden aanjagen dat mijn hart zou stilstaan.

Toen ik de volgende morgen wakker werd, keken me twee prachtige bruine ogen aan. Ze waren zacht en bedroefd en zo diep als schachten in een kopermijn. Ze knipperden niet.

Ik schrok een beetje toen een lange, wit met bruine neus naar het raampje van mijn auto toe kwam, en het nieuwsgierige dier schrok op zijn beurt van mijn plotselinge beweging. Voordat ik er zelfs maar zeker van was dat ik het had gezien, huppelde het hert over het veld en het bos in. Zijn witte staart flikkerde nog even tussen twee boomstammen, en toen was hij weg.

'Jezus,' zei ik hardop.

Een andere kleurflits trok mijn aandacht, ditmaal aan de andere kant van de bomen, recht voor mijn voorruit. Het was iets lichtbruins, en toen ik door de opening rechts van me keek, zag ik Broussards Volvo met grote snelheid over de weg voorbijrijden. Ik had geen idee of hij even naar de kruidenier reed om een fles melk te halen of helemaal naar Boston terugging, maar ik wilde deze kans niet voorbij laten gaan.

Ik pakte een stel slotenstekers uit het handschoenenvak, zwaaide mijn fototoestel over mijn schouder, schudde de spinnenwebben uit mijn hoofd en stapte uit de auto. Ik liep over de weg en bleef dicht langs de berm. Het was de eerste warme dag van het jaar. De hemel was zó blauw van zuurstof, zó vrij van smog, dat ik bijna niet kon geloven nog in Massachusetts te zijn.

Toen ik Broussards pad naderde, kwam een lange, slanke vrouw met lang bruin haar achter een groep dikke naaldbomen vandaan. Ze had een kind bij zich, een jongen, en bukte zich met hem mee toen hij de krant opraapte die aan het begin van het pad lag en hem aan haar gaf.

Ik was te dichtbij om te blijven staan, en ze keek op, schermde haar ogen tegen de zon af en lachte me aarzelend toe. Het kind dat ze aan de hand had, was een jaar of drie, en zijn lichtblonde haar en bleke witte huid pasten eigenlijk niet bij de vrouw en ook niet bij Broussard.

'Hallo.' De vrouw stond op en pakte het kind ook op. Ze zette hem op haar heup en hij begon op zijn duim te zuigen.

'Hallo.'

Ze was een opvallende vrouw. Haar brede mond sneed onregelmatig over haar gezicht en kwam aan de linkerkant een beetje omhoog. Er zat iets sensueels in die asymmetrie, een vage grijns die alle illusie wegnam. Als ik alleen een oppervlakkige blik op haar mond en jukbeenderen had geworpen, op haar huid met de warme gloed van een zonsopgang, had ik haar gemakkelijk voor een ex-fotomodel kunnen aanzien, de trofee-echtgenote van een financier. Toen keek ik in haar ogen en schrok van de harde, naakte intelligentie die daarin besloten lag. Dit was geen vrouw die zich door een man liet meetronen. Sterker nog, deze vrouw zou zich door niets of niemand laten meetronen.

Ze zag het fototoestel. 'Vogels?'

Ik keek ernaar en schudde mijn hoofd. 'De natuur in het algemeen. Waar ik vandaan kom, krijg je daar niet veel van te zien.'

'Boston?'

Ik schudde mijn hoofd. 'Providence.'

Ze knikte, keek naar de krant, schudde de dauw eraf. 'Vroeger deden ze die in plastic om ze droog te houden,' zei ze. 'Tegenwoordig moet ik ze een uur in de badkamer te drogen hangen, alleen om de voorpagina te kunnen lezen.'

De jongen op haar heup legde zijn gezicht slaperig tegen haar borst en keek me aan met ogen zo open en blauw als de hemel.

'Wat is er, schatje?' Ze kuste zijn hoofd. 'Ben je moe?' Ze streek over zijn gezicht, dat een beetje bol was, en de liefde in haar ogen was bijna tastbaar.

Toen ze me weer aankeek, trok die liefde weg, en een ogenblik voelde ik dat ze bang of achterdochtig was. 'Daar is een bos.' Ze wees langs de weg. 'Daarbeneden. Het maakt deel uit van het reservaat Purgatory Chasm. Daar zijn vast heel mooie foto's te maken.'

Ik knikte. 'Klinkt geweldig. Dank u voor het advies.'

Misschien voelde het kind iets. Misschien was hij gewoon moe. Misschien kwam het gewoon doordat hij een klein kind was en kleine kinderen nou eenmaal zoiets doen. In ieder geval deed hij plotseling zijn mond open en begon te huilen.

'Oh-ho.' Ze glimlachte en kuste hem weer op zijn hoofd, liet hem op en neer gaan op haar heup. 'Het is goed, Nicky. Het is goed. Kom, mama zal je iets te drinken halen.'

Ze liep het pad van het huis op, met op haar heup nog de jongen, van wie ze het gezicht streelde. Haar slanke lichaam, gehuld in een rood met zwart houthakkersoverhemd en een spijkerbroek, bewoog zich als dat van een danseres.

'Veel succes met de natuur,' riep ze over haar schouder.

'Dank u.'

Ze liep om een bocht van het pad en ik verloor haar en het kind uit het oog achter hetzelfde bosje dat het grootste deel van het huis onzichtbaar maakte voor wie zich op de weg bevond.

Maar ik kon haar nog horen.

'Niet huilen, Nicky. Mammie houdt van je. Mammie maakt alles goed.'

'Dus hij heeft een zoon,' zei Ryerson. 'Nou, en?'

'Ik hoorde het voor het eerst,' zei ik.

'Ik ook,' zei Angie, 'en we waren in oktober heel veel bij elkaar.'

'Ik heb een hond,' zei Ryerson. 'Dat horen jullie nu voor het eerst. Ja?'

'We kennen je nog geen dag,' zei Angie. 'En een hond is geen kind. Als je een zoon hebt en je staat urenlang met mensen op de uitkijk, dan breng je hem een keer ter sprake. Hij had het vaak over zijn vrouw. Niets bijzonders, gewoon dingen als: "Ik moet mijn vrouw bellen." "Mijn vrouw vermoordt me als ik weer niet thuiskom voor het eten." Dat soort dingen. Maar nooit, niet één keer, had hij het over een kind.'

Ryerson keek in zijn spiegeltje naar me. 'Wat denk je?'

'Ik denk dat het vreemd is. Mag ik je telefoon gebruiken?'

Hij reikte hem mij aan en ik draaide het nummer. Intussen keek ik naar Ted Kenneally's antiekwinkel, naar het bord met GESLOTEN, dat voor het raam hing.

'Brigadier Lee.'

'Oscar,' zei ik.

'Hé, Kenzie! Hoe is het met je lichaam?'

'Het doet pijn,' zei ik. 'Verrekte pijn.

Zijn stem werd ernstig. 'En dat andere?'

'Nou, ik heb een vraag voor je.'

'Zo'n vraag van verlink-je-eigen-mensen?'

'Dat hoeft niet.'

'Kom maar op. Ik zie wel of ik antwoord wil geven.'

'Broussard is getrouwd, nietwaar?'

'Ja, met Rachel.'

'Een lange brunette?' zei ik. 'Heel knap?'

'Ja, dat is ze.'

'En ze hebben een kind?'

'Sorry?'

'Heeft Broussard een zoon?'

'Nee.'

Ik voelde iets lichts door mijn schedel zweven, en de pulserende pijn van de footballwedstrijd verdween.

'Dat weet je zeker?'

'Natuurlijk weet ik dat zeker. Het kan niet.'

'Het kan niet of hij wil het niet?'

Oscars stem klonk nu een beetje gedempt, en ik besefte dat hij zijn hand om de hoorn heen hield. Hij sprak bijna fluisterend. 'Rachel kan geen kinderen krijgen. Dat is een groot probleem voor ze geweest. Ze wilden kinderen.'

'Waarom adopteerden ze hen dan niet?'

'Wie laat een ex-hoer kinderen adopteren?'

'Ze heeft in het leven gezeten?'

'Ja, zo heeft hij haar ontmoet. Hij was toen op weg naar Moordzaken, man, net als ik. Het nekte zijn carrière. Hij raakte verzand bij Narcotica, tot Doyle hem daar weghaalde. Maar hij houdt van haar. En ze is een goede vrouw. Een geweldige vrouw.'

'Maar geen kind.'

Zijn hand ging van de telefoon vandaan. 'Hoe vaak moet ik je dat nog zeggen, Kenzie? Geen kind.'

Ik zei dank je en tot kijk, hing op en gaf de telefoon aan Ryerson terug.

'Hij heeft geen zoon,' zei Ryerson. 'Nietwaar?'

'Hij heeft een zoon,' zei ik. 'Hij heeft absoluut een zoon.'

'Waar heeft hij die dan vandaan?'

Opeens drong het, terwijl ik daar in Ryersons Suburban zat en naar Kenneally's Antiques keek, allemaal tot me door.

'Hoeveel wil je eronder verwedden,' zei ik, 'dat de natuurlijke ouders van Nicholas Broussard waarschijnlijk niet zulke geweldige opvoeders waren?'

'Shit,' zei Angie.

Ryerson boog zich over het stuurwiel en keek met een doffe, verbaasde uitdrukking op zijn magere gezicht door de voorruit. 'Shit.'

Ik zag de blonde jongen weer op Rachel Broussards heup, de aanbidding waarmee ze naar zijn kleine gezichtje had gekeken toen ze het streelde.

'Ja,' zei ik. 'Shit.'

32

Aan het eind van een dag in april, als de zon is neergedaald maar de duisternis nog niet gevallen is, daalt er een gedempt grijs over de stad neer. Er is weer een dag voorbij, altijd sneller dan je had verwacht. Gedempte gele of oranje lichten verschijnen in raamrechthoeken en glanzen op autoradiateurs, en de komende duisternis belooft een diepe kilte. Kinderen zijn van de straten verdwenen om zich te wassen voor het avondeten en tv's aan te zetten. De supermarkten en drankwinkels zijn halfleeg en lusteloos. De banken en bloemenwinkels zijn dicht. Hier en daar hoor je een claxon; het rolluik van een winkel ratelt bij het neerkomen. En als je goed naar de gezichten van voetgangers en automobilisten bij stoplichten kijkt, zie je hoe de last van alle niet uitgekomen beloften van de ochtend hun gezichten doet betrekken. Dan zijn ze voorbij, op weg naar huis, naar wat voor huis ook.

Lionel en Ted Kenneally waren laat teruggekomen, tegen vijf uur, en toen Lionel ons zag aankomen, brak er iets in zijn gezicht. En toen Ryerson zijn insigne liet zien en 'Ik wil u graag een paar vragen stellen, meneer McCready' zei, verduisterde Lionels gezicht nog meer.

Hij knikte een paar keer, meer in zichzelf dan tegen ons, en zei: 'Er is een bar hier in de straat. Zullen we daarheen gaan? Ik wil dit niet hier in huis doen.'

Het Edmund Fitzgerald was ongeveer zo klein als een bar kon zijn zonder dat het een schoenpoetsershokje werd. Toen we binnenkwamen, zagen we links een kleine ruimte met een bar langs het enige raam en met plaats voor vier tafels. Jammer genoeg hadden ze daar ook een jukebox neergezet, zodat er maar twee tafels stonden. Die tafels waren alle twee leeg toen wij vieren binnenkwamen. Aan de bar zelf konden zeven, hooguit acht mensen zitten, en langs de muur daartegenover stonden zes tafels. Achterin was weer een beetje ruimte, en daar gooiden twee dartspelers hun pijltjes over een biljarttafel die zo dicht bij de muren stond dat een speler vanaf drie van de vier kanten altijd een korte keu moest gebruiken. Of een potlood.

Toen we aan een tafel in het midden gingen zitten, zei Lionel: 'Je been zeer gedaan, Angie?'

'Het geneest wel,' zei Angie, en ze viste in haar tasje naar haar sigaretten.

Lionel keek me aan, en toen ik mijn ogen afwendde, liet hij zijn schouders nog dieper zakken. Het was of hij op elk van die schouders een rotsblok had.

Ryerson legde een open opschrijfboekje op tafel neer en schroefde een pen open. 'Ik ben speciaal agent Neal Ryerson, meneer McCready. Ik ben van het departement van Justitie.'

'Ja?' zei Lionel.

Ryerson keek hem even aan. 'Jazeker, meneer McCready. De federale overheid. U hebt het een en ander uit te leggen. Denkt u ook niet?'

'Waarover?' Lionel keek over zijn schouder en toen in de bar om zich heen.

'Je nichtje,' zei ik. 'Hoor eens, Lionel, het wordt tijd dat je de waarheid vertelt.'

Hij keek naar rechts, naar de bar, alsof daar misschien iemand zat die hem uit de nood kon helpen.

'Meneer McCready,' zei Ryerson, 'we kunnen wel een half uur welles/nietes tegen elkaar zeggen, maar daarmee zouden we onze tijd verknoeien. We weten dat u bij de verdwijning van uw nichtje betrokken was en met Remy Broussard samenwerkte. Hij krijgt trouwens een harde douw, zo hard als het maar kan. En u? Ik bied u de kans om schoon schip te maken. Misschien kunt u dan nog enige clementie verwachten.' Hij tikte met de pen op de tafel en deed dat met de cadans van een tikkende klok. 'Maar als u me wat voorliegt, loop ik hier weg en doen we het op de harde manier. Dan gaat u zó lang de gevangenis in dat uw kleinkinderen een rijbewijs hebben als u eruitkomt.'

De serveerster kwam naar ons toe en nam onze bestelling op: twee cola, een mineraalwater voor Ryerson en een dubbele whisky voor Lionel.

We wachtten zwijgend tot ze terugkwam. Ryerson bleef zijn pen als metronoom gebruiken. Hij tikte er gestaag mee tegen de zijkant van de tafel en bleef Lionel met een rustig, onbewogen gezicht aankijken.

Lionel merkte dat blijkbaar niet eens. Hij keek naar het bier-viltje dat voor hem lag, maar ik geloof niet dat hij het zag. Hij keek veel dieper, veel verder weg dan de tafel of de bar. Op zijn lippen en kin kwam geleidelijk een laagje zweet. Ik had het ge-voel dat wat hij aan het eind van zijn diepe, inwendige blik zag, het onverkwikkelijke inzicht in zijn verspilde leven was. Hij zag de gevangenis. Hij zag echtscheidingspapieren die hem in zijn cel werden gebracht, en brieven die hij naar zijn zoon stuurde en on-geopend terugkwamen. Hij zag tientallen jaren waarin hij alleen was met zijn schaamte, of zijn schuldgevoel, of alleen maar met de dwaasheid van een man die iets doms had gedaan en daarmee naakt in het felle licht van de schijnwerpers was gekomen, zodat de hele samenleving hem kon zien. Zijn foto zou in de kranten komen, zijn naam zou met kidnapping in verband worden ge-bracht, zijn leven zou te grabbel worden gegooid voor talkshows en boulevardbladen en spottende grappen die nog in de herinne-ring zouden voortleven als degenen die ze hadden verteld allang vergeten waren.

De serveerster bracht ons de bestelling en Lionel zei: 'Elf jaar geleden zat ik met een stel vrienden in een bar in de binnenstad. Er kwam een groep mensen binnen van een vrijgezellenfeest. Ze waren straalbezopen. Een van hen wilde vechten. Hij koos mij uit. Ik sloeg hem. Eén keer. Maar zijn schedel begaf het toen hij tegen de vloer viel. Weet je, ik raakte hem niet met mijn vuist. Ik had een biljartkeu in mijn hand.'

'Geweldpleging met een dodelijk wapen,' zei Angie.

Hij knikte. 'Eigenlijk was het nog erger. De man had me ge-duwd, en ik had gezegd – ik herinner me niet dat ik het zei, maar het zal wel zo zijn – ik had gezegd: "Ga weg of ik vermoord je."'

'Poging tot moord,' zei ik.

Hij knikte weer. 'Ik moest terechtstaan. En het was het woord van mijn vrienden tegen het woord van zijn vrienden. En ik wist dat ik naar de gevangenis zou gaan, want de vent die ik had ge-slagen was student en hij beweerde dat hij daarna niet meer kon studeren, dat hij zich niet meer kon concentreren. Hij kwam met artsen aanzetten die zeiden dat hij hersenletsel had opgelopen. Aan de manier waarop de rechter me aankeek, kon ik zien dat ik verloren was. Maar iemand die op die avond in die bar was, een vreemde voor beide groepen, getuigde dat de vent die ik had ge-slagen had gezegd dat hij míj zou vermoorden, en dat hij de eer-ste stomp had uitgedeeld, enzovoort. Ik kwam vrij, omdat die vreemde een politieman was.'

'Broussard.'

Hij keek me met een zuur glimlachje aan en nam een slokje whisky. 'Ja, Broussard. En weet je wat? Hij stond te liegen in de getuigenbank. Ik kon me misschien niet alles herinneren wat de vent die ik had geslagen had gezegd, maar ik wist wel zeker dat ik als eerste had geslagen. Eigenlijk weet ik niet waarom. Hij viel me lastig, zeurde aan mijn kop, en ik werd kwaad.' Hij haalde zijn schouders op. 'Ik was toen anders.'

'Dus Broussard loog en je kwam vrij, en je had het gevoel dat je bij hem in de schuld stond.'

Hij pakte zijn whiskyglas, veranderde van gedachten en zette het weer op het viltje. 'Ja, zoiets. Hij bracht het nooit ter sprake, en in de loop van de jaren werden we vrienden. We kwamen elkaar wel eens tegen, en nu en dan belde hij me. Pas achteraf besef ik dat hij me in de gaten hield. Zo is hij. Begrijp me niet verkeerd, hij is een beste kerel, maar hij observeert mensen altijd, bestudeert ze, kijkt of ze op een dag van nut voor hem kunnen zijn.'

'Zo zijn een hoop smerissen,' zei Ryerson, en hij dronk wat mineraalwater.

'U ook?'

Ryerson dacht even na. 'Ja. Ik geloof van wel.'

Lionel nam weer een slokje whisky en veegde zijn lippen af aan een servetje. 'In juli gingen mijn zus en Dottie met Amanda naar het strand. Het was een heel warme dag, onbewolkt, en Helene en Dottie komen een paar kerels tegen die, ik weet niet, een zakje hasj of zoiets bij zich hadden.' Hij wendde zijn ogen even af en nam een grote slok whisky. Toen hij weer sprak, had hij iets gejaagds in zijn gezicht en stem. 'Amanda viel in slaap op het strand, en ze... ze lieten haar daar liggen, alleen en onbewaakt, urenlang. Ze verbrandde. Ze kreeg ernstige brandwonden op haar rug en benen, nog net geen derdegraads. De ene kant van haar gezicht was zó erg opgezwollen dat het leek of ze door bijen was aangevallen. Mijn vervloekte hoerige slet van een waardeloze junk van een zus liet de huid van haar dochter verbranden. Ze namen haar mee naar huis en Helene belde me omdat Amanda, en nu citeer ik "lastig was". Ze wilde niet ophouden met huilen. Ze hield Helene uit de slaap. Ik ging erheen en mijn nichtje, dat kleine kleutertje van vier, bleek verbrand te zijn. Ze leed hevige pijn. Ze schreeuwde, zó erg was het. En weet je wat mijn zus voor haar had gedaan?'

We wachtten tot hij zijn whiskyglas had gepakt, zijn hoofd had laten zakken en een paar keer oppervlakig adem had gehaald.

Hij keek op. 'Ze had bier op Amanda's brandwonden gedaan. Bier. Om haar te laten afkoelen. Geen aloë, geen lidocaïne, ze had er niet eens aan gedacht met haar naar het ziekenhuis te gaan. Nee. Ze deed er bier op, stuurde haar naar bed en zette de tv heel hard om haar niet te hoeven horen.' Hij hield een grote vuist bij zijn oor, alsof hij op de tafel wilde slaan, alsof hij de tafel in tweeën wilde laten barsten. 'Die avond had ik mijn zus wel kunnen vermoorden. In plaats daarvan bracht ik Amanda naar het ziekenhuis. Ik verdedigde haar. Ik zei dat ze doodmoe was geweest en dat zij en Amanda allebei op het strand in slaap gevallen waren. Ik praatte op de dokter in en haalde haar uiteindelijk over om het niet als een geval van verwaarlozing bij de kinderbescherming te melden. Ik weet niet waarom, ik wist alleen dat ze Amanda weg zouden halen. Ik...' Hij slikte. 'Ik verdedigde Helene. Zoals ik haar mijn hele leven heb verdedigd. En die avond nam ik Amanda mee naar mijn huis en sliep ze bij mij en Beatrice. De dokter had haar iets gegeven om in slaap te komen, maar ik bleef wakker. Ik legde steeds mijn hand op haar rug en voelde de warmte die daar af kwam. Het was – ik kan het niet anders stellen – het was net of ik mijn hand op vlees legde dat net uit de oven kwam. En ik zag haar slapen en dacht: dit kan zo niet doorgaan, hier moet een eind aan komen.'

'Maar Lionel,' zei Angie, 'als jij Helene nu eens bij de kinderbescherming had aangegeven? Als je dat vaak genoeg had gedaan, hadden jij en Beatrice op een gegeven moment een verzoek bij de rechtbank kunnen indienen om Amanda te mogen adopteren.'

Lionel lachte, en Ryerson schudde langzaam met zijn hoofd naar Angie.

'Wat is er?' zei ze.

Ryerson verwijderde het puntje van een sigaar. 'Angie, tenzij de moeder lesbisch is in staten als Utah of Arizona, is het nagenoeg onmogelijk iemand uit de ouderlijke macht te ontzetten.' Hij stak de sigaar aan en schudde zijn hoofd. 'Of beter gezegd: het ís onmogelijk.'

'Hoe kan dat nou,' zei Angie, 'als is gebleken dat de ouder het kind de hele tijd verwaarloost?'

Ryerson schudde opnieuw bedroefd zijn hoofd. 'Dit jaar kreeg een natuurlijke moeder in de stad Washington de volledige voogdij over een kind dat ze nauwelijks had gezien. Het kind had sinds de geboorte bij pleegouders geleefd. De natuurlijke moeder heeft een strafblad en heeft het kind gebaard toen ze voorwaardelijk vrij was van een straf die ze had gekregen omdat ze een van haar andere kinderen had vermoord, een kind dat de rijpe leeftijd van zes weken had bereikt en schreeuwde van de honger. De vrouw had daar genoeg van gekregen en had het kind verstikt, in een vuilnisbak gegooid, en was toen verder gegaan met barbecuen. Nu heeft die vrouw twee andere kinderen, van wie er een wordt grootgebracht door de ouders van de vader en het andere onder de pleegzorg valt. Die vier kinderen hebben elk een andere vader, en de moeder, die maar een paar jaar voor de moord op haar dochtertje heeft gezeten, voedt nu – vast en zeker op een heel verantwoordelijke manier – het kind op dat ze had afgepakt van de liefhebbende pleegouders die bij de rechtbank een verzoek om voogdij hadden ingediend. Dit is een waar verhaal,' zei Ryerson. 'Je kunt het nakijken.'

'Dat is onzin,' zei Angie.

'Nee, het is waar,' zei Ryerson.

'Hoe kan...' Angie liet haar handen van de tafel zakken en staarde voor zich uit.

'Dit is Amerika,' zei Ryerson, 'waar iedere volwassene het volledige en onvervreemdbare recht heeft om haar eigen jong op te eten.'

Angie zag eruit als iemand die net een stomp in haar maag had gekregen, en daarna, toen ze dubbelklapte, ook nog een klap in haar gezicht.

Lionel liet de ijsblokjes in zijn glas ratelen. 'Ryerson heeft gelijk, Angie. Als een afschuwelijke ouder haar kind wil houden, kun je daar niets tegen beginnen.'

'Daarmee kunt u zich niet vrijpleiten, meneer McCready.' Ryerson wees met zijn sigaar naar hem. 'Waar is uw nichtje?'

Lionel keek naar Ryersons sigarenas en schudde ten slotte met zijn hoofd.

Ryerson knikte en noteerde iets in zijn boekje. Toen greep hij achter zijn rug, haalde een paar handboeien te voorschijn en wierp ze op de tafel.

Lionel schoof zijn stoel achteruit.

'Blijft u zitten, meneer McCready, of mijn pistool is het volgende dat ik op de tafel leg.'

Lionel greep de armleuningen van zijn stoel vast maar kwam niet in beweging.

'Dus je was kwaad op Helene omdat Amanda verbrand was,' zei ik. 'Wat gebeurde er toen?'

Ik keek Ryerson aan en hij knipperde zacht met zijn ogen en

knikte me vaag toe. Het had geen zin om Lionel rechtstreeks te vragen waar Amanda was. Lionel kon gewoon dichtklappen, alles over zich heen laten komen, en dan was zij nog steeds verdwenen. Maar als we hem weer aan het praten konden krijgen, liet hij misschien iets los.

'Mijn UPS-route,' zei hij ten slotte, 'daar valt ook Broussards wijk onder. Zo bleven we in de loop van de jaren gemakkelijk met elkaar in contact. Hoe dan ook...'

De week nadat Amanda verbrand was, waren Lionel en Broussard ergens iets gaan drinken. Broussard had naar Lionel geluisterd toen die hem vertelde hoeveel zorgen hij zich om zijn nichtje maakte, hoe hij zijn zus haatte en dat hij ervan overtuigd was dat de kans dat Amanda tot net zoiets als haar moeder opgroeide met de dag groter werd.

Broussard had alle drankjes betaald. Hij was daar ook erg royaal mee geweest, en tegen het eind van de avond, toen Lionel dronken was geweest, had hij zijn arm om hem heen geslagen en gezegd: 'Als er nu eens een oplossing was?'

'Er is geen oplossing,' had Lionel gezegd. 'De rechtbank, de...'

'Vergeet de rechtbank,' had Broussard gezegd. 'Vergeet alle mogelijkheden waaraan je hebt gedacht. Als er nu eens een manier was om ervoor te zorgen dat Amanda bij goede, liefhebbende ouders terechtkwam?'

'Wat is de voetangel?'

'De voetangel is: niemand mag ooit weten wat er met haar is gebeurd. Haar moeder niet, je vrouw niet, je zoon niet. Niemand. Ze verdwijnt.'

En Broussard had met zijn vingers geknipt.

'Poef! Alsof ze nooit had bestaan.'

Het duurde een paar maanden voordat Lionel akkoord ging. In die tijd had hij twee keer meegemaakt dat hij naar het huis van zijn zus ging en dat de deur niet op slot zat, dat Helene naar Dottie was en haar dochter alleen in de woning lag te slapen. In augustus ging Helene naar een barbecue in de achtertuin van Lionel en Beatrice. Ze had in de auto van een vriend met Amanda rondgereden en was zó dronken dat ze, toen Amanda en Matt op de schommels zaten en zij ze duwtjes gaf, haar dochter per ongeluk van de schommel duwde en ze er zelf overheen viel. Ze lag daar te lachen terwijl haar dochter overeind krabbelde, het zand van haar knieën veegde en keek of ze zich geschaafd had.

In de loop van de zomer waren er blaren en blijvende littekens op Amanda's huid gekomen omdat Helene vaak vergat de zalf aan te brengen die door de dokter van het ziekenhuis was voorgeschreven.

En in september zei Helene opeens dat ze erover dacht de staat Massachusetts te verlaten.

'Wat?' zei ik. 'Dat heb ik nooit eerder gehoord.'

Lionel haalde zijn schouders op. 'Achteraf was het waarschijnlijk alleen maar een van haar stompzinnige ideeën. Ze had een vriendin die naar Myrtle Beach in South Carolina was verhuisd en daar een baan in een T-shirtwinkel had gevonden. Die vriendin zei tegen Helene dat de zon daar altijd scheen, dat de drank rijkelijk vloeide, geen sneeuw meer, geen kou meer. Je zat gewoon op het strand en verkocht zo nu en dan een paar T-shirts. Een week of zo was dat het enige waarover Helene praatte. Meestal liet ik zulke dingen langs me heen gaan. Ze had het er altijd over dat ze ergens anders wilde gaan wonen, zoals ze er ook zeker van was dat ze op een dag de hoofdprijs in de lotto zou winnen. Maar deze keer, ik weet het niet, deze keer raakte ik in paniek. Het enige dat ik kon bedenken, was: ze neemt Amanda mee, ze laat haar alleen op stranden en in woningen die niet afgesloten zijn, en dan heeft ze mij of Beatrice niet om haar uit de nood te redden. Ik… Ik zag het niet meer zitten. Ik belde Broussard. Ik ontmoette de mensen die voor Amanda wilden zorgen.'

'En die heetten?' Ryersons pen hing boven het opschrijfboekje.

Lionel negeerde hem. 'Ze waren geweldig. Perfect. Een mooi huis. Kinderen die veel liefde kregen. Ze hadden er al een perfect opgevoed, en toen die dochter het huis uitging, misten ze iets. Ze zorgen geweldig goed voor haar,' zei hij rustig.

'Dus je bent bij haar geweest,' zei ik.

Hij knikte. 'Ze is gelukkig. Ze lacht nu echt.' Er bleef iets in zijn keel steken, en hij slikte. 'Ze weet niet dat ik bij haar kom. Dat was Broussards regel nummer één: haar hele vroegere leven moest worden uitgewist. Ze is vier. Na verloop van tijd is ze alles vergeten. Of eigenlijk,' zei hij langzaam, 'is ze nu vijf. Dat is toch zo?'

Het besef dat Amanda een verjaardag had gevierd die hij niet had meegemaakt, gleed langzaam over zijn gezicht. Hij schudde vlug met zijn hoofd. 'Hoe dan ook, ik ben daar stiekem naar toe gegaan, en ik zag haar met haar nieuwe ouders, en ze ziet er fantastisch uit. Je kunt zien...' hij schraapte zijn keel en wendde zich van ons af. 'Je kunt zien dat er van haar wordt gehouden.'

'Wat gebeurde er op de avond dat ze verdween?' vroeg Ryerson.

'Ik kwam door de achterdeur binnen en nam haar mee. Ik zei tegen haar dat het een spelletje was. Ze hield van spelletjes, misschien omdat Helene daar ook van hield: naar de bar gaan en met het Pac-Man-apparaat spelen.' Hij zoog ijs uit zijn glas en drukte het kapot tussen zijn tanden. 'Broussard stond op straat geparkeerd. Ik wachtte in het portiek en zei tegen Amanda dat ze heel stil moest zijn. De enige van de buren die ons zou kunnen zien, was mevrouw Driscoll van de overkant. Ze zat op haar veranda en kon het huis zien. Ze ging even van de veranda vandaan, ging naar binnen om een nieuwe kop thee te halen of zoiets, en Broussard gaf me een teken dat alles veilig was. Ik droeg Amanda naar Broussards auto en we reden weg.'

'En niemand zag iets,' zei ik.

'Geen van de buren. Maar later ontdekten we dat Chris Mullen het wel had gezien. Hij stond in de straat geparkeerd en lette op het huis. Hij wachtte tot Helene terugkwam, dan kon hij er misschien achterkomen waar ze het geld had verstopt dat ze had gestolen. Hij herkende Broussard. Cheese Olamon gebruikte die informatie om Broussard te chanteren en zo het verdwenen geld terug te krijgen. Broussard moest ook wat drugs uit de bewijsmateriaalkamer stelen. Die moest hij die avond in de granietgroeve aan Mullen geven.'

'Ga weer terug naar de avond waarop Amanda verdween,' zei ik.

Hij pakte met zijn dikke vingers een tweede ijsblokje uit zijn glas en kauwde erop. 'Ik zei tegen Amanda dat mijn vriend haar naar aardige mensen zou brengen. Ik zei tegen haar dat ik over een paar uur bij haar zou zijn. Ze knikte alleen maar. Ze was het wel gewend om bij vreemden te worden gedumpt. Na een paar blokken stapte ik uit en liep naar huis. Het was halfelf. Mijn zus deed er bijna twaalf uur over om te ontdekken dat haar dochter weg was. Dat zegt toch wel iets.'

Een tijdje waren we zó stil dat ik het getik van dartpijltjes in kurk achter in de bar kon horen.

'Ik wilde het Beatrice vertellen als de tijd daar rijp voor was,' zei Lionel. 'Ze zou er begrip voor hebben. Niet meteen. Misschien over een paar jaar. Ik weet het niet. Daar had ik nog niet zoveel over nagedacht. Beatrice haat Helene, en ze houdt van

Amanda, maar zoiets als dit... Weet je, ze gelooft in het recht, in alle regels. Ze zou nooit met zoiets akkoord zijn gegaan. Maar ik hoopte dat als er genoeg tijd was verstreken...' Hij keek op naar het plafond en schudde even met zijn hoofd. 'Toen ze besloot jullie te bellen, nam ik contact op met Broussard. Hij zei dat ik moest proberen haar op andere gedachten te brengen, maar niet te veel moest aandringen. Laat haar het maar doen, als ze niet anders wil, zei hij. De volgende dag zei hij tegen me dat hij, als puntje bij paaltje kwam, iets had om jullie onder druk te zetten. Dat had met een vermoorde pooier te maken.'

Ryerson keek me met opgetrokken wenkbrauwen en een koud, nieuwsgierig glimlachje aan.

Ik haalde mijn schouders op en wendde me af, en op dat moment zag ik de man met het Popeye-masker. Hij kwam door de nooduitgang aan de achterkant naar binnen en stak zijn rechterarm met een pistool voor zich uit.

Hij had iemand bij zich die een geweer had en een plastic Halloween-masker droeg. Het witte maangezicht van Casper het vriendelijke spookje verscheen in de opening van de voordeur, en hij schreeuwde: 'Handen op de tafel! Iedereen! Meteen!'

Popeye dirigeerde de twee dartspelers voor zich uit, en ik keek om en zag Casper de grendel voor de voordeur schuiven.

'Jij!' schreeuwde Popeye naar mij. 'Ben je doof? Handen op de tafel!'

Ik legde mijn handen op de tafel.

'O, shit,' zei de barkeeper. 'Kom nou.'

Casper trok aan een koord bij het raam en er zakte een dik zwart gordijn naar beneden.

Lionel, naast me, haalde oppervlakkig adem. Zijn handen lagen plat op de tafel en waren volkomen roerloos. Een van Ryersons handen zakte onder de tafel, en ook een van Angies handen.

Popeye sloeg een van de dartspelers met zijn vuist op de rug. 'Liggen! Op de vloer. Handen achter je hoofd. Doe het. Doe het. Doe het nu!'

Beide mannen lieten zich op hun knieën zakken en vouwden hun handen achter hun nek. Popeye keek naar hen en hield zijn hoofd schuin. Het was een afschuwelijk moment. Alles was mogelijk, ook het ergste. Wát Popeye ook besloot, hij kon het doen. Hen neerschieten, ons neerschieten, hun keel doorsnijden. Alles.

Hij schopte de oudste van de twee tegen het onderste van zijn rug.

'Niet op je knieën. Op je buik. Nu.'

De mannen lieten zich voor mijn voeten op hun buik zakken.

Popeye draaide heel langzaam zijn hoofd om en richtte zijn blik op onze tafel.

'Handen op de tafel, verdomme,' fluisterde hij. 'Of jullie gaan eraan.'

Ryerson haalde zijn hand onder de tafel vandaan, hield beide lege handpalmen omhoog en legde ze toen plat op het hout. Angie deed hetzelfde.

Casper liep naar de bar tegenover ons. Hij richtte zijn geweer op de barkeeper.

Twee vrouwen van middelbare leeftijd, zo te zien secretaresses, zaten aan het midden van de bar, recht voor Casper. Toen hij het geweer naar voren stak, kwam het tegen het haar van een van de vrouwen. Haar schouders trokken zich samen en haar hoofd ging met een ruk naar links. De andere vrouw kreunde.

De eerste vrouw zei: 'O, God. O nee.'

'Rustig blijven, dames,' zei Casper. 'Dit is in twee minuten voorbij.' Hij haalde een groene vuilniszak uit de zak van zijn leren bomberjack en gooide hem voor de barkeeper neer. 'Volstoppen. En vergeet het geld uit de safe niet.'

'Er is niet veel,' zei de barkeeper.

'Pak maar wat er is,' zei Casper.

Popeye, die de menigte in bedwang moest houden, stond met zijn benen een halve meter uit elkaar, de knieën licht gebogen. Zijn .45 bewoog gestaag van links naar rechts, van rechts naar links, en weer terug. Hij stond zo'n drieëneenhalve meter van me vandaan, en ik hoorde zijn rustige, regelmatige ademhaling achter het masker.

Casper stond in dezelfde houding. Zijn geweer was op de barkeeper gericht, maar zijn ogen keken in de spiegel achter de bar.

Die kerels waren professionals.

Afgezien van Casper en Popeye waren er twaalf mensen in de kroeg: de barkeeper en de serveerster achter de bar, de twee mannen op de vloer, Lionel, Angie, Ryerson en ik, de twee secretaresses en twee mannen die niet ver van de ingang aan de bar zaten, zo te zien vrachtwagenchauffeurs. Een van hen droeg een groen Celtics-jasje, de ander iets van canvas en denim, oud en dik gevoerd. Beide mannen waren vlezig en midden veertig. Op de bar voor hen stond een fles Old Thompson tussen twee glazen.

'Neem de tijd,' zei Casper tegen de barkeeper, die achter de bar was neergeknield en, veronderstelde ik, met de safe bezig was. 'Langzaam aan, alsof er niets aan de hand is, dan draai je niet voorbij de cijfers.'

'Alsjeblieft, doe ons niets,' zei een van de mannen op de vloer. 'We hebben gezinnen.'

'Hou je bek,' zei Popeye.

'We doen niemand iets,' zei Casper. 'Zolang jullie je kop maar houden. Gewoon je kop houden. Erg simpel.'

'Weet je wel van wie deze bar is?' zei de man in het Celtics-jasje.

'Wat?' zei Popeye.

'Je hebt me goed verstaan. Weet je van wie deze bar is?'

'Alsjeblieft, alsjeblieft,' zei een van de secretaresses. 'Wees nou stil.'

Casper keek om. 'Een held.'

'Een held,' zei Popeye, en hij keek naar de idioot.

Zonder zijn mond te bewegen, leek het wel, fluisterde Ryerson: 'Waar is je wapen?'

'Op mijn rug,' zei ik. 'Het jouwe?'

'Op schoot.' Zijn rechterhand bewoog zich een centimeter of zeven naar de rand van de tafel.

'Niet doen,' fluisterde ik, en Popeyes hoofd en pistool wezen meteen in onze richting.

'Jullie zijn hartstikke dood,' zei de vrachtwagenchauffeur.

'Waarom praat je nou?' zei de secretaresse, die niet durfde op te kijken.

'Goede vraag,' zei Casper.

'Dood. Hoor je? Stelletje lamzakken. Stelletje hufters. Stelletje...'

Casper deed vier stappen en stompte de chauffeur midden in zijn gezicht.

De chauffeur viel van zijn kruk en sloeg zó hard met zijn hoofd tegen de vloer dat je het gekraak kon horen waarmee er een barst in zijn schedel kwam.

'Nog iets te zeggen?' vroeg Casper aan de vriend van de man.

'Nee,' zei de man, en hij sloeg zijn ogen neer.

'Iemand anders?' zei Casper.

De barkeeper kwam achter de bar vandaan en legde de vuilniszak erbovenop.

Het was zó stil in de kroeg als in een kerk voor een doop.

'Wat?' zei Popeye, en hij kwam drie stappen naar onze tafel toe.

Het duurde even voor ik besefte dat hij het tegen ons had, en ook even voor ik met absolute zekerheid wist dat het nu verschrikkelijk snel verschrikkelijk mis zou gaan.

Niemand van ons bewoog.

'Wat zei je daarnet?' Popeye richtte het wapen op Lionels hoofd, en de ogen achter zijn masker richtten zich onzeker op Ryersons rustige gezicht, om vervolgens Lionel weer aan te kijken.

'Nog een held?' Casper pakte de zak van de bar, kwam naar onze tafel toe en richtte zijn geweer op mijn hals.

'Hij is een prater,' zei Popeye. 'Hij praat onzin.'

'Heb je iets te zeggen?' zei Casper, en hij richtte zijn geweer op Lionel. 'Huh? Zeg het maar.' Hij wendde zich tot Popeye. 'Hou de andere drie onder schot.'

Popeyes .45 richtte zich op mij. Het gat in de loop staarde me aan.

Casper ging een stap dichter naar Lionel toe. 'Je zat gewoon wat te kletsen, hè?'

'Waarom maken jullie hen steeds kwaad? Ze hebben wapens,' zei een van de secretaresses.

'Stil nou,' siste de andere vrouw.

Lionel keek op naar het masker. Zijn lippen zaten stijf op elkaar en zijn vingers probeerden zich in het tafelblad te drukken.

'Toe dan, grote man,' zei Casper. 'Toe dan. Blijven praten.'

'Ik hoef niet naar dit gezeik te luisteren,' zei Popeye.

Casper liet de punt van het geweer op de rug van Lionels neus rusten. 'Hou je bek!'

Lionels vingers beefden en hij knipperde om het zweet uit zijn ogen te krijgen.

'Hij wil gewoon niet luisteren,' zei Popeye. 'Hij wil gewoon blijven leuteren.'

'Is dat het?' zei Casper.

'Iedereen kalm blijven,' zei de barkeeper, die zijn armen recht omhoogstak.

Lionel zei niets.

Maar iedere getuige in de bar, in grote paniek, in de zekerheid dat ze zouden sterven, zou zich dit herinneren zoals de schutters dat wilden – namelijk dat Lionel had gepraat. Dat wij aan onze tafel allemaal hadden gepraat. Dat we ons tegen een paar gevaarlijke mannen hadden verzet en ze ons daarom hadden gedood.

Casper trok aan de grendel van zijn geweer, en dat was een geluid als van een kanonschot. 'Je moet altijd een grote man zijn. Is dat het?'

Lionel deed zijn mond open. Hij zei: 'Alsjeblieft.'

'Wacht,' zei ik.

Het geweer zwaaide mijn kant op, en het donkere, donkere gat van de loop was het laatste dat ik zou zien. Daar was ik zeker van.

'Rechercheur Remy Broussard!' schreeuwde ik zo hard dat de hele bar me kon horen. 'Heeft iedereen die naam gehoord? Remy Broussard!' Ik keek door het masker naar de diepblauwe ogen, zag de angst in die ogen, de verwarring.

'Niet doen, Broussard,' zei Angie.

'Hou je bek!' Ditmaal was het Popeye. Hij begon zijn kalmte te verliezen. Terwijl de pezen in zijn onderarm zich spanden, probeerde hij de tafel onder schot te houden.

'Het is voorbij, Broussard. Het is voorbij. We weten dat je Amanda McCready hebt ontvoerd.' Ik rekte mijn hals uit naar de bar. 'Hebben jullie die naam gehoord? Amanda McCready?'

Toen ik mijn hoofd terugdraaide, drukte de koude metalen loop van het geweer tegen mijn voorhoofd, en vlak voor mijn ogen zag ik de gekromde rode vinger aan de andere kant van de trekkerbeugel. Van zo dichtbij leek die vinger op een insect, of op een rode en witte worm. Hij zag eruit alsof hij een eigen brein had.

'Doe je ogen dicht,' zei Casper. 'Doe ze stijf dicht.'

'Broussard,' zei Lionel. 'Doe dit niet. Alsjeblieft.'

'Haal die trekker over!' Popeye wendde zich tot zijn metgezel. 'Doe het!'

'Broussard…' zei Angie.

'Noem die naam niet steeds!' Popeye schopte een stoel tegen de muur.

Ik hield mijn ogen open, voelde de curve van metaal tegen mijn huid, rook reinigingsolie en oud kruit, zag hoe de vinger trillend tegen de trekker lag.

'Het is voorbij,' zei ik weer, en dat kwam krakend uit mijn kurkdroge keel en mond. 'Het is voorbij.'

Een hele, hele tijd zei niemand iets. In die oorverdovende stilte hoorde ik de hele wereld om zijn as kraken.

Caspers gezicht ging omhoog, en Broussard hield zijn hoofd schuin, en ik zag die blik in zijn ogen die ik de vorige dag tijdens de footballwedstrijd had gezien, de blik die zo hard was, de blik die danste en brandde.

Toen kwam er een duidelijke verslagenheid in die ogen, een verslagenheid die zacht door zijn lichaam huiverde, en zijn vinger kwam van de trekker en hij liet het wapen van mijn hoofd wegzakken.

'Ja,' zei hij zachtjes. 'Voorbij.'

'Wat krijgen we nou?' zei zijn maat. 'We moeten dit doen. We moeten dit doen, man. We hebben orders. Doe het! Nu!'

Broussard schudde zijn hoofd, en het maangezicht en de kinderlijke lach van het Caspermasker bewogen mee. 'We zijn hier klaar. Laten we gaan.'

'Klaar? Kom nou. Kun jij die kerels niet overhoop knallen? Verrekt stuk vreten. Ik kan het wel!'

Popeye bracht zijn arm omhoog en wees met zijn pistool naar het midden van Lionels gezicht. Op dat moment liet Ryerson zijn hand op zijn schoot zakken en werd het eerste schot gedempt door het tafelblad. De kogel scheurde door Popeyes linkerdij.

Zijn pistool ging af en hij vloog met een ruk naar achteren, en Lionel schreeuwde, greep naar de zijkant van zijn hoofd en viel van zijn stoel.

Ryersons pistool kwam boven de tafel uit en hij schoot Popeye twee keer in zijn borst.

Toen Broussard de trekker van het geweer overhaalde, hoorde ik duidelijk de stilte – een microseconde van stilte – tussen het moment waarop de trekker de patroon tot ontbranding bracht en de knal die als een inferno in mijn oor daverde.

Neal Ryersons linkerschouder verdween in een flits van vuur bloed en bot. Alles smolt en explodeerde en verdampte in één oorverdovende knal. Een stukje van hem sloeg tegen de muur, en toen viel zijn lichaam uit de stoel. Het geweer verhief zich door de rook in Remy Broussards hand en de tafel viel met Ryerson mee naar links. Zijn 9mm viel uit zijn hand en stuiterde op weg naar de vloer tegen een stoel.

Angie had haar pistool gepakt, maar ze dook naar links zodra Broussard zich omdraaide.

Ik pompte mijn hoofd in zijn buik, sloeg mijn armen om hem heen en duwde hem uit alle macht naar de bar. Ik ramde zijn ruggengraat tegen de stang en hoorde hem kreunen, en toen dreef hij de kolf van het geweer tegen mijn nek.

Mijn knieën sloegen tegen de vloer, mijn armen vielen van zijn lichaam en Angie schreeuwde: 'Broussard!' en vuurde met haar .38.

Hij gooide het geweer naar haar toe, terwijl ik naar mijn .45 greep. Het geweer trof haar in haar borst en ze viel op de vloer.

Hij sprong vanaf de bar over de twee dartspelers heen en sprintte als een geboren atleet naar de voordeur.

Ik deed mijn linkeroog dicht, keek langs de loop en vuurde twee keer op Broussard, die inmiddels de voorkant van de bar had bereikt. Ik zag zijn rechterbeen schokken en van hem wegzwaaien voordat hij de hoek omging, de grendel terugschoof en de duisternis in rende.

349

'Angie!'

Ik draaide me om en zag dat ze rechtop zat tussen een stapel omgegooide stoelen. 'Ik mankeer niets.'

'Bel een ambulance!' schreeuwde Ryerson. 'Bel een ambulance!'

Ik keek naar Lionel. Hij lag kreunend op de vloer te rollen, zijn hoofd in zijn handen. Het bloed stroomde tussen zijn vingers door.

Ik keek de barkeeper aan. 'De ambulance!'

Hij pakte de telefoon en draaide het nummer.

Ryerson leunde tegen de muur. Het grootste deel van zijn schouder was weg en hij schreeuwde naar het plafond. Zijn lichaam maakte wilde stuiptrekkingen.

'Hij raakt in een shock,' zei ik tegen Angie.

'Ik heb hem.' Ze kroop naar Ryerson toe. 'Ik heb alle handdoeken van de bar nodig – nu meteen!'

Een van de secretaresses sprong naar de bar.

'Beatrice,' kreunde Lionel. 'Beatrice.'

Het elastiek dat Popeyes masker op zijn hoofd hield, was geknapt toen Ryersons kogels zich in zijn borstbeen boorden en hij van de bar viel. Ik keek omlaag naar het gezicht van John Pasquale. Hij was dood, en de vorige dag, na de footballwedstrijd, had hij gelijk gehad: er komt altijd een eind aan je geluk.

Ik keek Angie aan toen ze een handdoek ving die de secretaresse naar haar toe gooide. 'Ga achter Broussard aan, Patrick. Grijp hem.'

Ik knikte. De secretaresse rende me voorbij en liet zich bij Lionel op de vloer zakken. Ze hield een handdoek tegen de zijkant van zijn hoofd.

Ik voelde of ik een tweede magazijn in mijn zak had, vond het en verliet de bar.

33

Ik volgde Broussards spoor over Broadway en in C Street, waar het slingerend in de wijk met pakhuizen en transportbedrijven langs East Second verdween. Het was geen moeilijk spoor om te volgen. Hij had het Caspermasker weggegooid zodra hij de bar uit was, en het lag naar me op te staren toen ik buiten kwam, met een tandeloze glimlach en gaten als ogen. Druppels bloed, zo vers dat ze glansden onder de straatlantaarns, lieten me in een onregelmatige rij zien waar hun eigenaar was geweest. Ze werden dikker en groter naarmate ze me verder in de schaars verlichte straten van gebarsten keistenen voerden. Het was een wijk van donkere pakhuizen, lege laadplatforms en kleine chauffeurscafés met dichte gordijnen en kleine neonborden waarvan de helft van de lichtjes ontbrak. Trucks die op weg waren naar Buffalo of Trenton stampten en dreunden en denderden door de gebarsten straten, en het licht van hun koplampen gleed over het eind van het spoor, de plaats waar Broussard lang genoeg was blijven staan om een deur te forceren. Het bloed dat uit het gat in zijn lichaam drupte, had een plas gevormd en dunne strepen op de deur gemaakt. Ik had niet gedacht dat een been zó erg kon bloeden, maar misschien had mijn kogel het dijbeen verbrijzeld of belangrijke slagaders verscheurd.

Ik keek op naar het gebouw. Het was zeven verdiepingen hoog en gebouwd van de chocoladebruine bakstenen die ze rond de eeuwwisseling gebruikten. Op de begane grond groeide onkruid op de vensterbanken, en de planken voor de ramen waren gebarsten en beklad met graffiti. Het gebouw was breed genoeg om als opslagruimte voor grote voorwerpen te hebben gefungeerd, of voor de productie en assemblage van machines.

Assemblage, constateerde ik toen ik naar binnen ging. Het eerste dat me opviel, was het silhouet van een lopende band, met zeven meter daarboven balken waaraan katrollen en kettingen hingen. De band zelf en de rollers die er vroeger onder hadden gezeten, waren weg, maar het frame stond er nog, met bouten vastgemaakt aan de vloer, en aan de kettingen zaten nog haken, als wenkende vingers. De rest van de fabrieksvloer was leeg. Alles van waarde was hetzij gestolen door daklozen en kinderen hetzij weggehaald en verkocht door de laatste eigenaren.

Rechts van me leidde een gietijzeren trap naar de volgende verdieping, en ik ging langzaam naar boven. In het donker kon ik het spoor van bloed niet meer volgen, en ik tuurde nu in de duisternis om te zien of er roestgaten in de treden zaten. Bij iedere stap tastte ik eerst voorzichtig naar de reling, in de hoop dat mijn hand metaal zou aanraken, en niet het lijf van een woedende, hongerige rat.

Toen ik op de eerste verdieping kwam, waren mijn ogen enigszins aan het donker gewend. Ik zag niets dan een lege ruimte, de silhouetten van op hun kant gezette pallets, het vage schijnsel van straatlantaarns achter ingegooide ramen. De trappen waren boven elkaar aangebracht, zodat ik bij de volgende kon komen door linksaf te slaan en zo'n vijf meter langs de muur terug te lopen tot ik de opening vond. Ik keek op naar de dikke ijzeren treden en zag boven een rechthoekig gat.

Toen ik daar stond, hoorde ik een zwaar, metaalachtig gekreun, een heel eind boven me. Een zware stalen deur zwaaide aan zijn hengsels en viel dicht in een betonnen muur.

Ik ging met twee treden tegelijk naar boven, struikelde een paar keer, ging op de tweede verdieping de hoek om en draafde naar de volgende trap. Ik ging een beetje sneller omhoog, want mijn voeten begonnen het ritme te pakken te krijgen en konden de treden nu blindelings vinden.

De verdiepingen waren allemaal leeg, en steeds wanneer ik een trap was opgegaan, wierp de skyline van de haven en de stad meer licht onder de bogen van de hoge ramen. De trappen bleven donker, afgezien van de rechthoekige openingen aan de bovenkant, en toen ik bij de laatste was aangekomen, die in het maanlicht baadde en zich naar de open hemel uitstrekte, riep Broussard vanaf het dak naar me omlaag.

'Hé, Patrick, ik zou maar beneden blijven.'

Ik riep omhoog. 'Waarom?'

Hij hoestte. 'Omdat ik een pistool op de opening heb gericht. Als je daar je hoofd doorheen steekt, schiet ik er een stukje af.'

'O.' Ik leunde tegen de reling en rook het havenwater, en de frisse koele avondlucht die door de opening naar binnen kwam. 'Wat ben je daar boven van plan? Wou je je per helikopter laten evacueren?'

Hij grinnikte. 'Eén keer in een mensenleven is genoeg. Nee, ik wou hier gewoon even gaan zitten om naar de sterren te kijken. Verdomme, man, wat schiet jij rottig,' snauwde hij.

Ik keek door het rechthoek van maanlicht. Aan zijn stem te horen, moest hij ergens links van de opening zijn.

'Goed genoeg om jou te raken,' zei ik.

'Het was een ricochetschot, verdomme,' zei hij. 'Ik trek stukjes tegel uit mijn enkel.'

'Je bedoelt dat ik de vloer raakte en dat de vloer jou raakte?'

'Dat bedoel ik. Wie was die kerel?'

'Welke?'

'Die je bij je had in die bar.'

'Die je hebt neergeschoten?'

'Ja, die.'

'Departement van Justitie.'

'O ja? Ik dacht al dat hij zoiets was. Hij was veel te rustig. En hij pompte drie kogels in Pasquale alsof hij aan het oefenen was. Alsof het niets was. Toen ik hem aan die tafel zag zitten, wist ik dat er gedonder van zou komen.'

Hij hoestte weer, en ik luisterde. Terwijl ik mijn ogen dicht had, hoestte hij zo'n twintig seconden onbedaarlijk door, en toen hij was uitgehoest, wist ik dat hij zich zo'n tien meter links van de opening bevond.

'Remy?'

'Ja.'

'Ik kom naar boven.'

'Ik schiet een kogel in je kop.'

'Nee, dat doe je niet.'

'O nee?'

'Nee.'

Zijn pistool knalde in de avondlucht, en de kogel trof de stalen trapstijl die aan de muur was vastgezet. Het metaal vonkte alsof iemand er een lucifer op had aangestreken, en ik liet me plat tegen de trap vallen. De kogel ging over me heen, ricochetteerde tegen een ander stuk metaal en boorde zich met een zacht gesis in de muur links van me.

Ik bleef daar een tijdje liggen, met mijn hart in mijn slokdarm. De situatie beviel me helemaal niet, zoals ik daar tegen die trap hing. Algauw begon ik terug te kruipen.

'Patrick?'

'Ja?'

'Ben je geraakt?'

Ik zette me af tegen de treden en richtte me op mijn knieën op.

'Nee.'

'Ik heb je gezegd dat ik zou schieten.'

'Bedankt voor de waarschuwing. Je bent geweldig.'

Weer een salvo van die blafhoest, en toen een hard gegorgel doordat hij slijm oprochelde en uitspuwde.

'Dat klonk niet erg gezond,' zei ik.

Hij liet een hees lachje horen. 'Het ziet er ook niet erg gezond uit. Je vriendinnetje, man, dat is de schutter in de familie.'

'Ze heeft je te pakken gekregen?'

'Nou en of. Een snelle manier om van het roken af te komen.'

Ik leunde met mijn rug tegen de reling, richtte mijn pistool naar boven en schuifelde de trap op.

'Ik voor mij,' zei Broussard, 'geloof niet dat ik haar had kunnen doodschieten. Jou misschien wel. Maar haar? Ik weet het niet. Op vrouwen schieten, weet je, dat is gewoon iets wat je niet in je overlijdensbericht wilt hebben. "Tweemaal gedecoreerd lid van het politiekorps van Boston, liefhebbende echtgenoot en vader, bowling-gemiddelde van twee-vijftig-twee en kon verrekte goed vrouwen kapotschieten." Weet je? Dat klinkt... nogal negatief.'

Ik hurkte neer op de vijfde tree van de bovenkant, met mijn hoofd nog onder de opening, en haalde een paar keer adem.

'Ik weet wat je denkt: *Maar Remy, je hebt Roberta Trett in haar rug geschoten.* Zeker. Maar Roberta was geen vrouw. Weet je? Ze was...' Hij zuchtte en begon weer te hoesten. 'Nou, ik weet niet wat ze was. Maar "vrouw" lijkt me een te beperkte omschrijving.'

Ik verhief mijn lichaam door de opening, het pistool voor me uit, en keek langs de loop naar Broussard.

Hij keek niet eens in mijn richting. Hij zat met zijn rug tegen een ventilatieschacht, zijn hoofd achterover. De binnenstad spreidde zich voor ons uit, een massa geel, blauw en wit tegen de achtergrond van een kobaltblauwe hemel.

'Remy.'

Hij draaide zich om en strekte zijn arm uit, richtte zijn Glock op me.

Zo keken we elkaar een tijdje aan. We wisten geen van beiden hoe dit verder zou gaan, wisten niet of één verkeerde blik, één onwillekeurige huivering, één trilling van angst een vinger in beweging zou brengen en een kogel door een vuurflits aan het eind van een loop zou jagen. Broussard knipperde een paar keer met zijn ogen, hield zijn adem in van pijn. Ik zag dat iets wat op een overdreven grote rode roos leek zich geleidelijk over zijn over- hemd verspreidde. Het leek wel of die roos met gestage, onher- roepelijke gratie zijn bloemblaadjes opende.

Zijn hand met het pistool bewoog niet en hij hield zijn vinger rustig op de trekker. Hij zei: 'Net of je opeens in een film van John Woo terecht bent gekomen, hè?'

'Ik heb de pest aan films van John Woo.'

'Ik ook,' zei hij. 'Ik dacht dat ik de enige was.'

Ik schudde enigszins met mijn hoofd. 'Opgewarmde Peckin- pah, maar dan zonder de emotionele onderstromen.'

'Ben jij filmcriticus of zo?'

Ik glimlachte strak.

'Ik hou van films over vrouwen,' zei hij.

'Wat?'

'Ja.' Zijn ogen rolden aan de andere kant van zijn pistool. 'Ik weet dat het gek klinkt. En misschien is het dat ook wel, want ik ben een smeris, maar als ik naar die actiefilms kijk, zeg ik steeds weer: "Wat een onzin." Weet je wel? Maar ja, als je *Out of Africa* of *All About Eve* in de video stopt? Nou, dan ben ik van de partij.'

'Jij zit vol verrassingen, Broussard.'

'Zeker.'

Al die tijd probeerde ik mijn arm gestrekt en mijn pistool ge- richt te houden. Als we zouden schieten, zouden we dat waar- schijnlijk al hebben gedaan. Natuurlijk denken veel kerels dat vlak voordat ze worden neergeschoten. Ik zag dat Broussards huid grijs werd, zag het zweet dat het zilvergrijs op zijn slapen verduisterde. Hij kon het niet veel langer uithouden. Hoe ver- moeiend het ook voor me was, ik had geen kogel in mijn borst en stukjes vloertegel in mijn enkel.

'Ik laat mijn pistool zakken,' zei ik.

'Zelf weten.'

Ik keek naar zijn ogen, en die keken alleen maar dof en onver- stoord terug, misschien omdat hij wist dat ik ernaar keek.

Ik bracht mijn pistool omhoog en haalde mijn vinger van de trekker, hield het wapen omhooggestoken in mijn hand en be- klom de laatste paar treden. Toen stond ik in het lichte grind dat op het dak lag en keek hem met opgetrokken wenkbrauwen aan.

Hij glimlachte.

Hij liet zijn pistool op zijn schoot zakken en legde zijn hoofd te- gen de ventilatieschacht.

'Je betaalde Ray Likanski om Helene haar huis uit te lokken,' zei ik. 'Ja?'

Hij haalde zijn schouders op. 'Ik hoefde hem niet te betalen. Ik beloofde hem dat hij geen last meer zou krijgen met iets dat hij vroeger eens heeft geflikt. Dat was genoeg.'

Ik liep over het dak tot ik tegenover hem stond. Nu kon ik de donkere kring op het bovenste van zijn borst zien, de plaats waar de roos zijn bloemblaadjes uitstrekte. Het was iets rechts van het midden, en het bloed werd er nog helderrood maar langzaam uitgepompt.

'Je long?' zei ik.

'Net geraakt, denk ik.' Hij knikte. 'Die verrekte Mullen. Als Mullen er die avond niet bij was geweest, zou het allemaal soepel zijn verlopen. Die stomme Likanski had me niet verteld dat hij Olamon had geript. Dat veranderde de dingen. Dat wist ik. Geloof me.' Hij verschoof zich enigszins en kreunde van inspanning. 'Het dwong me – mij, Jezus nog aan toe – om het aan te leggen met een klojo als Cheese. Dat deed pijn aan mijn ego, al luisde ik hem erin. Geloof me.'

'Waar is Likanski?'

Hij keek naar me op. 'Kijk maar over je schouder, en een beetje naar rechts.'

Ik hield mijn hoofd schuin. Het Fort Point Channel maakte zich los van een witte en stoffige landtong, stroomde onder bruggen en Summer Street en Congress Street door en strekte zich uit naar de skyline en de pieren en het donkerblauwe water van de haven.

'Slaapt Ray bij de vissen?' zei ik.

Broussard keek me met een loom glimlachje aan. 'Ik ben bang van wel.'

'Hoelang?'

'Ik vond hem die avond in oktober, kort nadat jullie twee bij de zaak kwamen. Hij was zijn spullen aan het inpakken. Ik ondervroeg hem over de truc die hij Cheese had geflikt. Het strekt hem tot eer dat hij nooit heeft verteld waar het geld lag. Ik had nooit gedacht dat hij zoveel moed had, maar tweehonderdduizend dollar geeft sommige mensen ballen, denk ik. Hoe dan ook, hij was van plan om te vertrekken. Ik wilde dat niet. Het liep uit op een handgemeen.'

Hij hoestte hevig, boog zich naar voren en legde zijn hand over het gat in zijn borst, drukte het pistool strak tegen zijn schoot.

'We moeten je van dit dak af hebben.'

Hij keek naar me op en veegde met de rug van zijn hand over zijn mond. 'Ik denk niet dat ik nog ergens heen ga.'

'Kom nou. Doodgaan heeft geen enkele zin.'

Hij keek me met die geweldige, jongensachtige grijns van hem aan. 'Gek is dat. Zo langzamerhand denk ik het tegendeel. Heb je een mobiele telefoon om een ambulance te bellen?'

'Nee.'

Hij legde zijn pistool op zijn schoot en haalde een smalle Nokia uit zijn leren jasje. 'Ik wel,' zei hij, en hij draaide zich om en gooide het ding van het dak.

Ik hoorde het ver weg, zeven verdiepingen lager, te pletter slaan op het wegdek.

'Maak je geen zorgen.' Hij grinnikte. 'Er zit een prima garantie op dat ding.'

Ik zuchtte en ging op de verhoogde rand van het dak zitten, recht tegenover hem.

'Je bent vastbesloten om op dit dak te sterven,' zei ik.

'Ik ben vastbesloten om niet naar de gevangenis te gaan. Een proces?' Hij schudde zijn hoofd. 'Niet voor mij, makker.'

'Vertel me dan wie haar heeft, Remy. Stap er op een goede manier uit.'

Zijn ogen werden groter. 'En dan ga jij haar halen? Haar terugbrengen naar dat vervloekte díng dat de samenleving haar moeder noemt? Lik mijn reet, man. Amanda blijft weg. Begrepen? Ze blijft gelukkig. Ze blijft schoon en goed gevoed en goed verzorgd. Ze kan eindelijk eens lachen in haar leven, en als ze groot wordt, maakt ze een kans. Je moet je aan je hersenen laten opereren als je denkt dat ik je ga vertellen waar ze is, Kenzie.'

'De mensen die haar hebben, zijn kidnappers.'

'Nee. Dat antwoord is fout. Ik ben een kidnapper. Zij zijn mensen die een kind bij zich hebben opgenomen.' Hij knipperde een paar keer met zijn ogen tegen het zweet dat op deze koele avond zijn gezicht bedekte, en zoog een heleboel lucht in, die in zijn borst gorgelde. 'Je was vanmorgen bij mijn huis. Mijn vrouw belde me.'

Ik knikte. 'Zij was degene die Lionel belde om het losgeld op te eisen, nietwaar?'

Hij haalde zijn schouders op en keek naar de skyline van de haven. 'Jij bij mijn huis,' zei hij. 'Jezus, wat was ik kwaad.' Hij deed even zijn ogen dicht en sloeg ze toen weer op. 'Heb je mijn zoon gezien?'

'Hij is niet van jou.'

Hij knipperde met zijn ogen. 'Heb je mijn zoon gezien?'

Ik keek even op naar de sterren, die je in dit deel van de wereld niet vaak zag, zeker niet zo helder op een koude avond. 'Ik heb je zoon gezien,' zei ik.

'Een geweldige jongen. Weet je waar ik hem heb gevonden?'

Ik schudde mijn hoofd.

'Ik praatte met een verklikker in Somerville, die achterstandswijk. Ik was alleen en hoorde een baby huilen, ik bedoel, huilen alsof hij door honden werd gebeten. En die verklikker, de mensen die door de gang liepen – die hoorden niets. Ze hoorden het gewoon niet. Omdat ze het elke dag hoorden. Ik zei tegen de verklikker dat hij moest oprotten, en ik ging op het geluid af. Ik trapte de deur van die stinkende woning in en vond hem achterin. De woning was leeg. Mijn zoon – en hij is mijn zoon, Kenzie, het kan me niet schelen als je er anders over denkt – hij lag daar te verhongeren. Hij was zes maanden oud en lag in een bedje te verhongeren. Je kon zijn ribben tellen. Hij had verdomme handboeien om, Kenzie, en zijn luier zat zó vol dat het door de naden lekte, en hij zat vast – hij zat verdomme vastgeplakt aan het matras, Kenzie!'

Broussards ogen puilden uit, en het was of zijn hele lichaam zichzelf aanviel. Hij hoestte bloed op zijn overhemd, veegde het met zijn hand weg en smeerde het aan zijn kin.

'Een baby,' zei hij ten slotte, nu bijna fluisterend. 'Vastgeplakt aan een matras met zijn eigen etter en uitwerpselen. Drie dagen in een kamer achtergelaten, en maar huilen. En niemand die zich er iets van aantrok.' Hij stak zijn bloederige linkerhand uit en liet hem naar het grind zakken. 'Niemand die het iets kon schelen,' herhaalde hij zachtjes.

Ik legde mijn pistool op mijn schoot en keek naar de stad. Misschien had Broussard gelijk. Een hele stad van mensen die het niet kon schelen. Een hele staat. Misschien wel een heel land.

'En dus nam ik hem mee naar huis. Ik kende genoeg kerels die in hun tijd papieren hadden vervalst, en ik betaalde er een. Mijn zoon heeft een geboorteakte waar mijn naam op staat. De gegevens van de operatie van mijn vrouw zijn verwijderd en er werden nieuwe papieren gemaakt waaruit bleek dat ze pas na de geboorte van onze zoon Nicholas is geopereerd. En ik hoefde het nog maar een paar maanden in mijn baan uit te houden. Dan kon ik met pensioen en zouden we naar een andere staat gaan, waar ik een rustig baantje in de beveiliging zou nemen en mijn kind zou grootbrengen. En ik zou heel, heel gelukkig zijn geweest.'

Ik liet mijn hoofd even hangen, keek naar mijn schoenen op het grind.

'Ze heeft het kind niet eens als vermist opgegeven,' zei Broussard.

'Wie?'

'De heroïnespuitster die mijn zoon ter wereld heeft gebracht. Ze heeft niet eens naar hem gezocht. Ik weet wie ze is en heb een hele tijd met het plan rondgelopen om gewoon een keer haar kop van haar romp te knallen. Maar dat heb ik niet gedaan. En ze ging nooit op zoek naar haar kind.'

Ik richtte mijn hoofd op en keek naar zijn gezicht. Dat was trots en woedend en intens verdrietig om de diepe ellende van de werelden die hij had meegemaakt.

'Ik wil gewoon Amanda,' zei ik.

'Waarom?'

'Omdat het mijn werk is, Remy. Daarvoor ben ik ingehuurd.'

'En ik was ingehuurd om mensen te beschermen en te dienen, stomkop. Weet je wat dat betekent? Dat is een eed. Te beschermen en te dienen. Dat heb ik gedaan. Ik heb een aantal kinderen beschermd. Ik heb ze gediend. Ik heb ze goede ouders gegeven.'

'Hoeveel?' vroeg ik. 'Hoeveel waren het er?'

Hij bewoog zijn bebloede vinger heen en weer. 'Nee, nee, nee.'

Zijn hoofd schoot plotseling achterover, en zijn hele lichaam verstijfde tegen de ventilatieschacht. Zijn linkerhak trapte het grind weg en zijn mond ging wijd open voor een geluidloze schreeuw.

Ik liet me bij hem op mijn knieën zakken, maar kon alleen maar toekijken.

Na enkele ogenblikken ontspande zijn lichaam en vielen zijn oogleden dicht. Ik kon horen hoe de zuurstof zijn lichaam binnenging en verliet.

'Remy.'

Hij deed een vermoeid oog open. 'Ik ben er nog,' zei hij met een onduidelijke stem. Hij hield me die vinger weer voor. 'Weet je, jij hebt geluk, Kenzie. Verdomd veel geluk.'

'Waarom?'

Hij glimlachte. 'Heb je het niet gehoord?'

'Wat?'

'Eugene Torrel is vorige week doodgegaan.'

'Wie is...' Ik boog me van hem vandaan, en toen zijn glimlach breder werd, wist ik het weer: Eugene, de jongen die ons Marion Socia had zien doden.

'Hij is in Brockton neergestoken om een vrouw.' Broussard deed zijn ogen weer dicht en zijn grijns werd zachter en gleed naar de zijkant van zijn gezicht. 'Jij hebt heel veel geluk. Ik heb nu geen enkel bewijs tegen je, behalve een waardeloze verklaring van een dode sukkel.'

'Remy.'

Zijn ogen gingen knipperend open en het pistool viel uit zijn hand op het grind. Hij boog zijn hoofd ernaar toe, maar hield zijn linkerhand op zijn schoot.

'Kom nou, man. Doe iets goeds voordat je doodgaat. Je hebt veel bloed aan je handen.'

'Dat weet ik,' zei hij moeizaam. 'Kimmie en David. Daarvan heb je mij nooit verdacht.'

'Dat knaagde de afgelopen vierentwintig uur in mijn achterhoofd,' zei ik. 'Jij en Poole?'

Hij schudde half met zijn hoofd. 'Niet Poole. Pasquale. Poole zou nooit iemand doden. Daar trok hij de streep. Je moet zijn nagedachtenis niet besmeuren.'

'Maar Pasquale was die avond niet in de granietgroeve.'

'Hij was in de buurt. Wie denk je dat Rogowski in Cunningham Park op zijn kop sloeg?'

'Maar dan kan Pasquale nooit de tijd hebben gehad aan de andere kant van de groeve te komen en Mullen en Gutierrez koud te maken.'

Broussard haalde zijn schouders op.

'Waarom heeft Pasquale Bubba trouwens niet gewoon gedood?'

Broussard fronste zijn wenkbrauwen. 'Man, we hebben nooit iemand gedood die geen directe bedreiging voor ons vormde. Rogowski wist nergens van, en dus lieten we hem in leven. Jou ook. Denk je dat ik je die avond niet vanaf de andere kant van de groeve had kunnen raken? Nee, Mullen en Gutierrez vormden een directe bedreiging. Net als Wee David, Likanski en jammer genoeg ook Kimmie.'

'Laten we Lionel niet vergeten.'

De rimpels op zijn voorhoofd werden dieper. 'Ik heb Lionel nooit willen treffen. Ik vond dat niet nodig. Iemand werd er bang.'

'Wie?'

Hij liet een schor lachje horen dat kleine bloeddruppeltjes op zijn lippen achterliet en kneep zijn ogen stijf dicht tegen de pijn. 'Als je maar niet vergeet dat Poole nooit iemand doodde. Gun de man na zijn dood zijn waardigheid.'

Misschien loog hij me wat voor, maar ik zou niet weten waarom hij dat deed. Als Poole niet degene was die Pharaoh Gutierrez en Chris Mullen had gedood, moest ik nog eens goed over een paar dingen nadenken.

'Die pop.' Ik tikte op zijn hand en hij deed een van zijn ogen open. 'Dat stukje van Amanda's shirt dat op de wand van de groeve was blijven hangen?'

'Ik.' Hij smakte met zijn lippen en deed zijn ogen even open. 'Ik, ik, ik. Allemaal ik.'

'Zo goed ben jij niet. Jij bent niet zo slim.'

Hij schudde zijn hoofd. 'O nee?'

'Nee,' zei ik.

Hij deed zijn ogen wijdopen en ze hadden een scherpe, harde uitdrukking. 'Ga eens naar links, Kenzie. Ik wil de stad zien.'

Ik deed het en hij keek naar de skyline, glimlachte naar de lichtjes die op de pleinen flikkerden, de rode pulsering van de weerbakens en radiozendmasten.

'Zo mooi,' zei hij. 'Weet je wat?'

'Wat?'

'Ik hou van kinderen.' Hij zei het zo eenvoudig, zo zachtjes.

Zijn rechterhand gleed in de mijne en kneep erin, en we keken over het water naar het hart van de stad en het vage schijnsel daarvan, de donkere fluwelen belofte die in die lichtjes leefde, de vage aanduiding van roemvolle levens, van soepele, weldoorvoede, perfect verzorgde levens achter glas en privileges, achter steen en ijzer en staal, achter wenteltrappen en met uitzicht op het water in het maanlicht, altijd het water, dat zachtjes om de eilanden en schiereilanden heen stroomde die onze metropool vormde, die de stad tegen lelijkheid en pijn beschermden.

'Wow,' fluisterde Remy Broussard, en toen viel zijn hand uit de mijne.

34

'... en toen zei de man die later als rechercheur Pasquale werd geïdentificeerd: "We móeten dit doen. We hebben orders. Doe het! Nu!"' Officier van justitie Lyn Campbell zette haar bril af en kneep boven in de rug van haar neus. 'Is dat juist, meneer Kenzie?'

'Ja, juffrouw.'

'Zegt u maar "mevrouw Campbell".'

'Ja, mevrouw Campbell.'

Ze schoof haar bril omhoog over haar neus en keek me door de dunne ovalen aan. 'En hoe vatte u dat precies op?'

'Ik vatte dat zo op dat iemand anders dan rechercheur Pasquale en agent Broussard opdracht had gegeven Lionel McCready en misschien ook de rest van ons in de Edmund Fitzgerald te doden.'

Ze bladerde haar aantekeningen door, die – na de zes uren die ik in Verhoorkamer 6A van het politiebureau van wijk 6 had doorgebracht – een half notitieboekje in beslag namen. Het geluid van die velletjes papier, broos en opgekruld doordat ze er verwoed met een scherpe balpen in had geschreven, deed me denken aan het ritselen van de dode bladeren die tegen het eind van de herfst over het trottoir waaien.

Naast mijzelf en officier van justitie Campbell waren twee rechercheurs van Moordzaken aanwezig, Janet Harris en Joseph Centauro, die geen van beiden veel van me moesten hebben, en mijn advocaat, Cheswick Hartman.

Cheswick keek even toe terwijl de officier van justitie de bladzijden van haar aantekeningen omsloeg, en zei toen: 'Mevrouw Campbell.'

Ze keek op. 'Hmm?'

'Ik heb begrepen dat dit een belangrijke zaak is die ongetwijfeld veel aandacht in de pers zou krijgen. Daarom hebben mijn cliënt en ik heel goed meegewerkt. Maar vindt u ook niet dat het een lange nacht is geweest?'

Ze sloeg weer een broze bladzijde om. 'Het openbaar ministerie interesseert zich niet voor het slaapgebrek van uw cliënt, meneer Hartman.'

'Nou, dat is dan het probleem van het Openbaar Ministerie, maar ik interesseer me daar wel voor.'

Ze liet haar hand op haar aantekeningen zakken en keek naar hem op. 'Wat verwacht u dat ik doe, meneer Hartman?'

'Ik verwacht dat u deze kamer verlaat en met hoofdofficier Prescott spreekt. Ik verwacht dat u tegen hem zegt dat het zonneklaar is wat in de Edmund Fitzgerald is voorgevallen, dat mijn cliënt zich gedroeg zoals ieder redelijk persoon zou doen, dat hij niet van de dood van rechercheur Pasquale of van agent Broussard wordt verdacht, en het tijd wordt dat hij wordt vrijgelaten. Ik wijs u er ook op, mevrouw Campbell, dat we tot nu toe onze volledige medewerking hebben verleend, en dat we dat zullen blijven doen zolang u enige beleefdheid tegenover ons in acht neemt.'

'Die klootzak heeft op een diender geschoten,' zei rechercheur Centauro, en hij glimlachte naar officier van justitie Campbell. 'Wij wachten, mevrouw Campbell.'

Ze sloeg nog wat bladzijden van haar aantekeningen om, in de hoop iets te vinden waarop ze me kon pakken.

Cheswick bleef nog zo'n vijf minuten binnen om bij Angie te kijken. Intussen stond ik op de trap voor de ingang en kreeg daar genoeg kwade blikken van in- en uitlopende politiemensen om te weten dat ik me voorlopig netjes aan de verkeersregels moest houden. Misschien wel gedurende de rest van mijn leven.

Toen Cheswick naar buiten kwam, zei ik: 'Wat is het resultaat?'

Hij haalde zijn schouders op. 'Ze gaat voorlopig nergens heen.'

'Waarom niet?'

Hij keek me aan alsof ik een Ritalin-injectie nodig had. 'Ze heeft een politieman gedood, Patrick. Of het nou zelfverdediging was of niet, ze heeft een politieman gedood.'

'Nou, moet je niet…'

Hij kapte me met een handgebaar af. 'Weet je wie de beste strafpleiter in deze stad is?'

'Jij.'

Hij schudde zijn hoofd. 'Mijn jongere kantoorcollega, Floris

Mansfield. En die is nu bij Angie. Goed? Dus rustig maar. Floris kan er wat van, Patrick. Begrijp je? Het komt wel goed met Angie. Evengoed heeft ze nog heel wat uren voor de boeg. En als we te veel aandringen, zegt de hoofdofficier van justitie "vergeet het maar" en schuift hij de zaak door naar de jury, alleen om de politie te laten zien dat hij aan haar kant staat. Als we het allemaal handig spelen, komt iedereen vanzelf tot rust. De betrokkenen worden moe en beseffen dat dit zo gauw mogelijk moet worden afgewerkt.'

We liepen om vier uur in de morgen door West Broadway. De ijzige vingers van duistere aprilwinden vonden de binnenkant van onze kraag.

'Waar staat je auto?' zei Cheswick.

'In G Street.'

Hij knikte. 'Ga niet naar huis. Daar staat de halve pers van Boston. En ik wil niet dat je met ze praat.'

'Waarom zijn ze niet hier?' Ik keek achterom naar het politiebureau.

'Desinformatie. De brigadier van dienst heeft met opzet laten uitlekken dat jullie op het hoofdbureau worden vastgehouden. Die list houdt stand tot het licht wordt; dan komen ze terug.'

'Waar moet ik nu dan heen?'

'Dat is een heel goede vraag. Jij en Angie hebben, met of zonder opzet, het politiekorps van Boston het blauwste oog geslagen sinds het bestaat. Als ik jou was, zou ik naar een andere staat verhuizen.'

'Ik bedoel nú, Cheswick.'

Hij haalde zijn schouders op en drukte op de afstandsbediening die aan zijn autosleutels was vastgemaakt. Zijn Lexus liet een geluidssignaal horen en de deursloten gleden open.

'Ach, wat,' zei ik. 'Ik ga naar Devin.'

Hij draaide zich met een ruk mijn richting uit. 'Amronklin? Ben je gek?'

'Wou je naar het huis van een politieman gaan?'

'In de buik van het beest.' Ik knikte.

Om vier uur 's morgens slapen de meeste mensen, maar niet Devin. Hij slaapt zelden meer dan drie of vier uur per etmaal, en dan nog meestal in de late uren van de ochtend. De rest van de tijd werkt of drinkt hij.

Zodra hij de deur van zijn woning in Lower Mills openmaakte, rook ik aan de whiskylucht dat hij niet aan het werk was.

'Onze populaire bink,' zei hij, en keerde me zijn rug toe.

Ik volgde hem naar zijn huiskamer, waar op een salontafel een puzzelboekje openlag, naast een fles Jack Daniel's, een halfvol whiskyglas en een asbak. De televisie stond aan, maar met het geluid heel zacht, en Bobby Darin zong 'The Good Life' uit speakers die op fluistervolume waren ingesteld.

Devin droeg een badstoffen ochtendjas over een trainingsbroek en een Police Academy-sweatshirt. Toen hij op de bank zat, trok hij de ochtendjas dicht om zich heen. Hij pakte zijn glas, nam een slok en keek naar me op met ogen die weliswaar glazig waren maar toch ook net zo hard als de rest van hem.

'Pak een glas uit de keuken.'

'Ik heb geen zin om te drinken,' zei ik.

'Ik drink alleen in mijn eentje als ik in mijn eentje bén, Patrick. Begrijp je dat?'

Ik pakte het glas, kwam ermee terug en hij schonk er overdreven veel whisky in. Toen hief hij zijn eigen glas.

'Op het doodmaken van smerissen,' zei hij, en nam een slok.

'Ik heb geen smeris doodgemaakt.'

'Je compagnon wel.'

'Devin,' zei ik, 'wanneer je me als een stuk stront gaat behandelen, ga ik weg.'

Hij wees met zijn glas naar de gang. 'De deur is open.'

Ik zette het glas met een klap op de salontafel, en er ging wat whisky over de rand. Tegelijk stond ik op uit de stoel en liep naar de deur.

'Patrick.'

Ik draaide me om met mijn hand op de deurknop.

We zeiden geen van beiden iets. Bobby Darins zijdezachte stem zweefde door de kamer. Ik stond in de deuropening met alles wat onuitgesproken en onbetwist was gebleven, en mijn vriendschap met Devin hing tussen ons in. En al die tijd zong Bobby Darin met een vage droefheid om het onbereikbare, de kloof tussen wat we wensen en wat we krijgen.

'Kom maar weer binnen,' zei Devin.

'Waarom?'

Hij keek naar de salontafel, pakte de pen van het puzzelboekje en sloeg het dicht. Hij zette zijn glas er bovenop. Toen keek hij naar het raam, naar de betrokken, ietwat grauwe lucht van de vroege ochtend.

Hij haalde zijn schouders op. 'Afgezien van smerissen en mijn zussen zijn jij en Ange de enige vrienden die ik heb.'

Ik ging terug naar de stoel en veegde de gemorste whisky met mijn mouw weg. 'Dit is nog niet voorbij, Devin.'

Hij knikte.

'Iemand heeft Broussard en Pasquale opdracht gegeven dat café te overvallen en Lionel te doden.'

Hij schonk zich nog wat Jack in. 'Jij denkt dat je weet wie dat was, hè?'

Ik leunde in mijn stoel achterover en nam een heel klein slokje uit mijn glas. Eigenlijk had ik nooit veel van dat sterke spul gehouden. 'Broussard zei dat Poole geen moordenaar was. Nooit. Ik heb altijd gedacht dat Poole degene was die het geld uit de groeve had meegenomen. Ik dacht dat hij Mullen en Pharaoh had koud gemaakt en het geld aan iemand anders had gegeven. Maar ik had geen flauw,idee wie die iemand anders was.'

'Welk geld? Waar heb je het toch over?'

Het volgende halfuur was ik bezig hem het hele verhaal te vertellen.

Toen ik klaar was, stak hij een sigaret op en zei: 'Broussard kidnapte het kind; Mullen zag hem. Olamon chanteert hem om die tweehonderdduizend te vinden en terug te geven. Broussard speelt een dubbelspel en geeft iemand opdracht Mullen en Gutierrez te vermoorden en Cheese in de gevangenis van kant te maken. Ja?'

'De moord op Mullen en Gutierrez hoorde bij de afspraak met Cheese,' zei ik. 'Maar verder: ja.'

'En je dacht dat Poole de schutter was.'

'Totdat ik met Broussard op dat dak stond.'

'Dus wie was het dan wel?'

'Nou, het is niet alleen die schietpartij. Er moest iemand zijn die het geld van Poole aannam en het liet verdwijnen waar honderdvijftig politiemensen bij waren. Geen enkele smeris kan dat in zijn eentje voor elkaar krijgen. Het moet een hoge zijn. Iemand met zó'n hoge functie dat niemand hem verdenkt.'

Hij stak zijn hand op. 'Hé, wacht even. Als jij denkt…'

'Wie gaf Poole en Broussard toestemming om het protocol te doorbreken en het losgeld af te leveren zonder dat de FBI erbij werd gehaald? Wie heeft zijn leven gewijd aan het helpen van kinderen, het terugvinden van kinderen, het redden van kinderen? Wie reed die avond door de heuvels,' zei ik, 'zonder dat iemand anders dan hijzelf wist waar hij was?'

'Verdomme,' zei hij. Hij nam een slok uit zijn glas en trok meteen een grimas. 'Jack Doyle? Je denkt dat Jack Doyle hierbij betrokken is?'

'Ja, Devin. Ik denk dat het Jack Doyle is.'

Devin zei nog eens 'verdomme'. Een paar keer zelfs. En toen was er een hele tijd niets dan stilte en het geluid van ijs dat in onze glazen smolt.

35

'Voordat hij Misdrijven Tegen Kinderen oprichtte,' zei Oscar, 'werkte Doyle op Zeden. Hij was daar de chef van Broussard en Pasquale. Hij ging akkoord met hun overplaatsing naar Narcotica en haalde ze een paar jaar later, toen hij inspecteur was geworden, naar Misdrijven Tegen Kinderen. Toen Broussard met Rachel trouwde en de top van het korps daar razend om was, hem wilde overplaatsen en tot docent aan de politieschool wilde benoemen, was Doyle degene die dat verhinderde. De top wilde dat Broussard werd vermorzeld. Ze wilden hem weg hebben. Trouwen met een hoer is in dit korps net zoiets als zeggen dat je homo bent.'

Ik pikte een van Devins sigaretten en stak hem aan, en meteen steeg er iets naar mijn hoofd, iets dat alle bloed aan mijn benen onttrok.

Oscar pufte aan zijn morsige oude sigaar, liet hem in de asbak vallen en sloeg weer een bladzijde van zijn stenoblok om. 'Alle overplaatsingen, aanbevelingen en decoraties die Broussard ooit kreeg, werden ondertekend door Doyle. Hij was de goeroe van Broussard. En ook van Pasquale.'

Inmiddels was het buiten licht geworden, maar dat zou je in Devins huiskamer niet zeggen. De gordijnen waren allemaal dicht en in de kamer hing nog de vaag metaalachtige lucht van het holst van de nacht.

Devin kwam van de bank, haalde een cd van Sinatra uit het rek en verving hem door *Dean Martin's Greatest Hits*.

'En weet je wat nog het ergste is?' zei Oscar. 'Niet dat ik er misschien aan meewerk om een politieman ten val te brengen. Nee, maar het is zo erg dat ik eraan meewerk een politieman ten val te brengen terwijl ik naar die shit luister.' Hij keek over zijn schouder naar Devin, die Sinatra weer in het rek zette. 'Man, zet eens wat Luther Allison op, of de Taj Mahal die ik je met Kerstmis gaf. Alles beter dan dit. Shit, dan hoor ik nog liever die troep waar Kenzie naar luistert, al die magere blanke jongens met zelfmoordneigingen. Die hebben tenminste een hart.'

'Waar woont Doyle?' Devin kwam naar de salontafel en pakte zijn kop thee op. Kort nadat hij Oscar had gebeld, had hij de Jack Daniel's weggezet.

Oscar fronste zijn wenkbrauwen toen Dino 'You're Nobody Till Somebody Loves You' begon te kwelen.

'Doyle?' zei Oscar. 'Die heeft een huis in Neponset. Een kleine kilometer hiervandaan. Al ben ik een keer naar een verrassingsfeest voor zijn zestigste verjaardag geweest, en dat was in een tweede huis in een plaatsje dat West Beckett heet.' Hij keek me aan. 'Kenzie, denk je echt dat hij dat meisje heeft?'

Ik schudde mijn hoofd. 'Ik weet het niet zeker. Maar als hij hierbij betrokken is, wed ik dat hij daar iemands kind heeft.'

Angie werd om twee uur 's middags vrijgelaten, en ik ontmoette haar bij de achterdeur. We liepen met een wijde boog om de pers heen, die zich bij de hoofdingang had verzameld, reden Broadway op en volgden Devin en Oscar toen ze hun alarmlichten uitzetten en over de brug naar de Massachusetts Pike reden.

'Ryerson haalt het wel,' zei ik. 'Ze weten nog niet zeker of ze zijn arm kunnen redden.'

Ze stak een sigaret op en knikte. 'En Lionel?'

'Zijn rechteroog kwijt,' zei ik. 'Nog onder verdoving. En de vrachtwagenchauffeur die door Broussard tegen de vloer werd geslagen, heeft een ernstige hersenschudding, maar hij komt er wel door.'

Ze zette haar raampje op een kiertje. 'Ik mocht hem wel,' zei ze zachtjes.

'Wie?'

'Broussard,' zei ze. 'Ik mocht hem echt. Ik weet dat hij naar die bar kwam om Lionel te vermoorden, en ons misschien ook, en hij zwaaide met dat geweer in mijn richting toen ik schoot…' Ze bracht haar handen omhoog maar liet ze toen weer op haar schoot zakken.

'Je hebt gedaan wat je moest doen.'

Ze knikte. 'Dat weet ik.' Ze keek naar de sigaret in haar bevende hand. 'Alleen… alleen wou ik dat het niet zo was gegaan. Ik mocht hem. Dat is alles.'

Ik reed de Massachusetts Pike op. 'Ik mocht hem ook graag.'

West Beckett lag midden in de Berkshire Mountains. Het was net een plaatsje op een schilderij van Norman Rockwell. Witte torenspitsen verhieven zich als een soort boekensteunen aan weerskanten van het stadje, en langs Main Street lagen promenades van rood grenenhout, met verfijnde antiek- en quiltwinkels. Het stadje lag in een klein dal, als een stuk porselein in de kom van een hand. De donkere heuvels eromheen hadden hier en daar restjes sneeuw, die als wolken in al dat groen hingen.

Jack Doyles huis stond, net als dat van Broussard, een eindje van de weg vandaan op een helling, tussen bomen die het aan het oog onttrokken. Toch stond dat van hem een heel eind dieper het bos in, aan het eind van een pad dat zo'n vierhonderd meter lang was. Het dichtstbijzijnde huis stond een paar honderd meter naar het westen, en daar waren alle luiken dicht en was de schoorsteen koud.

We verborgen de auto's twintig meter van de weg, ongeveer halverwege naar het huis, en liepen de rest van de afstand door de bossen, langzaam en voorzichtig, niet alleen omdat we niets van de natuur wisten, maar ook omdat Angies krukken niet zo gemakkelijk steun vonden als op vlak terrein. We stopten zo'n tien meter voor het veld rond Doyles huis in jachthutstijl en tuurden naar de veranda, die om het hele huis heen lag, en naar de stapel houtblokken onder het keukenraam.

Het pad was leeg en het huis leek ook leeg te zijn. We keken een kwartier en zagen niets achter de ramen bewegen. Er kwam geen rook uit de schoorsteen.

'Ik ga,' zei ik ten slotte.

'Als hij daarbinnen is,' zei Oscar, 'heeft hij het recht om je overhoop te schieten zodra je op zijn veranda komt.'

Ik greep naar mijn pistool, en op het moment dat mijn vingers een lege holster voelden, herinnerde ik me dat ik mijn wapen bij de politie in bewaring had moeten geven.

Ik keek Devin en Oscar aan.

'Vergeet het maar,' zei Devin. 'Er wordt niet meer op politiemannen geschoten. Zelfs niet uit zelfverdediging.'

'En als hij op mij richt?'

'Zoek dan kracht in het gebed,' zei Oscar.

Ik schudde mijn hoofd, duwde de jonge boompjes voor me uit elkaar, bracht mijn knie omhoog om naar voren te stappen en toen zei Angie: 'Wacht.'

Ik bleef staan en we luisterden en hoorden de motor van een auto dichterbij komen. We keken nog net op tijd naar rechts om een stokoude Mercedes-jeep met een kleine sneeuwploeg op de voorkant te zien. Hij hotste over de weg en reed het veld op. Hij bleef bij de verandatrap staan, met de bestuurderskant naar ons toe, en het portier ging open en een tamelijk dikke vrouw met een vriendelijk, open gezicht stapte uit. Ze snoof de lucht op en keek naar de bomen. Het leek wel of ze ons recht aankeek. Ze had prachtige ogen – het helderste blauw dat ik ooit had gezien – en haar gezicht was sterk en fris door het leven in de bergen.

'Zijn vrouw,' fluisterde Oscar. 'Tricia.'

Ze wendde zich van de bomen af en greep weer in de auto, en eerst dacht ik dat ze een zak boodschappen te voorschijn zou halen, maar toen sprong er in mijn borst iets op dat meteen weer wegstierf.

Amanda McCready's kin hing tegen de schouder van de vrouw, en ze keek met slaperige ogen tussen de bomen door naar mij, haar duim in haar mond, een rood met zwarte muts met oorflappen op haar hoofd.

'Iemand is onderweg naar huis in slaap gevallen,' zei Tricia Doyle. 'Of niet soms?'

Amanda draaide haar hoofd om en nestelde het tegen mevrouw Doyles hals. De vrouw zette Amanda's muts af en streek haar haar glad, dat onder de groene bomen en de heldere hemel straalde als goud.

'Wil je me helpen het middageten klaar te maken?'

Ik zag Amanda's lippen bewegen, maar hoorde niet wat ze zei. Ze hield haar kin weer schuin, en het verlegen lachje op haar lippen was zó tevreden, zó mooi, dat het mijn borst openbrak als met een bijl.

Twee uur lang keken we naar hen.

Ze maakten tosti's in de keuken. Mevrouw Doyle stond bij de koekenpan en Amanda McCready zat op het aanrecht en reikte haar kaas en brood aan. Ze aten aan de tafel, en ik klom in een boom, mijn voeten op een tak en mijn handen op een andere, om naar hen te kijken.

Ze praatten bij hun broodjes en soep, bogen zich naar elkaar toe, maakten gebaren, lachten met eten in hun mond.

Na het middageten deden ze samen de afwas, en toen zette Tricia Doyle het meisje op het aanrecht, trok het kind een jas aan en zette haar een muts op. Ze keek goedkeurend toen Amanda haar gymschoenen op het aanrecht zette en haar veters strikte.

Tricia verdween naar het achterste deel van het huis om haar eigen jas en schoenen te halen, veronderstelde ik, en Amanda bleef op het aanrecht zitten. Ze keek uit het raam en geleidelijk kwam er een soort weemoed op haar gezicht. Ze keek door het raam naar iets achter die bossen, achter die bergen, en ik wist niet of hetgeen zich op haar gezicht aftekende te maken had met de vernietigende verwaarlozing uit haar verleden of met de verpletterende onzekerheid over haar toekomst – een toekomst waarin ze vast nog niet echt kon geloven. Op dat moment herkende ik haar als de dochter van haar moeder – Helenes dochter – en ik realiseerde me waar ik die uitdrukking eerder had gezien. Die uitdrukking had ik op Helenes gezicht gezien op de avond dat ik haar in die bar was tegengekomen en ze me had beloofd dat als ze ooit een tweede kans kreeg, ze Amanda nooit meer uit het oog zou verliezen.

Tricia Doyle kwam naar de keuken terug, en meteen gleed er een wolk van verwarring – van oud en nieuw verdriet – over Amanda's gezicht, meteen gevolgd door een aarzelende, behoedzame maar hoopvolle glimlach.

Terwijl ik uit de boom klom, kwamen ze de veranda op. Ze hadden een kleine, gedrongen Engelse buldog bij zich. Zijn vacht was een lappendeken van witte en geelbruine vlekken en paste goed bij de heuvels achter hen, waar het terrein open en kaal was, afgezien van een ribbel van bevroren sneeuw tussen twee rotsen.

Amanda stoeide met de hond en gilde toen hij bovenop haar kwam liggen en er een klodder speeksel op haar wang viel. Ze ontsnapte aan hem en hij volgde haar en sprong naar haar benen.

Tricia Doyle hield hem omlaag en liet Amanda zien hoe ze zijn vacht kon borstelen, en ze deed dat op haar knieën, heel voorzichtig, alsof ze haar eigen haar borstelde.

'Hij vindt het niet leuk,' hoorde ik Amanda zeggen.

Het was voor het eerst dat ik haar stem hoorde. Die klonk nieuwsgierig, intelligent, helder.

'Hij vindt het leuker wanneer jij het doet dan wanneer ik het doe,' zei Tricia Doyle. 'Jij doet het zachter dan ik.'

'O ja?' Ze keek in Tricia Doyles ogen en bleef met langzame, gelijkmatige bewegingen de vacht van de hond borstelen.

'Ja hoor. Veel zachter. Mijn oudevrouwenhanden, Amanda? Ik moet de borstel zó stevig vastpakken dat het die goeie ouwe Larry soms pijn doet.'

'Waarom heet hij Larry?' Amanda's stem kreeg een muzikale klank toen ze die naam uitsprak. Bij de tweede lettergreep ging haar stem omhoog.

'Dat verhaal heb ik je al verteld,' zei Tricia.

'Nog een keer,' zei Amanda. 'Alsjeblieft?'

Tricia Doyle grinnikte. 'Toen we pasgetrouwd waren, had meneer Doyle een oom die op een buldog leek. Hij had grote hangwangen.'

Tricia Doyle gebruikte haar vrije hand om haar eigen wangen vast te pakken en de huid naar haar kin te trekken.

Amanda lachte. 'Hij zag eruit als een hond?'

'Jazeker, jongedame. Soms blafte hij zelfs.'

Amanda lachte weer. 'Nee toch?'

'Ja hoor. *Woefff*!'

'*Woefff!*' zei Amanda.

De hond blafte ook mee en Amanda legde de borstel weg. Mevrouw Doyle liet Larry los en ze gingen met z'n drieën op hun hurken zitten en blaften naar elkaar.

Wij, in de bomen, bewogen ons de rest van de middag niet en spraken ook niet. We zagen ze met de hond en met elkaar spelen en met oude genummerde bouwstenen een kleinere versie van het huis bouwen. We zagen ze op de bank tegen het verandahek zitten, met een plaid over zich heen om hen tegen de opkomende kou te beschermen, en met de hond aan hun voeten. Mevrouw Doyle sprak met haar kin op Amanda's hoofd en Amanda leunde tegen haar borst en sprak terug.

Ik denk dat we ons in die bossen allemaal vuil, onbeduidend en steriel voelden. Kinderloos. Vooralsnog ongeschikt en onbekwaam en niet bereid om de offers van het ouderschap te brengen. Bureaucraten in de wildernis.

Ze waren hand in hand het huis weer binnengegaan, met de hond wriemelend tussen hun benen, toen Jack Doyle het veldje kwam oprijden. Hij stapte uit zijn Ford Explorer met een doos onder zijn arm, en wát er ook in die doos zat, Tricia Doyle en Amanda slaakten allebei een gilletje toen hij hem een paar minuten later in het huis openmaakte.

Ze kwamen met z'n drieën de keuken in en Amanda ging weer op het aanrecht zitten en praatte aan één stuk door. Met haar handen beeldde ze uit hoe ze Larry had geborsteld, en haar vingers grepen naar haar wangen toen ze Tricia's beschrijving van oom Larry's wangen imiteerde. Jack Doyle legde zijn hoofd in de nek en lachte, en hij drukte het kleine meisje tegen zijn borst. Toen hij zich van het aanrecht oprichtte, klampte ze zich aan hem vast en wreef met haar wangen over zijn stoppelbaard.

Devin greep in zijn zak, haalde er een mobiele telefoon uit en draaide 411. Toen de centrale opnam, zei hij: 'Politie West Beckett, alstublieft.' Mompelend herhaalde hij het nummer toen ze het hem opgaf, en daarna toetste hij de cijfers in.

Voordat hij op SEND kon drukken, legde Angie haar hand op zijn pols. 'Wat doe je, Devin?'

'Wat doe je, Ange?' Hij keek naar haar hand.

'Je gaat ze arresteren?'

Hij keek naar het huis, keek toen haar weer aan en trok een kwaad gezicht. 'Ja, Angie, ik ga ze arresteren.'

'Dat kun je niet doen.'

Hij trok zijn hand van haar weg. 'O ja, dat kan ik wel.'

'Nee. Ze is…' Angie wees tussen de bomen door. 'Heb je dat dan niet gezien? Ze zijn goed voor haar. Ze zijn… Jezus, Devin, ze hóuden van haar.'

'Ze hebben haar ontvoerd,' zei hij. 'Besef je dat wel?'

'Devin, nee. Ze…' Angie boog haar hoofd even. 'Als we ze arresteren, geven ze Amanda aan Helene terug. Die haalt alle leven uit haar.'

Hij keek op haar neer, tuurde in haar gezicht, met verbijstering in zijn ogen. 'Angie, luister naar me. Dat is een politieman, daar in dat huis. Ik hou er niet van politiemannen te arresteren. Maar voor het geval je het bent vergeten: die politieman zit achter de dood van Chris Mullen, Pharaoh Gutierrez en Cheese Olamon, zo niet impliciet, dan wel door te zwijgen. Hij gaf opdracht Lionel McCready en waarschijnlijk ook jullie twee te doden. Broussards bloed kleeft aan zijn handen. Pasquales bloed kleeft aan zijn handen. Hij is een moordenaar.'

'Maar…' Ze keek wanhopig naar het huis.

'Maar wat?' Devins gezicht was samengetrokken tot een masker van woede en verbazing.

'Ze houden van dat meisje,' zei Angie.

Devin volgde haar blik naar het huis, naar Jack en Tricia Doyle, die elk een hand van Amanda vast hadden terwijl ze haar in de keuken heen en weer lieten schommelen.

Devins gezicht verzachtte toen hij daarnaar keek, en ik kon voelen dat een diepe droefheid als een wolk over zijn gezicht trok. Zijn ogen gingen wijd open, alsof hij opeens recht in een storm keek.

'Helene McCready,' zei Angie, 'zal dat leven daarbinnen verwoesten. Dat zal ze doen. Dat weet jij. Patrick, jij weet het ook.'

Ik wendde mijn ogen af.

Devin haalde diep adem, en zijn hoofd ging met een ruk opzij, alsof hij een klap had gekregen. Toen schudde hij zijn hoofd en werden zijn ogen klein. Hij wendde zich van het huis af en drukte op de SEND-knop van zijn telefoon.

'Nee,' zei Angie. 'Nee.'

We zagen dat Devin de telefoon bij zijn oor hield en de telefoon aan de andere kant maar overging en overging. Ten slotte liet hij hem zakken en drukte op END.

'Er is daar niemand. Het is zo'n klein plaatsje, ik denk dat de sheriff de post aan het rondbrengen is.'

Angie deed haar ogen dicht en hield haar adem in.

Een havik vloog over de boomtoppen, sneed met zijn scherpe kreet door de koude lucht, een indringend geluid dat me altijd aan plotselinge woede deed denken, aan de reactie op een pas toegebrachte wond.

Devin stopte de telefoon in zijn zak en haalde zijn insigne te voorschijn. 'Ach, we doen het zelf.'

Ik draaide me om naar het huis en Angie pakte mijn arm vast en trok me terug. Ze had het woeste gezicht van een roofdier. Haar haar viel in haar ogen.

'Patrick, Patrick, nee, nee, nee. Alsjeblieft, in godsnaam. Nee. Praat met hem. We kunnen dit niet doen. Het kan niet.'

'Het is de wet, Ange.'

'Het is onzin! Het is... Het is verkeerd. Ze houden van dat kind. Doyle vormt geen gevaar meer voor iemand.'

'Onzin,' zei Oscar.

'Wie?' zei Angie. 'Voor wie vormt hij een gevaar? Nu Broussard dood is, weet niemand dat hij er iets mee te maken had. Hij heeft niets te beschermen. Niemand vormt een bedreiging voor hem.'

'Wíj vormen een bedreiging!' zei Devin. 'Ben je aan de drugs of zo?'

'Alleen als we er iets aan doen,' zei Angie. 'Als we nu weggaan en nooit aan iemand vertellen wat we weten, is het voorbij.'

'Hij heeft daar het kind van iemand anders,' zei Devin. Zijn gezicht was nog maar een paar centimeter van het hare vandaan.

Ze draaide zich heftig naar me toe. 'Patrick, luister. Luister nou. Hij...' Ze duwde tegen mijn borst. 'Doe dit niet. Alsjeblieft. Alsjeblieft!'

Er was geen enkele logica op haar gezicht te vinden. Alleen wanhoop en angst en een wild verlangen. En verdriet. Rivieren van verdriet.

'Angie,' zei ik rustig, 'dat kind hoort niet bij hen. Ze hoort bij Helene.'

'Helene is gif, Patrick. Dat heb ik je lang geleden al verteld. Ze zal alle leven, alle plezier uit dat meisje halen. Ze zal haar een gevangene maken. Ze...' De tranen stroomden over haar wangen naar haar mondhoeken, maar ze merkte het niet. 'Ze is de dood. Als je dat kind uit dat huis weghaalt, veroordeel je haar daartoe. Een lange dood.'

Devin keek eerst Oscar en toen mij aan. 'Ik kan dit niet meer aanhoren.'

'Alsjeblieft!' Het woord kwam met de schelle toon van een fluitketel uit Angie, en haar hele gezicht trok zich samen.

Ik legde mijn handen op haar armen. 'Angie,' zei ik zachtjes, 'misschien vergis je je in Helene. Ze heeft geleerd. Ze weet dat ze een waardeloze moeder was. Als je haar had kunnen zien op de avond dat ik...'

'Hou op,' zei ze met een stalen kilte in haar stem. Ze trok haar armen van mijn handen los en veegde heftig de tranen van haar gezicht. 'Kom me niet aan boord met dat gelul van ik-zag-dat-ze-verdrietig-was. Waar had je haar gezien, Patrick? Dat was toch in een kroeg? Rot op met je gezeik van "mensen leren van hun fouten". Mensen leren niet. Mensen veranderen niet.'

Ze wendde zich van haar af om in haar tasje naar sigaretten te vissen.

'Wij hebben niet het recht om te oordelen,' zei ik. 'Het is niet...'

'Wie hebben dat recht dan wel?' zei Angie.

'Zij niet.' Ik wees door de bomen naar het huis. 'Die mensen hebben beoordeeld of bepaalde mensen geschikt zijn om kinderen groot te brengen. Wat geeft Doyle het recht om die beslissing te nemen? Als hij nu eens een kind tegenkomt en bezwaar heeft tegen de godsdienst waarmee dat kind wordt opgevoed? Als hij nu eens niet van de ouders houdt omdat ze homo of zwart zijn of tatoeages hebben? Huh?'

Er trok een storm van ijzige woede over haar gezicht. 'Daar hebben we het niet over, en dat weet jij ook wel. We hebben het over dit specifieke geval en dit specifieke kind. Bespaar me al dat gefilosofeer dat jij als verwend jongetje van de jezuïeten hebt geleerd. Jij hebt niet de ballen om te doen wat goed is, Patrick. Dat hebben jullie geen van allen. Zo simpel ligt het. Jullie hebben de ballen niet.'

Oscar keek het bos in. 'Misschien niet.'

'Ga dan,' zei ze. 'Ga ze arresteren. Maar ik zal er niet naar kijken.' Ze stak de sigaret op en haar rug verstijfde tegen haar krukken. Ze hield de sigaret tussen haar vingers en kromde haar handen om de krukken.

'Als jullie dit doen, haat ik jullie alledrie.'

Ze zwaaide de krukken naar voren en we keken haar na toen ze zich door het bos naar de auto manoeuvreerde.

In alle tijd dat ik privé-detective ben geweest, is niets ooit zo lelijk of uitputtend geweest als die keer dat ik Oscar en Devin het echtpaar Doyle zag arresteren in de keuken van hun huis.

Jack verzette zich niet eens. Hij zat aan de keukentafel te beven. Hij huilde, en Tricia krabde naar Oscar toen hij Amanda uit haar armen trok, en Amanda schreeuwde, beukte met haar vuisten op Oscar in en riep: 'Nee, oma! Nee! Ik wil niet met hem mee! Hou hem tegen!'

De sheriff nam op toen Devin voor de tweede keer belde, en verscheen enkele minuten later. Toen hij de keuken binnenkwam, keek hij verbaasd naar Amanda, die slap in Oscars armen lag, en naar Tricia, die het hoofd van de huilende Jack tegen haar buik wiegde.

'O, mijn God,' fluisterde Tricia Doyle, die besefte dat er een eind aan hun leven met Amanda was gekomen, een eind aan hun vrijheid, een eind aan alles.

'O, mijn God,' fluisterde ze opnieuw, en ik vroeg me onwillekeurig af of Hij haar had gehoord, of Hij Amanda hoorde jammeren tegen Oscars borst, of Hij Devin hoorde die Jack zijn rechten voorlas – of Hij eigenlijk ooit wel iets hoorde.

Epiloog

Hereniging van moeder en kind

De 'hereniging van moeder en kind', zoals de kop van de *News* het de volgende morgen noemde, werd op de avond van 7 april op alle plaatselijke kanalen om 20:05 uur EST-tijd uitgezonden.

Badend in felwit licht rende Helene haar voorveranda af. Ze rende dwars door een menigte journalisten heen en nam Amanda over uit de armen van een maatschappelijk werkster. Ze liet een juichkreet horen, en terwijl de tranen over haar gezicht stroomden, kuste ze Amanda's wangen en voorhoofd, ogen en neus.

Amanda sloeg haar armen om de hals van haar moeder en drukte haar gezicht tegen haar schouder, en een aantal buren barstte uit in een luidruchtig applaus. Helene keek verward op naar het geluid. Toen glimlachte ze verlegen, knipperde met haar ogen tegen de lichten, wreef over de rug van haar dochter, en de glimlach werd breder.

Bubba stond voor mijn tv in de huiskamer en keek me aan.

'Dus alles is goed gekomen,' zei hij. 'Nietwaar?'

Ik knikte naar de tv. 'Daar ziet het wel naar uit.'

Hij keek om toen Angie op haar krukken met weer een doos door de gang hobbelde. Ze legde hem op de stapel buiten de voordeur en slofte terug naar de slaapkamer.

'Waarom gaat ze weg?'

Ik haalde mijn schouders op. 'Vraag haar maar.'

'Dat heb ik gedaan. Ze wil het me niet vertellen.'

Ik haalde mijn schouders nog eens op en durfde geen woord uit te brengen.

'Hé, man,' zei hij. 'Het zit me niet lekker dat ik haar help verhuizen. Weet je? Maar ze heeft het me gevraagd.'

'Het is goed, Bubba. Het is goed.'

Op de tv zei Helene tegen een verslaggever dat ze zichzelf als de gelukkigste vrouw van de wereld beschouwde.

378

Bubba schudde zijn hoofd en liep de kamer uit. Hij pakte de stapel dozen in de deuropening op en sjokte ermee de trap af.

Ik ging in de deuropening van de slaapkamer staan en zag Angie shirts uit de kast trekken en op het bed gooien.

'Komt het wel goed met je?' zei ik.

Ze greep een stuk of wat kleerhangers vast. 'Ik red me wel.'

'Ik vind dat we hierover moeten praten.'

Ze streek kreukels glad van het bovenste shirt van de stapel. 'We hebben erover gepraat. In het bos. Ik ben uitgepraat.'

'Ik niet.'

Ze maakte de rits van een kledingzak los, pakte de stapel shirts op, schoof ze erin en trok de rits weer dicht.

'Ik niet,' herhaalde ik.

'Hier zitten hangers van jou bij,' zei ze. 'Ik breng ze naar je terug.'

Ze pakte haar krukken vast en zwaaide zich naar me toe.

Ik bleef waar ik was, blokkeerde de deuropening.

Ze liet haar hoofd zakken, keek naar de vloer. 'Blijf je daar eeuwig staan?'

'Dat weet ik niet. Zeg jij het maar.'

'Ik vraag me alleen af of ik de krukken moet neerzetten of niet. Als ik me niet beweeg, raken mijn armen na een tijdje verdoofd.'

Ik ging opzij en ze liep door de deuropening en kwam Bubba tegen, die de trap opkwam.

'Er staat een kledingzak op het bed,' zei ze. 'Dat is het laatste.'

Ze hobbelde naar de trap en ik hoorde hoe ze de krukken tegen elkaar liet klakken, samen in één hand, terwijl ze met haar andere hand de leuning vasthield en de trap afhobbelde.

Bubba pakte de kledingzak van het bed.

'Man,' zei hij. 'Wat heb je haar aangedaan?'

Ik dacht aan Amanda, die in Tricia Doyles armen op de verandabank lag, de plaid die ze om zich heen hadden getrokken tegen de kou, en hoe ze zachtjes, vertrouwelijk met elkaar hadden gepraat.

'Haar hart gebroken,' zei ik.

In de daaropvolgende weken werden Jack Doyle, zijn vrouw Tricia en Lionel McCready door een federale jury van onderzoek in staat van beschuldiging gesteld wegens ontvoering, wederrechtelijke vrijheidsberoving van een minderjarige, het in gevaar brengen van een kind en grove verwaarlozing van een kind. Jack

Doyle werd ook in staat van beschuldiging gesteld wegens moord op Christopher Mullen en Pharaoh Gutierrez en poging tot moord op Lionel McCready en federaal agent Neal Ryerson.

Ryerson kwam uit het ziekenhuis. De artsen hadden zijn arm gered, maar die was verschrompeld en nutteloos, in elk geval voorlopig en misschien wel voorgoed. Hij keerde terug naar Washington, waar hij een kantoorfunctie kreeg.

Ik werd opgeroepen om voor de jury van onderzoek te verschijnen en moest vertellen wat ik wist van alle aspecten van wat de pers het Kitnapping-schandaal had genoemd. Niemand scheen te begrijpen dat die term eigenlijk inhield dat de 'kit' was ontvoerd in plaats van zelf aan de ontvoering deel te nemen, en algauw noemde iedereen de zaak bij die naam, zoals al Nixons bedrog en corruptie op een gegeven moment met de naam Watergate werd aangeduid.

Toen ik mijn getuigenverklaring aflegde, moest alles wat ik over Remy Broussards laatste minuten wilde vertellen buiten beschouwing blijven, omdat daar verder niemand bij was geweest. Ik mocht alleen precies vertellen wat ik tijdens het onderzoek naar de zaak had meegemaakt en wat ik in mijn zaakdossier had genoteerd.

Niemand werd ooit in staat van beschuldiging gesteld wegens de moorden op Wee David Martin, Kimmie Niehaus, Sven 'Cheese' Olamon en Raymond Likanski, van wie het lichaam nooit gevonden werd.

De federale aanklager vertelde me dat hij niet geloofde dat Jack Doyle voor de moord op Mullen en Gutierrez zou worden veroordeeld, maar omdat duidelijk was dat hij erbij betrokken was geweest, zou hij een zware straf krijgen voor de kidnappingzaak. Waarschijnlijk zou hij nooit meer de buitenkant van een gevangenis te zien krijgen.

Rachel en Nicholas Broussard verdwenen op de avond dat Remy stierf. Ze waren met onbekende bestemming vertrokken. Bij het Openbaar Ministerie werd algemeen aangenomen dat ze tweehonderdduizend dollar van Cheese Olamons geld hadden meegenomen.

De skeletten die in de kelder van Leon en Roberta Trett waren aangetroffen, bleken het stoffelijk overschot te zijn van een vijfjarige jongen die twee jaar eerder in het westen van Vermont was verdwenen, en van een zevenjarig meisje dat nog niet geïdentificeerd of als vermist opgegeven was.

In juni ging ik een keer bij Helene langs.

Ze omhelsde me zó stevig met haar benige polsen dat de spieren in mijn nek gekneusd werden. Ze rook naar parfum en had knalrode lipstick op.

Amanda zat op de bank in de huiskamer naar een comedy over de alleenstaande vader van een vroegrijpe zesjarige tweeling te kijken. De vader was gouverneur of senator of zoiets en scheen altijd op kantoor te zijn, terwijl hij toch, voor zover ik kon nagaan, geen oppas had. Een Latino-klusjesman kwam steeds binnenvallen en klaagde veel over zijn vrouw Rosa, die altijd hoofdpijn had. Zijn grappen hadden allemaal een seksuele bijbetekenis, en de tweeling begreep ze en lachte erom, terwijl de gouverneur zich streng probeerde voor te doen en tegelijk zijn glimlach moest verbergen. Het publiek vond het geweldig en lag dubbel bij elke grap.

Amanda zat daar maar. Ze droeg een roze nachthemd dat nodig in de was moest, en ze herkende me niet.

'Schatje, dit is Patrick, mijn vriend.'

Amanda keek me aan en stak haar hand op.

Ik beantwoordde de groet, maar ze keek alweer naar de televisie.

'Ze is gek op deze serie. Ja, hè, schatje?'

Amanda zei niets.

Helene liep door de huiskamer, haar hoofd schuin omdat ze een oorhanger aan het vastmaken was. 'Man, Bea haat je om wat je Lionel hebt aangedaan, Patrick.'

Ik volgde haar naar de eetkamer, waar ze dingen van de tafel nam en in haar tasje deed.

'Daarom heeft ze zeker ook mijn rekening niet betaald.'

'Je kunt tegen haar procederen,' zei Helene. 'Ja? Dat kun je doen. Dat kan toch?'

Ik ging er niet op in. 'En jij? Haat jij me ook?'

Ze schudde haar hoofd en klopte op het haar aan de zijkanten van haar hoofd. 'Meen je dat nou? Lionel had mijn kind ontvoerd. Of hij nou mijn broer is of niet, hij kan doodvallen. Ze had gewond kunnen raken. Weet je wel?'

Er trilde iets op Amanda's gezicht toen haar moeder 'doodvallen' zei.

Helene stak haar hand door drie plastic armbanden in felle pastelkleuren. Ze schudde met haar arm om ze naar haar pols te laten zakken.

'Ga je uit?' zei ik.

Ze glimlachte. 'Goed gezien. Die man? Hij zag me op tv, denkt dat ik... nou, dat ik een grote ster ben.' Ze lachte. 'Is dat niet helemaal te gek? Hoe dan ook, hij heeft me uit gevraagd. Hij is leuk.'

Ik keek naar het kind op de bank.

'En Amanda?'

Helene keek me met een stralende glimlach aan. 'Dottie past op haar.'

'Weet Dottie dat?' vroeg ik.

Helene giechelde. 'Over vijf minuten wel.'

Ik keek naar Amanda, terwijl op de televisie een elektrische blikopener werd getoond. Dat beeld speelde over Amanda's gezicht. Ik kon het blik als een mond op haar voorhoofd zien opengaan. Haar hoekige kin baadde in blauw en wit, en haar ogen waren open en keken zonder enige belangstelling naar de tv, terwijl de jingle maar doorging. De blikopener maakte plaats voor een Ierse setter. Hij sprong over Amanda's voorhoofd en buitelde door een grasveldje.

'Het kaviaar van de hondenvoeding,' zei de presentator. 'Want verdient uw hond het niet als een lid van het gezin te worden behandeld?'

Hangt van de hond af, dacht ik. Hangt van het gezin af.

Een steek van vermoeidheid trof me net onder mijn ribbenkast, zoog de adem uit me weg en was ook meteen weer verdwenen, om gevolgd te worden door een kloppende pijn die zich in mijn gewrichten boorde.

Ik verzamelde de kracht om door de huiskamer te lopen. 'Tot ziens, Helene.'

'O, je gaat weg? Daag!'

Ik bleef bij de deur staan. 'Dag, Amanda.'

Amanda's ogen bleven op de tv gericht. Haar gezicht was gebaad in de tinnen gloed van de beeldbuis. 'Dag,' zei ze, en voor zover ik wist, had ze het tegen de Latino-klusjesman, die het huis verliet om naar Rosa te gaan.

Buiten liep ik een eindje door de straat om ten slotte tot stilstand te komen bij het Ryan-speelterrein, waar ik op de schommel ging zitten waar ik met Broussard had gezeten. Ik keek naar het bassin van de nooit afgemaakte kikkervijver, waar Oscar en ik een kind van de waanzin van Gerry Glynn hadden gered.

En nu? Wat hadden we nu gedaan? Welke misdaad hadden we begaan in de bossen van West Beckett, in de keuken waar we een kind hadden weggehaald van ouders die geen recht op haar hadden?

We hadden Amanda McCready naar haar huis teruggebracht. Dat was alles wat we hadden gedaan, zei ik tegen mezelf. Geen misdaad. We hadden haar aan haar rechtmatige ouder teruggegeven. Niets meer. Niets minder.

Dat hadden we gedaan.

We hadden haar naar huis gebracht.

Port Mesa, Texas
Oktober 1998

In Crockett's Last Stand neemt Rachel Smith op een avond deel aan een dronken gesprek over welke dingen het waard zijn om voor te sterven.

Je land, zegt een jongen die net uit dienst komt. En de anderen drinken daarop.

De liefde, zegt een andere en wordt alom gehoond.

De Dallas Mavericks, roept iemand. We sterven voor hen sinds ze in de NBA *spelen.*

Gelach.

Een hoop dingen zijn het waard om ervoor te sterven, zegt Rachel Smith, terwijl ze naar de tafel komt, haar dienst voorbij, een glas whisky in de hand. Elke dag gaan er mensen dood, zegt ze. Om vijf dollar. Omdat ze de verkeerde persoon op het verkeerde moment hebben aangekeken. Om garnalen.

Aan het sterven kun je iemand niet afmeten, zegt Rachel.

Waar dan wel aan? roept iemand.

Aan het doden, zegt Rachel.

Er volgt een korte stilte waarin de mannen in de bar naar Rachel kijken. Dat harde, rustige in haar stem past bij wat ze soms in haar ogen heeft, iets dat je onrustig kan maken als je er te goed naar kijkt.

Elgin Bern, kapitein van de Blue's Eden, *de beste garnalenboot van Port Mesa, zegt ten slotte: Waar zou jij voor doden, Rachel?*

Rachel glimlacht. Ze heft haar whiskyglas op, zodat het tl-licht boven de biljarttafel zich erin spiegelt en zich in de ijsblokjes laat vangen.

Mijn familie, zegt Rachel. En alleen voor mijn familie.

Een paar mannen beginnen nerveus te lachen.

Zonder ook maar even te aarzelen, zegt Rachel. Zonder achterom te kijken.

Zonder ook maar even medelijden te hebben.